11/15
SPANISH
FIC
NES

PRAIRIE TRAILS PUBLIC LIBRARY DISTRICT

30083007303142•

YO-GBH-463

QUIEN SIEMBRA VIENTOS
VIENTOS
RECOGE TEMPESTADES

Si tienes un club de lectura o quieres organizar uno, en nuestra web encontrarás guías de lectura de algunos de nuestros libros. www.maeva.es/guias-lectura

Este libro se ha elaborado con papel procedente de bosques gestionados de forma sostenible y de fuentes controladas, certificado por el sello de FSC (Forest Stewardship Council), una prestigiosa asociación internacional sin ánimo de lucro, avalada por WWF/ADENA, GREENPEACE y otros grupos conservacionistas. Código de licencia: FSC-C007782. www.fsc.org

MAEVA desea contribuir al esfuerzo colectivo y permanente de proteger y preservar el medio ambiente con el compromiso de producir nuestros libros con materiales responsables.

NELE NEUHAUS

QUIEN SIEMBRA VIENTOS
VIENTOS
RECOGE TEMPESTADES

Por la autora de **BLANCANIEVES DEBE MORIR**

Traducción:
LAURA MANERO JIMÉNEZ

MAEVA

Prairie Trails Public Library

Título original:
WER WIND SÄT

Diseño e imagen de cubierta:
Romi Sanmartí, sobre imagen de Greg Blomberg / Dollar Photo

Fotografía de la autora:
Gaby Gester

Quedan prohibidos, dentro de los límites establecidos en la ley y bajo los apercibimientos legalmente previstos, la reproducción total o parcial de esta obra por cualquier medio o procedimiento, ya sea electrónico o mecánico, el tratamiento informático, el alquiler o cualquier otra forma de cesión de la obra sin la autorización previa y por escrito de los titulares del *copyright*. Diríjase a CEDRO (Centro Español de Derechos Reprográficos) a través de la web www.conlicencia.com o por teléfono en el 91 702 19 70 / 93 272 04 47, si necesita fotocopiar o escanear algún fragmento de esta obra.

© Ullstein Buchverlage GmbH, Berlín. Publicado en 2011 por Ullstein Taschenbuchverlag
© de la traducción: Laura Manero Jiménez, 2015
© MAEVA EDICIONES, 2015
  Benito Castro, 6
  28028 MADRID
  emaeva@maeva.es
  www.maeva.es

ISBN: 978-84-16363-26-1
Depósito legal: M-10.249-2015

Fotomecánica: Gráficas 4, S.A.
Impresión y encuadernación: Huertas, S.A.
Impreso en España / Printed in Spain

Prairie Trails Public Library

Para Vanessa

PERSONAJES Y LUGARES DE LA NOVELA

Personajes principales:

Altunay, Cem: Inspector de la Policía judicial recién llegado a la K 11 de Hofheim.

Bennett, Bobby: Activista medioambiental y amigo de Cieran O'Sullivan.

Bodenstein, Heinrich von: Conde de Bodenstein y padre de Oliver.

Eisenhut, Dirk: Director del Instituto Climatológico de Alemania.

Franzen, Friederike (Ricky): Dueña de la tienda de mascotas El Paraíso Animal y novia de Jannis Theodorakis.

Glöckner, Ralph: Director de obra y «solucionador» contratado por la empresa de energía eólica WindPro.

Grossmann, Rolf: Vigilante nocturno de WindPro.

Hirtreiter, Frauke: Hija mediana de Ludwig Hirtreiter.

Hirtreiter, Gregor: Hijo mayor de Ludwig Hirtreiter.

Hirtreiter, Ludwig: Dueño de la granja Rabenhof situada en Ehlhalten.

Hirtreiter, Matthias: Hijo pequeño de Ludwig Hirtreiter.

Kröger, Christian: Inspector jefe, director del equipo de la Policía científica de Hofheim.

Mark: Joven que ayuda a Ricky Franzen en el refugio de animales y la tienda de mascotas.

Nika: Contable y chica para todo de la tienda de mascotas El Paraíso Animal.

O'Sullivan, Cieran: Periodista y activista medioambiental escéptico del cambio climático.

Rademacher, Enno: Director de ventas de WindPro.

Theissen, Stefan: Director de WindPro.

Theodorakis, Yannis: Activista de la iniciativa ciudadana «Por un Taunus sin molinos» y novio de Ricky Franzen.

Lugares principales:

Ehlhalten: Distrito de la localidad de Eppstein donde se proyecta la construcción de un parque eólico.

El Paraíso Animal: Tienda de mascotas de Ricky Franzen, situada en Königstein.

Kelkheim: Localidad en cuyo polígono industrial se encuentra el edificio de la empresa de energía eólica WindPro.

Krone: Bar situado en el distrito de Ehlhalten.

Rabenhof: Granja de Ludwig Hirtreiter, situada en Ehlhalten.

Schneidhain: Distrito de Königstein en el que viven Ricky y Jannis y donde se encuentra también el refugio de animales, al que se llega por una pista asfaltada.

El mundo de
Nele Neuhaus
EL TAUNUS

El Taunus, una región cercana a Frankfurt, es un paisaje dominado por la cordillera que le da nombre. Lleno de valles pintorescos, es el escenario de la serie policíaca de Nele Neuhaus. Su papel en las tramas es tan importante como el de los personajes protagonistas, el inspector jefe Oliver von Bodenstein y su colega Pia Kirchhoff.

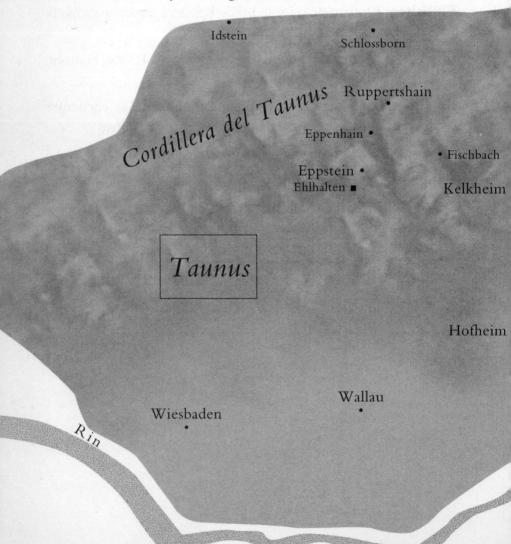

Cordillera del Taunus

Bad Homberg

Königstein   Kronberg   Valle de Schmiehbach
Schneidhain

Bad Soden   Eschhain

Sulzbach

Hof Hausen   Unterliederbach   Frankfurt
                                                          ★

Höchst

Meno

Prólogo

Corría todo lo deprisa que podía por la calle desierta. En el negro cielo nocturno estallaban ya los primeros petardos de Nochevieja, anticipándose a la medianoche. ¡Tenía que llegar como fuera hasta aquella muchedumbre que estaba de celebración en el parque y desaparecer entre la gente! No conocía la zona, había perdido por completo la orientación, y los pasos de sus perseguidores resonaban desde los altos muros de las casas. Iban pisándole los talones, cada vez la apartaban más de las calles principales, lejos de los taxis, del metro y de los transeúntes. Si en ese momento tropezaba, todo habría acabado.

El miedo a morir la dejaba sin aire, el corazón le martilleaba contra las costillas. No podría mantener ese ritmo mucho tiempo más. ¡Allí! ¡Por fin! Entre las interminables fachadas de los altos edificios se abría una grieta oscura. Torció en plena carrera para entrar en el estrecho callejón, pero su alivio duró tan solo una fracción de segundo, hasta que comprendió que había cometido el mayor error de su vida. Ante ella se alzaba un muro liso y sin huecos. ¡Se había metido en una trampa! La sangre le afluyó a los oídos; sus jadeos eran el único sonido en el repentino silencio. Se agachó detrás de unos cubos de basura apestosos, apretó la cara contra el muro áspero y húmedo del edificio y cerró los ojos con la vana esperanza de que los hombres no la vieran y pasaran de largo.

—¡Ahí está! —exclamó uno a media voz—. Ya la tenemos.

De pronto se encendió una potente linterna, ella alzó un brazo y parpadeó, cegada por la luz deslumbrante. La cabeza le iba a mil por hora. ¿Debía gritar pidiendo ayuda?

—De aquí no sale —dijo otro.

Unos pasos sobre el asfalto. Los hombres se acercaron, esta vez despacio, sin prisa. El miedo hacía que le doliera todo el cuerpo. Apretó las manos empapadas de sudor y, al unir los puños, las uñas se le hundieron dolorosamente en la carne.

De pronto lo vio. ¡Él! Se había acercado a la luz y la miraba desde su altura. Por un instante de alivio nació en ella la descabellada ilusión de que había acudido para ayudarle.

—¡Por favor! —susurró con voz ahogada, y alargó una mano suplicante—. Puedo explicártelo todo, puedo...

—Demasiado tarde —la interrumpió él.

En sus ojos percibió una ira fría, y desprecio. La última chispa de esperanza que albergaba se extinguió y cayó hecha cenizas, igual que la hermosa villa blanca a la orilla del lago.

—¡Por favor, no te vayas! —exclamó con voz estridente.

Quería arrastrarse hacia él, implorarle perdón, jurarle que por él haría cualquier cosa, cualquiera, pero él se volvió de espaldas, desapareció de su vista y la dejó sola con aquellos hombres de quienes no podía esperar compasión alguna. El pánico la sacudió como una ola negra. Miró frenética a su alrededor. ¡No! ¡No quería morir! ¡No en aquel callejón oscuro y repugnante, que apestaba a meados y basura!

Se defendió a patadas y puñetazos con la fuerza que le confería el miedo y luchó con crudeza la última de las batallas. Aun así, no tuvo ninguna posibilidad; los hombres la habían inmovilizado contra el suelo y le habían doblado los brazos brutalmente hacia atrás. Entonces sintió el pinchazo en el brazo. Los músculos se le relajaron y el callejón se desvaneció ante sus ojos mientras le arrancaban la ropa hasta dejarla allí tirada, desnuda e impotente. Sintió que se la llevaban a rastras, echó un último vistazo hacia la estrecha banda oscura del cielo nocturno que se vislumbraba entre los altos muros y vio las estrellas titilantes. Después cayó a unas profundidades negras e insondables. Durante un breve y maravilloso instante se sintió ingrávida, la vertiginosa caída la dejó sin respiración, todo oscureció y no le extrañó en absoluto que morir fuese tan fácil.

Se incorporó sobresaltada. El corazón latía a toda velocidad en su pecho, tardó un par de segundos en comprender que solo había sido un sueño. Ese sueño la perseguía desde hacía meses, pero nunca había sido tan real y nunca había llegado hasta el final. Temblorosa, se abrazó a sí misma y esperó a que sus músculos agarrotados se relajaran y aquel frío abandonara su cuerpo. La luz de las farolas entraba por la ventana enrejada. ¿Hasta cuándo estaría segura allí? Se dejó caer hacia atrás, apretó la cara contra la almohada y empezó a sollozar, porque sabía que ese miedo jamás la abandonaría.

Lunes, 11 de mayo de 2009

El sol acababa de salir cuando Ludwig Hirtreiter cerró la verja del jardín tras de sí y, como cada mañana, echó a andar con la escopeta al hombro por el camino que subía en ligera cuesta hacia el bosque. *Tell,* el pudelpointer de recio pelaje marrón, correteaba varios metros por delante, husmeando aquí y allá, y con su fino olfato percibía los mil olores que había dejado la noche. Hirtreiter inspiró con fuerza el aire frío y escuchó el concierto matutino de los pájaros. En el prado que había junto a la linde del bosque pacían dos corzos. *Tell* los miró, pero no hizo ningún intento de ir tras ellos. Era un perro listo y obediente, y sabía que la caza solo debía interesarle cuando su amo le daba permiso.

—Bien hecho, chico —murmuró el hombre.

Su granja no quedaba muy lejos del bosque. Pasó la barrera roja y blanca, que se vio obligado a instalar unos años antes porque los excursionistas domingueros de Frankfurt se internaban cada vez más en el bosque con el coche, los muy vagos. A la gente de hoy en día, sobre todo a la de ciudad, le faltaba humildad ante la naturaleza. No eran capaces de distinguir un árbol de otro, iban desgañitándose a voz en grito por todas partes y dejaban que sus perros sin adiestrar corrieran sueltos por ahí, aun en época de veda. Algunos incluso se divertían cuando los animales levantaban una presa y la perseguían. Ludwig Hirtreiter no era capaz de mostrarse comprensivo ante semejantes conductas. Para él, el bosque era sagrado. Lo conocía tan bien como su propio jardín, conocía los claros apartados, sabía dónde estaba la caza y qué caminos seguían los jabalíes. Un par de años atrás, él mismo había diseñado y colocado los paneles explicativos del sendero forestal educativo para acercar los secretos del bosque a los ignorantes.

El sol lanzaba sus rayos por entre el follaje espeso y transformaba el bosque en una silenciosa catedral verde y dorada. En la primera bifurcación del camino, como si le hubiera leído el pensamiento a su amo, *Tell* tomó el ramal de la derecha. Pasaron sin prisa de largo por delante del imponente Roble del Carbonero y llegaron al claro donde una tormenta había abierto un sendero entre los árboles el otoño anterior. De repente Ludwig se detuvo. También *Tell* se quedó quieto e irguió las orejas. ¡Rugidos de motor! Poco después, el estridente fragor de una sierra mecánica desgarró el silencio. No podían ser los forestales, porque en aquella estación no tenían nada que hacer en el bosque. Ludwig Hirtreiter sintió crecer una furia ardiente en su interior. Dio media vuelta y echó a andar en la dirección de la que procedía el ruido. El corazón le latía con fuerza. Ya se había olido que esa gente no mantendría el acuerdo, sino que tiraría adelante con la tala y se presentaría en la asamblea vecinal con los hechos consumados.

Unos minutos después vio confirmadas sus sospechas. Se agachó para pasar por debajo de la cinta con la que habían cerrado un pequeño claro, casi en la cresta de la montaña, y contempló sin dar crédito los camiones de color naranja aparcados y la media docena de hombres que corrían ajetreados de aquí para allá. De nuevo rechinó la sierra mecánica, volaron astillas, un gran abeto rojo se balanceó y se partió con un crujido sobre el claro. ¡Cabrones traicioneros! Trémulo de ira, Ludwig se descolgó la escopeta del hombro y retiró el seguro.

—¡Alto! —vociferó cuando la sierra ronroneó sin tocar madera.

Los hombres se volvieron y levantaron las viseras de sus cascos. El anciano salió al claro con *Tell* pegado a él.

—¡Largo de aquí! —le gritó uno de los trabajadores—. ¡Esto no es asunto suyo!

—¡Largo vosotros! —contestó Ludwig Hirtreiter, furioso—. ¡Y ahora mismo, además! ¿Cómo os atrevéis a venir a talar árboles?

El capataz se fijó en el arma y vio la resolución en el rostro del viejo.

—Oiga, tranquilícese. —Levantó las manos para apaciguarlo—. Solo estamos haciendo nuestro trabajo.

—Pues aquí no lo haréis. Fuera del bosque ahora mismo.

Los demás hombres se acercaron. La sierra mecánica había enmudecido. *Tell* soltó un largo gruñido desde el fondo de su garganta y Ludwig enganchó el índice en el gatillo. Iba muy en serio. El comienzo de las obras no estaba programado hasta principios de junio, así que esa acción de tala tan anticipada era ilegal, por mucho que se produjera con el consentimiento tácito del alcalde o del jefe del distrito.

—¡Tenéis cinco minutos de reloj para recoger vuestras cosas y desaparecer! —le gritó a la cuadrilla.

Nadie se movió. Preparó entonces el disparo, apuntó a la sierra mecánica que uno de los trabajadores sostenía en las manos y apretó el gatillo. Se oyó un tiro. Justo en el último momento, Ludwig había levantado un poco el arma para que la bala pasara volando como a un metro de la cabeza del hombre. Durante un par de segundos todos se quedaron de piedra, mirándolo sin podérselo creer. Después echaron a correr a la desbandada.

—¡Esto no va a quedar así! —gritó el capataz—. Pienso llamar a la Policía.

—Y a mí qué. —Ludwig Hirtreiter se limitó a asentir y se colgó la escopeta del hombro.

Nadie llamaría a la Policía; con eso solo conseguirían tirar piedras sobre su propio tejado, esos delincuentes embusteros.

Casi se había creído sus promesas hipócritas. Que no talarían ningún árbol hasta que todo estuviera decidido, habían asegurado solemnemente aquel mismo viernes. Y eso que en aquel momento ya debían de tener contratada a la empresa para que empezara la tala el lunes por la mañana. Esperó hasta que los camiones salieron del claro y el ruido de sus motores desapareció a lo lejos, entonces apoyó la escopeta en el tronco de un árbol y se dispuso a retirar toda la cinta del perímetro.

Pia Kirchhoff estaba junto a la cinta de equipajes a punto de alargar la mano hacia su maleta cuando oyó una suave melodía que procedía del bolsillo de su cazadora. Tardó un momento en asociar ese sonido con su móvil, que acababa de encender poco después de aterrizar. El teléfono no había sonado durante tres espléndidas semanas, había pasado de ser una de las herramientas más importantes de su vida cotidiana a convertirse en un accesorio del todo prescindible. En aquel momento, además, su equipaje era muchísimo más importante que cualquier llamada. La maleta de Christoph fue una de las primeras en aparecer, y él había salido suponiendo que Pia lo seguiría enseguida. La inspectora, sin embargo, tuvo que esperar quince minutos de reloj, porque el equipaje del vuelo LH729 procedente de Shanghái caía en la cinta transportadora con una irregularidad que habría puesto a prueba los nervios de cualquiera, y con intervalos de varios metros entre bulto y bulto.

Cuando por fin cargó su maleta rígida de color gris en el carrito portaequipajes, Pia rebuscó el móvil en su bolsillo. Por toda la terminal sonaban los anuncios de megafonía, alguien le golpeó bruscamente en la pantorrilla con un carro y ni siquiera fue capaz de arrancarse un «Perdón»; otro avión había escupido a sus pasajeros y en el control de aduanas se había formado un atasco. Al final la inspectora consiguió sacar el móvil, que canturreaba incansable, y contestó.

—¡Estoy a punto de pasar la aduana! —exclamó—. ¡Ahora no puedo atenderle!

—Vaya, perdona —repuso el inspector jefe Oliver von Bodenstein al otro lado de la línea. Parecía divertido—. Creía que habíais vuelto anoche.

—¡Oliver! —Pia soltó un suspiro—. Lo siento. El vuelo ha llegado con nueve horas de retraso, acabamos de aterrizar. ¿Qué ocurre?

—Tengo un pequeño problema —contestó su jefe—. Han encontrado un cadáver, pero si no me presento a la boda civil de Lorenz y Thordis, que es esta mañana a las once, mi familia no querrá saber nada más de mí.

—¿Un cadáver? ¿Dónde?

Pia iba a cruzar ya el control aduanero, pero una funcionaria bajita y regordeta que contemplaba con semblante inexpresivo a los pasajeros levantó la mano. Por lo visto, ese último comentario de la inspectora había despertado su interés. Algo muy poco oportuno, con la prisa que tenía.

—En una empresa del polígono de Kelkheim —respondió Bodenstein—. El aviso acaba de entrar. Envío al nuevo, pero preferiría que pudieras acercarte tú también.

—¿Tiene algo que declarar? —preguntó con voz gangosa la funcionaria.

—No. —Pia negó con la cabeza.

—¿Cómo... que no? —preguntó Bodenstein, atónito.

—No, se lo decía a... Sí —contestó Pia algo crispada—. No, no tengo nada que declarar. Y sí, me acercaré.

—Pero ¿qué se ha creído? —La aduanera arqueó las cejas—. Abra su maleta, por favor.

Pia sostuvo el móvil entre la mejilla y el hombro, se peleó con los cierres de la maleta y se rompió una uña al intentar abrirla. El relax de las vacaciones se esfumó por completo; el estrés había vuelto a apoderarse de ella.

—Bueno, eso, que me acercaré. Dame la dirección.

Abrió la maleta. Con la esperanza de encontrar tal vez entre la ropa sucia un jarrón Ming introducido ilegalmente, una botella de licor de contrabando o varios cartones de cigarrillos, la funcionaria de aduanas revolvió con parsimonia las cosas que Pia había embutido allí de cualquier manera. Tras ella se agolpaban ya otros viajeros. Pia fulminó con una mirada rabiosa a la mujer, que tras el registro infructífero la dejó marchar con un gesto altivo de la cabeza. La inspectora cerró la maleta con un golpe, la lanzó al carrito portaequipajes y enfiló hacia la salida. Las puertas de cristal translúcido se deslizaron para abrirse. Al otro lado de la barrera esperaba Christoph, con una sonrisa algo tensa en la cara, y junto a él estaba el exmarido de Pia, el doctor Henning Kirchhoff, que parecía descontento. ¡Lo que faltaba! En realidad era Miriam, que durante la ausencia de Pia se había ocupado de Birkenhof y de sus animales, quien debía haberlos recogido en el aeropuerto; antes de despegar hablaron por teléfono y quedaron en eso.

—Mi maleta ha sido la última en salir —se disculpó Pia—, y luego esa bruja de la aduana se ha puesto a revolverme todo el equipaje. Lo siento. ¿Qué haces tú aquí? —Esa última frase iba dirigida a su ex.

Al lado de Christoph y de su bronceado de la China central, a Henning se le veía pálido y enjuto.

—Yo también me alegro de verte —repuso él con sarcasmo, e hizo una mueca—. Tengo el coche en zona de estacionamiento prohibido desde hace más de una hora. Cuando me envíen la multa, espero que la pagues tú.

—Lo siento. —Pia le dio un tímido beso en la mejilla—. Gracias por venir a recogernos. ¿Qué le ha pasado a Miriam?

La relación entre su exmarido y su mejor amiga se había complicado desde que Henning estaba bajo sospecha de ser el padre del niño aún no nacido de su antigua amante. Tras varios meses sin dirigirse la palabra, y durante los cuales Henning se había planteado muy en serio huir al extranjero como un cobarde, Miriam y él volvieron a acercarse, pero aún no podía hablarse de una relación armónica y de confianza.

—Miriam tenía una cita a las nueve en Mainz, no podía esperar a que vuestro avión se decidiera a aterrizar —explicó el forense con un tonillo lleno de reproche mientras iban hacia el aparcamiento—. Ha pensado que, como a mí no me queda muy lejos del instituto... Bueno, ¿qué tal os han ido las vacaciones?

—Bien —contestó Pia, y cruzó una rápida mirada con Christoph.

«Bien» era el eufemismo del siglo. Esas tres semanas en China habían sido las primeras vacaciones de verdad que se tomaba Pia en la vida y habían resultado perfectas. Aunque ya hacía bastante que estaban juntos, la mirada de Christoph todavía le provocaba esa agradable y excitante sensación de hormigueo en el estómago, y a veces le costaba creer que hubiera tenido la suerte de encontrar a un hombre como él. Se habían conocido el verano de tres años atrás, en el transcurso de la investigación de un asesinato, cuando Pia ya casi se había hecho a la idea de pasar el resto de su vida sola en Birkenhof, con sus animales como única compañía. La chispa entre ambos surgió al instante, pero en aquellos momentos Bodenstein lo consideraba un muy posible sospechoso, lo cual no les puso las cosas fáciles precisamente.

El aire frío de primera hora de esa mañana de mayo hizo tiritar a la inspectora. Después de catorce horas de vuelo, se sentía pegajosa y sucia y soñaba con darse una ducha, pero para eso tendría que esperar todavía un buen rato.

Al coche de Henning no le habían puesto ninguna multa, tal vez porque había dejado el cartel de «Médico de servicio» bien visible tras el parabrisas. Christoph y él metieron el equipaje en el maletero mientras Pia se desplomaba en el asiento de atrás del Mercedes.

—¿Qué plan tienes ahora? —preguntó unos minutos después, mientras su ex conducía ya por la autopista.

El tráfico de hora punta en dirección a Frankfurt los hacía avanzar despacio.

—¿Por qué quieres saberlo? —contestó él enseguida, receloso.

Pia puso los ojos en blanco. ¡Seguía sin ser capaz de ofrecer una respuesta sencilla a una pregunta sencilla! Se dio un masaje en las sienes, que le palpitaban. Esas últimas tres semanas había desconectado por completo, había dejado a un lado las preocupaciones diarias, su trabajo e incluso la amenazante orden de derribo de Birkenhof. En ese momento, no obstante, todo se le vino encima de golpe. Habría prolongado las vacaciones hasta una fecha indefinida sin pensárselo dos veces, aunque tal vez el secreto de la verdadera felicidad era que siempre tenía límites.

—Han encontrado un cadáver en Kelkheim y tengo que ir —contestó—. El jefe acaba de llamarme. Creo que se me han terminado las vacaciones.

La gran verja del refugio de animales estaba cerrada y el aparcamiento que había frente al edificio administrativo seguía vacío. Mark, que caminaba intranquilo de aquí para allá junto a la alta valla, lanzó una mirada a su móvil. Las siete y cuarto. ¿Dónde se había metido Ricky? Él tenía que irse en veinte minutos como mucho. Los profes le echaban una bronca impresionante cada vez que llegaba tarde a clase, aunque fuera un minuto, y enseguida le escribían correos electrónicos a su madre, solo porque últimamente había hecho novillos un par de veces. Estaban todos tarados. ¿Por qué no entendían sus padres que ya no le daba la gana ir al instituto? Desde que salió del internado sentía que vivía una vida equivocada, la vida de otro. Mark habría preferido mil veces hacer algo útil en lugar de pasarse las horas sentado en un aula porque sí. Trabajar en algo relacionado con animales. Y además tener su propio piso lleno de perros y gatos, como en casa de Ricky y Yannis. Eso sería una pasada. Pero a su padre le daría un infarto si le proponía algo así. Acabar el bachillerato y estudiar una carrera era obligatorio, y también pasar un par de semestres en el extranjero, que le sentarían de maravilla. Todo lo que quedara por debajo de eso era para proletarios. Para completos fracasados. Prácticamente una vía directa a la renta mínima. Desde donde se encontraba podía ver toda la pista asfaltada que bajaba hasta Schneidhain, pero, aparte de un par de madrugadores que paseaban al perro, allí no había un alma. Mark se había pasado la mitad de la noche sentado delante del ordenador porque no podía dormir; en cuanto cerraba los ojos, llegaban los recuerdos. Así que le escribió un mensaje de texto a Ricky, y ella le contestó que estaría a las siete de la mañana en el refugio. Ya eran casi las siete y media. Decidió ir a su encuentro pista abajo.

Cuando la juez lo había condenado a ochenta horas de servicios comunitarios en el refugio de animales, a él casi le dio un ataque; menuda mierda. Pero después conoció a Ricky, y a Yannis, su novio, y de pronto tenía otra vez algo que lo ilusionaba. El trabajo en el refugio le divertía mucho, así que había seguido ayudando aunque hacía tiempo que había cumplido su condena. Era como si en Ricky y Yannis hubiera encontrado un nuevo hogar, una nueva familia en la que siempre era bienvenido. Yannis era su gran modelo a seguir, a veces discutían durante noches enteras sobre cosas que a Mark hasta entonces no le habían interesado para nada: el conflicto de Afganistán, los asentamientos de Israel y la acogida de presos de Guantánamo en Alemania; o sobre el tema preferido de Yannis, la gran mentira del clima. Yannis sabía un montón sobre cualquier asunto y tenía unas opiniones completamente diferentes a las del padre de Mark, que como mucho se indignaba alguna que otra vez por la política fiscal del Gobierno, o por la izquierda y los Verdes. Pero, sobre todo, Yannis convertía sus palabras en hechos. Lo había acompañado un par de veces a manifestaciones y concentraciones, y había quedado muy impresionado, porque Yannis conocía a miles de personas.

Se estaba poniendo el casco e iba a encender la moto cuando el monovolumen oscuro de Ricky subió por el camino. El corazón le dio un vuelco al verla detener el coche junto a él y bajar la ventanilla.

–Buenos días –lo saludó, sonriente–. Siento llegar un poco tarde.

–Buenos días.

Mark se dio cuenta de que se había puesto colorado. Por desgracia, eso de ponerse como un tomate era una reacción habitual en él.

–Ayúdame un momento a dar de comer a los animales –pidió Ricky–. Podemos hablar mientras tanto, ¿vale?

Mark dudó. Qué narices, a la mierda el instituto. Allí ya había aprendido todo lo que podían enseñarle sobre la vida. La auténtica vida, además, tenía lugar en otra parte.

–Vale –respondió.

El sol de la mañana se reflejaba en la alta fachada de cristal de aquel edificio de tintes futuristas que, agazapado sobre su explanada de césped bien cuidado, parecía una nave espacial varada en el polígono industrial. Henning dejó el monovolumen en el aparcamiento, que seguía vacío salvo por un par de coches. Sacó sus dos maletines de aluminio del maletero y apenas masculló un «No hace falta» cuando Pia quiso llevarle uno. Desde que habían dejado a Christoph en la puerta de Birkenhof hacía un cuarto de hora, Henning, en un derroche de su habitual malhumor matutino, no había abierto la boca; pero Pia había estado dieciséis años casada con él y conocía sus rarezas mejor que nadie, así que no le molestó. A veces Henning era capaz de pasarse tres días sin pronunciar una sola palabra. Cruzaron la explanada decorada con arriates de flores exuberantes y pasaron junto a una fuente donde había dos coches patrulla aparcados. La inspectora se fijó en el letrero de la empresa: «WindPro GmbH». El estilizado molino de viento que había junto al nombre indicaba a qué se dedicaba la compañía. Un agente de uniforme aguardaba bostezando en los peldaños que subían a la puerta de entrada y les indicó que pasaran con un gesto de la cabeza. El inconfundible olor dulzón de la carne putrefacta se le metió a Pia por la nariz nada más pisar el imponente vestíbulo abierto de la recepción.

—Bueno, pues parece que alguien se ha pasado todo el fin de semana metido en esta incubadora —comentó Henning.

La inspectora no hizo caso de su cinismo. Su mirada ascendió hacia los tres pisos a los que se subía tanto por unas escaleras curvas como por un ascensor de cristal. Ante el alargado mostrador de acero inoxidable de la derecha había una mujer sentada en una silla e inclinada hacia delante, tenía los codos apoyados en las rodillas y el rostro enterrado entre las manos. A su alrededor había varios agentes uniformados y un hombre de paisano. Ese debía de ser el nuevo compañero del que había hablado su jefe.

—Vaya, mira tú por dónde —comentó Henning.

—¿Qué pasa? ¿Lo conoces?

24

—Sí, Cemalettin Altunay. Hasta ahora estaba en la K 11 de Offenbach.

Como segundo del Instituto Anatómico Forense de Frankfurt, Henning conocía a la mayoría de los colaboradores de los Departamentos de Delitos Violentos de la región del Rin-Meno y de todo Hessen Sur.

Pia se quedó mirando al inspector, que se había inclinado sobre la mujer y hablaba con ella en voz baja. Calculó que tendría como mucho cuarenta años y, desde una perspectiva puramente estética, era una mejora indudable con respecto a su predecesor, Frank Behnke. Camisa blanquísima, vaqueros negros, zapatos relucientes, el pelo espeso y negro con corte militar: una presencia impecable. Al instante se sintió más incómoda aún con su camiseta gris arrugada, los redondeles de sudor bajo las axilas y los vaqueros sucios. Tal vez sí habría tenido que ducharse y cambiarse de ropa. Demasiado tarde.

—Hola, doctor Kirchhoff —dijo el nuevo con una voz agradable y profunda; después se volvió hacia Pia y le tendió la mano—. Inspector Cem Altunay. Me alegro de conocerte, Pia. Kai y Kathrin me han hablado muchísimo de ti. ¿Qué tal te han ido las vacaciones?

—Pues... bien. Gracias. —balbuceó ella—. Acabo de aterrizar hace treinta minutos, el vuelo llevaba nueve horas de retraso...

—Y nada más llegar, un cadáver. Lo siento. —Altunay sonrió como disculpándose, como si él fuera responsable.

Se miraron unos instantes y luego Pia bajó los ojos. La mirada chocolate negro de ese hombre la desconcertaba. Los segundos seguían pasando y su silencio se hizo lamentable. Tras ellos, Henning soltó un pequeño resoplido burlón que hizo regresar a Pia a la realidad.

—¿Qué tenemos? —preguntó la inspectora.

—La víctima se llamaba Rolf Grossmann y trabajaba en la empresa desde hacía un par de años como vigilante nocturno. Parece un accidente —respondió Cem—. Una empleada ha encontrado el cadáver esta mañana sobre las seis y media. Ven conmigo.

El olor dulzón se intensificó. Los cadáveres que desprendían un hedor tan penetrante no solían tener buen aspecto. Pia lo siguió por la escalera y, aunque se preparó para lo que venía, la escena la dejó momentáneamente sin respiración. El muerto, cuya cara abotargada y lívida apenas conservaba rasgos humanos, yacía en un descansillo entre el segundo y el tercer piso con las extremidades torcidas en ángulos grotescos. La inspectora había presenciado muchas cosas en su trabajo, y a pesar de ello se le revolvió el estómago al ver las moscas que recorrían el cadáver. Solo su autocontrol profesional impidió que vomitara delante del nuevo.

—¿Qué te hace pensar que fue un accidente? —preguntó mientras luchaba por contener las náuseas. El calor acumulado en el gran vestíbulo la hacía sudar por todos los poros—. ¡Buf! ¿Es que no se puede encender el aire acondicionado o abrir esa cúpula de cristal?

—¡Ni se te ocurra! —exclamó Henning, que ya se estaba poniendo un mono blanco desechable—. Mucho cuidado con fastidiarme el lugar de los hechos.

A Pia no se le escapó la expresión de asombro de su nuevo compañero.

—Estuvimos casados —ofreció como breve explicación—. Bueno, ¿tú qué crees?

—Parece que tropezó y cayó por la escalera —repuso Cem Altunay.

—Mmm... —La mirada de la inspectora siguió los peldaños que ascendían formando un arco hacia el tercer piso—. ¿Has podido hablar ya con la mujer que lo ha encontrado? ¿Qué hacía aquí tan temprano, a las seis y media de la mañana?

Henning abrió su maletín con gran ruido. Las moscas zumbaban a su alrededor mientras se inclinaba sobre el cadáver y lo examinaba con ojo de experto.

—Por lo visto entra siempre a esa hora. Trabaja en contabilidad. —Altunay se volvió hacia la mujer, que todavía estaba sentada en la silla, inmóvil—. Sigue conmocionada. Parece que la víctima y ella se llevaban bien y muchas veces se tomaban una taza de café juntos por la mañana.

—Pero ¿cómo pudo caerse por la escalera así, sin más?

—Creo que tenía problemas con la bebida. Eso afirma por lo menos la contable —contestó su compañero—. Además, el cadáver apesta a alcohol, y en el *office* que hay detrás del mostrador de recepción hemos encontrado una botella de Jack Daniel's empezada.

El empleado de la empresa de mensajería vestido de marrón oscuro resolló al tenderle el aparato con lápiz electrónico a la mujer para que le firmara la entrega.

Ella garabateó una firma en la pantalla llena de arañazos y sonrió con satisfacción. El mensajero no se había molestado en ocultar su disgusto cuando lo obligó a arrastrar los paquetes hasta el almacén en lugar de dejarlos en el patio, pero eso a Frauke Hirtreiter le traía sin cuidado.

Regresó a la tienda, encendió la luz y miró a su alrededor. Aunque en sentido estricto el establecimiento era propiedad de Ricky, ella lo amaba como si fuera suyo. Por fin había encontrado en la vida un lugar en el que se sentía del todo a gusto. El Paraíso Animal hacía honor a su nombre, no tenía nada que ver con esas tiendas de mascotas mal iluminadas y con olor a moho y humedad que recordaba de su infancia. Abrió la puerta de la sala contigua, donde se había instalado la peluquería canina. Aquel era su reino. Gracias a unos cursos nocturnos, se había sacado un título de peluquera para perros —o *groomer,* como lo llamaban ahora—; sus servicios gozaban de muy buena reputación entre la clientela y salían rentables. Además de eso, colaboraba en la escuela canina de Ricky y, desde hacía varias semanas, también en la tienda *online,* que funcionaba cada vez mejor. Frauke cruzó el establecimiento para entrar en la oficina, donde Nika ya estaba sentada al ordenador, y se interesó por los pedidos que les habían entrado.

—¿Cuántos son? —preguntó Frauke con curiosidad.

—Veinticuatro —contestó Nika—. Un aumento de un cien por cien con respecto al lunes de la semana pasada. Solo que no puedo introducir los artículos nuevos.

—¿Por qué no?

Frauke sacó dos tazas de café del armario que colgaba encima del fregadero de la minicocina. La cafetera borboteaba con eficiencia.

—Ni idea. Siempre me da el mismo problema. Introduzco el artículo en el programa, pero, cuando quiero grabarlo, no me hace caso.

—Debería mirarlo Mark. Seguro que él tiene alguna idea.

—Sí, será lo mejor. —Nika envió un documento a imprimir y poco después la impresora de inyección de tinta escupió los pedidos. Bostezó mientras se estiraba y dijo—: Me voy un rato al almacén.

—¿Por qué no nos tomamos un café antes? Todavía tenemos algo de tiempo. —Frauke sirvió las dos tazas y le pasó una a Nika—. Ya lleva leche.

—Gracias —repuso ella, que sonrió y sopló el café caliente.

Frauke estaba contentísima de tener a Nika en el equipo de El Paraíso Animal, porque Ricky nunca disponía de mucho tiempo para la tienda, y las auxiliares que les habían enviado desde la Oficina de Empleo no habían sido de gran ayuda. Una les había robado, la siguiente había resultado demasiado mema para gestionar los pedidos y la tercera por lo visto había acabado con dolores de espalda al cabo de tres días por culpa del esfuerzo excesivo. Nika, por el contrario, era eficiente y nunca se quejaba, había introducido un sistema en la caótica contabilidad e incluso limpiaba la tienda por las tardes desde que la señora de la limpieza se despidió. Frauke no sabía mucho de su pasado, solo que era una vieja amiga de Ricky y que vivía realquilada con ella y con Yannis en el sótano de su casa de Schneidhain. La primera vez que la vio no le había impresionado demasiado: flaca y callada, con el pelo rubio ceniza mal peinado, gafas y una palidez enfermiza, y además vestida con ropa que otra gente tiraba a los contenedores de la Cruz Roja. Al lado de Ricky se la veía tan insignificante como una perdiz comparada con un pavo real, pero tal vez por eso habían sido tan buenas amigas. A Ricky no le gustaba demasiado la competencia, y Nika no representaba ningún peligro en absoluto, igual que Frauke. Le habría encantado saber más detalles acerca de ella, siempre tan discreta y a menudo con cara triste, pero casi nunca hablaba de sí misma, por desgracia. En más de una ocasión, Frauke no había logrado contener la curiosidad y había dejado caer alguna pregunta como de pasada, pero Nika sonreía y lo único que decía era que había tenido una vida muy poco espectacular y que casi ni merecía la pena hablar de ella.

—Bueno, pues voy a tumbarme un rato. —Nika dejó la taza en el fregadero—. Ricky quería estar aquí sobre las nueve y media para entregar los pedidos. ¿Llamas tú a Mark?

—Claro, yo me encargo. —Frauke asintió y sonrió satisfecha.

Su vida se había transformado para mejor, sin duda, y ella esperaba que siguiera así mucho tiempo. A poder ser, para siempre.

Henning había examinado el cadáver a fondo y ya tenía sus primeras conclusiones. Se quitó la mascarilla y se volvió hacia Pia y Cem Altunay.

—Calculo que la muerte tuvo lugar entre las tres y las seis de la madrugada del sábado —anunció—. El rígor mortis ya ha desaparecido, las manchas cadavéricas apenas se desvanecen con la presión.

—Gracias. —Pia le dirigió una cabezada a su exmarido, que contemplaba el cadáver con la frente arrugada—. ¿Qué sucede? —le preguntó.

—Mmm. Es posible que me equivoque, pero, no sé por qué, creo que la causa de la muerte no fue la caída por la escalera. No se partió la nuca.

—¿Crees que alguien podría haberle ayudado?

—Es posible. —Henning asintió.

La inspectora consideró un momento si debía llamar a Oliver, pero decidió no hacerlo. Su jefe le había pasado la dirección del caso, así que le correspondía a ella valorar la situación, y esa leve sospecha de Henning de que podía tratarse de un homicidio bastaba para poner en marcha toda la maquinaria.

—Llamaremos a los de rastros y pediremos algunos agentes más para preservar el lugar de los hechos —le propuso a Cem—. El edificio queda clausurado hasta que sepamos qué ha ocurrido aquí. Y quiero una autopsia.

—De acuerdo, yo me encargo de todo eso. —Cem asintió y sacó el móvil del bolsillo de su pantalón mientras ambos bajaban la escalera.

En la entrada del edificio, que seguía cerrado, se oían voces alteradas. Uno de los agentes que debían impedir que los trabajadores de WindPro se pasearan por el vestíbulo y destruyeran posibles pruebas abandonó su puesto y se acercó a Pia.

—¿Qué ocurre ahí delante? —se interesó la inspectora.

—El director ha llegado y quiere entrar —contestó el policía.

—Tráemelo, pero los demás tienen que quedarse fuera.

El agente asintió y dio media vuelta.

—¿Podemos dejar que entre ya un poco de aire fresco? —le preguntó Pia a Henning.

Estaba bañada en sudor y el olor a putrefacción le resultaba del todo insoportable.

—No —repuso él, sucinto—. No antes de que llegue la Científica. No pienso dejar que Kröger me reproche nada.

—Lo hará de todas formas —comentó Pia—, porque le has puesto las manos encima al cadáver antes que él.

Cem se había dado prisa en realizar las tres llamadas una detrás de otra y volvió a guardar el móvil.

—Los de rastros ya vienen de camino, enseguida llegarán refuerzos y Kai se encarga de avisar a la fiscalía —informó.

—Bien. Ha llegado el jefe de nuestra víctima. ¿Cómo lo hacemos? —le preguntó Pia a su nuevo compañero.

—Tú preguntas, yo escucho —propuso este.

—De acuerdo.

Se sintió aliviada al ver que con Cem no habría ningún tira y afloja por la jerarquía, a diferencia de lo que ocurría con Behnke, que en todas las investigaciones e interrogatorios había reclamado ruinmente su superioridad por tener mayor antigüedad en el servicio. Poco después, un hombre muy alto y de espaldas anchas cruzó el vestíbulo acompañado por el agente. El olor repugnante y la noticia de que un trabajador había perdido la vida en su empresa le habían dejado sin color en la cara. Sin embargo, antes de que pudiera presentarse a Pia, la mujer que había encontrado el cadáver despertó de su conmoción, saltó de la silla y se abalanzó con un gemido inarticulado hacia su jefe. Al principio él la miró molesto, pero luego le tendió los brazos y la estrechó por los hombros delgados para consolarla. Solo con delicadeza e insistencia logró Cem convencer a la mujer llorosa de que lo soltara. Los trabajadores que se apretaban tras el cordón, a la entrada del vestíbulo, callaron por respeto. El director de WindPro estaba visiblemente afectado aunque se mantenía sereno.

—Pia Kirchhoff, de la K 11 de Hofheim, y este es mi compañero Cem Altunay —se presentó la inspectora.

—Stefan Theissen —repuso el director—. ¿Qué ha sucedido?

El apretón de manos de Theissen era firme aunque algo sudoroso, lo cual Pia no podía reprocharle, dada la temperatura ambiente y la agitación del momento. Tuvo que levantar la vista para mirarlo. Medía por lo menos un metro noventa y era bastante apuesto. El aroma intenso de su loción para después del afeitado desbancó por un momento el olor del cadáver. Su cabello seguía húmedo y peinado con una raya perfecta, la piel que se le veía por encima del cuello de la camisa estaba levemente enrojecida por la cuchilla.

—Su vigilante nocturno, el señor Grossmann, parece que ha sufrido un accidente mortal.

Pia observó a Theissen, atenta a su reacción.

—Eso es horroroso. ¿Cómo...? ¿Qué...? No sé... —Guardó silencio, aturdido—. Dios santo.

—Por lo que sabemos hasta el momento, se cayó por la escalera —siguió explicando la inspectora—, pero será mejor que prosigamos esta conversación en algún otro lugar.

—Sí, ¿quieren que vayamos a mi despacho? —Theissen miró a Pia con un interrogante—. Está en el tercer piso. Podemos subir en ascensor.

—Mejor no, todavía estamos esperando a los compañeros de rastros. Hasta entonces, nadie debe entrar en el edificio.

—¿Y mis trabajadores? —quiso saber Theissen.

—Me temo que hoy tendrán que empezar algo más tarde. Cuando hayamos reconstruido con exactitud cómo ocurrió el accidente.

—¿Cuánto tardarán?

Siempre la misma pregunta, y Pia dio la misma respuesta de siempre:

—Eso todavía no podemos saberlo. —Se volvió hacia su compañero—. Cem, ¿quieres pedirles que me avisen cuando llegue la Científica?

Era una sensación extraña tutear de una forma tan natural a aquel desconocido. En cierto modo, a Pia aún no le parecía un compañero. Aunque tal vez la rutina le resultaba más dura que nunca porque a esa misma hora del día anterior todavía se encontraba muy lejos de allí. Pensó un instante en Christoph y tocó con el pulgar el anillo que llevaba en el dedo y que ni siquiera a Henning, con lo perspicaz que era, le había llamado la atención. Cómo le habría gustado entretenerse un momento más en el recuerdo de su última noche en China... Pero entonces se dio cuenta de que Theissen la miraba expectante.

Cem regresó y ambos siguieron al jefe de WindPro a la sala de reuniones de la planta baja.

—Siéntense, por favor.

Theissen les señaló la mesa de juntas, cerró la puerta y dejó su maletín. Antes de tomar asiento él también, se desabrochó la americana. Ni un gramo de grasa de más, constató Pia, y eso que debía de haber cumplido ya los cincuenta. Seguramente salía a correr todas las mañanas, aunque también podía ser uno de esos ciclistas que recorrían el Taunus a toda velocidad con sus bicis de montaña a horas intempestivas. Una vez superado el primer golpe, Theissen se relajó un poco y su cara comenzó a recobrar el color.

—¿En qué puedo ayudarles?

—Una de sus empleadas ha encontrado el cadáver del señor Grossmann esta mañana —empezó a exponer Pia, y recordó cómo había abrazado Theissen a la mujer hacía un momento para consolarla.

Un jefe con corazón. Punto de simpatía para él.

—La señora Weidauer. —Theissen asintió, confirmándolo—. Es nuestra contable y siempre llega muy temprano al trabajo.

—Nos ha explicado que el señor Grossmann tenía problemas con el alcohol. ¿Es eso cierto?

El director de la empresa asintió y soltó un suspiro.

—Sí, es verdad. No es que bebiera habitualmente, pero sí pillaba una buena borrachera de vez en cuando.

—Entonces, ¿no era un riesgo para su empresa tenerlo como vigilante nocturno?

—Sí, bueno... —El director se pasó una mano por el pelo y se detuvo a buscar las palabras adecuadas—. Rolf era un antiguo compañero de clase.

Eso sorprendió a Pia. O bien se había confundido de medio a medio con la edad de Theissen, o la muerte y el estado avanzado de descomposición habían hecho que Rolf Grossmann pareciera mucho mayor de lo que era.

—Cuando íbamos al colegio éramos muy buenos amigos, después nos perdimos la pista. Volví a verlo en una cena de antiguos alumnos, hace algunos años, y me quedé de piedra. Su mujer lo había abandonado, vivía en un albergue para indigentes en Frankfurt y estaba en el paro. —Theissen se encogió de hombros—. Me dio lástima, por eso lo contraté. Como chofer y, cuando perdió el carné de conducir, como vigilante nocturno. La mayor parte del tiempo trabajaba bien, se podía confiar en él y estaba sobrio cuando estaba de servicio.

33

–La mayor parte del tiempo –comentó Cem–. ¿No siempre?

–No, no siempre. Una vez que vine a la empresa tarde, al volver de un viaje de negocios, lo sorprendí en el *office*. Estaba como una cuba. Después de aquello pasó un trimestre entero haciendo una cura de desintoxicación. De eso hace más de un año y no se produjo ningún otro incidente, así que di por hecho que tenía controlada la bebida.

Abierto. Franco. No encubría los hechos.

–Según la primera valoración del médico forense, el señor Grossmann murió la madrugada del sábado, sobre las cuatro –informó Pia–. ¿Cómo es posible que nadie lo haya echado en falta hasta esta mañana?

–Bueno, vivía solo. Y aquí no hay nadie los fines de semana, a no ser que estemos en la fase final previa a la conclusión de un proyecto –respondió Stefan Theissen–. Yo a veces vengo a mi despacho el sábado o el domingo, pero este fin de semana he estado de viaje. Rolf..., bueno, el señor Grossmann... normalmente termina su turno a las seis de la mañana y vuelve empezar a las seis de la tarde.

Las declaraciones de Theissen parecían coherentes. La inspectora le dio las gracias por la información y todos se levantaron. En ese momento le vibró el móvil. Era Henning.

–He descubierto algo más que interesante –se limitó a decir–. Ven a la escalera. Ya mismo, a poder ser.

No dejaba de mirarle el rostro mientras luchaba contra su mala conciencia por no haber ido a visitarla durante tanto tiempo. Ella había abierto los ojos, pero su mirada se perdía en el vacío. ¿Comprendería lo que le estaba diciendo? ¿Notaba que la estaba tocando?

–El éxito de ayer fue increíble. –Le acarició la mano–. Todo el mundo, de verdad, todo el mundo estuvo allí. Incluso la canciller Merkel. Y, por supuesto, la prensa. Hoy el libro ya es primera página en todos los periódicos. Ay, cómo te habría gustado, mi vida.

Por la ventana abatida entraban los sonidos de la ciudad: la campanilla del tranvía, bocinas, el ruido del tráfico. Dirk Eisenhut tomó la mano de su esposa y le besó los dedos fríos. Cada vez que entraba en su habitación y la veía tumbada en la cama con los ojos abiertos nacía en él la esperanza. Se habían dado casos en que los pacientes despertaban después de pasar años en estado vegetativo, y hasta la fecha nadie podía afirmar con seguridad qué sucedía en la consciencia de esas personas. Él sabía que ella lo oía. A ratos incluso parecía reaccionar a su voz, en alguna ocasión respondía a la presión de su mano, y a veces creía verla sonreír cuando le hablaba de los viejos tiempos o le daba un beso.

Le relató en voz baja la presentación de su nuevo libro, que había tenido lugar el día anterior en la Deutsche Oper Berlin. Le fue enumerando los nombres de los ilustres invitados del mundo de la política, la economía y la cultura, le transmitió los saludos de conocidos y amigos. Cuando llamaron a la puerta, no se volvió.

—Por desgracia no podré venir a verte en una temporada —le susurró—. Tengo que salir de viaje, pero siempre pienso en ti, cariño.

Ranka, la eficiente jefa de enfermeros, había entrado en la habitación; lo notó por su aroma. Siempre desprendía un leve olor a lavanda y a rosas.

—Ah, hola, profesor. Hacía tiempo que no lo veíamos.

Creyó percibir una pizca de reproche en su voz, pero no pensaba justificarse.

—Hola, Ranka —fue todo lo que dijo—. ¿Cómo se encuentra mi mujer?

Normalmente la enfermera le hablaba entonces largo y tendido sobre el día a día de Bettina, de una excursión al balcón o un minúsculo éxito con la fisioterapia. En esa ocasión, sin embargo, no le dio ninguna explicación.

—Bien —se limitó a contestar la mujer—. Como siempre. Bien.

Mala respuesta. Dirk Eisenhut no deseaba oír que no había habido cambios. El estancamiento era un paso atrás. La rehabilitación temprana había surtido efecto al principio y el estado de Bettina mejoró; una mejoría lenta pero constante, gracias al tratamiento de estimulación basal, la fisioterapia y la logopedia. Había aprendido a tragar sola otra vez, así que pudieron retirarle la cánula traqueal y luego también la sonda gástrica. Las probabilidades de que superara el síndrome apálico eran de un cincuenta por ciento. Siendo científico, él sabía que no había garantías y que esa probabilidad tan solo era mínima. Si en el transcurso de un año no se producía una mejora apreciable en el rendimiento físico y psíquico de la paciente y esta seguía inconsciente, el tratamiento pasaría a la fase F. La sobria expresión médica para esa fase de la rehabilitación era «tratamiento activador permanente» y suponía el final de toda esperanza de recuperación.

Se despidió de su esposa con un beso, le dijo a Ranka que tenía que irse de viaje durante algunos días por motivos profesionales y salió de la habitación.

Desde aquella horrible Nochevieja solo había pisado dos veces más su villa de Potsdam o, mejor dicho, lo que las llamas habían dejado de ella: una con los expertos en incendios de la Policía y otra para recoger sus documentos del estudio, que había quedado intacto en su mayor parte. Después de eso, no había vuelto. Se había trasladado a un apartamento en el barrio de Mitte, que tanto le había gustado a Bettina, no muy lejos de su residencia de cuidados paliativos. Tener que cruzar la ciudad todas las mañanas con el coche no le molestaba; era su penitencia. Se despidió del portero con la cabeza y salió a la calle. Los ruidos y el bullicio se le echaron encima, y él se quedó inmóvil, inspiró hondo y espiró otra vez. Una horda de turistas de camino a los patios de Hackesche Höfe casi se lo llevó por delante, charlando y riendo; un taxista se detuvo junto a la acera y le dirigió una mirada interrogante, pero él le hizo saber con un gesto que no requería sus servicios. Tras una visita a Bettina siempre necesitaba dar un paseo y, además, su casa estaba a solo dos pasos. Se puso en marcha, cruzó y unos doscientos metros más allá enfiló su calle.

Quizá lo llevaría algo mejor si no hubiese podido evitar él mismo la tragedia. Cuando llegó a casa después de la fiesta en el instituto, ya entrada la tarde, se la encontró en llamas. A causa del frío glacial y de problemas con el agua de extinción, los bomberos tardaron una eternidad en abrirse paso entre aquel infierno de llamas. Bettina sobrevivió de milagro. El médico de Urgencias consiguió reanimarla, pero su cerebro había pasado mucho tiempo sin suministro de oxígeno a causa de la formación de humo. Demasiado tiempo.

Hasta ese día seguía sin haber superado el duro golpe, y tenía muy claro que la culpa era solo de él. Había cometido un error enorme, un error que jamás podría reparar.

Aquel era el día que podía inclinar la balanza. Durante semanas, más bien meses, había estado recabando información, valorándola y traduciéndola a un idioma comprensible para conseguir compañeros de lucha. Sus esfuerzos se vieron recompensados por el éxito, la iniciativa ciudadana «Por un Taunus sin molinos» contaba con más de doscientos miembros y diez veces más de simpatizantes. Fue idea suya llevar el tema de nuevo a la televisión poco antes de la asamblea vecinal, se encargó de todo, y esa tarde, por fin, había llegado el momento. ¡Cuántas cosas dependían de que la grabación saliera bien! La parte contraria debía comprender que no solo se enfrentaba a un puñado de chiflados, sino que cientos de ciudadanos se oponían a ese proyecto descabellado del parque eólico. Yannis Theodorakis salió de la ducha, alcanzó la toalla y se secó. Se pasó una mano por el mentón sin afeitar, sopesándolo. Lo cierto era que le gustaba la barba de tres días, pero quizá causaría mejor impresión a los telespectadores si aparecía bien acicalado y serio. Después de afeitarse fue al dormitorio e inspeccionó a fondo su armario. ¿Sería exagerado un traje? Hacía años que no iba a trabajar con traje y corbata, y seguramente esas prendas ya no le quedarían bien. Al final se decidió por unos vaqueros combinados con una camisa blanca y una americana. Desde que Nika se ocupaba de las tareas de la casa, los armarios siempre estaban en orden y toda la ropa estaba planchada y en su sitio. Yannis dejó la camisa y los vaqueros sobre la cama de matrimonio, y al verla sintió que algo enturbiaba de forma automática su buen humor. Ricky seguía durmiendo en el sofá del salón, o directamente en el suelo; insistía en que el dolor de espalda la impedía tumbarse en la cama. Hacía tiempo que gemía al realizar las tareas pesadas con las que se cargaba día tras día, pero ella no lo reconocería nunca. La tienda, el trabajo en el refugio de animales y en la escuela canina, el cuidado de todo su zoo particular y la organización de la iniciativa ciudadana requerían más tiempo del que tenía, así que apenas quedaba nada para su vida privada. El resultado de su obsesión por el trabajo eran esos dolores de espalda cada vez más intensos que la hacían acudir al quiropráctico con regularidad y que le ofrecían, según sospechaba él, una buena excusa para negarse a mantener relaciones sexuales.

Yannis salió del dormitorio y cruzó todo el pasillo hasta la cocina. Los gatos, que se habían subido al banco del rincón y a una silla para dormitar al sol, huyeron al instante por la gatera que daba a la terraza. Las bestezuelas que Ricky adoptaba en su infinito amor por los animales lo ponían de los nervios. A los dos perros aún podía soportarlos, pero los gatos, esos hipócritas arrogantes que dejaban pelos por todas partes, le repugnaban. Ellos respondían a su animadversión con un desdén orgulloso, y saltaba a la vista que valoraban su compañía tan poco como él la de ellos.

Por la ventana entraba la centelleante luz del sol. Hacía un día perfecto de principios de verano para la grabación de la tarde. Yannis se sirvió un café, untó un panecillo con mantequilla y mermelada de fresas y le dio un bocado. Sus pensamientos vagaban sin rumbo y acabaron recalando de nuevo en Nika, como tantas veces últimamente.

Al principio solo le habían llamado la atención pequeños detalles de su aspecto: su ropa estrafalaria, ese corte de pelo imposible, las gafas de lechuza. Nika hablaba poco y era tan reservada que a veces hasta se le olvidaba que estaba en la casa. No sabía nada sobre ella, y tampoco le había interesado en absoluto hasta aquel incidente de tres semanas atrás.

Yannis sintió calor al revivir en su memoria el momento que lo había cambiado todo. Él había bajado al sótano a por una botella de vino para la cena, y Nika, en el mismo segundo en el que él salía de la bodega, salió también de su cuarto de baño... Estaba completamente desnuda, con el pelo mojado y peinado hacia atrás. Durante un par de segundos se miraron, sobresaltados, y luego él se dirigió deprisa a la escalera, mascullando una disculpa. Ninguno de los dos volvió a mencionar ese encuentro, pero desde entonces no actuaban con naturalidad. La mirada de Nika se había marcado a fuego en su cerebro. Desde aquel día no hacía más que pensar en ella cuando estaba solo en la cama, con Ricky roncando en el suelo; cada noche que pasaba sin sexo, su deseo por Nika aumentaba y se había convertido en una obsesión que lo torturaba y lo enfurecía. Si Ricky, con lo celosa que era, llegaba a tener algún día aunque fuera una mínima sospecha, se armaría una buena. Y aun así, Yannis no conseguía quitarse de la cabeza los pechos desnudos de Nika.

–Nika –murmuró, y disfrutó del placentero suplicio que le suponía pronunciar su nombre en voz alta. El solo recuerdo de su encuentro en el sótano, que en sus fantasías, cada vez más salvajes, ya no terminaba con él huyendo avergonzado, lo ponía caliente al instante–. Maldita sea, Nika, joder.

El inspector jefe Oliver von Bodenstein estaba de pie frente a la puerta de espejo de su armario, anudándose la corbata de mal humor. ¡Menuda ocurrencia casarse un lunes por la mañana y obligar a todo el que trabajaba de la familia a tomarse un día de fiesta! Se pasó revista de perfil. Aunque metiera tripa, comprobó disgustado que se le veía una curva por encima de la cinturilla del pantalón. La noche anterior, la aguja de la báscula había rebasado por primera vez en su vida la marca de los noventa kilos, lo cual lo había dejado sin habla. ¡Solo nueve kilos más y llegaría a los cien! Si no dejaba cuanto antes de cenar todas las noches en casa de sus padres y, para colmo, terminarse con su padre una botella de vino tinto, pronto tendría que decidir si prefería llevar la barriga por encima o por debajo del cinturón.

Se puso la americana. El traje ocultaba lo peor, pero aun así se sentía incómodo. Y no solo por la celebración nupcial de esa mañana y su aumento de peso. Durante más de veinte años su vida había transcurrido por senderos tranquilos, pero desde que se había separado de Cosima, hacía ya seis meses, todo estaba patas arriba, igual que sus hábitos alimentarios. Enseguida se dio cuenta de que había sido un error permitirse aquella aventura con Heidi Brückner, a quien conoció trabajando en un caso el noviembre anterior. Heidi se cruzó en su camino justo cuando los cimientos de su vida se sacudían a causa de la infidelidad de Cosima, y le había ayudado a superar el primer impacto del dolor, pero aún habría de pasar mucho tiempo antes de que se sintiera preparado para una nueva relación seria. Habían hablado por teléfono un par de veces, después él dejó de llamarla y el asunto quedó en nada, sin discusiones y sin que le hubiera afectado mucho.

Sin embargo, el verdadero motivo por el que habría preferido estar con sus compañeros junto a un cadáver, en lugar de tener que ir al registro civil del ayuntamiento de Kelkheim, era Cosima. Desde hacía medio año, cuando le había presentado los hechos consumados y poco después se había ido a dar la vuelta al mundo en velero con su amante ruso, casi no había hablado con ella. Bodenstein seguía recriminándole que por puro egoísmo hubiera destrozado la familia, y con ello también la vida de él. Su mujer había mantenido una relación secreta con el tal Alexander Gavrilow, aventurero, durante semanas e incluso meses sin que él sospechara nada en absoluto. Cosima lo había hecho sentirse como un imbécil, y a él, una vez más, no le quedó más opción que aceptar sus decisiones, aunque solo fuera por sus hijos. Lorenz y Rosalie ya eran mayores y se habían independizado, pero Sophia solo era una niña de dos años y medio. Tenía derecho a disfrutar de un padre y una madre, al margen de lo que sucediera entre Cosima y él. Oliver le dirigió una última mirada de resignación a su imagen del espejo. Se había hecho el firme propósito de poner como pretexto el hallazgo del cadáver y marcharse de la celebración familiar en cuanto terminara la ceremonia si Cosima tenía la desfachatez de presentarse con ese Gavrilow. En secreto, casi esperaba que hiciera precisamente eso.

Ya de lejos vio los dos coches aparcados en el patio y sospechó lo que se le venía encima. Ludwig Hirtreiter no era una persona que eludiera los conflictos, así que siguió avanzando a zancadas y abrió la verja del jardín. *Tell* corrió hacia los dos hombres y empezó a ladrar.

–¡*Tell*! –exclamó él–. Para. ¡Aquí!

El perro obedeció al instante.

–¿Qué queréis? –gruñó Ludwig.

Por dentro aún seguía encendido por lo de la tala ilegal del bosque; un momento más que inoportuno el que habían elegido sus hijos para hacerle una visita.

–Buenos días, papá –dijo Matthias, el pequeño, y sonrió–. ¿Tienes tiempo para un café?

Qué maniobra más transparente...

–No, si empezáis otra vez con lo de la dehesa.

Tenía muy claro que habían ido a verlo justamente por eso. Llevaban años evitando todo contacto con él más allá de la felicitación de cada Navidad, que nunca decía nada, y la obligada llamada el día de su cumpleaños, y a él ese arreglo le parecía perfecto. Miró a sus hijos levantando las cejas. Allí los tenía, apocados y empequeñecidos, plantados junto a sus cochazos con sus trajes elegantes.

–Papá, por favor –empezó a decir Gregor con un tono servil que iba tan poco con él como ese estúpido deportivo–. No puedes querer que perdamos todo lo que hemos construido.

–¿Y a mí qué me importa? –Ludwig Hirtreiter se descolgó la escopeta del hombro, la clavó en el suelo y se apoyó en ella–.

Nunca os ha interesado nada de lo mío, ¿por qué voy a interesarme yo ahora por lo vuestro?

Dos semanas antes lo habían llamado por primera vez. Porque sí, le habían dicho. Él enseguida sospechó, y con razón, tal como se demostró poco después. Ludwig Hirtreiter aún no sabía cómo se habían enterado sus hijos de la oferta de WindPro, pero ese era el único motivo del repentino resurgir de su amor filial. Lo desesperados que debían de estar para presentarse allí después de todo ese tiempo... Fue Matthias el primero en mencionar la dehesa. A la fase de amabilidad le siguió la de súplica, intercalando vacilantes revelaciones sobre su precaria situación económica. Como tampoco eso dio resultado, apelaron a sus responsabilidades paternas. Los dos hermanos estaban prácticamente en quiebra: uno temía la llegada del administrador de insolventes; el otro, la del agente judicial. Ambos necesitaban dinero con urgencia y ambos temían la maldad y la burla de aquel a quien durante años habían deslumbrado con sus vidas de lujo, que en realidad solo eran de prestado.

—¿Algo más? — Ludwig se quedó mirando a esos dos hombres que habían terminado por serle indiferentes. Ya no despertaban en él ningún sentimiento, ni bueno ni malo—. Tengo cosas que hacer.

Se echó la escopeta al hombro y se volvió para dejarlos allí plantados.

—¡Espera, papá, por favor! —Matthias dio un paso hacia él. En sus ojos ya no había arrogancia, solo quedaba desesperación—. No entendemos por qué te opones con tanta obstinación a la venta de ese prado. No es que vayan a construirte una autopista delante de casa. Como mucho tendrás un par de semanas de ruido y suciedad durante la fase de las obras, y luego puede que se pase por aquí un técnico cada cuatro o cinco días.

No le faltaba razón del todo. Era una auténtica tontería rechazar la oferta de WindPro, sobre todo porque la habían subido un millón más. Pero ¿con qué cara se presentaría entonces ante los demás, que confiaban en él? ¡Heinrich no volvería a dirigirle la palabra! Si vendía esa dehesa, la construcción del parque eólico ya no podría evitarse y todo habría sido en vano.

Matthias, por lo visto, interpretó el silencio de su padre como una victoria parcial.

–De verdad que sentimos muchísimo lo que sucedió en el pasado –añadió–. Dijimos muchas tonterías y te hicimos daño. Lo hecho, hecho está, pero tal vez podríamos empezar de nuevo. Como una familia. A tus nietos les encantaría ver a su abuelo más a menudo.

Un burdo intento de chantaje emocional.

–Es un gesto bonito de verdad por tu parte –repuso Ludwig Hirtreiter, que vio la esperanza relucir en los ojos de su benjamín y se dispuso a destruirla con gran placer–, pero llega demasiado tarde, por desgracia. Vosotros dos me importáis un comino. Dejadme en paz, igual que habéis hecho durante veinte años.

–Pero, papá... –pidió con humildad Gregor en un último y lamentable intento–, nosotros somos tus hijos, y los dos...

–Los dos fuisteis un episodio de mi vida, nada más –lo atajó él–. No pienso vender la dehesa. Fin de la discusión. Y ahora, desapareced de mi granja.

Los agentes de la Policía científica habían tomado el mando bajo la dirección del inspector jefe Christian Kröger. Enfundados en sus monos blancos con capucha y sus mascarillas, realizaban de manera rutinaria las labores habituales en el escenario del crimen: sacaban fotografías y buscaban todos los rastros para fijarlos y numerarlos, ya que más adelante podían resultar relevantes para el esclarecimiento del caso. Un trabajo laborioso y prolongado para el que Pia no habría tenido paciencia. Dos agentes estaban ocupados recubriendo los pasamanos de acero inoxidable de los tres pisos con polvo de hollín para recuperar las huellas dactilares. A la inspectora le parecía que aquello no tenía mucho sentido, porque decenas de personas ponían las manos todos los días en esa barandilla, pero se guardó su opinión para no provocar la ira de Kröger justo el primer día después de sus vacaciones.

Por fin habían conseguido dispersar a la muchedumbre de la puerta, y también la contable había desaparecido. Reinaba un silencio casi solemne, interrumpido tan solo por los chasquidos de las cámaras de fotos.

—Hola, Christian —saludó Pia al jefe de rastros.

Henning y él estaban arrodillados en el descansillo de la escalera, junto al cadáver, completamente ajenos al hedor y a los enjambres de moscas que zumbaban a su alrededor.

—Hola, Pia —contestó Kröger sin levantar la cabeza—. Mira lo que ha encontrado el señor forense.

Pia y Cem se acercaron. El doctor Henning Kirchhoff y Christian Kröger trabajaban juntos desde hacía años. Coincidían a menudo en escenarios de asesinatos y homicidios y, sin embargo, no existía entre ellos ninguna simpatía. Al contrario, respetaban a regañadientes las competencias de la especialidad del otro, pero más allá de eso no se soportaban.

—Aquí. —Henning levantó la mano derecha de la víctima, que estaba cerrada en un puño, y le desdobló los dedos—. Si no me equivoco, lo que tiene en la mano es un trozo de un guante de látex.

—Sí, ¿y? —Pia sacudió la cabeza como si le costara entender—. ¿Qué significa eso?

—Es posible, por supuesto, que el hombre se paseara por ahí haciendo su ronda nocturna con un trozo de guante de látex en la mano, como una especie de fetiche, tal vez —repuso Henning con ese tono de voz de maestro de escuela que era capaz de sacar a Pia de sus casillas—. Cosas más raras he visto. ¿Te acuerdas del director de banco de hace unos años, el que se colgó en su despacho? El que tenía el sujetador de su madre...

—Me acuerdo —lo interrumpió ella con impaciencia—. ¿Qué tiene eso que ver con esta víctima?

—Nada —reconoció Henning—. Lo del guante de látex puede ser un indicio débil, pero ¿qué os parece esto otro?

Se incorporó y les indicó a Pia y a Cem que lo siguieran escalera arriba. Se detuvo unos cinco peldaños por encima del descansillo y señaló una marca grande como la palma de una mano en un charco de sangre seca sobre el granito gris.

—Esto de aquí —dijo— es sin duda la huella de un zapato. Y de un número diferente al de Grossmann, por cierto.

Pia contempló aquella mancha de aspecto insignificante. ¿Podía ser la prueba de que al vigilante lo habían asesinado?

Abajo, en el vestíbulo, Stefan Theissen estaba inclinado sobre el mostrador de recepción, hablando por teléfono en voz baja a la vez que seguía con atención lo que sucedía en la escalera, pero sin dejar relucir emoción alguna.

—¡Jefe! —Un agente de la Científica se inclinó sobre la barandilla del tercer piso—. ¡Ven aquí un momento!

Christian Kröger se dispuso a subir manteniéndose muy a la izquierda de los escalones para no destruir ningún rastro.

—Ya hemos acabado con el cadáver. Puedes pedir que vengan a recogerlo —le comunicó Henning a Pia, luego se quitó el mono y lo dobló con cuidado.

—Bien. Les diré que te lo envíen. La autorización para la autopsia no será más que puro trámite.

—Eso espero. El fiscal está cada vez más tacaño. —Cerró el maletín y se echó encima la americana de cualquier manera—. Las vacaciones te han sentado bien, por cierto. Se te ve descansada.

—Gracias —dijo la inspectora, desconcertada y contenta a partes iguales por ese comentario banal que, viniendo de Henning, era todo un cumplido.

De haberlo dejado ahí, habría sido uno de esos raros encuentros con su exmarido de los que Pia guardaba buen recuerdo. Pero Henning, que solo tenía tacto en su trabajo y nunca en la relación con sus congéneres, destruyó esa impresión al instante.

—Me alegro por ti, veo que has encontrado a alguien que te ofrece un poco más de lo que yo te ofrecía.

Pia no se habría tomado a mal ese añadido si no hubiese sonado tan paternalista.

—No hace falta ser un mago para eso —contestó, mordaz—. Bien mirado, en realidad tú nunca me ofreciste nada.

—En fin. Un bonito apartamento, un buen coche, los caballos y una cantidad considerable de experiencia forense que más de un colega te envidia a rabiar. —Henning enarcó las cejas y la miró—. Yo a eso no lo llamaría «nada».

—No hay más ciego que el que no quiere ver... —murmuró Pia.

Enseguida recordó el apartamento en aquel antiguo edificio de Frankfurt, elegante pero absolutamente falto de alma, donde había pasado tantas horas sola mientras Henning se entregaba a su trabajo sin ninguna consideración hacia ella. Demasiado tiempo había soportado aquella situación, hasta un día en que él se marchó a Austria para trabajar en el escenario de un accidente de teleférico sin informarla siquiera. Pia hizo las maletas y se fue. Resultó muy elocuente que él tardara catorce días en darse cuenta. La inspectora iba a comentar algo más, pero entonces le sonó el móvil. Era Kröger.

—Subid un momento al despacho del director. Tercer piso, la última puerta de la izquierda. —Y colgó.

—Adiós. Dale recuerdos a Miriam —le dijo Pia a su exmarido, algo enfadada.

Cem había organizado ya el transporte del cadáver con una llamada, y la inspectora le indicó que la siguiera.

El despacho de Theissen se encontraba al fondo del pasillo. Era grande y estaba decorado con gusto. A Pia le agradó el contraste del parqué con las ventanas altas hasta el techo, el cristal y los muebles de madera oscura. Miró a su alrededor y arrugó la nariz. ¿El hedor a putrefacción había llegado hasta ese despacho del tercer piso? Tampoco era de extrañar, ya que la puerta del pasillo estaba abierta y el aire caliente siempre ascendía. Aun así, le sorprendió su intensidad.

—¿Qué sucede? —preguntó.

—Ah. —Christian Kröger, que estaba ocupado en el escritorio, se volvió hacia ella—. Venid a ver esto.

Aquel olor dulzón y nauseabundo se hizo aún más fuerte. ¿Cómo era posible? Pia olisqueó con disimulo el cuello de su camiseta, pero solo percibió un tufillo a sudor mezclado con un toque de detergente. Se detuvieron frente al escritorio. El olor a podrido se hizo tan penetrante que tuvo que contener la respiración. En mitad de la brillante superficie de cristal había una maraña de pelaje marrón y blanco. Y entonces vio las larvas. Cientos de gusanillos blancos que se arrastraban por la superficie de cristal después de haberse hartado a comer del pequeño cadáver.

—Un hámster muerto. —Cem Altunay torció el gesto—. ¿Qué significa?

—Creo que eso habrá que preguntárselo al señor Theissen —repuso Pia.

Solo dos minutos después, el director de WindPro salió del ascensor. No estaba muy entusiasmado con la ocupación de su empresa, pero no protestaba.

—¿Qué ocurre? —quiso saber.

—Acérquese. —La inspectora lo condujo a su despacho y señaló el escritorio.

Theissen vio entonces el hámster y retrocedió.

—¿Se explica usted qué significa eso? —preguntó Pia.

—No, ni idea —logró decir el hombre entre arcadas.

Ella creyó ver un estremecimiento nervioso en su cara pálida, y en ese instante su cerebro salió del perezoso *stand by* de las vacaciones y se puso en «modo policía». Su instinto despertó de golpe. Theissen sabía muy probablemente lo que significaba ese hámster muerto encima de su escritorio. Su última frase había sido una burda mentira.

Tras una momentánea afluencia de gente, en la tienda volvía a reinar la calma. Frauke ya había terminado con las primeras citas de la mañana del lunes: el revoltoso airedale de una clienta de Kronberg y dos yorkshire de una viuda de Johanniswald que iban a su peluquería cada quince días. Ricky, después de haber vuelto de su ronda de reparto, se estaba encargando de asesorar a los pocos clientes que quedaban mientras Nika y Frauke colocaban los artículos recién llegados en las estanterías. Las campanas de la cercana iglesia de Santa María tocaban las once cuando Mark entró por la puerta.

—Qué hay —le dijo a Frauke, se quitó del oído uno de los auriculares que terminaban en el inevitable iPod del bolsillo de su cazadora y se detuvo junto a ella.

Su mirada se deslizó enseguida hacia Ricky, que en ese momento le estaba endosando uno de los artículos invendibles con toda su fuerza de convicción a un cliente que en realidad solo había entrado a por un collar antigarrapatas para su crestado rodesiano. Elocuente y encantadora, había empezado a alabar las bondades de aquella caja transportadora de lujo, que tenía un precio de atraco, después de descubrir que pensaba hacer un largo viaje hasta Canadá y quería llevarse al perro.

—Ricky es capaz de vender lo que sea, ¿a que sí? —Mark sonrió con admiración.

Frauke asintió dándole la razón. El hombre ya no ofrecía ninguna resistencia y sonreía como si lo hubieran hipnotizado. Ricky tenía buena mano como vendedora, eso había que reconocérselo, y sabía ganarse al universo masculino como nadie. La melena rubia recogida en dos trenzas y la piel bronceada que dejaba ver el generoso escote de su vestido regional, cuyo corpiño se ceñía a su torso delgado, eran una combinación que le había hecho ganarse un auténtico club de fans en la zona. Nunca le faltaban voluntarios varones para ayudar en el refugio de animales, y ella se recreaba en su admiración.

—¿Qué clase de problema tenéis? —preguntó Mark.

Frauke lo siguió hasta el despacho pasando por delante de la caja. El chico se descolgó la mochila del hombro, la tiró al suelo de cualquier manera y se sentó al escritorio. Frauke le explicó el error que aparecía cada vez que querían introducir artículos nuevos en el sistema. Mark se repantingó en la silla, estiró las piernas, volvió a meterse el auricular en el oído, se acercó el teclado y empezó a mover la cabeza al ritmo de la música y a tamborilear con un pie. Frauke lo miró desde un lado: llevaba el pelo rubio oscuro y grasiento peinado hacia la cara, todo el rato le caía sobre los ojos.

—¿Algo más? —El chico levantó la cabeza y le lanzó a Frauke una mirada de disgusto.

—No, no. Tú ocúpate de eso. —Sonrió, contuvo el impulso de darle unas palmaditas en el hombro y regresó a la tienda.

Ricky estaba ayudando al cliente a meter la gigantesca caja de transporte en su coche y poco después volvió a entrar con una sonrisa enorme.

—Ya hemos conseguido librarnos de esa cosa —comentó con una risita de satisfacción—. Le he hecho un veinte por ciento de descuento, aunque habría estado dispuesta a regalársela.

—Felicidades —dijo Frauke—. Ahora podré cambiar la decoración del rincón.

—Sí, por fin.

Frauke tenía verdadero talento para el escaparatismo. De vez en cuando Ricky dejaba en sus manos la responsabilidad de decorar la tienda, y ella le estaba muy agradecida.

—Venid, chicas, nos tomaremos un café —propuso la dueña.

Frauke y Nika la siguieron al despacho. Mark interrumpió su concentrado trabajo, se quitó los auriculares y miró a Ricky. De su cara desapareció la habitual expresión gruñona y, por un momento, casi se le vio guapo.

—Vaya, pero si está aquí mi hombre preferido —comentó ella sonriendo—. Gracias por venir tan deprisa.

—Ningún problema —masculló Mark, algo cortado, mientras se ruborizaba.

Frauke sirvió un café para ella y otro para Ricky y le pasó la taza; Nika prefirió preparárselo ella misma.

—Oye, Mark —dijo Ricky como de pasada—. ¿Puedes quedarte un rato más? Tengo que montar los obstáculos nuevos para el curso de agilidad y me vendría bien algo de ayuda.

—Es que... todavía no he acabado del todo con esto —respondió, y le lanzó una mirada interrogante a Frauke.

En su infinita veneración por Ricky, Mark habría ido caminando descalzo hasta el Polo Norte si ella se lo pidiera, y Frauke lo sabía. Como también lo sabía sin duda la propia Ricky. ¿De verdad disfrutaba con la idolatría absoluta de un chaval de dieciséis años plagado de acné? Aunque su jefa siempre se mostraba muy segura de sí misma, en realidad por dentro no lo era tanto, y por eso siempre buscaba inconscientemente un público que la admirara sin crítica alguna.

—El ordenador no se irá a ninguna parte —dijo Frauke.

Mark parpadeó bajo su flequillo fingiendo tranquilidad e indiferencia, pero le brillaban los ojos.

—Vale, entonces sí tengo tiempo. —Recogió la mochila y se levantó.

—Genial. —Ricky dejó su taza de café—. Ya podemos irnos.

El joven la siguió al patio, igual que el golden retriever y el samoyedo que estaban esperando pacientemente a su ama al pie de la escalera. Frauke se quedó mirando al extraño cuarteto y sacudió la cabeza.

—Ah, señor Theissen —intervino Cem Altunay—. Tengo una petición más que hacerle. En todas las plantas hay cámaras de vigilancia. ¿Le parece bien que revisemos las cintas?

Stefan Theissen dudó un momento, después logró arrancar su mirada del escritorio y asintió.

—Sí, naturalmente. Nuestro jefe de seguridad está en la entrada. Él pondrá las cintas a su disposición lo antes posible. ¿Podrían dejarle pasar? ¿Y también a la recepcionista, para que conteste al teléfono?

—Está bien —dijo Pia—, pero todos los demás deben quedarse fuera hasta que nuestros compañeros hayan terminado. —Esperó a que Theissen y Cem salieran del despacho—. ¿Qué más tienes? —le preguntó entonces a Christian Kröger.

—¿Qué te hace pensar que hay algo más? —preguntó él a su vez—. ¿Es que no te basta con un hámster putrefacto en el despacho del jefe?

Pia sonrió de oreja a oreja y ladeó la cabeza.

—Está bien —prosiguió Kröger—. En la sala auxiliar hemos encontrado una hoja en el suelo, debajo de la fotocopiadora. No sé si es relevante. Tal vez se le cayera a la secretaria, pero tal vez no.

Pia siguió a Kröger a la habitación contigua y levantó la hoja, que ya estaba metida en una funda de plástico. Leyó el texto por encima.

—La página 21 de un peritaje eólico —afirmó—. A mí no me parece nada extraordinario en una empresa que construye centrales eólicas.

—La página 21 de 63 —repuso Christian Kröger—. Yo en tu lugar pediría que me enseñaran ese informe pericial. O intentaría descubrir cuándo lo fotocopiaron por última vez.

—¿Eso puede hacerse?

—En una fotocopiadora como esta de aquí, sí. Después de ejecutar una orden de copia, los datos se quedan grabados temporalmente en el disco duro. Igual que en un PC.

—Dios mío, la de cosas que sabes...

Kröger era de esa clase de personas que dominaban una cantidad de temas increíbles. A Oliver le habría encantado tenerlo en la K 11, pero él se sentía más a gusto como jefe del equipo de la Científica y, con sus treinta y cinco años recién cumplidos, era evidente que todavía no había llegado a la cima de su carrera.

—Y, ahora, ¿puedo seguir trabajando? —preguntó.

—Claro.

Pia se apoyó con los brazos cruzados en el marco de la puerta del despacho de Theissen y observó a los hombres de Kröger, que se arrastraban por el suelo con sus monos blancos, metían el hámster muerto y las vivísimas larvas en bolsas, y aplicaban etiquetas adhesivas en prácticamente todas las superficies para fijar huellas dactilares, recuperar cabellos y partículas cutáneas. El cerebro le trabajaba a toda máquina.

¿Quién había dejado el hámster muerto en el escritorio del director? A juzgar por el estado de descomposición del bicho, debía de haber sido más o menos en el mismo momento en que Rolf Grossmann cayó y perdió la vida. Pia se volvió y caminó despacio por el pasillo. ¿Qué había ocurrido allí la noche del viernes al sábado para acabar en una muerte? El móvil volvió a sonarle, esta vez con su melodía habitual, que ya había reconfigurado mientras iba en el coche. Era Kai Ostermann.

—Hola, turista —saludó su compañero con alegría—. ¿Qué tal te ha ido por China?

—Hola, Kai —contestó Pia, y se dispuso a bajar la escalera—. Genial. Demasiado corto. ¿Se ha puesto Cem en contacto contigo?

—Sí. Ya he hablado con el fiscal. No hay problema para la autopsia.

—Bien, entonces nos vemos luego.

La inspectora bajó los últimos escalones y buscó a su nuevo compañero por allí. Los hombres de la funeraria estaban metiendo el cuerpo de Grossmann en una bolsa para cadáveres, alguien había encendido el aire acondicionado, y el desagradable olor casi había desaparecido por la cúpula de cristal abierta. Una mujer de cuarenta y tantos años y cabello oscuro había ocupado su puesto tras el mostrador de recepción, y en su expresión helada se veía claramente lo incómoda que se sentía en su lugar de trabajo. Lo cual era del todo comprensible, porque, a fin de cuentas, Rolf Grossmann había perdido la vida solo unos metros más allá, y en el *office* que tenía detrás había agentes de la Policía judicial enfundados en blanco y concentrados en recopilar pruebas. Seguro que no era el lunes más agradable de su vida.

—¿Sabe dónde está mi compañero? —le preguntó Pia.

—En la sala de informática. —La recepcionista se esforzó por sonreír y no se movió ni un milímetro—. Por el pasillo, la segunda puerta a la izquierda.

—Gracias. —Pia estaba volviéndose ya cuando se le ocurrió algo más—. Ah, sí, usted conocía al señor Grossmann, ¿verdad?

—Sí, claro.

—Y ¿qué tal era como compañero de trabajo?

La mujer dudó un segundo de más.

—Muy simpático —contestó entonces con poco convencimiento—. Nunca trabajamos juntos. Él solo estaba aquí por las noches. Y los fines de semana.

—Mmm... —Pia se sacó la libreta del bolsillo y anotó un par de cosas.

La recepcionista trabajaba para WindPro desde hacía dos años. Tenía un sueldo base de cuatrocientos euros y conocía a todos y cada uno de los cuarenta y ocho empleados, además de los veintidós externos que estaban contratados para la construcción de los parques eólicos. Sus primeras respuestas fueron vacilantes y no abandonó sus reservas hasta que Pia le aseguró que aquella conversación era absolutamente confidencial.

—¿Estaba usted al corriente de que Grossmann tenía problemas con la bebida?

Por supuesto que estaba al corriente. A nadie de la empresa le había pasado por alto, ya que no hacía más que meter la pata. También tuvo encontronazos con el jefe de seguridad, porque solo en el último mes se olvidó de activar el sistema de vigilancia tres veces, y dos miércoles antes se fue a la gasolinera con su moto en plena noche.

—Por lo visto quería comprar tabaco y aguardiente —la recepcionista puso los ojos en blanco—, pero se olvidó la llave. Por la mañana lo encontraron tirado frente a la entrada principal, borracho, y no había manera de despertarlo. Y dos semanas antes de eso... —bajó la voz y miró a derecha e izquierda para asegurarse de que nadie la oía—, metió aquí dentro a una mujer y se montó una fiesta con ella en el despacho del jefe.

Rolf Grossmann era de todo menos un compañero querido en WindPro. Había fisgado en los escritorios, espiado conversaciones, había meado borracho contra los coches del aparcamiento subterráneo y había hecho comentarios ofensivos cuyo nivel de grosería subía conforme lo hacía la marca del alcoholímetro. El personal femenino hacía todo lo posible por no coincidir a solas con él en los pasillos. Pia escuchaba con interés e iba tomando notas. Aquella versión era completamente diferente a la que les había dado Theissen poco antes sobre su vigilante nocturno.

—Era un cerdo —concluyó la recepcionista, y arrugó la nariz—. Nadie entendía por qué se le permitía todo eso.

A la inspectora le sucedía lo mismo. ¿Se escondía quizá tras la indulgencia de Theissen algo más que una vieja amistad y su conciencia social, tal como él mismo había querido hacerles creer? ¿Por qué no les había contado la verdad? Pia le dio las gracias a la mujer por la información y se dispuso a buscar a Altunay. Ya descubriría por qué les había mentido Theissen. De pronto sintió un hormigueo de excitación, como cada vez que estaba al principio de un caso del que no podía preverse qué dimensiones acabaría adoptando. De todos modos, una cosa sí estaba clara: aquello ya no era la investigación de una muerte accidental. Iban en busca de un asesino.

Frauke Hirtreiter cubrió con delicadeza la mesa pequeña del despacho, sacó con cuidado la pizza de jamón de Parma, anchoas y doble de queso de su caja de cartón y la puso en un plato. Había que tener un poco de estilo. Habría podido caminar unos pocos metros y acercarse a la pizzería, desde luego, pero no le gustaba sentarse sola a una mesa en público y sentirse observada mientras comía. Frauke contempló su pizza llena de ilusión, los bordes crujientes, el queso fundido de un amarillo dorado, las lonchas de jamón. Justo cuando había cortado el primer pedazo, lo había pinchado con el tenedor y se lo iba a llevar a la boca, llamaron a la puerta de atrás. Vaya por Dios. ¿Quién podía ser? Detestaba que la molestaran en su hora de la comida. Renegando, saltó de la silla, se dirigió a la puerta con pasos torpes y giró la llave en la cerradura. Un hombre apoyado con desenvoltura en la barandilla le sonrió con dientes de un blanco artificial.

—¿Qué haces tú aquí? —preguntó Frauke de mala manera.

—¿Qué tal, hermanita? Bonito recibimiento.

Frauke miró a su hermano pequeño con desconfianza. Matthias básicamente se ponía en contacto con ella cuando tenía algún problema. Ya se conocía el percal.

—Estaba comiendo. Pasa si quieres.

Se volvió y regresó al despacho. Su hermano la siguió, cerró la puerta y se detuvo allí mismo con las manos en los bolsillos.

—Has adelgazado —afirmó con una sonrisa—. Estás guapa.

Frauke gruñó con desdén y le dio un mordisco a la pizza.

—No tienes que darme coba —contestó con la boca llena—. Ya sé qué pinta tengo.

Le resbaló grasa por la barbilla y se la limpió sin cuidado con el dorso de la mano mientras le lanzaba una mirada a Matthias. El bronceado, el traje de lino claro, la camisa con el cuello abierto y los zapatos de color beis le daban un aire de dandi. Solo le faltaba un sombrero de paja para parecer un viajero del tiempo salido de la década de 1920.

—Dime qué quieres. Seguro que no pasabas por aquí por casualidad.

—Es verdad. —Él acercó la silla del escritorio y se sentó a la mesa frente a ella—. Hoy he recibido una llamada.

—Ajá... —Frauke se metió en la boca otro trozo de pizza.

Según sus últimas informaciones, la compañía de sistemas de seguridad y dispositivos de alarma de su hermano iba viento en popa. Sus hijos estudiaban en colegios privados, él estaba en el Club de Leones, en el Club de Golf y en un montón de organizaciones más que iban muy bien para la buena reputación de uno y resultaban de gran ayuda a la hora de formar una red de contactos; vivía con su familia en una villa de lujo y disfrutaba exhibiendo su prosperidad sin ningún tipo de complejos.

—Resulta que hay una empresa que quiere construir un parque eólico en Ehlhalten. Tal vez hayas oído algo.

Frauke asintió con la cabeza. Yannis y Ricky no hacían más que hablar del parque eólico; los dos participaban de forma muy activa en la iniciativa ciudadana que habían organizado contra los molinos de viento.

—¿Qué pasa con esa empresa? —preguntó.

Matthias se llevó una mano al pelo, cada vez más ralo, y Frauke vio por primera vez unas arrugas de preocupación en el rostro juvenil de su hermano pequeño.

—Le han ofrecido a papá una fortuna por comprarle ese prado que está cerca de la granja. ¡Dos millones de euros!

—¿Qué dices? —La mano de Frauke se detuvo con el tenedor a medio camino. Se había quedado boquiabierta—. ¡No va en serio!

55

—Ya lo creo. —Matthias asintió—. Y el viejo cabrón no nos ha dicho nada, por supuesto. Parece que no tiene pensado vender.

—¡Venga ya! —Frauke había perdido el apetito. ¡Dos millones de euros! ¡Por un prado!—. Y ¿tú cómo te has enterado?

—Los tipos de esa empresa me han pedido que interceda por ellos y hable con papá. —Matthias soltó una carcajada sin humor—. Así que Gregor y yo hemos ido a verlo, pero nos ha echado de allí a patadas.

—¿Desde cuándo sabéis lo de la oferta? —preguntó Frauke con suspicacia.

—Desde hace unas semanas —reconoció su hermano.

—Y ¿por qué no me he enterado yo hasta ahora?

—Bueno... No es que te lleves demasiado bien con papá —dejó caer él, andándose con rodeos—, así que pensamos que...

—¡Chorradas! Pensasteis que no me enteraría y que así podríais repartiros el pastel. —Lanzó con rabia el trozo de pizza al plato—. ¡Sois los dos unos hipócritas hijos de puta!

—¡Eso no es cierto! —se defendió Matthias—. ¡De verdad! Escúchame un momento, por favor. La cosa es que en WindPro están dispuestos a aumentar su oferta, pero solo si papá accede a vender en las próximas veinticuatro horas. Si no, solicitarán un expediente de expropiación.

Frauke comprendía lo que implicaba eso.

—¡Quieren pagarnos tres millones! ¡Tres! —Matthias bajó la voz y se inclinó hacia delante—. Es una barbaridad de dinero y a mí no me vendría nada mal.

—Qué quieres que te diga, a mí me parece que nadas en la abundancia.

Frauke sonrió con burla, y eso hizo saltar a su hermano.

—Mi empresa está en quiebra —reconoció por fin sin mirarla—. Voy a acabar arruinado por impagos. Perderé la empresa, la casa, absolutamente todo, si no consigo reunir quinientos mil euros en el plazo de una semana.

Se volvió de espaldas. De repente no había ni rastro de la despreocupación juvenil con la que solía moverse por la vida y deslumbrar a todo el mundo. El actor se había quitado la máscara y allí debajo solo quedaban unas ojeras profundas, mejillas hundidas y la desesperación de su mirada.

—Me meterán en la cárcel. —Alzó los hombros con impotencia—. Mi mujer amenaza con abandonarme y mi propio padre me niega su ayuda.

Frauke sabía cuánto significaba para su hermano y su mujer gozar de prestigio social. Ninguno de los dos era capaz de rebajar ni un poco sus expectativas y su estilo de vida.

—¿Y Gregor? —quiso saber.

—A él tampoco le va mucho mejor.

Matthias sacudió la cabeza. Los dos callaron un momento. Frauke sintió incluso un poco de lástima por su hermano pequeño, pero en lo más profundo de su ser se había despertado una alegría miserable y rastrera ante el mal ajeno. Así que de repente los maravillosos y exitosos chicos de oro estaban en la misma situación que ella: las deudas los ahogaban y no sabían cómo salvar el pellejo. Sin embargo, mientras que Frauke había conseguido salir adelante hasta cierto punto en esa posición vergonzosa, Gregor y Matthias luchaban desesperadamente por mantener su bonita fachada.

—¿Qué queréis hacer? —le preguntó a su hermano al cabo de un rato—. Ya conoces a papá. Cuando dice que no, es que no y punto.

—Pero no puede avasallarnos de esa manera —repuso Matthias con vehemencia—. He ido a ver a un abogado. Por la legítima que heredamos de mamá, una parte de las tierras y de la granja es nuestra.

—Eso no es así. Hicieron testamento uno en favor del otro. Olvídalo.

—¡No, no pienso olvidarlo! —se rebeló Matthias—. ¡Me lo estoy jugando todo! ¡No dejaré que papá me destroce la vida!

—Te la has destrozado tú solito.

—¡He tenido mala suerte, joder! —Matthias tuvo que esforzarse por no gritar—. ¡La crisis económica nos pilló desprevenidos! Llevábamos un retraso de un sesenta por ciento en la ejecución de pagos, ¡y entonces un cliente importante se fue a la quiebra! ¡Eso supuso que tuvimos que dar por perdido casi un millón!

Frauke ladeó la cabeza y miró a su hermano pequeño.

—¿Qué propones? —quiso saber.

—Que hablemos otra vez con él, los tres. Y si sigue en sus trece, lo obligaremos.

—Y ¿cómo piensas obligarlo?

—Ni idea. Alguna forma habrá.

Matthias se metió otra vez las manos en los bolsillos del pantalón, su mirada se paseó sin rumbo por la sala. Frauke dobló por la mitad el último trozo de pizza, que ya se había quedado fría.

—¿Cuándo? —preguntó.

—La gente de WindPro le presentará la nueva oferta hoy o mañana por la mañana, y a mí me enviarán una copia por fax. Yo digo que vayamos a verlo mañana por la tarde. ¿Estás con nosotros?

Frauke se metió la pizza en la boca y masticó mientras pensaba. Tres millones entre tres. Era sencillamente increíble. Por fin podría pagar sus deudas y aún le quedaría suficiente dinero para llevar una vida desahogada. La primera vez desde hacía más de diez años que podría irse de vacaciones. Podría permitirse esa reducción de vientre que no le pagaba el seguro médico. Y un buen coche.

—Claro —afirmó, y le sonrió—. Estoy con vosotros. Mañana por la tarde en la granja.

—En el edificio hay seis cámaras —explicó Altunay a sus compañeros—. Una en cada planta, otra en el aparcamiento subterráneo y una extra en el vestíbulo de entrada, pero solo las cámaras del garaje y del vestíbulo estaban encendidas, por la razón que fuera.

Se encontraban en la sala de reuniones de la K 11, en el primer piso de la comisaría local de la Policía judicial de Hofheim, y esperaban para poder ver la cinta de la cámara de vigilancia del vestíbulo de WindPro.

–De vez en cuando Grossmann se alegraba el turno de noche con visitas femeninas –dijo Pia, recordando lo que le había explicado la recepcionista–. Por lo visto, hace poco montó una pequeña fiesta privada con una mujer en el despacho de Theissen. Tal vez tenía pensado volver a hacerlo y por eso había desconectado la mitad de las cámaras.

–Es posible. –Cem no estaba del todo convencido.

–Ya casi lo tengo. –El inspector Kai Ostermann tecleaba concentrado frente al ordenador–. Ah, sí. Ahí está.

Pia y Cem dirigieron la mirada al gran monitor de pared en el que apareció el amplio vestíbulo en blanco y negro.

–El sistema de vigilancia de WindPro está programado para grabar de setenta y dos horas en setenta y dos horas –explicó Ostermann–. Esas secuencias de grabación pueden copiarse, pero, si no se detiene la cinta, ella misma se regraba pasado ese período.

–Grossmann siempre empezaba el turno a las seis de la tarde –informó Pia a Kai–. Dale al avance rápido hasta la tarde del viernes, por favor.

Ostermann asintió. En el monitor se vio un ir y venir muy ajetreado mientras los trabajadores de la empresa salían de sus despachos. Sobre las cinco y media, la mayor parte de la plantilla se había marchado ya y solo cruzaban el vestíbulo algunas personas aisladas.

Kathrin Fachinger entró, dejó una taza de café delante de Pia y se sentó a su lado.

–Gracias –dijo la inspectora, sorprendida.

–No hay de qué. –Kathrin le guiñó un ojo.

Desde que Frank Behnke y Andreas Hasse no estaban, el ambiente en la K 11 había mejorado de manera considerable. El malhumor constante de Behnke, esa agresividad soterrada que al final acababa emergiendo en forma de hostilidad abierta contra Kathrin, había hecho del trabajo un infierno para todos. A Hasse, siempre achacoso, tampoco lo añoraban demasiado.

–Ahí está Grossmann –advirtió Cem, y señaló el mostrador de recepción, que se veía justo en la esquina derecha de la pantalla–. Debió de entrar por la puerta lateral y luego por el *office.*

Hasta poco después de las siete, Rolf Grossmann estuvo sentado tras el mostrador. Después cruzó el vestíbulo, probablemente para ir a cerrar la puerta principal. Entonces apareció en la imagen un equipo de empleados de limpieza, y dos personas trotaron a cámara rápida por la recepción fregando los suelos. A Grossmann no se lo vio en todo ese rato. A las nueve habló con el personal de limpieza, que desapareció por el pasillo de detrás del ascensor de cristal. Durante dos horas y media no sucedió nada. Los parpadeos que salían de la puerta del *office* hacían pensar que Grossmann estaba viendo la televisión.

–¡Para! –exclamó Pia de repente–. ¡Ahí ha entrado alguien! Rebobina un poco.

Kai hizo lo que le pedía su compañera y luego puso la cinta a velocidad normal.

–¡Theissen! –exclamaron Pia y Cem, perplejos.

–No nos ha dicho nada de que volviera a la empresa el viernes por la noche. –La inspectora miraba el monitor con atención.

El director había entrado en la imagen desde la izquierda, o sea desde el aparcamiento subterráneo. Luego pasaba tras el mostrador de recepción y echaba una mirada al *office,* pero Grossmann no salía de allí.

–¿La cinta tiene sonido? –quiso saber Cem.

–Sí, pero el micrófono no es muy sensible. –Kai subió el volumen–. Una conversación en tono normal no llega a entenderse.

–Tal vez no dijo nada y solo quería comprobar si Grossmann se había dormido –comentó Pia–. Qué raro. Yo, como jefe, me cabrearía bastante si sorprendiera a mi vigilante nocturno echándose una cabezada.

Theissen fue hacia el ascensor y entró. El compartimento de cristal subió sin hacer ruido y el director desapareció de la imagen. Los minutos fueron pasando en avance rápido hasta que a las 2.54 Grossmann salió otra vez. Se estiró, bostezó y después se paseó por el vestíbulo en dirección a la escalera.

—Va con una hora de retraso —afirmó Cem—. El jefe de seguridad de la empresa me ha dicho que debía realizar una ronda a las doce, otra a las dos y luego a las cuatro, y además levantar acta de cada una.

Grossmann se fue primero por el pasillo de la izquierda y luego por el de la derecha, después se encaminó hacia la escalera. Al llegar al primer piso ya quedaba fuera de plano. La cinta siguió avanzando, pero no sucedía nada.

—¿Habéis oído eso? —Kathrin se inclinó hacia delante—. Se han oído ruidos.

Kai rebobinó y, sacudiendo la cabeza, les hizo saber que no podía subir más el volumen; sin embargo, también los demás oyeron entonces una voz, y luego gritos. Las 3.17. Grossmann ya no regresó.

—Theissen no había abandonado el edificio —reflexionó Pia en voz alta—, y no quería que Grossmann lo viera.

—¿Quieres decir que fue él quien lo empujó por la escalera? —preguntó Cem sin apartar la mirada del monitor, en el que no ocurría nada más.

—Sería posible.

—Voy a poner la cinta del aparcamiento subterráneo —dijo Kai.

Tardó un par de minutos en encontrar el punto que estaba buscando. El señor Stefan Theissen había entrado por el garaje a las 23.26. Hasta las 2.41 no sucedía nada, pero entonces una figura se deslizó un instante por delante de la cámara.

—Bueno —dijo Pia con sobriedad—. Ahí tenemos a nuestro amigo, el del hámster.

Kai detuvo la cinta en un punto en que se veía bien al intruso. Todos contemplaron la imagen fija. Ropa negra, pasamontañas negro, una bolsa negra al hombro.

—Lleva guantes de látex —observó Cem.

Pia se inclinó sobre la mesa, alcanzó el teléfono y apretó un número de marcación rápida para hablar con el fiscal responsable. La sospecha de Henning parecía confirmarse. Probablemente la muerte de Rolf Grossmann no había sido ningún trágico accidente, sino un asesinato. Lo que seguía sin explicarse era cómo y cuándo habían salido del edificio Theissen y el intruso, porque no habían vuelto a cruzar el aparcamiento subterráneo ni el vestíbulo de entrada.

—Pues no pueden haberse esfumado en el aire. —Kai Ostermann se reclinó en su silla y cruzó las manos en la nuca—. ¿Qué buscaba allí el intruso? Para dejar un hámster en una mesa no debió de necesitar más que unos segundos.

—Ese hámster... —insistió Cem—. ¡Dejó una pista! ¿Por qué no se lo llevó otra vez cuando la cosa se le fue de las manos?

Pia se lo quedó mirando. De perfil se parecía al actor turcoalemán Erol Sander.

—Acababa de matar a alguien —les recordó Kai a sus compañeros—. Es probable que se encontrara al límite, mental y emocionalmente.

—Pero ¿por qué tuvo que matar a Grossmann? —preguntó Cem.

—Tal vez Grossmann lo reconociera —aventuró Kai—. Una pelea, una infeliz caída... y eso fue todo.

Pia sabía que su compañero se interesaba mucho por el aspecto psicológico de los casos. El noviembre del año anterior había solicitado plaza en un cursillo de perfiles psicológicos que ofrecía la Dirección Federal de la Policía judicial, pero a causa de la grave falta de personal de la K 11 tuvo que renunciar a ella. Kai se había esforzado por que sus compañeros no notaran su decepción, y ella esperaba que pronto tuviera una nueva oportunidad.

Los sucesos que llevaron a la suspensión de Hasse y Behnke habían afectado a la inspectora mucho más de lo que se imaginó. Se había dado cuenta de que sabía más sobre los sospechosos y la mayoría de los testigos con quienes se había encontrado a lo largo de su carrera que sobre esas personas con quienes trabajaba a diario y a quienes debía confiar su vida en una situación delicada, y eso era algo que había decidido cambiar. De pronto todos hablaban también sobre su vida privada, cosa que antes no ocurría prácticamente nunca. Cem Altunay parecía encajar bien en el equipo, y ella sentía curiosidad por ver cómo se llevaría su jefe, Oliver von Bodenstein, con la nueva incorporación. Despertó de su ensimismamiento al sentir las miradas de sus tres compañeros encima.

–Lo siento, el primer día después de las vacaciones –se disculpó–. ¿Qué decíais?

–Que quién se encarga de qué –repitió Kai.

Parecía lo más natural que Pia asumiera el mando mientras el jefe no estuviera allí.

–Cem y yo nos acercaremos a WindPro y le preguntaremos a Theissen qué fue a hacer esa noche a su despacho –decidió la inspectora–. Kai, tú vuelve a mirar las cintas de vídeo. Kathrin, por favor, averigua todo lo que puedas sobre WindPro y también sobre nuestra víctima. No me creo eso de que Theissen lo contratara por puro amor al prójimo.

Los tres aceptaron sin rechistar la división del trabajo propuesta. Antes habrían discutido. Frank Behnke siempre se oponía a las sugerencias y órdenes de Pia, y con ello obligaba al resto del equipo a inclinarse por uno u otro bando. Durante mucho tiempo, Kai se puso del lado de Behnke por la vieja lealtad que sentía hacia él, porque habían coincidido en las fuerzas especiales; Kathrin, por principio, del de Pia. Aquello por fin se había terminado y para ella era un alivio.

–A trabajar, gente –dijo, y de pronto se sintió de buen humor–. Nos reuniremos otra vez aquí a las cuatro.

–Tranquilízate ya –dijo Ricky al ver que Yannis consultaba su reloj de pulsera por décima vez en un minuto–. Llegarán enseguida.

Ellos dos, Nika y algunos miembros más de la iniciativa ciudadana a quienes Yannis había avisado con poquísima antelación estaban posados como aves migratorias sobre la valla de madera del prado. Mark estaba sentado en la hierba y acariciaba a los dos perros, a uno con cada mano, mientras ellos se dejaban hacer cerrando los ojos con placer. Junto a él, en el suelo, se veían los carteles de protesta pegados en grandes cartones y los gráficos que el mismo Yannis había diseñado y preparado. Estaba especialmente orgulloso del logo: una silueta estilizada del Taunus con un molino de viento rodeado por un círculo rojo de prohibición.

—Ya llevan diez minutos de retraso —repuso Yannis, disgustado, e interrumpió su incesante paseo.

Para esa gente de la tele la hora no era importante, pero para él sí, porque, si aparecía Ludwig Hirtreiter, se iría directo hacia la cámara y empezaría a divagar como siempre. Yannis se había preparado a fondo lo que quería decir, aprovecharía esa oportunidad única y difundiría por televisión lo que había descubierto. ¡Sería un escándalo y todos los periódicos informarían sobre ello! Para impedir que Ludwig y compañía estropearan su aparición, había llamado en secreto al redactor del programa de televisión *Hessenschau* y había adelantado la grabación una hora y media.

El sol brillaba y un par de pequeñas nubes inofensivas cruzaban por el cielo azul. En el transcurso de las últimas tres semanas la naturaleza había explotado, pero Yannis no tenía ojos para los arbustos en flor, los pétalos abiertos y los exuberantes prados verdes. Por fin, un cuarto de hora más tarde de lo convenido, vio la furgoneta azul celeste de la HR, la televisión del estado de Hessen, torcer por la pista. Fue a su encuentro y les hizo señas con los brazos. ¡Tenían que darse prisa! Rabenhof, la granja de Ludwig Hirtreiter, estaba a solo unos cientos de metros, al otro lado de un bosquecillo, y si por casualidad al viejo se le ocurría mirar por la ventana en ese instante, vería el vehículo y en menos de veinte segundos lo tendrían allí. A Yannis le costaba soportar la lentitud con la que el reportero, un segundo hombre y por último una mujer bajaban de la furgoneta. Le habría gustado sacarlos de allí a tirones.

—¡Hola! —exclamó el reportero con una gran sonrisa—. ¡Este paisaje es idílico! ¡Genial!

Déjate de paisajes idílicos, pensó Yannis. Mejor date un poco de prisa.

–¿Qué tal? –Se obligó a ofrecerle una sonrisa amarga–. Yannis Theodorakis. Hablamos ayer por teléfono.

El reportero le tendió la mano, luego se acercó a Ricky, Nika y los demás, que habían bajado de la valla, y les estrechó la mano. Sus dos compañeros empezaron a mover bultos en la parte trasera de la furgoneta y a descargar cajas y una especie de pértigas, todo ello con una calma exasperante. El reportero sacó una libreta de su bolsa y empezó a hablarle a Yannis largo y tendido sobre la idea que había pensado para el reportaje.

–Sí, estupendo, estupendo. –Yannis no lo estaba escuchando, solo asentía y no hacía más que mirar en dirección a la granja de Ludwig Hirtreiter.

¡A ver si les daba tiempo! La tensión le aceleraba el pulso. Por fin había llegado el momento. La mujer de la cámara se echó el aparato al hombro, el técnico de sonido se puso los cascos después de enchufar todos los cables, el reportero sostenía el micro con el logo de la HR. La luz estaba bien, el sonido era correcto. Yannis inspiró hondo y respondió la primera pregunta.

Habló sobre la destrucción de la naturaleza, sobre la extensa tala de un terreno de valioso arbolado y la aniquilación furtiva de especies animales protegidas, razones por las cuales habría tenido que descartarse desde un principio la construcción de un parque eólico en aquel lugar. Sintió alivio al ver que no se trababa ni una sola vez, aunque le molestaba bastante la forma en que aquel reportero no hacía más que asentir con la cabeza y sonreír y colocarle el micrófono casi contra los dientes. Por fin llegó la que para Yannis era la pregunta primordial y con cuya respuesta podía mandar todo el proyecto de WindPro al garete. Y justo en ese momento vio el viejo todoterreno verde de Ludwig Hirtreiter subir por la colina. Su cálculo había sido perfecto.

El sol de mayo les sonreía desde un cielo azul resplandeciente, en el aire flotaban las risas de los invitados y el aroma de las lilas. Thordis era una novia encantadora, Lorenz un novio como salido de un cuento y, aun así, al verlos, a Oliver le embargó la melancolía. La boda de su hijo debería haber supuesto para el inspector jefe un acontecimiento muy especial; Cosima y él habían imaginado muchas veces en el pasado cómo se sentirían cuando el primero de sus hijos se casara. Solo que nada era como él había esperado, porque aunque lo celebraban a la vez, no lo hacían juntos. Apoyado contra la balaustrada con una copa en la mano, charlaba, reía y se sentía como un elemento extraño entre los alegres festejos de su familia. Su vida se había detenido, su mirada solo se volvía ya hacia el pasado. Cosima, al contrario de lo que había temido él, no había tenido el mal gusto de presentarse con su ruso, así que se había quedado sin motivo para marcharse antes de la fiesta. Había hablado con ella, pero la conversación fue igual que todas las de los últimos meses: corta, superficial y cordial, limitada a aspectos prácticos relacionados con sus hijos.

La infidelidad de Cosima lo había pillado completamente por sorpresa. Como salida de la nada, desbarató su vida y lo dejó todo patas arriba. Ella había destruido su familia por otro hombre. Oliver recordaba bien la sensación de horror y humillación que le sobrevino al comprender que Cosima ya no tenía suficiente con él como pareja, ni siquiera como amante. Solo seguía siendo bueno como canguro de Sophia. Esa idea lo había torturado durante incontables noches, mucho más que imaginar a Cosima divirtiéndose con un tipo que era por lo menos quince años más joven que él. Vació su copa e hizo una mueca. El champán se había quedado caliente.

—Bueno, y ¿qué te hace estar tan tristón en un día tan bonito como hoy? —La madre de Thordis, la veterinaria Inka Hansen, sonrió y le ofreció una copa de champán frío—. ¿Verdad que hacen muy buena pareja?

—Ya lo creo. —Él aceptó la copa y dejó la otra en la bandeja de un camarero—. Tú y yo también podríamos haber sido como ellos.

Con Inka podía hablar así. Habían crecido juntos y, aunque nunca fueron pareja, durante un tiempo él creyó que acabarían casándose algún día. Todo eso quedaba tan atrás, no obstante, que ya no le causaba ningún dolor.

—Sí, bueno. La vida nos tenía preparadas otras cosas. —Inka hizo chocar su copa suavemente con la de él y sonrió—. Pero así también me parece bien. Me alegro mucho de que ahora estemos emparentados de algún modo, de verdad.

Bebieron un trago y Bodenstein se preguntó sin querer si Inka estaría saliendo con alguien.

—Tienes muy buen aspecto —afirmó.

—Tú no —repuso ella, seca y directa, como era su costumbre.

—Gracias. Muy amable por tu parte. —No pudo evitar sonreír.

Bebieron una segunda copa de champán, y una tercera. Cosima se levantó entonces en el otro extremo de la terraza. Hasta ese momento no le había prestado mucha atención a su exmarido, pero entonces miró hacia donde estaban Inka y él. De pronto Bodenstein recordó lo celosa que había estado de Inka durante un tiempo.

Marie-Louise anunció a los invitados que ya podían pasar al comedor, y el inspector jefe se alegró al comprobar que, como padre del novio, lo habían sentado entre la novia y su madre. Le retiró a Inka la silla de la mesa y rio por un comentario que le hizo ella. Cosima estaba sentada al otro lado de los recién casados. Cuando sus miradas se cruzaron un momento, él le sonrió, pero solo para volverse enseguida hacia Inka. De repente le gustaba el día. Sintió que brotaba en él una minúscula esperanza de llegar a superar el daño que le había causado Cosima.

Pia le había dejado el volante a Cem porque ella tenía que hacer unas llamadas. Por cuestiones de presupuesto, los vehículos de la Policía seguían sin estar equipados aún con dispositivo de manos libres, lo cual la obligaba a utilizar el teléfono mientras conducía cuando iba sola en el coche. Lo más grotesco era tener que informar por móvil a sus compañeros de que había visto a un conductor hablando por teléfono. Primero habló con el inspector jefe, que le confirmó que ninguna de las puertas del edificio de WindPro presentaba indicios de haber sido forzada. Alguien había abierto al intruso, o bien este tenía una llave. También podía afirmarse con bastante certeza que Grossmann había caído por la escalera desde el tercer piso, según hacían pensar no solo las fibras textiles y los rastros de sangre de los escalones, sino sobre todo su linterna, que había sido hallada en el suelo del pasillo del tercer piso. La segunda llamada fue para su jefe. Oliver contestó al teléfono enseguida, por lo que Pia dedujo que la ceremonia ya había terminado. Le resumió en pocas palabras cómo estaban las cosas.

—Vendrá a la K 11 para la reunión de las cuatro —informó a Cem después de colgar.

—Bueno, aunque tú también lo haces muy bien —repuso este con aprobación.

—Gracias. —Pia sonrió—. Al fin y al cabo ya hace un tiempo que observo de cerca el trabajo de Oliver. Y él es un jefe estupendo.

—Sí, yo también lo creo —coincidió Cem—. Me alegro mucho de que me hayan destinado aquí.

—¿Dónde estabas antes?

—En Offenbach. Ocho años, primero en la SB 13, luego en la 12, y en la K 11 desde hace tres.

El clásico periplo del investigador: delitos sexuales, robos y asesinatos. Cem ya había alcanzado la categoría reina a la que todo agente de la Policía judicial quería llegar, la K 11.

—Vaya, Offenbach. —Pia enarcó las cejas—. ¿Eres del Kickers Offenbach o del Eintracht Frankfurt?

—Ni de uno ni de otro. —Cem rio—. Del... ¡Ha-Ha-HSV! Hamburgo.

—Lo que hay que ver... Yo de todas formas soy neutral en cuestiones de fútbol. —Lo miró con curiosidad—. ¿Cómo es que te marchaste de Offenbach?

—Mi jefe no podía ni verme —confesó él con sinceridad—. Siempre creía que iba detrás de su puesto. Llegó un momento en que la situación se hizo insoportable y, cuando supe que vosotros teníais una plaza libre, la solicité.

—Me alegro. —Pia sonrió—. Necesitábamos refuerzos urgentemente. Kai no puede salir a hacer trabajo de campo por su prótesis, y a veces se hace muy cuesta arriba encargarnos de todo entre tres.

De camino a WindPro, la inspectora se enteró de más detalles sobre su nuevo compañero. Cem Altunay había nacido y crecido en el Taunus, estaba casado y tenía dos hijos, una niña y un niño de siete y nueve años, respectivamente. Su padre y su hermano trabajaban en la Opel, pero él siempre había soñado con entrar en la Policía al acabar el bachillerato.

El coche dio unos trompicones al cruzar los carriles del tranvía. Habían llegado al polígono industrial, y poco después Cem giró para entrar en el aparcamiento de WindPro. En el edificio había un equipo de limpieza retirando las manchas de sangre de la escalera. Sin anunciarse en recepción, Pia y Cem subieron al tercer piso. Una vez arriba, torcieron a la izquierda para ir al despacho de Theissen, pero la inspectora lo pasó de largo y abrió la puerta de cristal que había al final del pasillo.

—Una escalera de incendios —constató.

—Un atajo —añadió Cem—. Nuestro intruso debe de conocer bien esto.

—Quizá sea incluso un empleado y Grossmann lo reconoció. Eso reduciría muchísimo el círculo de posibles autores —dijo Pia antes de llamar a la puerta del despacho de Theissen.

El jefe de la empresa se levantó de su escritorio, que volvía a estar impecable, y se abotonó la americana mientras los inspectores entraban en la sala. Pia se ahorró fórmulas de cortesía innecesarias y fue directa al grano.

—Hemos visto los vídeos de seguridad —dijo—. Estuvo usted en el edificio la noche del viernes. ¿Por qué no lo ha mencionado antes?

—¿No se lo he dicho? —Arrugó la frente—. Se me habrá olvidado entre tanta confusión. Pero solo estuve unos minutos, un cuarto de hora como mucho.

—¿Por qué?

—Necesitaba unos documentos que me había dejado en el despacho.

—¿Para qué?

—Para un viaje de negocios —respondió Theissen con calma—. Pasé el fin de semana en Hamburgo, donde me reuní con un cliente para el que estamos proyectando un parque eólico marino en el mar del Norte.

—Entró por el aparcamiento subterráneo. ¿Cómo y cuándo salió del edificio?

—Bajé por la escalera de incendios. Antes de las doce ya estaba en el coche. De hecho, me acuerdo porque escuché las noticias.

—¿En qué emisora?

—La FFH. Siempre la tengo sintonizada. —Entre las cejas de Theissen apareció una arruga—. ¿Qué importancia tiene eso?

Pia desoyó la pregunta.

—Cuando llegó, se acercó al mostrador de recepción y miró en el *office*. Más tarde evitó el ascensor y salió del edificio por la escalera de incendios. ¿Cómo es eso?

—¿Cómo es... el qué? No la entiendo.

—¿Por qué no quería que el señor Grossmann supiera que había regresado a esas horas de la noche?

—No quería despertarlo.

—¡No quería despertar a su vigilante nocturno! —soltó Pia con burla. El anticipo de simpatía que le había extendido a Theissen se derritió como la nieve al sol—. Más bien sería de esperar que se hubiera enfadado usted al encontrarlo durmiendo a pierna suelta durante su turno.

A Stefan Theissen aquel asunto parecía resultarle molesto, pero no era un hombre que rehuyera las situaciones incómodas.

—Reconozco que puede parecer extraño —repuso—, pero esa noche me venía muy bien que Rolf no se diera cuenta de mi presencia. Tenía prisa y temía que me entretuviera.

Esa respuesta no dejó satisfecha a Pia, aunque decidió darlo por zanjado. Había algo en el comportamiento del director que la hacía sospechar. Recordó el comentario de la recepcionista sobre que no podía explicarse por qué había disfrutado Grossmann de tanta libertad para hacer locuras en la empresa... por mucho que fuera un viejo compañero de clase del jefe.

—¿Adónde fue con el coche desde aquí? —preguntó la inspectora.

—A casa.

—¿Directamente?

Hasta ese momento Stefan Theissen se había mostrado colaborador, pero entonces se vio que ponía distancias.

—¿Por qué me pregunta todo esto?

Aquella no era una respuesta, pero ese mismo día comprobarían su coartada. Si no podía darles ninguna, lo que tendría sería un problema.

—Su vigilante nocturno murió la noche del viernes al sábado —le recordó Pia—. Alguien dejó un hámster muerto en su escritorio. A menos que lo hiciera usted mismo, alguien más tuvo que entrar en el edificio. Quizá un intruso.

Theissen cruzó los brazos en el pecho y la miró consternado.

—¿Un intruso? ¿Aquí?

—Sí, de alguna forma tiene que haber llegado ese hámster a su escritorio. —La inspectora ladeó la cabeza—. A no ser que, en esta empresa, encontrar animales muertos en las mesas esté a la orden del día.

Theissen hizo caso omiso de su sarcasmo y guardó silencio sin apartar la mirada de los ojos de Pia. ¿Cómo creía el director que había acabado un hámster en su despacho?

—Nuestros compañeros no han encontrado señales de que se forzara ninguna entrada. Quien estuviera aquí, en el edificio, debía de tener llave.

Stefan Theissen tardó solo unos segundos en sacar las conclusiones pertinentes de esa especulación de la inspectora. Negó con la cabeza.

—No —dijo con vehemencia—. Eso no me lo puedo ni imaginar. Conozco a todo el que tiene llave, ¡y ninguno de ellos mataría a una persona! No y no, estoy seguro.

Pia cruzó una mirada con Cem. ¿De verdad no tenía Stefan Theissen ni idea de lo impopular que era su antiguo compañero Rolf entre el personal de WindPro? ¿O es que prefería no saberlo?

—¿Qué es todo esto? —Ludwig Hirtreiter cerró de golpe la puerta de su todoterreno y cruzó el prado a zancadas en dirección al reportero y a Yannis—. ¡No habíamos quedado hasta las cuatro y media!

Los de la tele ya habían guardado la cámara y estaban cargando el resto del equipo en la furgoneta. Por la pedregosa pista llegaban traqueteando desde el pueblo algunos coches que levantaban estelas de polvo a su paso. Otros miembros de la iniciativa ciudadana habían aparcado al borde del prado plagado de dientes de león, se apearon de los vehículos y desplegaron las pancartas que llevaban consigo.

—¿Puede alguien explicarme a qué viene todo esto? —Hirtreiter plantó las manos en las caderas y fulminó a Yannis con una mirada iracunda.

Antes de que este pudiera contestar, Ricky tomó la delantera y le puso una mano en el brazo a Ludwig.

—No hemos podido localizarte en el móvil. —Le dedicó una sonrisa cándida que rara vez erraba el tiro con los hombres—. Nos han cambiado la hora con muy poca antelación, así que...

Ludwig era inmune a los encantos de Ricky.

—¡Y una mierda! —la interrumpió, furioso, y le apartó la mano del brazo—. No vivo ni a cinco minutos de aquí. Solo tenías que enviar a ese aspirante a edecán lleno de granos que tienes para que me avisara.

Mark no hizo caso del insulto que le había caído encima. Estaba un poco apartado y había atado los perros de Ricky con correa por si acaso, ya que se llevaban a matar con el perro de Ludwig Hirtreiter, que estaba en la parte de atrás del todoterreno.

–Déjennos repetir otra vez la grabación –le pidió Ludwig al reportero, que le sonrió con lástima.

La pieza iba a emitirse en el *Hessenschau* de esa noche, y antes había que preparar y montar el material.

–¡Pero es que no sé lo que les ha dicho este tipo! –bramó Ludwig con su voz de bajo. Después señaló hacia los coches que aparcaban en ese momento–. Todos nuestros miembros llegan ahora, queremos demostrar cuántas personas apoyan nuestra causa. ¡Si no, todo esto no tiene ningún sentido!

–De verdad que lo siento mucho. –El reportero se encogió de hombros con impotencia–. El señor Theodorakis nos dijo que adelantáramos la grabación una hora y media. Yo no podía saber que no lo habían acordado entre ustedes.

–¿Que has hecho qué? –Ludwig Hirtreiter dio media vuelta, iracundo. Le costaba respirar–. ¿Cómo se te ocurre? ¿Quién te has creído que eres?

Con su imponente metro noventa de altura, el rostro anguloso y curtido, y la cabellera plateada que le llegaba hasta los hombros, el viejo imponía muchísimo. Su furia le hacía parecer una terrible amenaza. Tras él se reunieron los demás activistas, que tampoco se alegraron precisamente al enterarse de que ya hacía rato que había terminado la grabación.

–He dicho lo que había que decir –contestó Yannis. Se había metido las manos en los bolsillos de los vaqueros y saltaba a la vista que estaba muy ufano–. Así que no te sulfures tanto.

–¡¡¡Me sulfuro si me da la gana!!! –vociferó Ludwig. Un rojo intenso fue tiñendo su piel desde el cuello hacia la cara–. ¡Estoy harto de tus egoístas acciones en solitario, igual que todos los que están aquí! Habíamos hablado infinidad de veces sobre la grabación de hoy, ¡y vas tú y cambias la hora como más te conviene!

El reportero les dio la espalda al ver que las cosas se ponían feas. Por su expresión de desconcierto se veía que lo que quería era largarse de allí, pero no menos de una treintena de personas le cortaban el paso hacia la furgoneta mirándolo con inquina.

–¡Vuelva a sacar la cámara ahora mismo! –exigió Ludwig.

—Es que ya no hay tiempo —explicó el reportero con valentía—. Si quiere que esta noche informen sobre el asunto, tenemos que marcharnos ahora mismo. Será un reportaje estupendo, se lo prometo.

Un buen argumento, pensó Yannis. Ludwig Hirtreiter y todos los demás querían que el reportaje se retransmitiera esa misma noche, por supuesto. El tiempo corría en su contra, porque la asamblea vecinal se celebraría al cabo de dos días. La muchedumbre se dispersó al fin, aunque a regañadientes, y el reportero se largó corriendo hacia la furgoneta, donde sus compañeros lo esperaban con el motor ya en marcha, como si se dieran a la fuga después de atracar un banco.

—Bueno —le dijo Ludwig a Yannis con un tono amenazador cuando se quedaron solos—, y ahora que te quede bien grabada una cosa en la mollera, pequeño intrigante vanidoso: todos nosotros perseguimos un fin común. Esto es una democracia y habíamos tomado una decisión colectiva. ¡No puede ser que siempre haya uno que va por libre!

Yannis se limitó a sonreír. Ya tenía su grabación y estaba más que contento. Los insultos de Ludwig Hirtreiter le resbalaban como una gota de lluvia sobre un impermeable.

—Pero ¿tú de qué vas? —le dijo al anciano—. Fui yo quien os facilitó los números, los hechos y las pruebas concluyentes de la estafa. Sin mí todavía estaríais paseándoos con un par de cartelitos en los mercadillos semanales y lamentándoos por unos cuantos árboles.

—Cuidado, amigo —murmuró Ludwig con rabia—. Vete con ojo con lo que dices, si no, ¡no respondo de mí!

—Ludwig —intervino Ricky con tono conciliador—, de verdad, Yannis lo ha hecho estupendamente, estarás muy satisfecho.

—¡Tú no te metas, cretina! —El anciano le lanzó una mirada de desprecio—. ¡No tienes ni idea de nada y lo único que haces es repetir como un loro lo que te enseña este tipo!

A Ricky se le heló la sonrisa y guardó silencio, ofendida. También Yannis se estaba cabreando. ¿Cómo se atrevía ese viejo tirano a sermonearlo como si fuera un jovencito estúpido?

—¡Con vuestro afán enfermizo de protagonismo lo vais a estropear todo! —siguió diciendo Ludwig Hirtreiter con una voz corrosiva—. Para que nuestra demanda tenga éxito debemos actuar con realismo y tacto, no podemos ir dando porrazos y armando polémica por ahí, pero está claro que eso vosotros no lo entendéis.

Hizo un gesto despectivo con la mano y dio media vuelta.

—¡Por lo menos yo explico todo lo que sé y no me guardo información relevante, como tú! —le gritó Yannis—. ¿Por qué no le has dicho aún a nadie cuánto dinero te ha ofrecido WindPro por el prado?

Ludwig Hirtreiter giró sobre sus talones. Los demás miembros de la iniciativa murmuraron y cruzaron miradas.

—Ya me lo imagino. —Yannis sonrió con malicia—. ¡Con tantísima pasta en juego, ni Dios se creería que sigues estando en contra del parque eólico!

—¿Qué pretendes insinuar con eso? —Ludwig se le acercó como un toro bravo; la cara roja de ira, los puños cerrados.

—Que te vas a dejar comprar. Exactamente por...

No llegó a terminar la frase porque Ludwig Hirtreiter le atizó una sonora bofetada con la mano abierta. Yannis se tambaleó y cayó al suelo, pero enseguida se puso de nuevo en pie y se abalanzó sobre el viejo. Ricky acudió en su ayuda, pero ya estaban enganchados. Tres de los activistas, que seguían la pelea con creciente incredulidad, tuvieron la presencia de ánimo suficiente para intervenir.

—¡Cabrón rastrero! —gritó el anciano, rabioso—. ¡Con tu sed de venganza lo estropearás todo! ¡Tú y tu... furcia!

—¡Bueno, bueno! —dijo uno de los hombres intentando calmarlo, aunque sin conseguirlo.

Ludwig se zafó de él y regresó a su coche con pasos pesados. Algunas personas lo siguieron sin mucho entusiasmo, las demás se quedaron quietas sin saber qué hacer.

—Eso, lárgate —masculló Yannis, y se frotó la mejilla.

Ricky sollozaba, perpleja. Mark se acercó a ella tirando de la correa de los perros.

–No logro entender qué tiene Ludwig en nuestra contra. –Miró al chico, llorosa–. Hacemos mucho más que la mayoría, y aun así siempre se mete con nosotros.

–No te enfades con él –dijo Mark con timidez–. No es más que un viejo cabrón idiota.

En la cara de Ricky apareció una sonrisa.

–Tienes razón. –Se secó las lágrimas con el dorso de la mano e irguió los hombros con decisión–. Un viejo cabrón idiota. Eso es lo que es.

El jefe de seguridad, además de portavoz de prensa y director de marketing de WindPro, era la cortesía personificada. Con gran solicitud, les enseñó a Pia y a Cem el plan de seguridad y el control de accesos, y sacó de la estantería el archivador con los comprobantes de los empleados que habían firmado la recepción de su llave. Theissen y su esposa tenían una llave de acceso cada uno, también el director financiero y el comercial, el jefe de ventas, el de la sección jurídica, el del departamento técnico, el de control, el de proyectos, la jefa de personal y el vigilante nocturno. Y, claro, el propio jefe de seguridad. Doce sospechosos. Pia hojeó el archivador y anotó sus nombres. Después pasó más separadores y encontró otros recibos con fechas anteriores.

–¿Qué es esto? –preguntó.

–Eso..., bueno... –El jefe de seguridad se pasó la palma de la mano por la cabeza rasurada–. Verá, nuestro sistema está algo anticuado. Todavía vamos con llaves, no tenemos cierres electrónicos ni tarjetas de chip. Hemos previsto una modernización, claro, pero aún no se ha hecho. Algún que otro antiguo empleado seguramente no devolvió su llave.

–¿Ah, no? –Pia levantó la vista–. ¿De cuántas personas estamos hablando?

El hombre tosió con nerviosismo.

–Eso fue antes de que yo llegara –arguyó.

–Pero, si todos los comprobantes de aquí dentro son de alguien que se quedó con su llave, entonces son... Mmm...

–Nueve –contestó con semblante impertérrito Cem, que los había contado mirando por encima del hombro de Pia.

–Magnífico –comentó ella con sarcasmo–. ¿No tenía pensado decírnoslo?

–Sí, sí..., por supuesto. Yo... Es que... En fin, lo había olvidado.

El olvido parecía estar muy de moda en aquella empresa. El vigilante nocturno salía a la gasolinera a por un trago y olvidaba la llave. Theissen olvidaba que la noche del asesinato había estado en el edificio. El jefe de seguridad olvidaba comunicar datos importantes a la Policía judicial.

–¿Hay alguna fotocopiadora por aquí? –Pia se levantó.

–Sí, allí, en el aparador.

–Ya voy yo –se ofreció Cem, y ella le pasó el archivador.

El jefe de seguridad se tiraba a ratos de la perilla y del lóbulo de la oreja; en su calva se veían gotas de sudor.

–Explíqueme algo sobre WindPro –le pidió la inspectora.

–¿Qué quiere saber?

–¿Qué hacen aquí? ¿A qué se dedica la empresa?

–Proyectamos y construimos centrales de energía eólica en toda Alemania, Europa y ahora también en países extracomunitarios –respondió el hombre, no sin orgullo, esta vez en su faceta de portavoz. De nuevo se encontraba en terreno conocido–. Además de eso, nos ocupamos de la financiación, ya sea mediante un gran inversor único o a través de modalidades de financiación en forma de, por ejemplo, un fondo de capital fijo. Puede imaginárselo como la edificación de una vivienda llave en mano: el cliente nos encarga la construcción de un parque eólico y nosotros nos ocupamos del resto. Búsqueda de emplazamiento, informes periciales y permisos necesarios, planificación y montaje de los molinos. En todos los ámbitos trabajamos solo con los mejores especialistas y gozamos de una excelente reputación en el sector.

Trabajamos. Gozamos. El jefe de seguridad además de portavoz de prensa se identificaba por completo con su compañía.

—¿Por qué cree usted que querría alguien entrar sin permiso en el edificio? —preguntó Pia, y con eso volvió a hacerle perder el hilo.

—Por mucho que quiera, no consigo imaginarlo —repuso él, encogiéndose de hombros—. Que yo sepa, en la casa no hay grandes cantidades de efectivo, y nuestro *know-how* no es tan secreto como para que la competencia quiera entrar a robárnoslo.

—¿Sabe, quizá, si alguno de los antiguos empleados que no devolvieron la llave se marchó en malos términos con la empresa? —preguntó Cem desde la fotocopiadora.

Una breve vacilación.

—De un trabajador tengo la certeza absoluta, aunque yo no llegué a conocerlo en persona —respondió el jefe de seguridad—. Estos últimos meses no ha dejado de incordiarnos por el proyecto del parque eólico del Taunus, que se llevará a cabo dentro de poco. Se llama Yannis Theodorakis. Y no devolvió la llave cuando lo despidieron.

Mark estaba tumbado en su cama. Había quitado el sonido del televisor y contemplaba su foto preferida de Ricky en el móvil. ¡Esa tarde le había dado mucha pena, la pobre! ¿Qué mosca le había picado al viejo Ludwig Hirtreiter? Después de que Ricky y él guardaran los carteles y las pancartas, fueron con varios más de la iniciativa a una pizzería de Königstein. La bofetada había sido el tema de conversación de toda la noche, desde luego, igual que los dos millones de euros que Ludwig recibiría si vendía el prado. Luego todos se fueron yendo a casa, y en algún momento Yannis dejó de hablar con nadie que no fuera Nika. Era una tontería estar celoso de Nika, y Mark lo sabía, pero de alguna forma tenía la sensación de que se había metido en su familia.

Estaba tan absorto en sus pensamientos que no oyó los pasos en la escalera. Su padre abrió la puerta de pronto; parecía cualquier cosa menos de buen humor.

—Tu profesor ha llamado antes. Hoy has vuelto a faltar a clase —empezó a reprenderlo—. ¿Por qué no has ido?

Mark cerró el móvil y guardó silencio. ¿Qué podía decir? A sus padres, de todas formas, les importaba una mierda lo que hiciera.

—¡Apaga la tele y mírame cuando te hablo!

Mark obedeció y se sentó con una lentitud exagerada. Hubo un tiempo en el que sintió miedo de los ataques de cólera de su padre, pero de eso hacía años. En aquel entonces. *Antes.* Cuando todavía era un empollón obediente y miedica.

—Bueno, ¿cómo es que te saltas tantas clases? ¿Dónde andas todo ese tiempo?

Mark alzó los hombros sin decir nada.

Qué curioso, la verdad, que uno solo recibiera atención de sus padres cuando hacía algo prohibido. Con sus buenas notas de antes solo conseguía de ellos una cabezada de reconocimiento, y en los cuatro años que había pasado en el internado no le habían hecho más que una llamada de compromiso a la semana, dos como mucho. Incluso durante la «mala época» les había resultado pesado tener que dedicarse a él. Y de pronto se hacían los padres modelo, se preocupaban, querían saber por qué hacía esto o dejaba de hacer lo otro, siempre con esas estúpidas preguntas formales, ya que su verdadero interés por él era nulo. Su padre solo tenía la cabeza en el trabajo; su madre, en sus extrañas antigüedades, sus clubes de mujeres y sus compras.

—Estoy esperando una respuesta inteligente —dijo su padre con un deje amenazador—, y solo esperaré treinta segundos. Si tardas más, te vas a enterar.

—¿Ah, sí? ¿Qué me harás? —Mark alzó la cabeza y lo miró con aburrimiento—. ¿Piensas darme una paliza? ¿Me vas a castigar sin salir? ¿O me tirarás el ordenador por la ventana?

Le daba absolutamente igual lo que dijera o hiciera su padre. De tener una alternativa, ya no estaría viviendo allí con ellos.

Ni siquiera necesitaba la paga, porque Ricky le remuneraba su trabajo en el refugio de animales.

—Vas a destrozar todo tu futuro por cabezota —profetizó su padre, funesto—. Si sigues así, repetirás curso. Te expulsarán del instituto y entonces te quedarás sin hacer el bachillerato. Puede que ahora eso te traiga sin cuidado, pero dentro de unos años te darás cuenta de lo que has echado a perder.

Rollos, rollos y más rollos. Siempre el mismo disco rayado. ¡Lo sacaba de quicio!

—Mañana iré a clase —murmuró Mark.

El ojo izquierdo empezó a parpadearle. Le ocurría siempre que se estresaba. Primero el parpadeo y los destellos de luz deslumbrante, después esas líneas en zigzag con bordes de colores que se extendían hasta que casi no le dejaban ver nada más. Enseguida se le reduciría el campo de visión como si estuviera atravesando un túnel, y después llegaría el dolor, un dolor atroz que le iba de la nuca a la frente. A veces se le pasaba deprisa; si tenía mala suerte, duraba días. Mark apretó los ojos y se dio un masaje en el nacimiento de la nariz con el pulgar y el índice.

—¿Qué te pasa? —preguntó su padre—. Mark, ¿qué te ocurre?

Sintió una mano en el hombro y se la quitó de encima con rabia. Cualquier roce no hacía más que intensificar el dolor.

—Nada, déjame en paz —dijo, y abrió los ojos, pero incluso la penumbra le resultaba insoportablemente deslumbrante.

Oyó unos pasos que se alejaban, la puerta al cerrarse. Abrió el cajón de la mesilla de noche y buscó las pastillas a tientas. Si se las tomaba enseguida le iban muy bien. Se las había conseguido Ricky. Tragó dos haciéndolas pasar con un sorbo de cocacola sin gas y se quedó tumbado con los ojos cerrados. Ricky. ¿Cómo se encontraría ella?

La noche había caído sobre el bosque como un manto de terciopelo negro, la media luna brillaba plateada y las primeras estrellas centelleaban en el firmamento. Ludwig Hirtreiter volvió la mirada hacia el este, donde el brillo anaranjado nunca se extinguía. Allí, en el sur del Taunus, hacía años que nunca oscurecía del todo como él recordaba de su infancia. La gran ciudad de Frankfurt, tan cercana, la zona industrial de la antigua planta química Hoechst AG y el enorme aeropuerto que no descansaba convertían la noche en día con sus deslumbrantes luces. Ludwig suspiró y se removió un poco hasta encontrar una postura más o menos cómoda en el banco de la discreta caseta para cazadores. Buscó con la mano la escopeta de mira telescópica que había apoyado al alcance de su brazo contra la media pared. A su derecha se había acurrucado cómodamente *Tell,* y sentía la calidez del perro a través del saco de dormir. A su izquierda tenía un termo con té caliente y una fiambrera con pequeños bocadillos. Montaría guardia hasta la mañana para que a ninguno de esos gánsteres se le ocurriera la idea de cerrar la zona en secreto para al día siguiente seguir adelante con la tala de árboles. Ya había pasado la noche en el bosque muchas otras veces y, de todas formas, desde que Elfi murió, hacía dos años, no tenía ningún motivo poderoso para ir a dormir a casa.

Elfi. La echaba de menos cada minuto de su vida, le faltaba el intercambio de ideas con ella, echaba de menos sus inteligentes consejos y ese amor incondicional que él le había correspondido con todo su ser desde el día que se conocieron, hacía ya cincuenta y ocho años. El cáncer se presentó dos veces para luego desaparecer, pero solo en apariencia. En realidad se había extendido con alevosía, se le coló en los ganglios linfáticos y en la médula espinal y contaminó todo su cuerpo. ¡Qué valiente había sido ella! Aguantó sin protestar que le aplicaran una quimioterapia dolorosa y humillante, bromeó cuando se le cayó el pelo, y ni siquiera lloró cuando ya no pudo seguir comiendo porque se le desprendían las mucosas bucales. Elfi había luchado como una leona.

Después de todos aquellos tratamientos espantosos se fue recuperando. En la breve y engañosa fase de mejoría habían compartido un último viaje a su hogar de la Alta Baviera, un paisaje que ella solo había abandonado por amor a él. Hicieron una excursión juntos por las montañas solitarias, con la mutua sospecha de que sería la última. Ludwig Hirtreiter sintió que se le saltaban las lágrimas. A la vuelta, todo sucedió muy deprisa. Enterró a Elfi solo tres semanas después. Sus dos hijos y su hija estuvieron a su lado, pero él apenas cruzó una palabra con ellos, pues el abismo que los separaba era demasiado profundo. Tal vez habría podido aprovechar la oportunidad para tenderles la mano en un gesto de reconciliación, pero por puro dolor no estuvo en situación de hacerlo. Y luego ya fue demasiado tarde. Las malas palabras que se cruzaron no se podían retirar. Ludwig estaba solo y así seguiría.

Aguzó el oído allí sentado, muy quieto. Una leve brisa soplaba por entre la copa del árbol y hacía susurrar las hojas; olía a asperilla y ajo silvestre. Un pequeño mochuelo ululó, una madre tejón sacó a sus cachorros al claro bajo la luz de la luna. En algún lugar de la maleza se oía el trajín de una familia de jabalíes. Sonidos y aromas conocidos, un bálsamo para su alma desgarrada.

Sus pensamientos se volvieron hacia esa tarde. Su ira contra Yannis no se había calmado aún. Desde el primer momento aquel tipo le resultó sospechoso, porque, aunque había hecho mucho por la causa, sus motivos eran egoístas y luchaba con una obsesión peligrosa. ¿Cómo se había enterado de lo de la oferta de WindPro? ¿Conservaba aún algún contacto en su antigua empresa? Desde luego, él habría hecho mejor enseñando sus cartas, pero creía que aquello no era asunto de nadie. Además, temía que esa cantidad increíble sembrara desconfianza y discordia. Y justamente eso había sucedido. Aun así, se arrepentía de haberle soltado un bofetón a Yannis delante de todos. Debería haber reaccionado con más serenidad, pero estaba tan cegado por la cólera que perdió el control. ¡Y luego, por si fuera poco, aquella idiota se le había echado encima! Su antipatía hacia Ricky era injusta y él lo sabía, pero en el fondo le recriminaba que le hubiera ofrecido a Frauke no solo un trabajo, sino también un sitio donde vivir. De no ser por Ricky, Frauke seguiría aún con él en la granja.

Tell se movió en sueños y gruñó un poco. Ludwig alargó una mano y acarició el pelaje áspero de su perro.

–Ninguno de ellos nos comprende –dijo en voz baja, y la oreja de *Tell* se sacudió.

En el fondo no tenía nada en contra del parque eólico si el emplazamiento hubiera sido adecuado para ello, pero no lo era. Así lo demostraban dos informes periciales que se habían elaborado con independencia uno del otro. Talarían todos los árboles por pura codicia, y luego los molinos ni siquiera conseguirían girar. Cuando conoció a esos jovencitos emperifollados de la empresa de proyectos, constató la frivolidad con la que se repartían un dinero que, en sentido estricto, pertenecía a los contribuyentes. A esas alturas ya habían subido a tres millones su oferta por el prado; qué locura. Ironías del destino que, precisamente por su negativa a venderlo, el parque eólico pudiera fracasar. Porque no vendería. Lo mismo le daba lo que pudiera pensar la gente: Theissen y sus cómplices tendrían que pasar por encima de su cadáver para conseguir ese pedazo de tierra.

Pia embutió la última carga de ropa sucia en la lavadora del cuarto de baño sin dejar de bostezar. Después de cuarenta horas sin algo que pudiera considerarse un sueño reparador, su cabeza era lo único que no quería descansar. Oyó los leves ronquidos de Christoph por entre la puerta abierta del dormitorio y envidió su facilidad para conciliar el sueño a cualquier hora y en cualquier parte. Cerró la puerta del baño con cuidado para que el traqueteo de la lavadora no lo despertara y regresó al salón, donde el televisor seguía encendido sin volumen. Había pensado ver una película, pero sus pensamientos se iban continuamente a otras cosas, así que al final dejó de intentar seguir el argumento, que de todas formas era muy malo.

Había algo raro en Stefan Theissen, y por eso Pia no le había mencionado los detalles que habían descubierto ya sobre el intruso y la muerte de Grossmann. ¿Por qué les había mentido el director? ¿No se daba cuenta de que en poco tiempo descubrirían la verdad? Su coartada para la noche del viernes al sábado era descaradamente endeble, ya que, aparte de su esposa, nadie más podía atestiguar que llegara a su casa a las doce y veinte. Alcanzó el mando a distancia y fue cambiando de canal entre bostezos. Se quedó en el informativo de *Hessenchau* y se sorprendió al ver en pantalla el peculiar edificio de WindPro donde esa mañana habían encontrado el cadáver. Subió el volumen. Sin embargo, la noticia no hablaba de la víctima, sino de un parque eólico que iba a construirse en las inmediaciones de Eppstein. Un hombre de pelo oscuro apareció en plano. Estaba en un prado y, tras él, algunas personas sostenían en alto carteles de protesta.

«Los peritajes eólicos presentados son una farsa, tal como demuestran dos contraperitajes que hemos encargado nosotros –decía el hombre con tono objetivo–, pero eso no le interesa a nadie. Igual que el hecho de que para este proyecto descabellado vaya a destruirse una valiosa superficie de arbolado que, por cierto, hasta hace poco era reserva natural. Y ni siquiera los frena tener que aniquilar una población protegida de hámster europeo para conseguir las condiciones que requiere el permiso de construcción...»

Cuando su nombre apareció en pantalla, Pia dio un respingo en el sofá. Se fue corriendo a la cocina, desenchufó el móvil del cable de carga y apretó el botón de rellamada. ¡Theissen había vuelto a mentirles! Impaciente, regresó al salón y siguió el resto del reportaje hasta que su jefe contestó por fin al otro lado de la línea.

Septiembre de 1997

Su primer encuentro. No había ocurrido una semana antes, como le parecía a ella, sino hacía ya doce años.

Fue en el aniversario de la Sociedad Geofísica de Alemania, en Kiel. Ella recibió un premio Karl Zoeppritz a contribuciones excelentes de las nuevas generaciones científicas, y al mismo tiempo le dieron la noticia de que le otorgarían la codiciada beca de doctorado de la Fundación Federal Alemana para el Medio Ambiente. Estaba orgullosa y exultante, embargada por la emoción de ese éxito que se había ganado ella sola con su duro trabajo.

Todos los expertos del público se levantaron de sus asientos y le dedicaron un emotivo aplauso por esas distinciones; fue una sensación absolutamente increíble. Algo después, en el bar, encontró de pronto a un caballero de pie a su lado.

—Está usted radiante —dijo el hombre, y le sonrió con cierta arrogancia—. ¡Mi más sincera enhorabuena por su éxito!

Idiota presuntuoso, pensó ella. Pero entonces lo miró mejor. Tenía algo que la atrapó enseguida. ¿Qué era? ¿Su pose desenvuelta y segura? ¿Los profundos ojos azules? ¿La boca sensual, que le daba un toque peculiar a un rostro de rasgos marcados y mentón protuberante? Se lo quedó mirando en silencio mientras sus pensamientos se atropellaban. En realidad la palabra «sensual» no existía en su diccionario. ¿Qué le sucedía? Ella era una científica con una mente analítica, no una romántica. Hasta ese momento los hombres no habían tenido mucha cabida en su vida. El amor a primera vista siempre le pareció algo propio de los cuentos; pero, en el instante en que sus miradas se encontraron, ocurrió. Sentía las rodillas como si fueran de mantequilla.

—¿Qué le parecería? —siguió diciendo él—. ¿No le gustaría cursar su doctorado con nosotros? Disfrutará de las mejores condiciones.

—¿Y dónde sería eso? —consiguió preguntar ella mientras correspondía a su sonrisa.

—Ah, perdone. Soy Dirk Eisenhut, del Instituto Climatológico de Alemania.

Casi se le cayó la mandíbula al suelo. ¡Qué bochorno no haberlo reconocido! Pero él se lo tomó con buen humor.

—Lo cierto es que tendría que trasladarse y dejar la costa norte del país, pero seguro que no lo lamentará.

Ella recobró la compostura.

—Ya he vivido en el círculo polar, en el Jura de Suabia y en un barco en medio del Atlántico sur —repuso con una sonrisa—. Por un buen trabajo, voy a donde haga falta.

Y, añadió para sí, por un jefe como tú iría hasta la luna. Se había enamorado perdidamente de Dirk Eisenhut, y en menos de diez segundos.

Martes, 12 de mayo de 2009

El café estaba caliente y amargo, ideal para despertarse. Las dos cucharaditas generosas de azúcar que solía echarse Oliver quedaron fuera esta vez, porque el día anterior se había hecho el firme propósito de perder por lo menos diez kilos. No pensaba rendirse al sobrepeso sin luchar. Como por naturaleza era más bien vago, prefería renunciar a la comida en lugar de atormentarse jadeando por el bosque en pantalones de chándal o, peor aún, ir a uno de esos atroces centros de *fitness*. El reloj de encima de la puerta marcaba las seis y media cuando su padre entró en la cocina. Desde que Quentin, el hermano pequeño de Oliver, había asumido la administración de la finca y de las caballerizas, alimentar a los animales por la mañana ya no era tarea del viejo conde, pero no había perdido la costumbre de levantarse con el primer canto del gallo.

—¿Café? —preguntó Oliver.

Su padre asintió. Desayunar juntos se había convertido casi en un ritual ineludible para ambos esos últimos meses. Puesto que ninguno de los dos era dado a la palabrería, casi siempre resultaba un momento más bien contemplativo, pero era una buena forma de encarar la mañana.

—¿Qué tienes pensado hacer hoy? —le preguntó Oliver a su padre, más por educación que por interés.

—Acercarme a Ehlhalten para relevar a Ludwig —respondió el padre—. Queremos impedir que se pongan a talar árboles en secreto antes de la asamblea vecinal de mañana por la noche, así que montamos guardia. Él se encarga del turno de noche y yo del día.

—¿Una asamblea vecinal? —se extrañó Oliver—. ¿Qué tienes que ver tú con eso?

—Tu madre y yo estamos metidos en la iniciativa ciudadana. Ya sabes: «Por un Taunus sin molinos».

Oliver guardó silencio y contó con envidia las tres cucharaditas de azúcar que su padre se echaba en el café. Desayunaba panecillos untados con mucha mantequilla y bien cargados de queso, se permitía un trozo de tarta por las tardes y una botella de vino por las noches y, aun así, no pesaba ni un gramo más que hacía veinte años. Era injusto. ¿No decían que en los ancianos el metabolismo se volvía más lento?

—Deberías leer más a fondo la sección local del periódico —comentó riendo el viejo conde—, no solo informes policiales.

—Pero si ya lo hago... —se defendió Oliver, que alcanzó una rebanada de pan negro, la untó con una capa casi transparente de queso fresco y se sintió como un héroe al darle un mordisco.

—El consistorio de Eppstein ha convocado una asamblea vecinal mañana por la noche en el pabellón municipal —explicó su padre, y señaló con la cabeza en dirección al tablón de corcho que había junto al llavero de pared—. En ese folleto amarillo de ahí está la información. Vendrán representantes del Ministerio de Medio Ambiente y de la empresa que quiere construir el parque eólico. Y, por supuesto, también participaremos nosotros.

—¿De verdad creéis que podréis impedir todo ese tinglado? —preguntó Oliver, que se levantó, descolgó el papel amarillo del corcho y lo leyó por encima sin demasiado interés.

—Sí, desde luego —afirmó su padre—. Tenemos información confidencial que demuestra que en la concesión del permiso de construcción hubo gato encerrado. Por lo visto, esa empresa es una de las líderes del mercado en el sector. O, por lo menos, ya han destrozado paisajes de todo el mundo con sus monstruosos molinos de viento. Todo el litoral mediterráneo español, por ejemplo.

—Vaya. Y ahora están a punto de destrozar esta zona del bonito Taunus.

A Oliver von Bodenstein le resultaba gracioso ver a su padre tan comprometido. En realidad era un hombre más bien huraño. Seguro que había sido su amigo Ludwig quien lo había engatusado para que se uniera a esa iniciativa ciudadana, porque un conde siempre era un buen gancho propagandístico.

—No solo van a destrozar la zona —repuso el hombre—, es que además los molinos serán completamente inútiles en ese emplazamiento, según demuestran varios peritajes.

—Y ¿cómo es que quiere construir esa empresa un parque que no será rentable?

El inspector jefe dio un último bocado a su pan negro. Su pensamiento regresaba una y otra vez a la boda del día anterior, de la que se había marchado justo después de comer, tras recibir la llamada de Pia.

—Es todo por dinero, ¿por qué, si no? —dijo su padre entonces.

Bodenstein regresó al presente.

—¿Cómo dices?

—Que quieren construir ese parque eólico porque con ello se enriquecen. El consistorio, la región, el land y el Estado contribuyen con dinero de los impuestos, luego WindPro crea un fondo para la financiación y...

—Perdona un momento —lo interrumpió Oliver—. ¿Quién dices que crea un fondo?

—La empresa que quiere construir el parque eólico. Se llama WindPro y tiene la sede en Kelkheim.

—Vaya, sí que es casualidad.

—¿El qué? ¿Qué es casualidad? —El conde Von Bodenstein arrugó la frente, molesto.

—Es que ayer... —El inspector jefe dejó la frase a medias al darse cuenta de que su padre pertenecía al círculo más amplio de sospechosos.

El hámster muerto en el escritorio del director de WindPro era un indicio que apuntaba con bastante claridad hacia los detractores del parque. Pia había vuelto a llamarle, ya de noche, después de ver por la tele un reportaje sobre la protesta en contra del proyecto. Según el portavoz de la iniciativa ciudadana, para conseguir el permiso de construcción WindPro había aniquilado una población de hámsteres comunes que estaba protegida.

—¿Conoces al hombre que salió ayer hablando por televisión? —decidió preguntar, en cambio.

—Sí, claro. —Su padre asintió con la cabeza—. Era Yannis. ¿Por qué lo preguntas?

—Por nada. Es que vi el reportaje por casualidad. —En realidad eso no era del todo cierto, pero no quería que su padre sospechara—. ¿Qué tiene que ver tu amigo Ludwig en todo eso?

—Él creó la iniciativa —contestó el conde—, y ahora se ha convertido en el fiel de la balanza, porque es el propietario de un prado que está en una situación estratégica para la construcción del parque eólico. WindPro le ha ofrecido una cantidad considerable, pero él la ha rechazado. Sin embargo, resulta que por motivos geográficos no existe otra alternativa para la construcción. —Una sonrisa fiera cubrió su cara arrugada—. ¡La reunión de mañana será muy emocionante! —Lanzó una mirada al reloj de la cocina y se levantó de la silla—. Bueno, tengo que irme. Le he prometido a Ludwig que estaría allí a las siete en punto.

—Papá —dijo Oliver—, ayer encontraron un cadáver en WindPro.

El conde se volvió. Su rostro seguía inexpresivo, pero le brillaban los ojos.

—¿De verdad? No será Theissen, ¿no?

—Esto no tiene gracia, papá. Es muy probable que hayan matado a un hombre y hay indicios de... —Dudó un momento, pero se decidió a decir la verdad—. Confío en que lo que voy a contarte quede entre nosotros. Hay indicios de que los autores pertenecen al círculo de detractores del parque eólico.

—Tonterías, Oliver. Todos nosotros somos ciudadanos honrados, no asesinos. Tengo que irme, nos vemos esta noche.

Y dicho eso, desapareció. Oliver dobló el folleto amarillo para guardárselo. Aquel asunto parecía muy importante para su padre. Tal vez porque, a sus años, le hacía sentirse útil todavía. Él mismo le habría envidiado de corazón aquel pasatiempo si entre las filas de los contrarios al parque no se encontrara probablemente alguien para quien la vida de una persona no tenía ningún valor.

–¡No puedes decirlo en serio! –El secretario del Ministerio de Medio Ambiente del estado de Hessen, Achim Waldhausen, miraba a Yannis sin dar crédito–. ¡Me habías prometido por activa y por pasiva que mantendrías mi nombre fuera de todo esto!

–Lo siento, Achim –repuso este sin una pizca de remordimiento–. Ahora ya no puede ser. De alguna manera tengo que documentar la autenticidad de mis fuentes y mi información; si no, mañana por la noche tergiversarán todo lo que diga.

A Achim le costaba tragar saliva. Los dos estaban dentro de su discreto Volkswagen plateado, en el aparcamiento de un área de servicio de la A-3, como en sus anteriores encuentros conspirativos. El tráfico pasaba a toda velocidad junto a ellos.

–Solo quería decírtelo por si mañana acudes a la reunión. –Yannis puso la mano en la manija de la puerta, pero Waldhausen le agarró el brazo y lo retuvo.

–¡Yannis! No puedes hacerme esto. –Su voz era implorante–. Si llega a saberse, perderé el trabajo. Tengo mujer y tres hijos, ¡hace tres años que construimos la casa! ¡Solo te pasé esa información porque somos viejos amigos y estaba absolutamente convencido de que me mantendrías en el anonimato!

En sus ojos se veía un miedo crudo. Yannis lo miró y se preguntó por qué le había caído bien una vez, por qué había llegado incluso a considerarlo un amigo. Observó con repugnancia su cara, que brillaba a causa del sudor, y esos dedos como salchichas que le aferraban el antebrazo.

Achim y él habían sido compañeros en el Ministerio de Medio Ambiente, Departamento de Energías Renovables y Protección Medioambiental. Sin embargo, mientras que él abandonó la seguridad del funcionariado en favor de un trabajo muchísimo más emocionante en la empresa privada, Achim se quedó allí, hizo carrera aprovechando los pasos en falso y las equivocaciones de otros y consiguió ocupar un sillón.

—Escúchame, Achim —dijo Yannis—. En aquel momento me lo explicaste todo porque estabas cabreado. Yo no te pedí nada. También tú querías que esos chanchullos salieran a la luz, y ahora agachas las orejas.

Achim se había indignado porque su superior de entonces se dejó sobornar con todo descaro y luego se retiró del servicio público para aceptar un lucrativo cargo de alto directivo en una empresa energética; pero luego, como él mismo ascendió a secretario de Medio Ambiente, le había entrado miedo. Menudo cobarde de mierda. De pronto el tiro amenazaba con salirle por la culata y eso podía costarle todo cuanto tenía. Achim Waldhausen, no obstante, estaba hecho de una pasta más dura de lo que hacía pensar su blando exterior. La presión de sus dedos en el brazo de Yannis se intensificó, y acercó tanto su cara flácida a la de su amigo que este pudo verle hasta el último poro.

—No me vengas ahora con pretensiones de superioridad moral —susurró con furia—. ¡A ti lo único que te importa es tu pequeña venganza vil! ¡Tu orgullo herido! Y para eso utilizas a otras personas como te viene en gana. Te di toda esa información a condición de que guardaras silencio y, como eso cambie, te vas a enterar. Lo desmentiré todo. En realidad no tienes ni una sola prueba de que fuera yo quien te pasó esa información.

—¿Me estás amenazando? —Yannis liberó su brazo de la garra de Waldhausen.

—Si quieres entenderlo así... —repuso este con frialdad—, sí.

Ambos se miraron sin decir nada. Ocho años de compañerismo, vacaciones conjuntas y cenas de barbacoa: todo había quedado olvidado. Luchaban a cara descubierta.

—Pues resulta que sí tengo pruebas —añadió Yannis al cabo de unos instantes—. Porque fuiste tan irresponsable que me enviaste correos electrónicos.

—Eres un auténtico cerdo y un miserable —farfulló Achim, lleno de odio—. Te lo advierto. Si haces público mi nombre, lo lamentarás. Lo lamentarás y mucho. Te lo juro. ¡Y ahora largo! ¡Fuera de mi vista!

Pia había vuelto a subestimar el tráfico de hora punta en el centro de Frankfurt y llegó un cuarto de hora más tarde de lo previsto al edificio del Instituto Anatómico Forense. Todas las aceras estaban ocupadas, no había esperanza de encontrar aparcamiento. Seguro que hasta los estudiantes iban a clase en coche, no como antes, que se desplazaban en bicicleta o en tranvía. Algo más allá, en Paul-Ehrlich-Strasse, encontró por fin un sitio libre y echó a correr para llegar puntual al inicio de la autopsia. Henning no soportaba los retrasos, y a ella no le apetecía soportar su malhumor. Pasó por entre un pelotón de estudiantes de Derecho plantados en la entrada del edificio, le dirigió un sucinto «¡Hola!» a la secretaria del profesor Kronlage y se apresuró por el pasillo con revestimiento de madera hacia la escalera que bajaba al sótano. A las ocho en punto entraba en la Sala de Disección I. El cadáver de Rolf Grossmann yacía desnudo y lavado sobre la mesa metálica. Ronnie Böhme, el ayudante de Henning, ya estaba preparado y saludó a la inspectora. El intenso olor a descomposición no era para estómagos sensibles, pero Pia sabía que al cabo de unos minutos ya se habría acostumbrado. Durante su matrimonio había pasado indecibles horas con Henning en ese sótano, había estado noches y fines de semana enteros observando cómo serraba cabezas, examinaba órganos, hurgaba bajo las uñas en busca de posibles rastros de ADN o analizaba restos óseos. Muchas veces no le había quedado más alternativa que ir al instituto si quería ver a su marido. La obsesión de Henning por el trabajo rayaba en lo enfermizo, pero por algo se había doctorado a los veintiocho años, además de publicar seis libros especializados y unos doscientos artículos en revistas técnicas. Pia conocía hasta la última palabra de todos ellos, puesto que suyo había sido el dudoso honor de pasar a limpio (primero a máquina, más adelante en el ordenador) sus manuscritos y las notas que iba dejando por ahí, después de que varias secretarias acabaran capitulando ante los garabatos ilegibles del forense.

—Ah, ya has llegado —dijo su exmarido tras ella—. Buenos días.

—Buenos días. —Se apartó un poco para dejarlo pasar—. ¿Dónde está el fiscal?

—Seguro que sigue atrapado en un atasco. Es lo que dice siempre, pero vamos a empezar ya. Tengo una clase a las diez.

El doctor Henning Kirchhoff comenzó de inmediato con el examen exterior del cadáver, grabando sus constataciones y comentarios mediante un micrófono que llevaba colgado del cuello. Pia se volvió hacia el negatoscopio, donde estaban expuestas varias imágenes. Ya había visto suficientes radiografías para reconocer a primera vista las fracturas óseas. Al caer por la escalera, Rolf Grossmann se había roto el esternón, la clavícula derecha, el hueso ilíaco y el húmero derechos, y además se había fracturado de la segunda a la séptima costilla del costado izquierdo. No eran contusiones mortales, como tampoco la herida abierta que tenía en la región occipital.

—Además —dijo Henning desde la mesa—, en el momento de la caída se encontraba bajo los efectos de un elevado consumo de alcohol. El laboratorio ha constatado un grado de alcoholemia de 1,7. Y hay otra cosa que te interesará: en la ropa de la víctima hemos encontrado toda clase de fibras textiles que se están analizando en el laboratorio en estos momentos. Con algo de suerte, también habrá una huella dactilar o restos de epidermis en el trozo de guante roto para poder realizar un análisis de ADN.

En efecto, aquello parecía muy prometedor.

Henning y Ronnie formaban un equipo perfectamente compenetrado, trabajaban con rapidez y eficiencia. Siguiendo el estricto protocolo, Henning separó entonces el cuero cabelludo con cortes precisos de escalpelo y lo retiró hacia la frente. Con la sierra oscilante realizó una incisión circular en el hueso de la bóveda craneal y la abrió.

¿Qué debió de pasarle a Grossmann por la cabeza en el momento de caer por la escalera? ¿Qué pensó en el instante en que comprendió que iba a morir? ¿Qué se sentía al verse ante la muerte? ¿Había sufrido dolor?

A Pia se le puso toda la espalda en carne de gallina.

¡Maldita sea, pensó, contrólate! ¿Qué clase de pensamientos estúpidos eran esos? Por lo general no le costaba mantener una distancia objetiva con lo que veía en el trabajo. ¿Por qué era diferente esa vez?

—Vaya... —profirió Henning de repente.

—¿Qué ocurre? —quiso saber Pia.

—De todas formas no habría vivido mucho tiempo más. Tenía el corazón para tirar a la basura. —Henning levantó el órgano con la mano y lo observó con detenimiento—. Fuerte hipertrofia ventricular izquierda y varias cicatrices. —Lo dejó caer en una bandeja metálica—. Y aquí tenemos también la causa de las abundantes hemorragias internas. Rotura de la aorta descendente.

—Tal vez recibiera un fuerte golpe en el pecho —aventuró Pia.

Intentaba concentrarse en el progreso de la autopsia, en los datos objetivos que Henning compilaba meticulosamente, pero no acababa de conseguirlo. Luchaba en vano contra las náuseas que le provocaban los restos de su tostada de Nutella al subirle por el esófago mezclados con ácidos gástricos, y oía la voz de Henning como si llegara desde muy lejos.

—No, creo que fue algo muy distinto. Sufrió un infarto y cayó por la escalera. Rebotó sobre el lado derecho del cuerpo, como nos indican las fracturas óseas y las contusiones, pero después alguien debió de intentar reanimarlo. La serie de fracturas de las costillas izquierdas, el esternón roto, las magulladuras de la piel... son lesiones típicas de la reanimación, que en este caso tal vez la rotura de la aorta...

De pronto a Pia le fallaron las rodillas y, cuando Henning sacó el hígado de la cavidad abdominal abierta del cadáver, ella salió tambaleándose al pasillo, corrió a abrir la puerta del baño y llegó justo a tiempo al inodoro. Atragantándose y tosiendo, vomitó y luego se dejó caer en el suelo helado. Las lágrimas se mezclaban con el sudor frío en su cara, le temblaba todo el cuerpo y se había quedado sentada delante de la taza porque no tenía fuerzas para ponerse de pie. Alguien se inclinó sobre ella y tiró de la cadena. La inspectora se apoyó contra los azulejos blancos y, abochornada, se limpió la boca con el dorso de la mano.

—¿Qué te ha pasado? —Henning se acuclilló frente a ella y la observó con una mezcla de sorpresa y preocupación.

—Yo... tampoco lo sé —susurró Pia.

Nunca le había sucedido nada igual, le daba vergüenza y a la vez se alegraba de que solo Henning y Ronnie hubiesen sido testigos de ese humillante incidente, y no un fiscal presuntuoso que enseguida lo habría ido contando por ahí.

—Venga, levanta.

Henning se había quitado los guantes y le pasó un brazo por debajo de la axila para ponerla de pie. Ella se apoyó en la pared y le sonrió temblorosa.

—Ya estoy mejor. Gracias. Es que no sé qué me ha dado.

—No tienes por qué quedarte más rato —dijo el forense—. Ya casi estamos. Puedo enviarte el informe después.

—Ni hablar —se negó Pia—. Me encuentro bien.

Se inclinó sobre el pequeño lavabo, recogió agua ahuecando las dos manos y se la echó a la cara. Después se secó con un pañuelo de papel. En el espejo encontró la mirada divertida de Henning.

—Te estás riendo de mí —afirmó, molesta—. Qué mala persona.

—No, no. No me río de ti. —Movió la cabeza—. Solo estaba pensando: esta sí que es mi Pia. Cualquier otra mujer se habría preocupado por el maquillaje, pero tú te echas un poco de agua a la cara y listo.

—En primer lugar, ya no soy «tu» Pia. En segundo, yo no me maquillo. —Se volvió hacia su ex—. Y en tercero, no me apetece pasearme por ahí con restos de vómito en la boca.

Henning dejó de sonreír y le puso una mano en la mejilla.

—Estás helada.

—Debo de tener la tensión bajo mínimos.

A Pia le molestaba sentirse débil. Detestaba perder el control. Henning la miró con compasión, alargó un poco más la mano y le apartó un mechón de pelo de la frente. La inspectora se estremeció. No quería despertar lástima, ni siquiera en su exmarido.

—¡Deja! —gruñó de mal humor.

Henning bajó la mano.

—Tengo que seguir —dijo—. Ven cuando estés lista, ¿de acuerdo?

—Sí, claro.

Esperó a que Henning saliera del baño y se volvió hacia el espejo. A pesar del bronceado, tenía mala cara. Era agente de policía desde hacía veinte años, había trabajado diez en la K 11 y había visto cosas muchísimo peores que el cadáver de Grossmann. ¿Por qué de repente le había afectado tanto? Nadie podía enterarse de que casi se había desmayado durante una autopsia; ¡aún serían capaces de enviarla al servicio psicológico!

—¡Contrólate, Pia! —le dijo en voz alta a su imagen del espejo.

Después dio media vuelta, abrió la puerta y regresó a la sala de disección.

Plantado en la esquina detrás del gran laurel, esperó con paciencia hasta que el coche de ella salió de la casa y torció hacia la izquierda, en dirección a la ciudad. Dejó pasar un par de minutos para asegurarse, luego impulsó la moto hacia la entrada. No tenía mucho tiempo, ella no había ido a la oficina ni al centro; le había sido fácil deducirlo porque iba vestida de cualquier manera. Seguro que se había acercado al súper o a la tienda de materiales de construcción, como casi todos los días. Mark dejó la moto, subió de un salto los escalones y abrió la puerta de la casa. Al pasar, tiró el casco contra el antiguo aparador Biedermeier que su madre había comprado en el desmantelamiento de un piso y que luego restauró con todo cuidado en su taller. ¡Ojalá le hubiera dejado un buen arañazo! Restaurar muebles era la nueva pasión de su vieja, y montaba un escándalo hasta por la huella más diminuta, como si esos trastos fueran seres vivos. Estaba tarada. Aun así, en el fondo Mark se alegraba de que tuviera esa afición, porque desde que andaba ocupada con sus muebles ya no estaba todo el día encima de él con el tema de las clases. La puerta del estudio de su madre estaba abierta, y enseguida vio que el portátil no estaba allí.

Bajó la escalera del sótano y entró en el taller. El olor penetrante a trementina, aceite de linaza y barniz para lacar le hizo arrugar la nariz. Accionó el interruptor de la luz y miró a su alrededor. En todas las superficies útiles había latas, de pie o tiradas, también pinceles, papel de lija y todos los cachivaches imaginables que su madre necesitaba para el trabajo. Poseía incluso un aparato de soldadura con el que instalaba herrajes nuevos cuando los viejos estaban muy machacados. Pero ¿dónde leches había dejado el portátil? Mark recorrió la sala con atención, no fuera a tirar nada. Ah, ahí estaba ese cacharro, aparcado sin ningún cuidado en una silla, debajo de una pila de catálogos. Dejó los catálogos en el suelo, se arrodilló frente a la silla y encendió el ordenador. La contraseña era simple, su madre nunca la cambiaba. Como de costumbre, inició sesión en el servidor de la empresa. Poco después abrió la cuenta de correo de su padre y fue bajando por la pantalla hasta encontrar el remitente que estaba buscando. Con gran concentración, marcó todos los mensajes para reenviarlos. Después tuvo la precaución de borrarlos de la carpeta de «Enviados» para que su padre no sospechara nada y vació la papelera con un clic del ratón. No pudo reprimirse y comprobó también un momento el correo de su madre. Entre los mensajes más nuevos descubrió uno de su profesora de lengua; la muy bruja volvía a exasperarse porque se había saltado su clase.

—Que te jodan —murmuró, y envió el mensaje a la papelera.

Ya estaba. Mucho más fácil de lo que había esperado. Apagó el portátil, lo cerró, colocó con cuidado los catálogos encima del ordenador y salió del taller prestando atención para no dejar ninguna pista que lo delatara. ¡Las nueve y media! Si se daba prisa, incluso llegaría puntual a la tercera hora de clase.

No fue poca la información que Kai Ostermann reunió en internet sobre «Por un Taunus sin molinos». La página web de la iniciativa ciudadana estaba tan actualizada que incluso encontró en ella un enlace al reportaje del *Hessenschau* de la noche anterior. Ostermann pasó el vídeo por el monitor grande de la sala de reuniones de la K 11.

–Ese es Yannis Theodorakis –explicó cuando el hombre de pelo oscuro salió en pantalla–. Seguramente es el portavoz de la iniciativa y también su *webmaster*.

–Además de antiguo trabajador de WindPro –añadió Cem Altunay–, Theodorakis se fue de la empresa peleado con ellos y les ha traído problemas hasta el día de hoy. Tampoco llegó a devolver nunca su llave de acceso. Por desgracia, todavía no he podido averiguar su domicilio actual. La dirección oficial de la iniciativa ciudadana es la de un tal Ludwig Hirtreiter.

Oliver von Bodenstein, que estaba sentado a la cabecera de la mesa alargada, asintió pensativo. Recordó el folleto amarillo que llevaba en el bolsillo de la americana y lo sacó.

–Por cierto, mi padre es uno de los detractores del parque eólico –anunció–. Ludwig Hirtreiter es su mejor amigo, lo conoce de toda la vida.

–¡Vaya, eso sí que es estupendo! –Ostermann estaba entusiasmado–. Por una vez tendremos a un auténtico infiltrado como informador.

–Ya puedes olvidarte de eso –repuso su jefe–. Mi padre, por desgracia, no piensa cooperar.

Se abrió la puerta y entró Pia.

–¡Buenos días! –Sonrió a los presentes y se fue directa a su sitio, a la izquierda de Oliver–. ¿Me he perdido algo?

El inspector jefe percibió ese leve deje a putrefacción que se pegaba a la ropa y al pelo con tanta tenacidad como el humo del tabaco.

–Buenos días –dijo de buen humor–. No, no mucho, aún. Acababa de explicar que mi padre también se ha unido a esa iniciativa ciudadana contra los molinos de viento.

—¿De verdad? —Pia rio, divertida—. Pues no me imagino yo a tu padre levantando un cartel en una manifestación.

—Yo tampoco, la verdad sea dicha —contestó él—. Por desgracia, habrá que descartarlo como informador a causa de su terquedad crónica.

—¿Queréis acabar primero con lo que estabais, o puedo hacer un breve comentario sobre la autopsia? —preguntó Pia.

—Tú primero, por favor. —Oliver le hizo una señal con la cabeza.

Pia abrió la mochila y sacó su libreta.

—Bueno, según parece, a Rolf Grossmann no lo mataron —informó, se enrolló las mangas de la blusa blanca y enseñó el bronceado envidiable de sus brazos—. No hay asesinato.

—Pero eso no puede ser —replicó Cem—. ¿Y la huella de la pisada, y el trozo de guante de látex?

—Evidentemente, la autopsia no puede decir qué pasó con exactitud —añadió Pia—. Henning presume que Grossmann sufrió un ataque al corazón y a causa de ello cayó por la escalera. Pero ahora viene lo mejor. —Miró a los ojos llenos de expectación de sus compañeros—. Alguien debió de intentar reanimarlo. Eso hacen pensar las fracturas del esternón y de las costillas, así como las magulladuras externas. Bien a consecuencia de la caída o por ese intento de reanimación, la aorta coronaria se desgarró y Grossmann murió de una hemorragia interna.

—Pero si la escalera estaba llena de sangre... —objetó Kathrin Fachinger.

—Le había salido sangre de la nariz, puede que de la agitación. Tomaba anticoagulantes por su patología cardíaca, por eso la hemorragia debió de ser bastante abundante. Además, también presentaba una herida abierta en la región occipital.

Durante varios segundos nadie dijo nada.

—Eso significaría que el intruso le dio un susto de muerte, pero que después intentó salvarle la vida —resumió Oliver, pensativo.

—Exacto. —Pia asintió con la cabeza—. La parte delantera de la ropa de Grossmann contenía una cantidad enorme de fibras textiles. Alguien debió de sentársele encima para intentar hacerle un masaje cardíaco. Sin éxito, por desgracia. Pero así al menos tenemos alguna prueba más, aparte de la huella de zapato y del trozo roto del guante.

—Hemos trabajado con menos aún —observó Ostermann, optimista—. Con algo de suerte, ese tipo tiene un gusto extravagante en cuestión de zapatos, o encontramos su ADN registrado ya en el sistema.

—Este mediodía recibiremos el informe provisional de la autopsia. Ah, sí: Grossmann estaba bastante bebido cuando murió. Tenía una tasa de alcohol en sangre de 1,7.

—En sentido estricto, eso ya no es asunto nuestro, ¿verdad? —preguntó Ostermann a los presentes—. Fue un allanamiento y, si WindPro decide no denunciarlo, pues se acabó.

—Pero ha habido una víctima mortal —lo contradijo Pia—, y todavía no hemos logrado reconstruir los hechos. También es posible que el intruso lo empujara por la escalera y luego, en un ataque de remordimiento, intentara salvarlo. Eso indicaría que no hablamos de un profesional.

—De momento la investigación seguirá en marcha hasta que podamos excluir un delito de homicidio —decidió Oliver.

Después, la reunión volvió a centrarse en la iniciativa ciudadana y en Yannis Theodorakis.

—La alusión a los hámsteres aniquilados es un indicio muy claro —dijo Kathrin, llena de convencimiento—. ¡No puede ser casualidad!

—Casi resulta demasiado obvio —opinó Pia—. Me he pasado la mitad de la noche pensándolo. Si hubiera sido yo quien hubiera colocado un hámster muerto en la mesa del director de la empresa que quiere construir el parque eólico, y de paso hubiera dejado también un cadáver en el edificio, luego no habría mencionado esos hámsteres en la televisión.

—Sí, en eso tienes razón —coincidió Cem con ella.

—Yo creo que Theissen también es sospechoso —añadió Pia—. Nos ha mentido un par de veces y su coartada solo está corroborada por su mujer, con quien puede haberla acordado.

—¿Y qué me decís de las asociaciones de protección medioambiental de la región? —dejó caer Oliver—. Siempre suelen exaltarse por los asesinatos de hámsteres y la destrucción de los bosques.

—Yo también lo he pensado y me he metido a echar un vistazo en las páginas web de las secciones locales de NABU, BUND y la Sociedad para la Protección de los Bosques Alemanes —añadió Kai—. ¿Y sabéis qué? En ninguna de esas páginas mencionan siquiera el proyecto del parque eólico.

—Es posible que las asociaciones ecologistas no tengan nada malo que decir sobre una energía renovable —repuso Cem—. Energía nuclear, no, gracias; eólica, sí, por favor.

—Es lo que sería de esperar —dijo Kai asintiendo, y miró su libreta—, pero ahora es cuando se pone interesante: el año pasado, WindPro patrocinó numerosos proyectos, entre otros la renaturalización del curso de un pequeño río en Brehmtal, la repoblación forestal ecológica de una zona que había sufrido daños a causa del viento en un bosque cerca de Vockenhausen y la instalación de un centro de cría de animales salvajes huérfanos en Niederjosbach. Hay galerías de fotos donde el director de WindPro hace entrega de sus donativos a los agradecidos protectores de la naturaleza y visita los proyectos in situ. En BUND incluso es miembro de honor. No sé... No puede ser casualidad: un proyecto por cada asociación de protección del medio ambiente, y uno en cada distrito de Eppstein.

—¿Qué quieres decir con eso? —preguntó Bodenstein arrugando la frente.

—A mí me parece que WindPro se ha puesto a las asociaciones medioambientales de su lado para que no se les ocurra protestar contra el proyecto del parque eólico.

—Una especie de soborno, pues. No es una mala reflexión. —El inspector jefe asintió dándole la razón.

—A saber las cantidades de dinero que habrán cambiado de manos... —añadió Kai—. En todo caso, con sus generosos donativos WindPro les ha cerrado la boca a las asociaciones ecologistas.

—Nuestro principal sospechoso, sin embargo, es Theodorakis —intervino Pia—. Todavía conserva una llave de acceso al edificio de la empresa y le busca problemas a WindPro con la información que tiene de ellos. Deberíamos tener una conversación con él.

—No sabemos dónde vive —recordó Cem con pesar.

—Pero lo descubriremos. —Oliver le pasó a Pia el folleto que anunciaba la asamblea vecinal—. Como muy tarde mañana por la noche se presentará en esta reunión. Mi padre estará allí, y puede que también nuestro intruso.

Noviembre de 1998

Era una tarde de viernes oscura y desapacible. Sus compañeros de trabajo se habían marchado hacía rato para disfrutar del fin de semana, pero ella seguía sola en el laboratorio, como tantas otras veces. Concentrada, iba introduciendo en el ordenador los resultados de sus experimentos. Si todo salía como había imaginado, los números producirían una gráfica preciosa, casi el titular de su tesis, por así decir. Se moría de impaciencia, pero pese a su emoción debía trabajar concienzudamente, ya que una simple coma puesta en el lugar equivocado sería un error imperdonable.

De pronto oyó un ruido, unos pasos que se acercaban por el pasillo. La puerta se abrió y el corazón le dio un vuelco.

—He pensado que la encontraría aquí todavía. —Él sonrió de oreja a oreja, con la cara enrojecida por el frío, y sacó del bolsillo de su abrigo una botella de champán.

—¿Hay algo que celebrar? —preguntó ella.

Aunque lo veía casi a diario, su sola presencia bastaba para que la adrenalina le subiera a niveles vertiginosos.

—Desde luego. ¡Algo realmente grandioso!

De pronto sus ojos adoptaron una expresión que la hizo estremecerse. Debía de ser una novedad espectacular, en efecto, porque nunca lo había visto tan entusiasmado. Siempre solía mantener las distancias, a veces incluso con brusquedad.

—Acompáñeme, Anna, vayamos a mi despacho, que es más cómodo.

¡Anna! ¡Nunca la había llamado por su nombre de pila! ¿Qué le sucedía esa tarde? ¿Por qué había ido al instituto a aquellas horas?

—De acuerdo. —Sonrió—. Tardaré diez minutos todavía.

—*Dese prisa. Si no, el champán se calentará.* —Él le guiñó un ojo y desapareció.

El corazón le latía acelerado a causa de la emoción. En el año escaso que llevaba trabajando junto al profesor Eisenhut, se había quedado a menudo a solas con él, pero nunca tan tarde, y menos aún para compartir una botella de champán. Se quitó la bata de laboratorio, se deshizo la práctica cola de caballo y se pasó la mano por el pelo. El ascensor la subió en pocos segundos al séptimo piso, donde las suelas de goma de sus zapatos planos rechinaron en el suelo de parqué. Entró insegura en el despacho y se quedó allí de pie, avergonzada. Era cierto que había estado muchas veces ahí arriba, pero solo se sentía verdaderamente cómoda abajo, en el laboratorio.

—*¡Acérquese más!* —exclamó él.

Había dejado el abrigo, la americana y la corbata tirados de cualquier manera sobre el respaldo de una silla, ya había sacado dos copas de champán del armario y entonces descorchó la botella, para lo cual cerró un ojo y torció el gesto.

—*¿Por qué vamos a brindar?* —preguntó ella.

Su corazón golpeteaba con tal fuerza contra las costillas que, si los silbidos del viento no hubieran sido tan intensos, seguro que él lo habría oído.

—*Porque nuestro instituto, a partir del uno de enero, será oficialmente el órgano asesor del Gobierno federal en cuestiones climáticas.* —Con una sonrisa juvenil le pasó el champán, tan frío que la copa había quedado algo empañada por fuera—. *Y quería celebrarlo con mi mejor colaboradora.*

Ella lo miró sin poder creerlo.

—*¡Ay, Dios mío!* —susurró—. *Hoy ha estado usted en Berlín, se me había olvidado por completo. ¡Muchísimas felicidades!*

—*¡Gracias!* —Sonrió más aún, satisfecho, hizo chocar apenas las copas y vació la suya de un único trago—. *Nos lo hemos ganado a pulso.*

Ella bebió un sorbo. ¡El profesor había regresado al instituto solo para brindar con ella! Los dedos le temblaban de emoción, no podía separar su mirada de la de él. El pelo alborotado por el viento, los ojos brillantes, esa boca con la que soñaba desde el día en que lo conoció. Tuvo que tragar saliva y sintió que se sonrojaba. Nunca había estado tan enamorada, pero, al margen de eso, admiraba a su jefe por su entusiasmo, por su convencimiento de estar haciendo lo correcto. Admiraba su inmensa sabiduría, su agudo intelecto e incluso su arrogancia.

Y de repente él cerró un puño victorioso y se echó a reír. Entonces dejó la copa en la mesa, se le acercó y posó las manos en sus hombros. Su mirada se clavó en la de ella.

—¡Lo hemos conseguido, Anna! —susurró con voz profunda, y dejó de sonreír—. ¿Lo entiendes? A partir de hoy: The sky is the limit!

Tomó su rostro con ambas manos. Mientras se miraban sin decir nada, a él le temblaron un poco los labios, y en el rostro de ella debió de leer la respuesta a la pregunta que no había pronunciado, porque la abrazó con fuerza y la besó con una pasión que sumergió su cuerpo en fuego líquido de la cabeza a los pies.

Mark acababa de llegar, justo a tiempo para la tercera clase, cuando oyó el anuncio por megafonía. ¡Tenía que ir a ver al director! Su profe de biología le lanzó una mirada de resignación y asintió con la cabeza hacia la puerta para dejarlo salir. Nadie reaccionó cuando se levantó y se fue, porque era ya la cuarta o la quinta vez en ese semestre que lo llamaban al despacho del señor Sturmfels. Al principio sus compañeros de clase cuchicheaban o soltaban alguna risilla, y el grupo de empollones le lanzaba miradas burlonas, pero a esas alturas ya no era nada especial. Mark salió del aula y fue paseando sin prisa por los pasillos vacíos. Había alumnos que después de nueve años solo conocían al director de lejos; él, sin embargo, se sentaba tan a menudo frente a su escritorio que le faltaba poco para tutearlo. Mark entró en la zona de oficinas, donde la secretaria, sin decir nada, le hizo una señal para que pasara. Llamó a la puerta con desgana y abrió.

–Hola, Mark–Philipp. Siéntate.

Mark obedeció y se dejó caer en una de las sillas para las visitas. Se conocía el procedimiento del derecho y del revés. Las mismas expresiones que soltaba su padre, y en el mismo orden. Primero, severidad: ¿Por qué te saltas las clases? Eso tiene consecuencias. Después, una apelación a su sentido común: Pero, si tú eres inteligente, ¿por qué echas a perder así tu futuro? Por último, la amenaza: castigado después de clase, expulsión. ¿Estaría todo escrito ya en alguna parte?

Ese día, no obstante, el director se tomó su tiempo. Ni siquiera separó la mirada de la pantalla de su ordenador, sino que siguió tecleando algo en silencio, como si estuviera solo en el despacho. Recibió una llamada e incluso estuvo charlando con toda la tranquilidad del mundo con alguien sobre cuestiones personales. Los minutos pasaban. ¿Sería esa su nueva táctica? ¿El desgaste? Mark pensó por un momento en encender el iPod y ponerse a escuchar música, pero la pizca de respeto que le quedaba le impidió hacerlo.

—Bueno, ya volvemos a estar aquí los dos sentados —dijo el señor Sturmfels de repente—. Como verás, no me doy tan pronto por vencido. ¿Quieres explicarme algo hoy?

Mark lo miró un instante, después bajó los ojos. El director seguía impertérrito en su sillón, con los brazos cruzados a la altura del pecho, observándolo con una mirada escrutadora e inexorable que intentaba abrir una puerta del interior de Mark tras la que se ocultaba algo que solo le pertenecía a él.

—Pues no —masculló el chico mirándose las manos.

Le vinieron a la mente unos recuerdos nada gratos, recuerdos de otra escuela, de otro profesor. El flequillo le cayó sobre la cara, le servía para ocultarse igual que tras un telón.

—Ya sé que a ti no te interesa —prosiguió el director—, pero a mí me encantaría saber qué es lo que te pasa.

Mark tuvo que tragar saliva. Las amenazas y las broncas le resbalaban, pero el truco de la comprensión no le molaba nada. Su malestar iba en aumento. Tenía que salir de allí. Y enseguida. Pero era demasiado tarde, porque esa puerta al pasado ya se había abierto, aunque solo fuera un resquicio, y un fino reguero de dolor se coló por él. Metió las manos en los bolsillos de su chaqueta y las cerró en puños. ¿Por qué no comprendía nadie que él solo quería que lo dejaran en paz?

—El único al que perjudicas con esa actitud de negación es a ti mismo —dijo el director—. Tus padres me han explicado lo que sucedió en aquel internado, y sé...

—¡Cállese! —lo interrumpió Mark con brusquedad, y se levantó de un salto—. Usted no sabe nada. Todos dicen siempre que saben algo. Pues eso no es verdad.

—¿Cuál es la verdad, entonces? —El señor Sturmfels lo miraba con calma y serenidad, no parecía haberse tomado a mal su salida de tono—. ¿Qué hace que un joven inteligente como tú se salte las clases y se dedique a destrozar coches con palos de golf?

Mark se abalanzó con todas sus fuerzas para impedir que aquella puerta se abriera, pero la presión era cada vez mayor. Recuerdos no deseados que explotaban dolorosamente en su cabeza. «Explícanos lo que ha pasado. Te ayudaremos. Nadie se enterará. Esto quedará entre nosotros, en esta habitación.» ¡Y una mierda! Puede que se ayudaran a sí mismos a calmar su mala conciencia, pero no a él. Primero hacían que se abriera, muy comprensivos, y luego lo dejaban tirado; así había sido cada vez. ¡Estaba hasta las narices de tanta falsa comprensión y tanta cháchara psicológica! ¿Por qué no le soltaba el imbécil del director su sermón de siempre y listos?

—De todas formas no lo entendería —profirió Mark con obstinación, y le volvió la espalda.

La ira le recorría las venas, dolorosa, penetrante e insoportablemente caliente, y supo que perdería el control si no salía de allí enseguida.

Ricky, pensó. La voz del director quedó enterrada por el zumbido de su cabeza. Mark salió huyendo. Que Sturmfels pensara lo que le diera la gana, a él le importaba una mierda.

La reunión había terminado, el director del departamento de proyectos y los ingenieros responsables abandonaron el despacho. Después de tres horas de conversaciones, el aire de aquella sala caldeada se había cargado con la transpiración de los reunidos. Stefan Theissen abrió la ventana y esperó a que su secretaria recogiera las tazas de café, las botellas y los vasos vacíos, y que cerrara la puerta al salir. Aún creía percibir aquel repugnante olor a putrefacción, aunque la brigada de limpieza se había presentado el día anterior con toda una batería de productos desinfectantes. El director regresó a la mesa, a la que ya solo seguían sentados Enno Rademacher, director de ventas de

WindPro, y Ralph Glöckner. A este último, Theissen le había rogado la mañana anterior que acudiera a verlos lo antes posible. Ya había trabajado con Glöckner un par de veces y esperaba que pudiera ayudarles a encarrilar ese proyecto del Taunus, que de por sí era ridículo. El austríaco ofrecía sus servicios como «solucionador» a todo el que estuviera dispuesto a pagar sus exorbitantes honorarios, y en ciertos círculos era conocido por sus métodos poco ortodoxos pero absolutamente efectivos. A menudo bastaba con recurrir a él para desmontar hasta al opositor más enconado y llegar a acuerdos. Como ingeniero había construido presas, centrales energéticas, puentes, túneles y canales en toda Europa, Pakistán, África y China y, sin duda, era el mejor hombre para aquella situación tan complicada.

—Ya está todo hablado —dijo entonces Rademacher—. Usted ocúpese de la empresa de seguridad para que podamos empezar con la tala de la zona, el jueves a más tardar, sin que nos molesten. No podemos permitirnos ningún otro retraso.

—¿Cómo queréis solucionar lo del camino de acceso? —preguntó Glöckner, que tenía por costumbre tutear a todo el mundo.

—Estoy a punto de llegar a un trato con la familia que tiene la propiedad —dijo Rademacher restándole importancia—. Con su colaboración, espero haber podido solucionarlo todo pasado mañana, como mucho.

Glöckner enarcó una ceja y sonrió con complicidad.

—Saldré ahora mismo a echar un vistazo de cerca —repuso—. Los problemas solo están para solucionarse.

—Exacto. —Rademacher sonrió satisfecho, como un gato que acabara de atrapar un ratón.

Theissen seguía la conversación con creciente desagrado. ¿Se había perdido algo? Miró varias veces a uno y otro hombre, que no podían ser más diferentes. Al lado de los imponentes dos metros de altura de Glöckner, con su rostro lleno de marcas y curtido por el sol, la cola de caballo canosa y el chaleco de cuero estilo roquero, Rademacher parecía un contable inofensivo, aunque esa impresión era engañosa.

—Bueno, hasta más ver. —Glöckner se levantó de la silla y le dio unas palmaditas en el hombro a Rademacher con una naturalidad y una confianza que molestó a Theissen.

Salió del despacho con parsimonia y un paso balanceante.

—No tenía ni idea de que Ludwig Hirtreiter hubiera accedido de pronto a vender ese prado —le dijo el director a Rademacher.

No le hacía gracia enterarse como por casualidad de algo tan sumamente importante.

—Es que no lo ha hecho —repuso el director de ventas, y cruzó las piernas—, pero sí sus hijos. Ellos lo convencerán, en eso soy optimista. No les he dejado lugar a dudas de que, en caso contrario, conseguiríamos una autorización de paso temporal que tal vez podría terminar en expropiación. Eso los ha motivado. —Sonrió con autosuficiencia, pero luego se puso serio—. Y lo del allanamiento..., ¿no te da mala espina? —le preguntó a Theissen—. ¿Qué podían buscar aquí unos ladrones? ¿Qué significa el ratón muerto?

—Hámster. Era un hámster común muerto. —Theissen se encogió de hombros. Dejó la mirada perdida unos instantes y después golpeó la mesa con la mano abierta—. ¿No habría podido llamarme a mí esa maldita imbécil, en lugar de avisar a la Policía?

—¿Qué habría cambiado eso?

—¡Que habría tirado el puñetero hámster por el váter, habría hecho desaparecer un par de portátiles y habría roto un cristal para que pareciera un robo normal! —Theissen se levantó de un salto y empezó a caminar de un lado a otro de la sala—. Y, sobre todo, las cintas de las cámaras jamás habrían tenido que acabar en manos de la Policía.

—¿Por qué no? —preguntó Rademacher.

—Porque esa noche volví a la empresa —repuso Theissen—. Maldita sea, y ahora no hacen más que acribillarme a preguntas, claro.

Aquel asunto no le gustaba ni un pelo, y lo último que necesitaba era tener, además, a esos agentes metiendo las narices. A primera vista, el parque eólico de Ehlhalten era un proyecto más bien raquítico, pero de él dependía el futuro de toda la compañía. Cuando Theissen fundó WindPro, fue uno de los primeros del mercado, pero con el paso de los años las empresas de la competencia habían crecido como setas y estaban reventando los precios. Ya habían tenido que tomar medidas estrictas de ahorro para por lo menos evitar que la compañía acabara en números rojos, pero con eso no bastaba. Si la construcción del parque eólico del Taunus fracasaba, toda la financiación se vendría abajo; y eso que, con los tiempos de crisis económica que corrían, ya había sido una obra maestra por parte de Rademacher encontrar inversores y convencer a los bancos. Los fondos de energía eólica con los que había que financiar el parque eólico del Taunus iban a servir también para otros proyectos, muchísimo mayores. Las subvenciones millonarias del Estado, el land y la ciudad estaban calculadas al céntimo y habían sido requisito indispensable para recibir la aprobación de los bancos. Si estas se retiraban solo porque un granjero testarudo se negaba a venderles su maldito prado, todo el plan se vería comprometido.

—¿Tienes alguna sospecha sobre quién pudo ser el responsable del allanamiento? —preguntó Rademacher.

—Desde luego —contestó Theissen a disgusto—. Theodorakis, ¿quién, si no? Pero esta vez ha ido demasiado lejos.

—¿Quieres decir que él mató a Grossmann?

—Tal vez lo reconociera. Quién sabe...

—¿Has mirado si falta algún documento?

—Es lo primero que hice. Está todo.

—Esperemos que tengas razón. —Rademacher parecía inquieto.

—No tienes por qué preocuparte —le aseguró Theissen, pero su confianza solo era fingida.

Se había devanado los sesos intentando descubrir qué buscaría aquel intruso. ¿De verdad solo quería dejarle el hámster en el escritorio? ¿Por qué? Una vez había leído en algún lugar que la mafia enviaba peces o canarios muertos como advertencia para los testigos dispuestos a confesar, pero en su caso seguramente aquella explicación era algo rebuscada.

—El momento en que las cosas habrían podido ponerse peligrosas ya ha pasado —dijo con voz firme—. El jueves empezaremos con la tala y las instalaciones para las obras, y así nos habremos atenido al plazo exigido, o sea que no puede ocurrir nada más. Para otoño tendremos el parque eólico.

Llamaron a la puerta y su secretaria asomó la cabeza.

—Han venido dos agentes de la Policía judicial —anunció.

¡Lo que faltaba! Theissen lanzó una mirada a su reloj de pulsera. Al cabo de dos horas tenía una cita en el hotel Kempinski para preparar un acto del Círculo Empresarial del Taunus Sur que se celebraría la noche del viernes.

Rademacher miró a su colega.

—Quizá deberías contarles la verdad sobre Grossmann antes de que lo descubran ellos —sugirió.

—No, jamás —replicó Theissen con vehemencia—. Me alegro de que esa pesadilla haya terminado al fin.

El soniquete de la campanilla de la puerta interrumpió a Frauke, que estaba limpiando su mesa de trabajo. Se secó las manos y salió a la tienda. Una manada de chicas de catorce o quince años había ocupado el local sin dejar de cotorrear. Una de ellas, con largas piernas de gacela y los ojos muy maquillados, le pidió consejo sobre un cepillo para perros.

—¿Qué clase de perro tienes? —quiso saber Frauke.

—Nos lo trajimos de Ibiza. Tiene una piel muy sensible.

Frauke le enseñó los diferentes modelos de cepillo, y le impresionó ver la atención con que examinaba la chica cada uno de ellos. Debía de tenerle muchísimo cariño a su mascota.

—¡Eh, tú! ¡Que te he visto! —oyó Frauke que gritaba de pronto la voz de Nika, y se volvió para mirar.

Las demás chicas salieron corriendo de la tienda, seguidas por la gacela.

—Pero ¿qué...? —empezó a decir, confusa.

—¡Esa pequeña sinvergüenza nos ha birlado una camiseta! —exclamó Nika con una expresión rabiosa.

Un segundo después, también ella había desaparecido. Frauke sacudió la cabeza al comprender que había sido víctima de una maniobra de distracción bastante burda. Desde hacía un par de semanas no había más que hurtos en la tienda; lo que más éxito tenía eran las camisetas de una marca en concreto y toda clase de accesorios para caballos.

Siguió a Nika fuera y cerró la puerta del establecimiento. Con su corpulencia, Frauke no tenía la menor posibilidad de atrapar a la ladrona. Empezó a jadear después de correr diez metros, al contrario que Nika, que ya había subido la empinada cuesta y había alcanzado a la chica en la esquina de la calle peatonal.

El colegio había acabado y oleadas de alumnos avanzaban hacia la parada del autobús. Nika agarró a una chica de pelo oscuro que llevaba una mochila rosa a la espalda. Sus amigas se pusieron a armar escándalo, y dos chicos adolescentes que sin duda hacían causa común con ellas se acercaron a Nika desde atrás. Uno la sujetó con ambos brazos mientras las chicas se daban a la fuga, pero entonces Frauke vio algo increíble. En apenas un segundo, Nika se libró de los brazos del joven. Primero dio una pirueta con la elegancia de un tigre, luego su atacante voló por los aires y cayó de bruces contra el pavimento. El otro chico se abalanzó entonces sobre ella y compartió el poco agradable destino de su compinche. Las chicas se quedaron mirándola, visiblemente acobardadas.

—Si me devuelves lo que has robado no llamaré a la Policía —la oyó decir Frauke.

La ladrona abrió su mochila sin protestar, sacó una camiseta toda arrugada y la lanzó a los pies de Nika con una expresión altiva. Los chicos ya se habían levantado y desaparecieron cojeando entre la muchedumbre de paseantes curiosos.

—Recógela —ordenó Nika.

Frauke, boquiabierta, vio cómo la chica se agachaba y recogía del suelo la camiseta robada. Nika seguía de pie sin perder

114

la calma y, a pesar de su falda anticuada, la chaqueta de punto gris y las zapatillas de deporte destrozadas, irradiaba una autoridad que Frauke nunca antes le había visto. La chica le entregó la camiseta.

—Gracias. Y ahora largo. No quiero volver a veros a ninguno por nuestra tienda. Si no, os pondré una denuncia.

Las urracas ladronas bajaron la cabeza y se largaron, la muchedumbre se disolvió. Frauke estaba sin habla. De no haberlo visto con sus propios ojos, en la vida habría creído que la delicada y callada Nika hubiese podido tumbar a dos chicos con semejante facilidad. Sin embargo, ella no parecía querer hablar de su heroicidad. Pasó a su lado sin decir nada y continuó calle abajo. Frauke casi tuvo que correr para alcanzarla.

—¡Has dejado KO a esos dos chavales! —exclamó con incredulidad, llena de admiración—. ¿Cómo es que sabes hacer karate?

—Es jiu-jitsu —la corrigió Nika.

—¡Increíble! ¡Jamás te habría creído capaz de algo así! —dijo Frauke entre jadeos—. Cuando se lo cuente a Ricky, se va a...

Nika se detuvo con tanta brusquedad que Frauke casi se tropezó con ella.

—No quiero que le cuentes nada a Ricky —dijo, secamente y sin un asomo de sonrisa—. ¿Me lo prometes?

—Sí, pero es que ha sido... —empezó a decir ella, desconcertada.

—¿Me lo prometes? —insistió Nika. No parecía una súplica, sino más bien una amenaza.

—Sí, vale —masculló Frauke, intimidada—. Te lo prometo.

—Confío en tu palabra.

Nika volvió a ponerse en marcha y ella se quedó donde estaba, mirándola sin entender nada mientras cruzaba la calle y desaparecía en el interior de la tienda.

—Tenemos la sospecha de que el responsable de la broma del hámster pudo ser un antiguo empleado —dijo el señor Stefan Theissen.

—¿Broma? —Pia enarcó las cejas—. Para gastar una broma, quien fuera se arriesgó bastante, incurriendo en allanamiento.

Oliver von Bodenstein le dejó a Pia la conversación con los dos directivos de WindPro y se mantuvo en un segundo plano mientras recorría con la mirada el gran despacho e intentaba sopesar a ambos hombres. Theissen daba la impresión de estar muy seguro de sí mismo y relajado. Ni en él ni en su compañero había rastro alguno del nerviosismo que solía apoderarse de la mayoría de las personas durante una conversación con la Policía judicial. El inspector jefe pasó revista a la vestimenta del director de la empresa con mirada de experto. Traje y camisa de diseño, corbata de estampado decente, *prêt-à-porter* pero de gama alta, zapatos a medida. Stefan Theissen le daba mucha importancia a su aspecto.

—¿A quién considera sospechoso, entonces? —le preguntaba Pia en ese momento.

—A un hombre que se llama Yannis Theodorakis. Solía trabajar para nosotros —repuso el director.

—Vaya. —Pia se hizo la sorprendida—. Theodorakis. Es el de la iniciativa ciudadana. Ayer lo vi por televisión y no me dio la impresión de que estuviera de broma precisamente. Pronunció unas acusaciones muy graves contra su empresa.

Theissen y Rademacher cruzaron una rápida mirada.

—Esas afirmaciones son calumnias maliciosas —dijo Rademacher—. Hace nueve meses pusimos fin a nuestra relación laboral con él. Ahora quiere vengarse de nosotros y cualquier medio le parece adecuado. Vamos a interponerle una querella.

Rademacher era varios años mayor que Theissen, debía de rondar los cincuenta y cinco. Su rostro de mejillas flácidas era inexpresivo, y a través de su ralo cabello rubio relucía un cuero cabelludo rosado. No tenía menos aplomo que Theissen, pero sí era muchísimo menos vanidoso. Al hablar dejaba entrever unos dientes amarillentos e irregulares bajo su espeso bigote, llevaba el traje arrugado y olía a tabaco. Oliver se acercó a un aparador en el que había varias fotografías enmarcadas: molinos de viento, hombres sonrientes con traje visitando instalaciones en construcción;

un apuesto papá, una guapa mamá y sus tres hijos; un muchachito rubio muy serio, con traje y pajarita, sosteniendo un violín; dos niñas sonrientes con esquís, en la nieve. Papá y mamá ante una puesta de sol en las montañas.

—Esas acusaciones carecen de todo fundamento —intervino Theissen, secundando a su compañero—. Ni una sola organización ecologista ha puesto reparos, pero de repente resulta que todo el proyecto es perjudicial.

Oliver von Bodenstein carraspeó.

—¿Qué puesto ocupaba el señor Theodorakis en su empresa? —preguntó.

—Era director de equipo de desarrollo de proyectos —contestó Theissen—. Responsable de la adquisición de los emplazamientos y la supervisión de los proyectos eólicos en todas sus fases de ejecución.

—¿Por qué lo despidieron?

—Tuvimos disparidad de opiniones.

—¿De qué tipo?

—Eso son cuestiones internas de la empresa —respondió Theissen, evasivo.

—De modo que no se despidieron en términos amistosos —aventuró Oliver, y por la expresión del director de WindPro comprendió que había acertado.

—Theodorakis era un marrullero y envenenaba el clima de la empresa —intervino Rademacher—. No cumplía lo acordado, y eso desconcertaba a los clientes. Por su culpa estuvimos a punto de perder un contrato muy importante; esa fue la gota que colmó el vaso. Para nosotros ya no era asumible.

—Antes ha hablado usted de venganza —apuntó Oliver—. ¿Por qué querría Theodorakis vengarse de ustedes?

—Tras su despido montó mucho alboroto y nos llevó a Magistratura Laboral, pero perdió —contestó Rademacher, y soltó una tos con flemas—. En nuestro sector todo el mundo se conoce, así que después de eso nadie quiso contratarlo. A día de hoy sigue culpándonos a nosotros, pero fue él solo quien se dejó fuera de juego.

—¿Tuvo algo que ver con la planificación del parque eólico del Taunus?

—Solo en las fases más iniciales. Lo despedimos en agosto del año pasado.

Pia abrió su mochila y sacó una copia de la hoja que Kröger había encontrado debajo de la fotocopiadora de la sala auxiliar. Se la alcanzó a Theissen.

—¿Qué es esto? —preguntó él, ceñudo.

—Eso me gustaría que nos dijera usted.

El director contempló la fotocopia y arrugó más la frente, después le pasó la hoja a Rademacher con un semblante imperturbable.

—Parece una página de un informe pericial. —Se cruzó de brazos—. ¿De dónde lo han sacado?

—Estaba en el suelo, debajo de la fotocopiadora que hay junto a su despacho. —Oliver von Bodenstein no le quitaba el ojo de encima a Theissen—. Lo cierto es que pensábamos que no era nada extraordinario, pero entonces nos extrañó la hora a la que se utilizó la fotocopiadora por última vez. Según el historial, en concreto fue el sábado 9 de mayo, entre las 2.43 y las 3.13 de la madrugada.

—No acabo de entender... —empezó a decir Stefan Theissen, pero calló enseguida.

Aquella hoja no parecía tan insignificante como quería hacerles ver el director, porque sus ojos se movían nerviosos de aquí para allá mientras se mordía el labio inferior. Rademacher, por el contrario, sonreía malhumorado.

—Ahora por lo menos sabemos para qué se coló aquí Yannis Theodorakis —opinó—. Espionaje industrial. Esto lo pagará caro.

Bodenstein le dirigió una mirada pensativa. ¿Acaso no sabía Rademacher que Theissen había estado en la empresa la noche del asesinato?

—¿Cuándo dijo usted que salió del edificio el viernes por la noche? —preguntó volviéndose hacia Theissen.

—Poco antes de medianoche —respondió este. No parecía acabar de entender adónde quería ir a parar el inspector jefe—. Pero eso ya se lo dije.

—Nadie lo vio, y hasta ahora solo su mujer ha podido corroborar su coartada. Por desgracia, su palabra no tiene demasiado peso.

Rademacher no dejó entrever si esa información lo había sorprendido. O bien era un curtido jugador de póquer, o estaba al tanto de las actividades nocturnas de Theissen la noche de la muerte de Grossmann. Su expresión era expectante, casi demostraba curiosidad. El rostro de Theissen, por el contrario, exhibió en apenas un segundo todo un caleidoscopio de emociones: asombro, incredulidad, inseguridad, miedo. Esta última fue la más fuerte de todas, la que quedó pendiendo de su mirada como una sombra cuando volvió a serenarse.

—No entiendo a qué... —empezó otra vez.

—Creo que lo entiende muy bien —lo atajó Pia. Aquel hombre empezaba a ponerla de los nervios—. Quizá había quedado usted con quien fuera que entró en el edificio.

—Pero... ¡eso es un disparate! ¿Por..., por qué habría de quedar yo con un intruso? —tartamudeó Stefan Theissen con sorpresa.

Era una deducción algo abstrusa y la propia Pia lo sabía, pero ya había pillado a Theissen mintiendo una vez y tal vez volvería a cometer un error si le apretaba las tuercas.

—Sea como fuere —dijo Oliver—, la coartada que le ofrece su esposa es débil. Estuvo usted en el edificio, evitó encontrarse con su vigilante nocturno y no sabemos a qué hora salió exactamente de aquí. Por esos motivos está usted bajo sospecha de haber tenido algo que ver con los sucesos de la noche del viernes. Y por eso le pedimos que, de momento, no se vaya a ninguna parte. Debe estar localizable en todo momento.

—¡No pensarán en serio que he podido tener algo que ver con el accidente! ¡Rolf era amigo mío!

Theissen estaba rojo. Rademacher le puso una mano apaciguadora en el brazo, pero él se la sacudió de encima.

—Vine a mi despacho a buscar unos documentos que se me habían olvidado. ¡El único motivo por el que no quería que Rolf me viera era que no me apetecía entretenerme con él! ¡No pienso dejar que me acusen de haberle hecho nada!

Su indignación era auténtica, pero tras ella se escondía algo más que enfado por la sospecha de Pia.

—A Yannis Theodorakis sí lo veo capaz de algo así —dijo entonces Rademacher, con el aplomo de la convicción—. Es un hombre colérico. Un fanático radical sin respeto alguno. Tal vez Grossmann lo reconociera y quiso hablar con él. Vayan a buscarlo, si es que no lo han hecho ya. Comprobarán que tengo razón. Ese hombre es imprevisible y está lleno de odio.

El recipiente de papel con la lasaña de salmón daba vueltas en el plato de cristal del microondas. Yannis había extendido los documentos en la mesa de la cocina y estaba comparando minuciosamente sus números con los de los informes periciales que estaban en su poder desde hacía ya un tiempo. Creó una tabla de análisis con los datos de la comparación y sacudió la cabeza.

—Increíble —murmuró.

La puerta de la casa se abrió justo cuando la luz del microondas se apagaba con un *pling*. Yannis no tuvo que mirar el reloj; Nika llegaba todos los mediodías a la una y media en punto. Nunca se quedaba a comer con Frauke o con Ricky, ni con amigas, puesto que no tenía ninguna.

—Hola —dijo ella al entrar en la cocina.

—Hola —contestó él levantando la mirada de las tablas y los números.

Esa extraña vestimenta le habría parecido lamentable en cualquier otra mujer; en ella le resultaba exótica y maravillosamente modesta. Llevaba una falda larga de florecitas, una blusa de color oliva y una chaqueta de punto amorfa cuya lana debía de haber sido verde una vez. En los pies se había calzado unas zapatillas de deporte muy cedidas. Sin embargo, desde que sabía

120

cómo era su cuerpo por debajo de esa ropa tan peculiar, a Yannis ya no le importaba en absoluto.

—¿Has comido algo? —preguntó con un tono que pretendía ser informal, aunque tenía el corazón en la garganta.

—No, ¿qué me ofreces?

—Lasaña de salmón con ensalada de patata.

La mirada de Nika recayó en el envase vacío.

—Ah, no, muchas gracias. Hoy no me apetecen *delicatessen* del Aldi.

A causa de la predilección de Ricky por la cocina rápida, Yannis había acabado disfrutando de los precocinados y los congelados del supermercado cercano con los que ella atiborraba la nevera.

—Bueno, la ensalada de patata es del Rewe —repuso él.

Nika sonrió entonces, y él se quedó sin habla como tantas veces últimamente. En muy pocas ocasiones le faltaban las palabras, por eso le desconcertaba la timidez que se apoderaba de él en presencia de Nika desde hacía un tiempo. Ella, sin embargo, no parecía darse cuenta de la turbación que le provocaba.

—Prefiero hacerme un bocadillo —dijo, y abrió la nevera.

Yannis se sirvió la lasaña y la ensalada en un plato, sacó cubiertos de un cajón y se sentó a la mesa apartando la montaña de papeles a un lado.

—¿Qué es eso que tienes ahí? —preguntó Nika, y miró con curiosidad por encima de su hombro mientras cortaba un tomate por la mitad.

—Un par de peritajes —respondió Yannis sin dejar de masticar—. Todavía necesito argumentos contundentes para esta noche.

—Ah, ya. —El interés de Nika se esfumó.

Se sirvió un vaso de agua, se sentó a la mesa y empezó a comerse el sándwich de tomate y pepino. Yannis se estrujó el cerebro en busca de un tema de conversación que consiguiera sacarle algo más que un «gracias» o los monosílabos «sí» y «no».

—¿Ha habido mucho movimiento hoy en la tienda? —preguntó al final, y se la quedó mirando.

—Para ser martes no ha estado mal —repuso ella—. La tienda *online* marcha sorprendentemente bien.

Agradecido, Yannis se lanzó a ese tema y habló por los codos sobre las ventajas y los inconvenientes de la venta por internet. Nika asentía de vez en cuando y sonreía distraída, pero él se daba cuenta de que tenía la cabeza en otra parte. Cuando se terminó el bocadillo, apartó el plato, se inclinó sobre la mesa y alcanzó el periódico que él había dejado allí por la mañana.

Yannis la miraba de reojo con disimulo. ¿Cómo reaccionaría si en ese momento le confesaba que estaba loco por ella? ¿Debía atreverse, a ver qué sucedía? Nada resultaba más bochornoso que un rechazo, pero ya no soportaba aquella tensión. Mientras seguía pensando en cómo sacar el tema y decírselo, Nika pasó una página y de repente se estremeció como si acababa de ver un fantasma en el periódico. La mano con la que sostenía el vaso empezó a temblarle mucho. Una expresión de horror cruzó durante una fracción de segundo su rostro, por lo general sereno como el de una virgen renacentista.

—¿Qué ocurre? —preguntó Yannis, preocupado.

Ella dejó el vaso, tragó y sacudió la cabeza. Sus ojos refulgían con sobresalto. Enseguida bajó la mirada.

—¿Eh? Nada. —Había vuelto a recuperar el control. Dobló el periódico deprisa y se levantó antes de que él pudiera añadir algo más—. Nos vemos luego. Tengo que irme ya.

Dicho eso, desapareció en el sótano. Yannis la miró desconcertado y algo molesto. ¿A qué había venido aquello? Se inclinó sobre la mesa, recuperó el periódico y lo hojeó página por página, pero no encontró nada que pudiera haber causado el espanto de Nika. ¿Había sido un nombre en alguna de las esquelas enmarcadas en negro lo que la había alarmado? En tal caso, ¿cuál? ¿Cómo se apellidaba Nika? Nunca habían firmado con ella un contrato por el alquiler del apartamento del sótano porque, a fin de cuentas, era una vieja amiga de Ricky. Yannis arrugó la frente. No sabía casi nada de la mujer con quien compartía su casa desde hacía medio año y que últimamente acaparaba sus pensamientos de una forma muy poco apropiada. Ya iba siendo hora de cambiar eso.

*

−No creo que Stefan Theissen tuviera nada que ver en la muerte de Grossmann −dijo Pia mientras Oliver y ella, poco después, recorrían el pasillo−. Pero ¿has visto cómo se ha sobresaltado cuando le he enseñado la hoja?

−Sí, me he dado cuenta. Tiene algo que esconder. −El inspector jefe miró un momento hacia el ascensor, pero luego se decidió por la escalera. Aunque no hiciera más que bajarla, intimidaría a un par de células adiposas−. Yannis Theodorakis tiene una cuenta pendiente con su antiguo jefe. Es un asunto personal, hay emociones en juego. A pesar de eso, Theissen seguirá siendo sospechoso mientras no encontremos a nadie que confirme su coartada, aparte de su mujer.

−Las acusaciones de Yannis Theodorakis contra WindPro tampoco pueden haber salido de la nada así como así. −Pia se detuvo en un descansillo−. Debe de tener algo palpable contra Theissen y Rademacher; si no, no se habría plantado ante las cámaras para hablar de estafa y soborno.

−Lo que me rechina es ese hámster. −Oliver sacudió la cabeza, pensativo−. No encaja para nada en el cuadro. Theodorakis entra en la empresa, deja el hámster muerto en el escritorio como advertencia para Theissen, o por lo que sea, luego fotocopia unos documentos, Grossmann lo sorprende y lo reconoce. Acaban discutiendo. Grossmann cae por la escalera... ¿y Theodorakis intenta reanimarlo? Ni en sueños. Lo único que querría sería largarse.

−Sí, y tampoco habría mencionado lo del exterminio de los hámsteres por televisión si él mismo había dejado el animal en el escritorio −dijo Pia, coincidiendo con su jefe.

Se miraron sin saber por dónde tirar.

−Tenemos que hablar con él cuanto antes −concluyó Oliver, que sacó el móvil y se puso de nuevo en marcha.

Llamó a Ostermann, y este le comunicó que por fin habían averiguado la dirección de Theodorakis. Cem Altunay y Kathrin Fachinger iban ya de camino al distrito de Gross-Gerau, a unos cuarenta kilómetros de allí.

—¿Cómo que a Gross-Gerau? —preguntó Oliver, sorprendido.

—Está domiciliado allí, en Büttelborn.

Oliver y Pia habían llegado a la planta baja y atravesaron el vestíbulo de entrada. La inspectora alargó el brazo para empujar la puerta y, entonces, un rayo de sol que cayó por la cúpula de cristal hizo relucir algo que llevaba en la mano izquierda. ¿Qué era eso? ¿Un anillo? En los cuatro años que llevaban trabajando juntos, Oliver nunca había visto a su compañera llevar ni una sola joya.

—Avísame cuando vuelvan. —Dio un paso a un lado y esperó a que el hombre que salía del edificio con ellos y los miraba con curiosidad estuviera a una distancia prudente y no pudiera oírlos—. Quiero que pregunten por Yannis Theodorakis a todos los empleados de WindPro.

Oliver colgó y guardó el móvil. De camino al coche pensó si decirle a Pia algo sobre ese anillo. Sin embargo, la desacostumbrada reserva que vio en su rostro hizo que se decidiera por callar. Tal vez más tarde.

—Ahora sueltas el embrague despacio... Eso... ¡Ups! —Ricky se echó a reír—. ¡No tan deprisa!

Mark volvió a sentirse bien nada más verla. Los sombríos recuerdos habían desaparecido tras su puerta como espíritus malignos y solo le habían dejado un ligero embotamiento que no tardó en desaparecer. Ricky nunca lo taladraba con preguntas estúpidas. Cuando se daba cuenta de que no estaba muy fino, enseguida se le ocurría algo para distraerlo. El coche se había detenido con una sacudida.

—Perdón —murmuró el chico.

No había forma de que le saliera: embragar, poner la marcha, acelerar. ¡Pero si hasta el tío más lerdo sabía conducir un coche!

—No pasa nada —dijo Ricky—. ¡Prueba otra vez!

Giró la llave en el contacto hasta que el motor arrancó, pisó el embrague y movió la palanca de cambios para meter primera. Aferró el volante con las manos empapadas en sudor. Entonces Ricky se inclinó hacia él y le puso una mano en el muslo izquierdo. El corazón empezó a latirle con un redoble de tambor y casi se le olvidó respirar de la emoción.

—Ahora sueltas el embrague muuuy despacio... —dijo Ricky, y fue reduciendo con suavidad la presión sobre su pierna—. Y al mismo tiempo aceleras, pero no demasiado.

Mark asintió con brío y se pasó la lengua por los labios con la mirada muy fija en la pista asfaltada. ¿Cómo iba a concentrarse en la conducción con la mano de Ricky en la pierna? Sentía la suave presión de sus pechos contra su brazo derecho, olía el aroma de su champú.

Soltar despacio, pensó, y acelerar... ¡Sí! ¡Estaba conduciendo! El coche avanzó por el camino. Ricky le quitó la mano de la pierna y lo miró con una sonrisa.

—¡Genial! —exclamó. Su boca no estaba ni a treinta centímetros de la de él—. Suelta el acelerador, pisa el embrague, pon segunda.

Mark lo hizo, pero se olvidó de acelerar después de poner la marcha y el motor se ahogó otra vez.

—Creo que será mejor que conduzcas tú —sugirió, deprimido—. Si no, hoy no llegamos a la tienda.

—Tonterías. —Ricky sacudió la cabeza con energía—. Solo es cuestión de práctica. Tú lo llevas hasta la urbanización y allí cambiamos.

El chico volvió a encender el motor y consiguió meter segunda sin que se le calara el coche. Hacía ya un par de semanas que Ricky le había dejado conducir en secreto por primera vez. Porque sí.

«Venga, va, inténtalo —le había dicho de repente, sonriendo—. Antes de tu primera clase práctica ya sabrás conducir perfectamente.»

¡Eso era típico de Ricky! Siempre se portaba genial con él, nunca lo trataba como a un niño pequeño. La admiración de Mark por ella era infinita. Ricky sabía de absolutamente todo: saltaba al lomo desnudo de sus caballos sin ninguna ayuda, hablaba un inglés perfecto porque había ido a una universidad de élite de California (¡había sido una de las únicas siete mujeres que estudiaban para técnico aeroespacial, nada menos!). Sabía remangarse como cualquier hombre, trataba con animales, no le tenía miedo a nada y siempre tenía buenos consejos. Y, encima, estaba buenísima. El día en que la vio por primera vez había marcado un punto de inflexión en su vida. Él quería ser como ella: así de fuerte, así de honrado, sincero y despreocupado. Ricky, al contrario que otros adultos, no hacía promesas vacías, mantenía su palabra, no mentía y nunca lo despachaba con alguna estúpida fórmula de cortesía. Y lo más bonito era que ella lo prefería a él antes que a nadie... Bueno, salvo Yannis; al fin y al cabo era su novio, así que no pasaba nada.

—¡Cambia! —le recordó ella cuando la aguja, junto al velocímetro, se acercó a las cuatro mil revoluciones y el motor rugió con dolor.

Soltar el acelerador, pisar el embrague, cambiar, pisar el acelerador. El Audi negro ronroneó de satisfacción sobre el camino asfaltado entre manzanos y cerezos en flor, el aire suave entraba por la ventanilla abierta.

—¡Lo estoy haciendo! —exclamó Mark, exultante—. ¡Estoy conduciendo!

—Claro, puedes hacer cualquier cosa si lo deseas de verdad —repuso Ricky, y sonrió una vez más.

Apretó los botones del reproductor de CD y, poco después, por los altavoces se oyó a todo volumen el *All Summer Long* de Kid Rock. En realidad a Mark esa canción le parecía un asco, pero a Ricky le encantaba porque le recordaba a su época de California, y por eso él había decidido que también le parecía guay.

—¡Lo haces de maravilla! —gritó ella por encima de la música—. Cuando te saques el carné de conducir, recorreremos juntos la Pacific Coast Highway No. 1. ¡De San Diego a San Francisco!

Mark asintió, loco de alegría.

—*And we were trying different things, we were smoking funny things, making love out by the lake to our favourite song...* —cantó ella.

El chico se le unió. Un mechón rubio se había soltado de la trenza de Ricky y ondeaba con el viento que entraba en el coche. Era tan maravillosa que Mark no hubiese querido dejar de mirarla.

—*Sipping whiskey out the bottle, not thinking about tomorrow, singing Sweet Home Alabama all summer long!*

Se sonrieron, y Mark deseó que aquellos tres kilómetros escasos de trayecto no terminaran nunca.

El viernes por la noche había cometido un error, pero tener mala conciencia no le serviría de nada a nadie. Yannis subió despacio la escalera de caracol. El desván era su guarida. Los peludos animales de cuatro patas no tenían nada que buscar allí arriba, y ni siquiera Ricky subía mucho. Abrió las ventanas de las dos buhardillas opuestas para dejar pasar algo de corriente y encendió el ordenador. Su escritorio estaba junto a la buhardilla que miraba al oeste, por la que se veía desde el fondo del valle donde se encontraba el refugio de animales hasta lo alto de las ruinas del castillo de Königstein. Yannis reprimió con decisión sus desagradables remordimientos de conciencia, que solo lo torturaban cuando se paraba a pensar. Esa noche se celebraba una reunión preparatoria en el bar Krone, y allí debía convencer a los demás miembros de la iniciativa ciudadana de que al día siguiente no era Ludwig Hirtreiter quien debía defender su causa en la asamblea vecinal, sino él.

Los rayos del sol calentaban al entrar por la ventana abierta y dibujaban un cuadrado luminoso sobre el suelo de moqueta gris. Una mosca pesada que zumbaba por allí se posó en la pantalla del ordenador. Él la ahuyentó distraído, abrió el correo y sonrió con satisfacción al ver que Mark había cumplido su palabra. Por cargante y pesado que pudiera ser a veces el chaval, para esas cosas valía su peso en oro, verdaderamente.

Después de imprimir los once correos, Yannis entró en internet y tecleó el nombre de «WindPro» en la barra de búsqueda de Google. Se había acostumbrado a hacerlo cada poco, ya que tenía que estar a la última en todo lo concerniente al enemigo. Leyó por encima los primeros resultados, hasta ver un nombre que le llamó la atención y despertó en él una asociación difusa. Entró en el artículo y contempló la foto que acompañaba al texto. «El profesor Dirk Eisenhut, director del Instituto Climatológico de Alemania, ha sido invitado el próximo viernes 15 de mayo, a Königstein —leyó—. El señor Stefan Theissen, presidente del Círculo Empresarial del Taunus Sur, se ha mostrado muy satisfecho de contar con un científico tan prominente.»

El cerebro de Yannis empezó a trabajar. ¿Dónde había visto hacía poco el nombre de Eisenhut? ¿Y en qué contexto? Estuvo un rato dándole vueltas sin dejar de mirar fijamente la foto de la pantalla, y entonces lo recordó. ¡Por supuesto! Abrió el último cajón de su escritorio y sacó los valiosos documentos que había reunido durante semanas y meses y había archivado con meticulosidad. La noche siguiente supondrían una sorpresa impresionante. Hojeó con impaciencia el interior del grueso archivador hasta encontrar lo que buscaba. Uno de los dos peritajes positivos que habían influido en la autorización para la construcción del parque eólico de Ehlhalten lo había realizado el Instituto Climatológico de Alemania. ¡No podía ser casualidad! El profesor Eisenhut, por lo visto, le había hecho un favor a su amigo. Tal vez incluso había recibido por ello una buena suma.

Yannis sonrió con malicia. ¡Ya se imaginaba la cara que pondría Stefan Theissen al día siguiente, cuando se enterara de en manos de quién habían acabado los documentos! Ese informe pericial tan evidentemente falso no era más que la guinda del pastel. Las pruebas contundentes que presentaría ante la prensa y el público en las siguientes veinticuatro horas significarían el fin definitivo del parque eólico del Taunus. Y el principio del fin de WindPro. Porque ese rastrero de Theissen ya no podría desvincularse del asunto con tanta facilidad.

Yannis entrelazó las manos detrás de la cabeza y miró pensativo por la ventana. Presentía que ahí se escondía algo más. ¿Qué podía ser? Apartó con una mano la mosca que no dejaba de intentar posarse en su cara y de pronto el recuerdo apareció en su cabeza. Dio un respingo, se levantó y bajó la escalera a todo corrrer, abrió la puerta de la cocina y se lanzó directo al periódico que seguía allí. Pasó las páginas con impaciencia hasta llegar a la sección local. Ahí estaba.

«El papa climático Dirk Eisenhut presenta su nuevo libro —decía el titular, y debajo se veía una foto del profesor Eisenhut—. El próximo viernes, el director del Instituto Climatológico de Alemania presentará en el hotel Kempinski su éxito de ventas de reciente publicación, *El planeta azul está al rojo vivo*. El Círculo Empresarial del Taunus Sur se complace en invitar al público interesado a la conferencia y posterior debate con el profesor Eisenhut, asesor del Gobierno federal en cuestiones climáticas.»

Yannis arrancó la página, volvió a dejar el periódico en la mesa y regresó a su estudio. «Profesor Dirk Eisenhut», tecleó en Google, luego el signo de más y el nombre de «Nika». Se sorprendió gratamente al ver la cantidad de resultados encontrados y empezó a leer.

—¡Que no! ¡Y es mi última palabra! —Ludwig Hirtreiter colgó de golpe el auricular en la horquilla del antiguo teléfono negro que ocupaba la cómoda del vestíbulo desde hacía treinta años.

Tell había posado la cabeza sobre las patas delanteras y, desde su manta, junto a la entrada, seguía con sus ojos color ámbar todos los movimientos de su amo. Ludwig Hirtreiter entró a zancadas en el salón, abrió las coloridas puertas decoradas del armario rústico y sacó la botella de aguardiente de frutas. En realidad no bebía alcohol durante el día, pero aquella situación lo había alterado tanto que necesitaba algo para tranquilizarse. La mano le tembló un poco al servirse el licor. Dio un buen trago e hizo una mueca. El fuerte aguardiente le quemó en el esófago y el estómago, pero surtió efecto. Después de un segundo vaso, se acercó a la ventana del salón, estiró la espalda hasta que le crujieron las vértebras y las clavículas y respiró hondo un par de veces. ¿Por qué narices se dejaba provocar así una y otra vez? Debía conservar la calma. Durante la rehabilitación se lo habían repetido hasta la saciedad: «Cualquier sobresalto le perjudica al corazón, no sobrevivirá usted a un segundo infarto». Pero ¿cómo podía conservar la calma cuando sus propios hijos se habían unido a Frauke en su contra? En la mesa del salón tenía la nueva oferta de WindPro, que el odioso Stefan Theissen le había entregado en persona. Tres millones, ¡y por escrito! Debía tomar una decisión dentro de las veinticuatro horas siguientes.

Miró más allá de las nubes de color rosa que formaban los cerezos en flor del jardín y vio la dehesa del otro lado, que era la responsable de todas las disputas. Allí estaba, inocente e intensamente verde, un prado de dos mil quinientos metros cuadrados que solo utilizaban dos veces al año los granjeros aficionados del pueblo para recoger heno, pero que por lo demás estaba desaprovechado. Y de golpe y porrazo era tan valioso como un campo petrolífero. Ludwig Hirtreiter oyó el ruido de unas patas al andar, los arañazos de unas garras afiladas sobre el suelo de baldosas. Dejó caer su mano y sintió un morro húmedo en la palma.

—Que se vayan al cuerno, ¿a que sí? —le dijo a su perro, que le respondió meneando la cola.

No le convenía alterarse más, necesitaba tener los nervios templados y la cabeza clara para la reunión preparatoria de dos horas después y la asamblea vecinal del día siguiente. Tal vez el problema se resolviera por sí solo. Si al final se impedía la construcción del parque eólico, WindPro ya no tendría ningún motivo para pagarle tantísimo dinero, y así él podría sentarse con toda tranquilidad en un sillón el resto de sus días a contemplar el prado y los bosques del Taunus, tal como había hecho durante más de cuarenta años.

El agua para la pasta ya hervía. Pia añadió un chorrito de aceite de oliva, una pizca de guindilla, algo más de una pizca de sal y, por último, los *spaghettini*. En la sartén, sobre el otro fogón, derritió un trozo de mantequilla y luego le dio un sorbo a su copa de vino tinto, que estaba a la temperatura perfecta.

—Creo que he encontrado algo —dijo Christoph detrás de ella—. Escucha, que suena bien.

Estaba sentado a la mesa de la cocina frente a su portátil y con las gafas de leer en la punta de la nariz, buscando un nuevo hogar por internet. Desde que Gerencia de Urbanismo de la ciudad de Frankfurt había decretado el año anterior la demolición de la casa de Pia, tenían los días contados allí, aunque gracias a su recurso tal vez el asunto se retrasara todavía un tiempo.

—Granja con edificio de vivienda, granero y establos —leyó Christoph en voz alta—. Terreno propio de dos hectáreas, más diez hectáreas de prados arrendados...

—¿Dónde? —preguntó ella mientras cortaba un diente de ajo en láminas finísimas.

—Cerca de Usingen.

—Demasiado lejos. —Negó con la cabeza y puso la campana extractora al tres.

Los piñones y el ajo resbalaron sobre la mantequilla caliente, Pia redujo el fuego y esperó a que se doraran, luego añadió los tacos de jamón de Parma y echó tres hojitas de salvia de una pequeña mata que tenía en el alféizar. Se le hizo la boca agua con el aromático olor.

—Pero es bonita —insistió Christoph—. Ven a ver las fotos.

Ella se acercó y lanzó una rápida mirada por encima de su hombro.

—¿De verdad quieres conducir más de una hora por las mañanas para ir a trabajar? —preguntó.

Christoph masculló algo incomprensible e hizo clic en el siguiente anuncio. Durante los últimos meses se habían recorrido media región del Wetterau hasta la montaña de Vogelsberg, pero nada de lo que habían visto les encajaba. Demasiado caro, demasiado grande, demasiado pequeño, demasiado alejado. Era desesperante. Pia redujo un poco de vino de Marsala con el jamón, el ajo y los piñones, pescó un espagueti del agua y lo probó. Dos minutos más. En ese momento llamaron a la puerta, y los perros, que estaban medio dormidos debajo y a un lado de la mesa de la cocina, saltaron como el rayo y empezaron a ladrar.

—¡Silencio! —gritó Pia, y los ladridos cesaron—. ¿Quién será?

Descolgó el telefonillo de la entrada. En el monitor en blanco y negro reconoció una cara borrosa. ¿Qué hacía Miriam allí? Apretó el botón del portero automático.

—¿Quién es? —preguntó Christoph, que abandonó de momento la búsqueda de granjas y cerró el portátil.

—Miriam —contestó Pia—. ¿Podrías colar la pasta y ponerla en la fuente, por favor?

Fue al vestíbulo, se calzó los Crocs azul cielo y abrió la puerta de la casa. El BMW cabrio negro ya estaba avanzando por el camino de entrada y se detuvo junto a su Nissan. Miriam se apeó.

—¡Hola! —Pia sonrió—. Menuda sorpre...

Calló sobresaltada al ver el estado en que se encontraba su mejor amiga. Debía de haber salido precipitadamente, porque llevaba pantalones de *jogging* e iba sin maquillar, algo nada propio de ella, que siempre parecía ir arreglada y elegante sin que le costara ningún esfuerzo.

—Pero ¿qué ha pasado? —preguntó Pia, alarmada.

Miriam se detuvo frente a ella con sus grandes ojos oscuros anegados en lágrimas.

—Estoy tan cabreada... —prorrumpió—. No te creerás lo que acaba de pasar: esa tal Löblich llama y dice que acaba de tener a su hijo. Y Henning lo deja todo tal cual... ¡y se va con ella!

Pia no creía lo que estaba oyendo. ¿Acaso Henning había perdido el juicio?

—¡Es increíble! —Miriam alzó los hombros, le temblaba la voz. Una lágrima se deslizó por su cara pálida, luego otra—. Me había asegurado que ya no tenía nada que ver con esa imbécil, pero ella ha tenido que llamar, claro, y Henning se ha..., se ha...

Se interrumpió y se lanzó a los brazos de Pia llorando desesperadamente.

—¿Cómo es capaz de hacerme tanto daño? —dijo, ahogada entre sollozos.

Tampoco Pia tenía respuesta para eso. Hacía muchos años que había abandonado todo intento de comprender la conducta de su exmarido.

—Bueno, primero entra —le dijo a Miriam—. Cenas algo con nosotros y luego ya veremos, ¿de acuerdo?

Frauke miró como por quincuagésima vez hacia la oscuridad de la ventana. Acababan de dar las diez. ¡La reunión en el Krone debía de haber terminado hacía rato! ¿Dónde se había metido el viejo?

—Seguro que ha visto nuestros coches —supuso Matthias.

—Qué va —dijo Frauke—. Pero si habéis aparcado detrás del granero, y nunca mira allí.

Conocía bien las costumbres de su padre. Cuando regresaba a casa de noche, dejaba el coche en el garaje, soltaba al perro y subía con él hasta la linde del bosque. Después controlaba que el establo, el matadero, las pajareras y el taller estuvieran bien cerrados. Nunca se acercaba hasta el granero, que quedaba en el otro extremo de la propiedad.

—Esta mañana me ha colgado el teléfono, el viejo cabrón testarudo. —Matthias fue hacia el armario rústico donde su padre guardaba las provisiones de alcohol. Abrió las puertas, sacó una copa y miró las botellas con asco. Aguardiente de frutas, de trigo, ron especiado. ¿Es que no tenía el viejo nada decente para beber? Al final se decidió por un coñac y se sirvió la copa hasta el borde.

—No bebas tanto —le susurró Frauke—. Eso se huele enseguida, y entonces tendrás muy malas cartas.

—De todas formas ya las tengo —repuso Matthias, sombrío. Levantó la copa, vació el coñac de un solo trago y se sacudió—. ¿Quieres uno tú también?

—No.

El perro ladró en su perrera, fuera; su compañero, el cuervo domesticado, graznó también. Poco después se abrió la puerta de la casa y Gregor entró con semblante lúgubre.

—Cómo detesto toda la granja... —Apagó su iPhone y se lo metió en el bolsillo—. ¿Qué estás bebiendo?

—Coñac. —Matthias hizo una mueca—. Lo demás es aún peor.

Gregor pasó por delante de su hermano pequeño para ir al armario y servirse también una copa. Se quedaron de pie en silencio, uno junto a otro, cada cual absorto en sus miserias.

Frauke volvió a dirigir la mirada hacia la carretera que bajaba hasta el pueblo. ¿Y si Yannis y su gente se salían con la suya y conseguían impedir la construcción del parque eólico con sus firmas? Su padre tenía que acceder esa noche sin falta a la venta del prado; si no, todo el trato se haría pedazos. Una vez tuvieran el dinero, ya les daría lo mismo si construían los molinos de viento o no.

El viejo reloj de pie que había junto al mueble del televisor sonó diez veces. El perro ya había dejado de ladrar. Gregor volvió a comprobar su iPhone y maldijo en voz baja. Matthias fue a la cocina.

Esa noche Frauke volvería a ver a su padre por primera vez desde que se había ido de casa dos años antes. No lo había echado de menos. Se habían dicho demasiadas malas palabras. Él jamás le perdonaría su reproche de que su madre había contraído cáncer solo porque él había convertido su vida en un infierno con su terquedad y sus aires de suficiencia.

Hubo un tiempo, en su infancia, en que Frauke quiso y admiró a su padre, y lo acompañaba entusiasmada al bosque. Él, que siempre tenía una respuesta para cada una de sus preguntas, había despertado en ella el amor por la naturaleza y los animales, y ella había compartido su pasión por la caza. Sin embargo, al llegar a la adolescencia Frauke engordó mucho. Al principio él le tomaba el pelo y la llamaba «gordinflona», por desgracia delante de todo el mundo. O le decía que no era más que el cambio de la pubertad y que esos kilos volverían a desaparecer. Pero los kilos se quedaron y fueron a más, y su padre empezó a controlarle el peso. Frauke tenía que subirse todas las mañanas a la báscula del cuarto de baño de sus padres, en braguitas y sujetador, y él anotaba su peso en una tabla arrugando la frente. Había empezado a odiarlo por aquel entonces. Para cuando cumplió los dieciséis años, ya había superado la marca de los cien kilos. Le racionaron la comida. La enviaron a una nutricionista. Con diecisiete ya tenía tocados los ligamentos de las rodillas y no podía asistir a las clases de educación física del instituto. Frauke se avergonzaba de su cuerpo amorfo e intentaba ocultarlo debajo de suéteres noruegos tamaño tienda de campaña. Y, por si fuera poco, todas las mañanas tenía que soportar que la sometieran a aquel procedimiento humillante. Más de treinta años después, todavía sentía brotar ese odio impotente que había hervido en su interior cada vez que su padre la obligaba a subirse a la báscula.

Unos faros se deslizaron en la oscuridad por la estrecha carretera que pasaba por delante de la granja y acababa en un aparcamiento junto al bosque.

—Ahí viene un coche —dijo—. ¡Apagad la luz!

Se oyó un clic cuando Matthias apretó el interruptor que había junto a la puerta. La lámpara del techo se apagó, todo quedó a oscuras. Frauke oyó respirar a sus hermanos en el silencio.

—Jamás accederá —dijo Matthias con una voz sepulcral—. Puede que hasta acabe desheredándonos si lo presionamos más.

—Basta ya de una vez —interrumpió Gregor a su hermano pequeño—. Hemos acordado cómo lo haríamos y ahora lo llevaremos a cabo.

Miércoles, 13 de mayo de 2009

Se incorporó sobresaltada y miró molesta a la oscuridad. ¿Qué la había despertado? La sidra que había bebido en el Krone le presionaba la vejiga. Nika buscó a tientas el interruptor de la lamparita y la encendió. Las 3.27. Los perros ladraban, pero enseguida se oyó la voz de Ricky y los ladridos cesaron. ¡No era de extrañar que Ricky no pudiera dormir! Los insultos de Ludwig Hirtreiter contra ella en la reunión de la junta de esa noche habían sido increíblemente ofensivos, y Yannis no le ofreció ni una palabra de consuelo. Se quedó allí mudo, luego subió al coche y desapareció. Frauke, Mark y ella habían regresado en el coche de Ricky, que hasta llegar a Königstein no hizo más que llorar.

Nika dudó un momento, después apartó el edredón. Tenía que ir al baño o ya no podría volver a dormirse. Justo cuando cruzaba el pequeño pasillo, volvió a oírse la voz de Ricky en la planta baja. En aquella casa se oía todo, pero ella tampoco se estaba esforzando por bajar el volumen.

—¿Quieres hacer el favor de decirme de dónde vienes? —le preguntó a Yannis con una acritud nada normal en ella.

Nika se quedó quieta en la puerta del baño y aguzó el oído. Desde que vivía con Ricky y con Yannis, nunca los había oído hablar entre sí más que con una cortesía exagerada. Al principio le extrañó, pero luego se acostumbró, aunque ese comportamiento no encajaba para nada con la Ricky que ella conocía de antes. En esos momentos, sin embargo, su amiga había olvidado toda moderación y estaba haciendo uso de su repertorio de insultos al completo. Las expresiones que dedicaba a Yannis no eran mucho mejores que las que el viejo Ludwig Hirtreiter le había escupido a ella a la cara unas horas antes. Nika no pudo entender la respuesta de Yannis porque hablaba demasiado bajo, pero después la reacción de Ricky fue más contundente aún. Entonces se oyeron golpes y crujidos. Algo se había roto.

—Pero ¿tú has perdido la chaveta o qué? —gritó Yannis—. ¿A qué viene esta bronca?

—¡A que quiero saber dónde has estado, otra vez! —vociferó Ricky—. Pero ¿has visto qué pinta traes? ¿De dónde sale toda esa sangre?

Nika sentía el frío del suelo de baldosas bajo los pies; estaba helada. En esas últimas semanas, Yannis había llegado muchas veces a casa ya entrada la madrugada. También Ricky estaba fuera hasta tarde alguna vez; Nika suponía que salía a buscarlo. Ricky aparentaba que todo iba perfectamente, pero era fácil ver lo mucho que sufría.

—¡Como descubra que tienes a otra, te vas a enterar, cabrón! —chilló.

A eso le siguieron un golpe sordo y unos sollozos desesperados. Nika contuvo la respiración. La sospecha de Ricky no era del todo injustificada. Aún se estremecía al recordar el día en que Yannis la había encontrado a la puerta del baño y la había contemplado con lascivia. Ella no se creyó la débil excusa de que había bajado a buscar una botella de vino. Desde entonces la seguía con unas miradas que no le hacían ninguna gracia. A Nika no le gustaba Yannis. Era imprevisible. Tras esa fachada elegante y locuaz bullía algo despiadado. Y por encima de todo, Nika no quería tener una discusión con Ricky solo porque su novio de repente mostrara una simpatía inexplicable hacia ella. Cerró sin hacer ruido la puerta del baño, encendió la luz y se sentó en la taza. ¿Por qué estaría Ricky con Yannis? Su amiga siempre había sentido debilidad por esos tíos macizos y musculados que eran superficiales y tenían la cabeza llena de serrín, pero también resultaban divertidos, entretenidos y simpáticos. Ni uno solo de esos calificativos podía aplicarse ni de lejos a Yannis Theodorakis. Él era demasiado intelectual, demasiado político y demasiado complicado. ¿Tenía Ricky miedo a quedarse sin un hombre a los cuarenta y dos años? ¿Por eso había decidido aferrarse al primero que apareció después de que su último novio la dejara de un día para otro tras siete años de relación? El miedo a la pérdida también explicaría esa exagerada cordialidad con la que lo trataba. Que si «cielo» por aquí, que si «mi vida» por allá. Nunca discutían, nunca tenían una mala palabra... Entre ellos reinaba una armonía de lo más inquietante. Como Yannis no guardaba precisamente en secreto su antipatía por Estados Unidos, Ricky había dejado de hablar de su sueño de juventud: montar un hotel con ponis en California. ¿Había renunciado a ello solo por retener a un hombre a quien en realidad no le gustaba nada de ella? Porque así eran las cosas. Yannis la despreciaba en secreto, y Ricky no se daba ni cuenta.

Nika esperó un par de minutos más y, cuando poco después regresó a su habitación andando con cuidado por el pasillo frío y oscuro, parecía que la pelea de la planta baja había amainado. De pronto percibió jadeos y gemidos sofocados y comprendió lo que sucedía. Se deslizó enseguida a su habitación, se metió en la cama y se quedó mirando el techo oscuro. Las lágrimas llegaron de repente. Se volvió de lado y se tapó la cabeza con el edredón para no oír nada más. Quizá Ricky tuviera razón. Mejor tener a un hombre, aunque no la quisiera, que estar sola. La soledad era espantosa. Nika pocas veces había sido tan dolorosamente consciente de ello como en esos interminables minutos en los que Yannis, haciendo todo el ruido posible, se esforzó por demostrar que esa noche todavía no había dedicado sus energías a ninguna otra mujer.

Faltaban pocos minutos para las siete cuando el conde Heinrich von Bodenstein pasó con el coche junto al bar Krone y torció por la pista asfaltada que llevaba a la granja de su amigo Ludwig Hirtreiter. La noche anterior, la reunión de la junta le había dejado una amarga sensación de fracaso. ¡Las cosas no tendrían que haber llegado tan lejos! Él debería haber intervenido, haber mediado, haber hecho algo, pero mantuvo la boca cerrada como un cobarde mientras la discusión iba degenerando en una horrible pelea entre Ludwig y Yannis. Después de la reunión, Ludwig y él se quedaron un buen rato más sentados en el Krone, pero tuvieron la precaución de evitar el tema. Ludwig, en contra de lo que él le había aconsejado, no había desvelado la cifra que le ofrecía WindPro, aunque con eso habría impresionado a los demás haciéndoles ver que estaba dispuesto a rechazar muchísimo dinero por la causa común. De todas formas ya era demasiado tarde. Yannis había conseguido descubrir cuál era la cantidad de la oferta y había hecho pública la impresionante suma a través de la lista de distribución de la iniciativa ciudadana. Con ello había abierto una brecha entre sus miembros. La fuerte discusión enfureció muchísimo a Ludwig, que había perdido el control, y el asunto se les fue por completo de las manos. Cuando Yannis y Ricky se marcharon, dejaron un ambiente tenso y desagradable. Los demás puntos del orden del día se trataron a toda prisa y se levantó la sesión. No, no había sido una buena noche, y de ello solo podía culparse a Yannis. Heinrich von Bodenstein suspiró. Ludwig también había cambiado muchísimo en los últimos años, era verdad.

La oscuridad se fue transformando poco a poco en una penumbra brumosa que seguramente era todo lo que les traería el día. El pronóstico del tiempo había anunciado lluvia. Justo cuando iba a torcer a la izquierda a la altura de la granja para ir al aparcamiento, vio luz en casa de Ludwig. Qué extraño... ¿Por qué no lo había llamado para decirle que no había ido al bosque? Esperaba que no hubiese sucedido nada malo. Dejó el todoterreno en el patio, bajó y fue hacia la casa. La puerta solo estaba entornada. El viejo Bodenstein llamó con unos golpes. No hubo respuesta, así que entró en el recibidor.

—¿Ludwig? ¿Estás ahí? ¡He traído el desayuno!

Nada. Su amigo no tenía muy buen aspecto el día anterior. Las discusiones con sus hijos, el encontronazo con Yannis y el tema del parque eólico le daban más quebraderos de cabeza de lo que estaba dispuesto a reconocer. Pero, aunque a Ludwig le hubiera sucedido algo, ¡al menos *Tell* debería responder! Heinrich von Bodenstein echó un vistazo en el desordenado salón. En la mesa había dos copas de coñac vacías. ¿Habría tenido visita por la noche?

—¡Ludwig!

Fue a mirar en el dormitorio. La cama estaba deshecha pero vacía. Su amigo no estaba en el baño y tampoco en la cocina. Por último lo buscó en el comedor, y su mirada recayó sobre el armario de armas. Faltaban el Drilling y el Mauser. ¡O sea que sí estaba en el bosque! En el Krone se habían bebido una o dos cervezas, y luego varios tragos de licor, tal vez Ludwig se había olvidado de cerrar el armario al marcharse. El conde salió de la casa, cruzó el patio y echó un vistazo por la pequeña ventana del garaje. El viejo Mercedes estaba dentro, de modo que Ludwig no se habría ido muy lejos con el perro. Se quedó inmóvil en medio del patio, bajo el gran castaño, mirando a su alrededor sin saber qué hacer. Los pájaros gorjeaban en las copas de los árboles y ya casi se había hecho de día. Un movimiento en el huerto de frutales que había detrás de la casa y el granero le llamó la atención. Distinguió una mancha rojiza en la mortecina luz del alba. ¡Un zorro! Se puso en marcha dando palmadas, el animal alzó la cabeza y se lo quedó mirando un momento desde lejos, luego desapareció como el rayo entre la maleza del sotobosque. Ese breve instante había bastado para que Bodenstein se diera cuenta de que había interrumpido al carnívoro mientras estaba devorando algo. Llevado por un mal presentimiento, echó a correr. El huerto con el gran estanque que Ludwig llamaba «mi jardín» se extendía hasta la linde del bosque. Bodenstein entró por la puerta de la valla de maderos bajos, cruzó el huerto de hortalizas, que estaba abandonado desde la muerte de Elfi, y pasó de largo junto a los rosales de enredadera. A la derecha quedaba el estanque, casi un pequeño lago rodeado de imponentes sauces llorones. La superficie del agua estaba lisa como un espejo y reflejaba el cielo nublado de la mañana. Cuando llegó al lugar donde había visto al zorro, más allá del estanque, se detuvo. Ni a tres metros de él, con la espalda apoyada contra el tronco nudoso de un cerezo, estaba sentado su amigo, entre asperillas y ajos silvestres, mirando hacia abajo, al agua. El cabello blanco le colgaba mojado sobre los hombros.

—¡Ludwig! —exclamó Heinrich, aliviado—. ¡Aquí estás! Ya me había preocupa...

Las palabras se le quedaron en la garganta. Se le detuvo un momento el corazón, sintió un mareo.

—¡Dios santo! —exclamó, horrorizado, y cayó de rodillas.

Por la noche había llovido y luego amaneció una mañana gris de mayo, de verdes intensos y niebla húmeda. Pia pensaba en Miriam mientras se calzaba las botas de lluvia sucias. No le hacía mucha gracia la idea de dejarla sola en Birkenhof. Su amiga estaba en muy malas condiciones, aunque una botella y media de St. Nicolas de Bourgueil había restablecido hasta cierto punto su equilibrio emocional la noche anterior. ¿Cómo podía Henning hacerle algo así? Pia estaba cabreadísima con él. Ningún intento de localizarlo había dado resultado, no contestaba al móvil ni al teléfono fijo. Durante medio año había hecho todo lo posible para que Miriam le perdonara su infidelidad y las graves consecuencias de esta, y desde hacía varias semanas parecía que todo iba bien otra vez entre ellos. Sin embargo, solo había hecho falta una llamada de Löblich... ¡y Henning se olvidaba de todo! ¡Increíble!

—No te preocupes demasiado por Miriam —le aconsejó Christoph mientras cruzaban el patio juntos.

Pia se detuvo y frunció la frente.

—No lo hago —repuso—. En realidad lo que más me fastidia es verme otra vez involucrada en los problemas de otras personas. Pero Miriam es mi amiga, así que...

—Sí, y está muy bien que la escuches y estés ahí para darle apoyo.

No, no estaba muy bien. A Pia no le gustaba nada pasarse horas hablando sobre su ex con Christoph delante. Ella, en el caso contrario, habría estado cualquier cosa menos entusiasmada.

—Pero tú también tienes que oírlo todo —dijo entonces—. Lo siento mucho.

—Bah, ¿te preocupas por mí? —Christoph se acercó a ella, la atrajo hacia sí y le dio un beso. Luego sonrió—. Bueno, sí que estoy un poco celoso, pero puedes compensármelo.

—¿De verdad? —Pia sonreía de oreja a oreja—. Dime cómo y lo haré enseguida.

—Saliendo a cenar conmigo esta noche. Han venido mis colegas de Berlín y Wuppertal, y me encantaría que nos acompañaras.

—No creo que pueda llegar a tiempo —repuso ella con pesar—. Esta noche se celebra la asamblea vecinal en Ehlhalten y tengo que ir. A menos que podamos hablar antes con ese tipo al que mi jefe tiene en el punto de mira.

—Claro, el trabajo primero. —Christoph enarcó un instante las cejas y la soltó.

Mierda. Antes de las vacaciones tuvieron una pequeña desavenencia, aunque no llegó a pelea. Pia, después de dos cursillos de fin de semana (y estando de guardia, por si fuera poco), no había podido acompañarlo a una comida de trabajo. Christoph no se quejó, pero se llevó con él precisamente a la veterinaria Inka Hansen, a quien Pia le tenía una manía especial.

—Les pediré a mis compañeros que se encarguen —dijo, pensándolo mejor—. Así podré acompañarte. Te lo prometo.

—De acuerdo. Entonces, esta noche a las siete en mi despacho. Reservaré mesa en el Lodge para las siete y media.

—Estupendo. Me muero de ganas.

Christoph sonrió y Pia sintió una agradable calidez en el corazón. Durante las vacaciones se había hecho el firme propósito de no cometer los mismos errores que Henning, cuyo trabajo había acabado por destruir su matrimonio. Christoph era demasiado importante.

Se despidió de él con un beso y lo vio subirse al coche, girar y avanzar hacia la verja. Justo después de sacar a los caballos al prado, le sonó el móvil. Miró un momento la pantalla. Era Bodenstein.

—¡Pia! —exclamó su jefe con una voz extraña—... necesitamos aquí... urgencia... Ehlhalten... La granja Rabenhof. —La cobertura era mala, pero lo que oyó la sobresaltó muchísimo—... allí ya. ¡Mi padre... encontrado... de un tiro!

La inspectora sintió que se le erizaba el vello de la nuca.

—¡No te entiendo bien! —gritó al móvil, pero la conexión ya se había cortado.

Poco después, Pia tamborileaba con los dedos en el volante, impaciente, esperando a que alguno de aquellos imbéciles egoístas la dejara incorporarse a la interminable cola de coches que se desplazaba en dirección a la A-66. Sopesó la idea de poner en el techo la luz azul que guardaba detrás del asiento del acompañante, pero justo en ese momento un conductor se apiadó de ella y ralentizó su marcha, aunque advirtiéndole con los faros y haciéndole imperiosos gestos con las manos. «Date prisa, atontada», podía leer Pia en su rostro crispado, así que renunció a dedicarle un «Muchas gracias». Cincuenta metros más allá, la mayoría de los conductores desaparecieron por la autopista en dirección a Frankfurt. La inspectora aceleró e intentó llamar primero a Oliver y luego a su exmarido, pero ninguno contestó.

—Vete al infierno, Henning —masculló, cabreada.

Podría haber realizado la gira de promoción de su nuevo libro instalado en un compartimento de tren de primera clase, o en avión, en *business class,* pero prefirió recorrerse toda Alemania con su propio coche. Los largos trayectos por autopista le daban tiempo para pensar. Además, así no dependía de nadie y podía estar tranquilo. Las muchedumbres de las estaciones y los aeropuertos le parecían un espanto al que solo se acercaba cuando tenía que viajar al extranjero y no podía evitarlo. En el instituto corría el rumor de que tenía miedo a volar, pero hacía tiempo que le daba lo mismo lo que la gente cuchicheara a sus espaldas. Debía conformarse con ello, igual que con los lameculos, los envidiosos, los mansurrones y los intrigantes. Como director del Instituto Climatológico de Alemania tenía mucha influencia, pero era también una figura odiada por todos aquellos que albergaban dudas acerca de las bondades de la política climática que él defendía. Dirk Eisenhut puso en marcha el motor de su Volvo XC90. La primera parada de su viaje era Hamburgo. Una firma de libros a mediodía en el Europa-Zentrum y una conferencia por la tarde. Mientras conducía en dirección a la A-10, introdujo la dirección en el sistema de navegación: 284 kilómetros; hora estimada de llegada, las 11.43; no se preveía ninguna incidencia en el tráfico. Sus pensamientos volvieron a girar una vez más en torno a Bettina y la noche del 31 de diciembre. A causa de su estatus como personaje público, las circunstancias del incendio de su casa de Potsdam se habían investigado a fondo. La orden procedió de las altas esferas, ya que en numerosas ocasiones había recibido amenazas e insultos, por correo o por internet, a menudo anónimos. Incluso llegaron a sospechar que se tratara de un atentado. Le preguntaron si tenía enemigos. Por supuesto que los tenía, a montones. Para la facción de escépticos del cambio climático de todo el mundo, el profesor Dirk Eisenhut era la personificación de todos los males, de los mentirosos y de quienes se aprovechaban del miedo al cambio climático, que él supuestamente alimentaba desde su instituto. También entre sus colegas de profesión tenía enemigos. Le envidiaban su éxito. Sus contactos y su influencia llegaban hasta los más altos cargos de la ONU, y el Gobierno alemán comía de su mano, ya que sus pronósticos eran desde hacía años la base de la política climática oficial.

Al final la investigación se archivó sin resultado. Una desgracia con un trágico desenlace.

Eisenhut sabía que no era así, pero no tenía pruebas de su sospecha. Había cometido dos errores, dos errores estúpidos que podían costarle todo lo que había construido con tanto esfuerzo durante los últimos veinticinco años. Desde aquella Nochevieja hizo uso de todos los medios que tenía a su alcance y pidió muchos favores, y la investigación prosiguió por medios legales y no tal legales. El resultado era alarmante. Todo aquel asunto llegaba mucho más lejos y era mucho más amenazador de lo que él supuso en un principio. Lo único que no había encontrado era una prueba concluyente.

Moderó la velocidad y atravesó el nudo de autopistas de la A-24 en dirección a Hamburgo. El teléfono del coche entonó su melodía y él apretó con el pulgar la tecla del volante multifunción para contestar la llamada.

—Hola, señor Eisenhut —oyó que decía una voz tensa. Tardó un par de segundos en identificar quién era—. ¿Molesto?

—No, no. Estoy en el coche. ¿Qué puedo hacer por usted?

Sus ojos siguieron la línea recta de la autopista, apretó el pedal del acelerador y los 243 caballos de vapor catapultaron el vehículo hacia delante. Los lentos camiones del carril de la derecha se perdían rápidamente como borrosos puntos de color junto a él.

—No me gusta hablar de esto por teléfono. Nos ha surgido un pequeño problema.

Los problemas siempre eran malos, y el tono de su interlocutor le hacía temer que ese «pequeño» era un eufemismo enorme.

—¿De qué se trata?

—Del peritaje que sus colaboradores realizaron para nosotros. Nos han entrado a robar en la empresa, y por lo visto ese informe ha caído en manos de alguien que habría sido mejor que no lo viera.

Dirk Eisenhut arrugó la frente.

—¿Podría expresarse con algo más de claridad?

—Ha muerto un hombre. Tenemos a la Policía judicial encima.

—¿Y? ¿Qué tiene que ver eso conmigo?

—Directamente, nada. Pero podría haber... consecuencias desagradables. —El interlocutor titubeó—. Mejor dicho, ya ha habido consecuencias.

—De todas formas teníamos que vernos pasado mañana —dijo Eisenhut—. Lo hablaremos entonces con calma.

—Podría ser demasiado tarde.

—No acabo de entender cuál es su problema. El informe pericial era impecable. Mis colaboradores lo realizaron basándose en los datos que usted nos hizo llegar y...

—Ese el problema, justamente —lo interrumpió el otro—. Esos datos no eran del todo..., mmm..., correctos.

Eisenhut empezó a comprender. Maldita sea. Un pequeño favor insignificante para un conocido que podía convertirse en un escollo. ¡Algo así era lo último que necesitaba en ese momento, cuando estaba en el foco de la opinión pública por la publicación del libro!

—Espero haberlo entendido mal —dijo con frialdad—. Lo llamaré más tarde desde el hotel.

Estaba tumbado en la cama, esperando a que la puerta de la casa se cerrara cuando Nika y Ricky salieran, y entonces bajó al sótano. Yannis se desanimó al comprobar que Nika había cerrado con llave su habitación. Contempló un momento el cerrojo de la puerta de contrachapado barato, dudando. Con una percha de la ropa podría abrirla sin problemas, cierto, pero luego no podría cerrarla otra vez, y la ventana tenía barrotes. Casi estaba dispuesto a dejar correr todo el asunto y esperar a que se presentara una ocasión más propicia, pero el ansia de descubrir algo acerca de Nika era más fuerte que el respeto a su intimidad, y más aún desde que sabía quién era en realidad. Su falta de sinceridad lo había cabreado muchísimo.

Yannis, indeciso, miró una vez más la puerta, luego subió corriendo al dormitorio, abrió de golpe el armario y se decidió por una percha de madera que parecía recia. Con algo de suerte, ella ni siquiera lo notaría. Unos minutos después, ya había abierto la puerta y estaba en la habitación de Nika, que en un principio debería haber sido una sala de *fitness*.

En un rincón estaban todavía la cinta de correr y aquella bicicleta ergométrica absurdamente cara cuyo tacómetro no marcaba ni diez kilómetros, junto a ella había un banco de pesas apoyado en la pared. Ricky tenía pensado vender todos aquellos trastos por eBay desde hacía meses, pero siempre lo dejaba para otro día. La mirada de Yannis recorrió la cama bien hecha, la mesa, en la que había un ramo de flores silvestres, la estantería con libros. Leyó por encima los lomos de los volúmenes. Novelas, casi todas policíacas, y biografías. Títulos conocidos de las listas de best sellers. Nika debía de ser una auténtica rata de biblioteca y seguramente había comprado los libros después de mudarse a vivir con ellos, porque todos parecían bastante nuevos.

En las paredes pintadas de blanco colgaban varios cuadros como los que Ricky se llevaba a casa de vez en cuando de las tiendas de materiales de construcción de las que era clienta habitual: paisajes toscanos, reproducciones baratas de obras maestras conocidas. Esa clase de arte empapelaba todas las paredes de la casa. A Yannis le parecía un horror, pero respondía al estilo de decoración que le gustaba a su novia. Fue hasta el armario empotrado y abrió una de las puertas. Allí colgaban en orden los extraños vestidos de florecitas de Nika, sus faldas y sus chaquetas de punto. Yannis abrió los cajones y revolvió su contenido sin un asomo de mala conciencia: ropa interior de algodón, sencilla y blanca, sujetadores de aro de color carne talla 90B, calcetines blancos y grises. Ni medias de rejilla ni lencería pecaminosa, sino justo lo que él había esperado. Nika no era de esas mujeres sofisticadas.

Se volvió hacia la siguiente puerta del armario, tras la cual, sin embargo, solo encontró las dos maletas con las que se había presentado allí. Nada. Iba a cerrar ya las puertas sintiéndose algo decepcionado, cuando descubrió la esquina de una bolsa de viaje de cuero debajo de una manta bien doblada. Se agachó, sacó la bolsa, que pesaba muchísimo y estaba llena hasta los topes, y palpó el cuero gastado. Aunque no era ningún experto, reconoció la excelente calidad del material. Cada vez con más impaciencia, tiró de los cierres de ambas correas de cuero hasta que por fin saltaron y la bolsa se abrió.

—Vaya, vaya... —murmuró al encontrarse con un portátil.

Un MacBook. ¡Y hasta tenía un iPhone, la señora inquilina misteriosa! Encontró un manojo de llaves, una cajita con joyas y un billetero en el que había un carné de conducir, un DNI, pasaporte y toda clase de tarjetas de crédito y de débito.

¿Por qué fingiría Nika delante de Ricky y de él? Se detuvo un momento a pensarlo. ¿Estaba Ricky al tanto de quién era y participaba en su farsa? Pero ¿por qué? Todo aquello resultaba de lo más extraño. Yannis examinó las pocas prendas que había en la bolsa de viaje. Vaqueros, blusas, dos blazers, dos pares de zapatos de tacón. De pronto se estremeció como si se hubiera quemado. Miró dentro de la bolsa intentando respirar sin comprender nada. Por muchas cosas que hubiera creído encontrar, con aquello seguro que no había contado.

Pia frenó detrás de un coche patrulla que estaba frente a la puerta del garaje doble, se apeó y miró a su alrededor. La finca de Ludwig Hirtreiter quedaba a unos dos kilómetros a las afueras de Ehlhalten, en la linde del bosque, rodeada de primaverales praderas verdes sobre las que pendía una niebla matutina. La pista de grava llegaba solo hasta el granero, algo apartado; el tramo asfaltado que arrancaba allí trazaba un recodo pronunciado frente a la granja y luego seguía cuesta arriba en dirección al bosque. Pia entró en el patio y se detuvo. La vivienda, un esperpento estilo Alta Baviera forrado de madera desgastada y bajo cuyo hastial llamaba la atención una imponente cornamenta de ciervo, tenía un balcón que daba toda la vuelta a la casa y bajo el cual había un porche en cuyos escalones, para gran alivio de Pia, estaba sentado el conde Heinrich von Bodenstein, pálido pero a todas luces ileso. ¡Gracias a Dios, estaba vivo! Pia conocía al padre de su jefe de algún encuentro fugaz y lo recordaba como un caballero de edad muy digno. Al verlo con el cabello blanco todo enredado y la mirada perdida, derrumbado sobre los escalones de madera, le costó cuadrar esa imagen con sus recuerdos.

Su jefe también estaba allí, claramente sobrepasado por la situación. Parecía haberle afectado de verdad ver a su padre en aquel estado. De pie junto al conde, rígido e incómodo, buscaba palabras de consuelo sin encontrarlas. Desde luego, Pia sabía que ni siquiera se le habría pasado por la cabeza darle un simple abrazo a su padre, puesto que durante la severa educación de Bodenstein el cariño y la empatía habían quedado relegados en favor del autocontrol y la deferencia. No era de extrañar que se sintiera torpe.

—Pia —dijo con alivio, y se acercó a ella—. La víctima era el mejor amigo de mi padre. Lo ha encontrado hace como una hora y se ha quedado en estado de *shock*.

—Bueno, eso no puedes recriminárselo —repuso la inspectora—. ¿Qué te ha contado?

—Nada. —Oliver se encogió de hombros—. Es que... no sé muy bien qué decirle.

—Déjame a mí.

Pia encargó a los dos agentes que aguardaban a una distancia respetuosa que cerraran la pista de grava para que no se destruyeran las huellas rodadas. Cuando los hombres desaparecieron, se volvió hacia el padre de su jefe.

—¿Cómo se encuentra? —preguntó.

Se sentó junto a él en el escalón de madera húmeda y fría y le puso una mano compasiva en el brazo. El viejo suspiró, luego alzó la cabeza y la miró con ojos apáticos.

—Ludwig era amigo mío desde antes que nadie —repuso con voz ronca—. Es espantoso que haya tenido que morir así.

—Lo siento muchísimo. —Tomó su mano huesuda y la apretó con cuidado—. Les pediré a mis compañeros que lo acompañen a casa.

—Gracias, pero tengo aquí mi coche... —empezó a decir el hombre, y de pronto le tembló la voz—. *Tell* también está allí arriba. Justo al lado de Ludwig. Un zorro... El zorro ha... Le ha...

Guardó silencio, se tapó los ojos con la mano libre y luchó por serenarse. Pia miró hacia arriba y se encontró con la mirada indignada de su jefe. ¿Acaso se avergonzaba porque su padre estaba mostrando sus sentimientos? Ella, con un gesto de la cabeza y sin decir nada, le pidió que los dejara a solas. Oliver lo entendió y se alejó en dirección al cadáver.

—¿Quién está también allí arriba? —preguntó Pia en voz baja cuando su jefe ya no podía oírlos—. ¿Y qué ha pasado con el zorro? ¿Quiere explicármelo?

El viejo conde asintió, mudo, y ella notó que se estremecía. Pasó todavía un rato hasta que empezó a hablar entrecortadamente.

—Ludwig está allí arriba sentado, y a su lado tiene a *Tell,* su perro. Todo está..., está lleno de sangre. —Se le rompió la voz—. Discúlpeme —susurró apenas.

Durante varios segundos luchó aún por dominarse, pero entonces la conmoción y la pena rompieron los diques de su contención y estalló. Pia, sosteniéndole la mano para ofrecerle consuelo, dejó que el viejo llorara por el asesinato de su amigo.

El cuerpo de Ludwig Hirtreiter estaba en la hierba alta, sentado con la espalda contra el tronco nudoso de un cerezo que ya había perdido la mayoría de sus flores. De no haber sido por la cabellera plateada que caía húmeda y lacia alrededor de su cabeza, Oliver von Bodenstein no habría reconocido al viejo amigo de su padre, puesto que en lugar de cara ya solo tenía una masa oscura y amorfa de carne desgarrada, huesos astillados y sangre coagulada. Un segundo disparo había dejado el abdomen de Hirtreiter convertido en papilla. El cuerpo sin vida estaba cubierto de pétalos, como si llevara una mortaja de color rosa; una imagen grotesca. Pegado a él, con el morro en su rodilla, yacía un gran perro de caza marrón grisáceo al que le faltaba la mitad del tórax. A juzgar por el rastro de sangre, el perro agonizante se había arrastrado con sus últimas fuerzas hasta su amo muerto.

—Uf —soltó Pia—. Esto es verdaderamente espantoso. Pobre, tu padre.

Su jefe no reaccionó al comentario. Se puso en cuclillas.

—Apuesto a que fue una escopeta de perdigones, como mucho a cinco metros de distancia —dijo con toda la objetividad que pudo.

El estado de su padre lo había dejado mucho más tocado que la visión del cadáver de Ludwig Hirtreiter y no habría estado en situación de dedicarle siquiera un par de palabras de consuelo. Como tantas otras veces, había huido con cobardía hacia la rutina;

de todas formas, intentó convencerse a sí mismo de que tal vez eso era también lo que más le convenía al viejo, ya que en la familia Bodenstein nadie mostraba sus debilidades.

—¿Te ha..., te ha dicho algo mi padre? —preguntó al ver que Pia seguía callada.

—No mucho. Está muy afectado —contestó ella—. ¿También tú conocías a la víctima?

—Por supuesto. —Oliver volvió a ponerse de pie—. Es que Ludwig Hirtreiter era el mejor amigo de mi padre.

Se acordó de su infancia. A sus hermanos y a él les encantaban las excursiones a la granja Rabenhof. El tío Ludwig contaba unas historias estupendas, y la tía Elfi siempre les preparaba un bizcocho. Después de la muerte de ella, Ludwig se había transformado. Se convirtió en un hombre amargado, malicioso. Incluso su padre había sacudido a menudo la cabeza ante lo brusco de su conducta.

—Hay que informar a la familia —dijo Pia, y se cerró la cremallera de la cazadora.

Después del calor de los últimos días, casi veraniegos, el frío había regresado de pronto. La humedad de la hierba le había traspasado los zapatos y la inspectora estaba helada. Una ráfaga de viento hizo caer otra oleada de pétalos rosa sobre el muerto y su perro. Oliver von Bodenstein miró hacia la granja. Por la verja entraban ya otros dos coches patrulla seguidos de la furgoneta azul oscuro de la Científica.

—Yo me encargo de eso. —Asintió—. Su mujer murió hace varios años, pero hablaré con sus hijos.

Pia estaba bajo el amplio techo del porche, sentada en el último escalón de madera fumando un cigarrillo. No dejaba de caer una llovizna fina, y el estado de ánimo de los compañeros de rastros se había desmoronado. El padre de Oliver le había puesto en la mano la llave de su Land Rover verde y ya había montado en el coche patrulla que lo llevaría a casa.

La mirada de la inspectora recorrió el patio que tenía ese majestuoso castaño en medio. Christoph tenía que verlo, pensó. Le apasionaría tanto como a ella. Toda la propiedad parecía algo descuidada, cierto, pero no había llegado a deteriorarse. Christian Kröger condujo a sus colaboradores hasta el cadáver y regresó por el huerto. Pia dio otra calada a su cigarrillo.

—Ni se te ocurra tirar la colilla por aquí cerca —le advirtió el jefe de la Científica cuando pasó junto a ella de camino a examinar la puerta de la casa.

—Te has levantado con el pie izquierdo, ¿eh? —Pia sacudió la cabeza y apagó el pitillo con el tacón. Tampoco ella estaba de muy buen humor, después de lo poco que había dormido esa noche tras la visita de Miriam—. Por cierto, la llave está debajo de la maceta de boj.

La gente guardaba la llave de repuesto en unos escondites tan increíblemente irresponsables que casi rayaba en imprudencia.

—Gracias —masculló Kröger.

Justo en ese momento, un Mercedes monovolumen con matrícula de Frankfurt entró con brío a la propiedad.

—Bueno, el que faltaba. Me habían dicho que estaba enfermo —comentó Kröger de mal humor.

—Pues a mí me viene muy bien —repuso Pia, que se guardó la colilla en el bolsillo de la cazadora y echó a andar hacia el coche de su exmarido.

En cuanto el vehículo se detuvo, abrió de un tirón la puerta del conductor.

—Dime, ¿tú estás mal de la cabeza o qué te pasa? —le soltó a Henning sin saludarlo siquiera—. Pero ¿en qué estabas pensando?

—Hola, Pia. —El forense sonrió y se apeó del coche.

Se notaba que no había dormido mucho, pero parecía de un ánimo estupendo, ya que hizo lo impensable: abrazó a Pia delante de todo el mundo y le dio un beso en la mejilla.

—¿Te has vuelto completamente loco? —gritó ella, enfadada—. ¡Llevo desde anoche intentando dar contigo! ¿Por qué no contestas al teléfono?

—¿Es que ha pasado algo? —preguntó él, sin tomarse a mal su reproche.

Pia se lo quedó mirando con incredulidad. Pero ¿qué le sucedía? ¿Tantísima dicha le había supuesto la visita a su hijo que se había olvidado por completo de Miriam?

—¿Cómo has podido irte así a ver a esa...? —empezó a recriminarle Pia, pero Henning la interrumpió.

—¡Escúchame bien! —Se frotó las manos—. Sí, he ido al hospital. Sí, he ido a ver al bebé. Pero no porque me alegrara. Le he arrancado un pelo e incluso he conseguido tomar una muestra de sus mucosas bucales sin que Valerie se diera cuenta. —Profirió algo así como un gorjeo.

Pia dudaba muy en serio que siguiera en sus cabales. Jamás lo había visto tan exultante.

—Esta noche he hecho una prueba de paternidad en el laboratorio —confesó Henning bajando la voz.

Ella se quedó un momento sin habla.

—¿Y? —preguntó después.

—Tengo un 99,9 por ciento de posibilidades de *no* ser el padre —informó el forense con gran alegría.

—Bueno, pues muchas felicidades. También tienes un 99,9 por ciento de posibilidades de haber perdido a Miriam —repuso Pia, prosaica, con los brazos en jarras—. Ayer por la noche se presentó en casa completamente destrozada y estuvo llorando hasta quedarse sin lágrimas.

La expresión de éxtasis desapareció del rostro de Henning.

—Ah —dijo, atónito.

—Tal vez deberías haberla llamado, o por lo menos haber contestado al móvil —añadió Pia, enfadada.

Christian Kröger apareció por la esquina de la casa. El mono mojado se le pegaba como si fuera una segunda piel, y estaba tan brusco como pocas veces lo habían visto.

—¿Podría hacer el favor de venir de una vez? —le dijo a Henning de mala gana—. Me gustaría acabar con esto antes de que se nos haga de noche, la verdad.

—Ahora mismo estoy hablando con mi exmujer —repuso Henning sin la menor amabilidad—. Alégrese de haber llegado esta vez antes que yo al escenario de los hechos. Espero que no hayan vuelto a estropearme el cadáver.

El semblante de Kröger se ensombreció más aún.

—¿Cómo que «hayamos vuelto»? —profirió, furioso.

Henning abrió el maletero de su coche.

—En el último trabajo con lluvia, uno de los chapuceros incompetentes de su tropa me tapó a la víctima con un plástico, con lo que la temperatura corporal perdió cualquier valor informativo —dijo por encima del hombro.

—En mi tropa no hay ningún chapucero —gruñó Kröger, congestionado.

—¿Podríais parar de una vez? —intervino Pia cuando Henning iba a dar una contestación cínica—. Os estáis portando como críos.

Kröger resopló y sacudió la cabeza.

—Por mucho que lo intento no puedo comprender cómo pudiste aguantar tanto tiempo a este..., a este... capullo —murmuró dirigiéndose a Pia.

Después les dio la espalda y desapareció en dirección a la casa.

—Un hombre inteligente, maese Kröger, pero por desgracia algo primitivo —comentó Henning mientras se embutía en un mono blanco—. Y con tendencia a la susceptibilidad. Una combinación espantosa.

Pia puso los ojos en blanco y no dijo nada más. Kröger le caía bien y trabajaba a gusto con él, aunque de vez en cuando tuviera arranques de mal genio.

—Llama a Miriam —le aconsejó a su ex antes de seguir a Kröger hacia la casa.

Una furgoneta roja frenó detrás de la cinta de cordón policial con la que los agentes habían cerrado el camino. En la puerta lateral llevaba pintada una estilizada corona. Un hombre calvo bajó la ventanilla y habló con uno de los dos agentes sin dejar de mirar en dirección a Pia con curiosidad. ¿Habría llegado la noticia de la muerte de Ludwig Hirtreiter al pueblo y atraía ya a los primeros curiosos? El calvo dio marcha atrás y volvió a alejarse. Alois Bradl, el jefe de la Policía municipal, se acercó a la inspectora.

—¡Señora Kirchhoff! —exclamó—. ¿Tendría un segundo de nada?

—¿Qué pasa? —preguntó Pia.

—Ese era el Schorsch, el dueño del Krone. La taberna de allá abajo, en la calle Mayor. Tiene algo interesante que decirle. ¿Quiere que bajemos un momentín a que nos cuente?

—Dentro de un rato. Ahora tengo que entrar en la casa. ¿Qué le ha dicho?

—El Ludwig. Se ve que ayer tuvo una bronca de aúpa en el Krone. A lo mejor por eso se lo han cargado.

—Vaya. —Pia levantó las cejas. Sí que sonaba interesante, sí—. Dentro de cinco minutos voy para allá.

Estaba frente al lavabo del cuarto de baño, frotándose los antebrazos y las manos con el cepillo de uñas hasta que la piel se le quedó de un rojo intenso, pero ese repugnante olor a sangre no quería desaparecer. Lo de Ricky y él se había terminado. Todo lo que antes le gustaba de ella había acabado por sacarle de quicio: su cargante buen humor, su activismo incansable, su simpatía superficial. Y lo peor era que ya no le excitaba. Por mucho que a otros hombres les pareciera *sexy,* a él le daban asco su piel de bronceado perenne y su cuerpo fibroso. La forma en que perdió los nervios la noche anterior había colmado el vaso. Rabiosa de ira y celos, la emprendió a golpes con él hecha una furia. La sangre en su ropa, toda la agitación y luego tener que conducir aquel trecho de noche le habían hecho segregar tanta adrenalina que casi le había devuelto los bofetones.

Yannis cerró el agua caliente y alcanzó una toalla. Aún le quedaba un montón de trabajo por hacer, en la asamblea de esa noche se sentaría en el estrado y quería estar perfectamente preparado para ello. Ludwig se había puesto a sí mismo la zancadilla con tanto secretismo y había aniquilado la confianza de la junta. El viejo, por supuesto, no aceptó la votación democrática –algo que solo lo esperaba de los demás– y se puso más agresivo que nunca. Yannis miraba con autocomplacencia su imagen en el espejo. La noche anterior Ludwig Hirtreiter había recibido por fin su merecido. Ya se había encargado él de eso.

Poco después sacó la bicicleta del garaje. Llovía, pero a él le hacía falta moverse para despejar la cabeza. Mientras pedaleaba por el bosque, pensó en Nika. En realidad esa noche había pensado en ella mientras se follaba a Ricky. ¿Por qué le habría ocultado su apellido? ¿Qué secreto arrastraba consigo? Tenía miles de preguntas, pero debía contener su curiosidad y ser hábil, porque Nika no podía sospechar nada. Bajo ningún concepto. Seguro que tenía un buen motivo para esconderse en su casa, igual que debía de existir una explicación para el contenido de la bolsa de viaje. La lluvia le golpeaba en la cara. Yannis estaba tan absorto en sus pensamientos que apenas si se daba cuenta de hacia dónde iba y se sorprendió, de pronto, al ver que estaba delante de El Paraíso Animal. Dejó la bicicleta y entró. En la tienda no había nadie más que Nika, según comprobó con alivio.

–Hola, Yannis. –Tenía la cara muy pálida–. No te lo vas a creer, Heinrich von Bodenstein acaba de llamar a Frauke. ¡Anoche mataron a tiros a Ludwig!

–¿Qué? –El sobresalto recorrió su cuerpo como un impulso eléctrico–. ¿A tiros?

–Sí, Heinrich iba a relevarlo esta mañana para hacer guardia en el bosque y se ha encontrado con el cadáver. ¿No es horroroso?

–Mentiría si te dijera que me da lástima –repuso Yannis–. Espero que la asamblea de esta noche no se cancele.

–¿Cómo puedes decir algo así? –preguntó Nika, atónita.

Yannis pasó junto a ella para entrar en la pequeña oficina, se dejó caer en una de las sillas y se peinó el cabello empapado con todos los dedos. Nika lo siguió.

–¿Qué te ha pasado en las manos? –quiso saber.

—Es una alergia —contestó él sin pensar—. Me sale a veces en primavera.

Ella se quedó de pie en el vano de la puerta, mirándolo con una expresión extraña. A Yannis le hubiera gustado decirle que sabía su nombre, pero habría sido muy poco inteligente poner todas las cartas sobre la mesa. Esperaba que Ricky no apareciera por allí justo en ese momento.

—Quiero pedirte que me ayudes —dijo Yannis.

—¿Yo? —Las cejas de Nika se arquearon en un gesto de asombro—. Y ¿cómo?

—Es que a mí los árboles ya no me dejan ver el bosque —empezó a explicar él—. ¿Te acuerdas de los peritajes que estaba estudiando ayer?

Nika asintió.

—Se trata de dos informes periciales que ayudaron a WindPro a conseguir el permiso de construcción. Sus conclusiones son completamente diferentes de las del antiguo peritaje de la empresa EuroWind, realizado a petición del land de Hessen hace ocho años, y a las de nuestros dos informes. Es tan descarado que apesta.

—¿Y qué podría hacer yo? —preguntó Nika con reservas—. No tengo ni idea de esas cosas.

Embustera, pensó Yannis. Si alguien sabe de esto, esa eres tú.

—No pasa nada —dijo alzando la voz—. Me ayudarías mucho solo con compararlos entre sí y anotar los datos orientativos para que yo entienda dónde se han tergiversado los hechos. Necesito argumentos. De verdad, Nika, ¡me harías un favor enorme!

La genial idea de pedirle ayuda se le había ocurrido sobre la marcha. Yannis no la necesitaba, él mismo sabía cómo se leía y se evaluaba un informe pericial.

—Échales un vistazo a los peritajes que han hecho ese tipo de la Unidad de Investigación Climática de la Universidad de Gales y el profesor Eisenhut del Instituto Climatológico de Alemania, y compara las cifras.

Percibió un minúsculo centelleo de espanto en los ojos de Nika al mencionar el nombre de Eisenhut. Con ello todas sus dudas quedaron totalmente disipadas. Por fin sabía con certeza quién era en realidad, y lo aprovecharía para sus propios fines.

–A Stefan Theissen solo le preocupa el dinero, le importa una mierda si los molinos llegan a funcionar aquí algún día o no. –Yannis bajó la voz hasta hablar en un susurro conspirativo–. Por desgracia tiene amigos poderosos a los que unta de vez en cuando. Lo sé porque, al fin y al cabo, estuve ayudándole durante años a tejer su red en los círculos políticos y económicos, y también...

–De acuerdo –lo interrumpió Nika–. ¿Cuándo quieres que lo haga?

Yannis sonrió satisfecho. Había mordido el anzuelo. Entonces se oyó la campanilla de la tienda.

–¿Te dará tiempo a hacerlo hoy mismo? –preguntó enseguida–. ¿Antes de la asamblea?

–Puedo intentarlo. A la una y media estaré en casa –dijo, luego dio media vuelta y salió hacia el mostrador.

Un Audi oscuro entró en el patio. Ricky. No, no podía permitir que lo viera allí. Yannis siguió a Nika, que no hizo ningún caso de su guiño cómplice, y salió a la calle. Antes de montarse en la bicicleta respiró hondo una vez. ¡Perfecto! Con la ayuda de Nika destrozaría los planes de Theissen y compañía. Los iba a machacar.

En la casa se percibía un olor dulzón y enmohecido, como si no la ventilaran desde hacía mucho. El suelo de baldosas estaba tan sucio que apenas se reconocía su color original, los cristales de las ventanas parecían opacos, y en el recibidor se apilaban viejos periódicos, chaquetas, zapatos y botellas vacías. A Pia no le gustaba colarse en la esfera privada de desconocidos, pero a menudo era indispensable para descubrir algo sobre el entorno de una víctima. Su malestar creció al ver el desorden que reinaba allí. Desde que le habían revuelto la casa, cuando la habían secuestrado hacía unos años, era muy meticulosa con el orden y la limpieza. Parecía ridículo, pero solo imaginarse que unos extraños pudieran hurgar entre su ropa interior sucia, arrugar la nariz y luego quién sabe si ir contándolo por ahí, le resultaba espantoso.

—¿Cómo soportaba vivir en semejante porqueriza? —Su jefe estaba perplejo—. Antes, aquí se podía comer en el suelo. La muerte de Elfi debió de trastocarlo mucho más de lo que yo creía.

Pia estaba algo sorprendida por la repentina empatía de Oliver. Se calló un comentario y siguió adelante, examinando las diferentes habitaciones. El salón se encontraba en unas condiciones similares a las del recibidor, apenas quedaba una superficie despejada. En la mesita del sofá había dos copas usadas, las puertas de un antiguo armario rústico estaban abiertas de par en par. ¿Había recibido visita Ludwig Hirtreiter la noche anterior?

—Ven a ver esto —dijo Pia—. ¿Qué será?

Junto al anticuado televisor de tubo había un objeto extraño, una especie de arco de metal al que le habían instalado un columpio. Debajo había un periódico cubierto de excrementos de pájaro.

—Había metido a *Hugin* en casa. —Oliver suspiró y sacudió la cabeza—. Antes lo tenía con los perros, en la perrera.

—¿A quién?

—*Hugin*. Un cuervo. Bautizado así por uno de los dos cuervos que se posaban en los hombros de Odín. —Sonrió un instante—. La mitología nórdica era el tema preferido de Ludwig. En aquel entonces, cuando éramos niños, siempre nos explicaba mitos. Por eso nuestros perros se llamaban también *Freya* y *Fenris*.

Hacía tiempo que Pia no se extrañaba de lo que veía en las casas y los pisos de la gente. Un cuervo domesticado en el salón era una locura relativamente inofensiva.

En una habitación se apilaban bolsas de basura azules y amarillas con papeles, revistas, botellas vacías y ropa. Tras la muerte de su mujer, parecía que a Ludwig Hirtreiter la limpieza de la casa le había superado. La cama del dormitorio estaba revuelta;

las sábanas, que debieron de ser blancas en su día, amarillentas. En el cuarto de baño, la bañera estaba llena de ropa sucia de hacía semanas; el lavabo tenía una resquebrajadura y cercos negros y el olor a orín era penetrante. Entraron en la cocina abandonada, donde hasta el último rincón estaba lleno de más y más botellas vacías de vino y de agua.

—Parece que tampoco llevaba muy al día el correo.

Pia levantó un montón de cartas de la mesa, abiertas y sin abrir, y las hojeó. Después miró en la nevera, en la que abundaban el moho y la suciedad, igual que en los armarios. Excrementos de ratón en las encimeras pegajosas. Telarañas en los techos.

—¡Oliver! ¡Pia! —exclamó Kröger desde el pasillo.

Pia metió las cartas en una bolsa de plástico y ambos fueron a la habitación contigua. La mirada de Pia se deslizó por las paredes, donde colgaban certificados enmarcados y toda clase de trofeos de caza cubiertos de polvo. Cornamentas de corzos, de rebecos, de ciervos y otras presas.

—¿Qué sucede? —preguntó, extrañada.

—El cuarto de la caza —explicó Oliver, y se volvió hacia Kröger—. ¿Qué has encontrado?

—Con sus fusiles sí era meticuloso. —El jefe de rastros señaló un armario de armas—. En el exterior del armario tenía una lista con todas sus armas, largas y cortas. Si no he leído mal, faltan un Mauser 98, un Drilling Krieghoff Trumpf calibre 7x57R y una P226 SIG.

—¿Qué es un Drilling? —preguntó Pia.

Christian Kröger sacudió la cabeza ante la enorme ignorancia de su compañera.

—Un arma de caza con tres cañones. El Krieghoff Trumpf combina cañones de perdigones y de balas con diferentes calibres.

—El tiro de perdigones a la presa no da opciones —dijo Oliver, citando un viejo dicho de cazadores.

En el breve trayecto desde la granja de Ludwig Hirtreiter hasta el pueblo de abajo, el jefe de la Municipal, Alois Bradl, demostró estar en posesión de información privilegiada. Nacido y crecido en Ehlhalten, conocía detalles reveladores sobre las animosidades existentes en el seno de la familia Hirtreiter. Los hijos le habían dado la espalda a su padre hacía ya tiempo y después no habían vuelto a dejarse caer por el pueblo, pero justamente en las últimas dos semanas los vio varias veces. Con la noticia bomba de la oferta de compra del prado, los rumores estaban al rojo vivo, desde luego.

Frauke, la hija, había sufrido mucho durante toda su vida a causa del carácter dominante del padre. Ella y su pobre madre recibieron la compasión de todo el pueblo. Para acabar, Alois Bradl expresó una sospecha más grave aún: Frauke había estado el día anterior en la granja —la hermana de un cuñado de su prima la había visto pasar en coche—, y Frauke, como todo el mundo sabía, de joven había sido el orgullo del club de tiro, había llegado a recibir distinciones tanto en Hessen como en toda Alemania, y tenía permiso de caza y de armas. Por desgracia, Bradl no sabía muy bien dónde vivían Gregor, Frauke y Matthias Hirtreiter, pero seguro que Oliver von Bodenstein lo podía averiguar a través de su padre.

Bradl dejó el coche patrulla en el aparcamiento del bar Krone, detrás de la furgoneta roja. Pia y él se apearon y entraron en el establecimiento por la puerta de atrás, que conducía a un pasillo estrecho con suelo de baldosas desgastadas. Olía a pescado y aceite rancio. La puerta metálica de una cámara frigorífica estaba abierta, y una mujer rolliza salía marcha atrás al pasillo desde la niebla de condensación. En las manos llevaba una caja con lechugas.

—Buenas, Herda —dijo Bradl—. ¿Dónde tenemos al Schorsch?

—¡Epa, Alois! —saludó al policía—. ¿Qué? ¿Has visto ya al Ludwig? El conde le ha contado al Schorsch que tenía una pinta horrorosa, y que al perro incluso lo habían destripado...

—Vaya, vaya... —Bradl carraspeó con intención, y Herda, que era una mujer bajita y lenta de unos sesenta años con el pelo gris

161

muy corto, bigote y rojeces en la cara, calló de golpe al ver allí a Pia.

La inspectora se propuso recordarle después al compañero Bradl su obligación de guardar silencio durante la investigación de un caso. Para que las especulaciones no crecieran como setas en la localidad, había que poner coto a los chismorreos.

—Buenos días —saludó Pia—. ¿Dónde podemos encontrar a su marido?

La mujer señaló con un mudo gesto de la cabeza hacia una puerta del fondo del pasillo.

—Usted primero, compañero.

Pia no pensaba darle oportunidad a Bradl de divulgar más información. Lo siguió al salón del Krone, donde el hombre calvo de antes estaba tras la barra. En ese momento sacaba vasos del lavavajillas y los colocaba en una estantería.

—Ahí tenemos al Schorsch de los Kilb, como decimos nosotros —informó Bradl—. O sea, Georg Kilb.

El dueño del restaurante se secó en un paño de cocina los dedos gordos como salchichas y miró a Pia con recelo de la cabeza a los pies.

—¿Usted es de la Judicial? —Parecía algo decepcionado.

—Sí, inspectora Kirchhoff —confirmó ella—. ¿Quiere que le enseñe mi identificación?

—Nooo... Está bien. La creo. —Se echó el paño por encima del hombro y se arremangó la camisa—. ¿Algo para matar la sed?

—No, gracias. —Pia sonrió y contuvo su impaciencia no sin esfuerzo—. El señor Bradl me ha dicho que tiene usted algo que contarme.

—Sí, eso es. Pues bien, la cosa fue tal que así... —empezó a relatar el dueño, que decidió embarcarse en una dilatada explicación de quién conocía a quién y de qué—. Y hace nada me ha llamado el conde y me ha contado que al Ludwig se lo han cargado. Que le han pegado dos tiros.

Pausa. El señor Kilb esperaba con ojos brillantes alguna clase de confirmación, pero Pia no tenía la menor intención de darle al tabernero del pueblo detalles de ningún tipo para que luego este pudiera dispensarlos en la barra del bar como noticia de última hora.

—Quiero decir que ese, el Ludwig, había tenido unas trifulcas monumentales con toda la gente de aquí, del pueblo. Incluso con sus propios chavales.

—Bueno, vete al grano, Schorsch —apremió el jefe Bradl, impaciente—. Tampoco tienes por qué andar explicándole a la señora inspectora todos los cotilleos del pueblo.

—En fin —prosiguió Georg Kilb sin dejarse impresionar—, que me he dicho que sería mejor contarle a usted la que se montó ayer aquí, en el bar.

Pia asintió para animarlo a seguir.

—Bien, resulta que la directiva de la iniciativa esa en contra de los chismes de viento celebró aquí una reunión. Allá, en la mesa grande, fue donde se sentaron. Y el Ludwig, me refiero al señor Hirtreiter, tuvo una buena agarrada con ese tipejo de Königstein. La cosa se puso seria de verdad. Lo pilló por banda pero a base de bien, y después también puso a caldo a la parienta. Y luego, listos.

—El señor Hirtreiter discutió con un miembro de la iniciativa ciudadana y con su pareja —informó Bradl, como si las expresiones locales del Schorsch de los Kilb necesitaran de su hábil traducción.

—Ya lo había pillado —repuso Pia—. ¿A quién se refiere con eso del tipejo de Königstein?

—Bien, es que no sé yo muy bien cómo se llama. Es un nombre así como complicado, el que tiene, como extranjero. —Georg Kilb se encogió de hombros y arrugó la frente, caviloso.

Pia, que había empezado a temerse que ese Kilb solo quería darse importancia y enterarse de las primicias del pueblo de primera mano, aguzó entonces los oídos.

—¿Podría llamarse Yannis Theodorakis, tal vez? —preguntó.

—¡Sí, justo! Teorakis, ese es. —La rojiza cara de bola de Georg Kilb se iluminó. El hombre se inclinó sobre la barra y bajó la voz hasta convertirla en un susurro—: A ese lo puso a caer de un burro. Que si «hijo de puta», que si «cabrón» y todo eso. Y el

163

tal Torakis le gritó entonces al Ludwig que lo pagaría caro. Yo no sé si todo eso les puede hacer algún servicio, pero es lo que quería contarle a usted.

Satisfecho, cruzó sus gruesos brazos sobre el pecho y asintió con la cabeza, como ratificando sus palabras.

—Gracias. —Pia le sonrió—. Lo investigaremos, señor Kilb. ¿Recuerda usted a qué hora más o menos fue eso?

—Bien, como a las nueve menos cuarto. Entonces el tal Torakis y la parienta se marcharon, los demás se quedaron un rato más, y esos dos, el Ludwig y el conde, estuvieron aquí todavía hasta las diez y media o así.

¡Eso sí que era información! Por fin tenían un vago marco temporal para su nuevo puzle y, con algo de suerte, Henning podría delimitarlo pronto con mayor exactitud.

Oliver y Pia encontraron al viejo conde en una de las caballerizas, donde estaba barriendo el pasillo principal. Aquello ya no era tarea suya, pero por lo visto necesitaba distraerse.

—Papá, ¿sabes dónde podemos encontrar a los hijos de Ludwig? —preguntó el inspector jefe.

—Gregor vive en Glashütten y Matthias en Königstein. Frauke trabaja en El Paraíso Animal —contestó Bodenstein padre sin interrumpir su trabajo—, esa tienda de animales que hay en Königstein, y que es de la novia de Yannis. Pero no los he...

—¿De quién dices que es la tienda? —interrumpió el inspector jefe a su padre.

Lo rodeó y le cerró el paso.

—De Ricky, la novia de Yannis.

—Esto es increíble. ¿Cómo no me lo habías dicho?

—¿Qué tendría que haberte dicho? —Bodenstein padre miró aturdido a su hijo.

—¡Señor...! ¡Pero si sabes que desde el lunes estamos buscando al tal Theodorakis! ¿Por qué no me habías dicho dónde podíamos encontrarlo? —le preguntó a su padre, cargado de reproche.

—Tu trabajo no es cosa mía. Además, nunca me has preguntado por Yannis —replicó él—. Y ahora aparta, que quiero terminar con esto.

Oliver agarró el palo de la escoba y lo sostuvo con fuerza.

—Papá, por favor —pidió, implorante—. ¡Si sabes algo, tienes que decírmelo!

Heinrich von Bodenstein miró a su hijo con los ojos entornados.

—Yo no tengo por qué hacer nada —dijo con frialdad—. Suelta la escoba.

—No. Primero quiero que me cuentes...

—¿Sabe usted la dirección de la novia de Theodorakis? —interrumpió Pia a su jefe para evitar una pelea.

—Incluso estuve allí una vez, pero no me sé la dirección. Durante el día se la encuentra en El Paraíso Animal.

—Gracias. —Pia sonrió.

—Ah, acabo de acordarme de otra cosa. De ayer por la noche. —Fingió no ver siquiera a su hijo y se volvió directamente hacia Pia—. Ludwig y yo nos quedamos un rato más en el Krone charlando un poco. Al salir vimos a un hombre que se dirigió a Ludwig. En realidad yo iba a llevarlo a casa en coche, pero al final se quedó allí.

¿Era una primera pista?

—¿Conocías a ese hombre? —preguntó Oliver—. ¿Cómo era?

—No, no lo conocía. Y tampoco puedo describirlo. —Heinrich von Bodenstein sacudió la cabeza con pesar.

Pia percibió la creciente contrariedad de su jefe. Era evidente que tenía muy poca comprensión para con su padre. Aunque parecía absolutamente relajado, sin duda seguía bajo los efectos de la conmoción. Más adelante, tal vez, recordaría otros detalles; en ese instante, la pesadilla vivida empañaba su memoria.

—¿Dónde estaba esperando el hombre? —preguntó Pia con delicadeza.

—Mmm... —El viejo arrugó la frente mientras pensaba y se apoyó en la escoba—. Salimos del Krone y fuimos al aparcamiento.

Yo tenía el coche bastante al final, abrí la puerta y me senté. Entonces me extrañó que Ludwig no me hubiera seguido. Lo vi por el retrovisor allí delante, en la calle, hablando con ese hombre. Arranqué, me detuve junto a él y bajé la ventanilla. Ludwig dijo que tenía que aclarar algo con alguien y que regresaría a casa andando. Esa..., esa fue la última vez que... lo vi.

Hizo una mueca de dolor, y Pia esperó con tacto hasta que el hombre recuperó el control de sus emociones.

—¿Le dio la impresión de que el señor Hirtreiter se sintiera amenazado?

—No. De ninguna manera. Incluso parecía bastante... decidido.

—¿Y dijo que tenía algo que «aclarar»? ¿Está seguro de que utilizó esa palabra?

El viejo conde se esforzó un momento por recordar, luego asintió.

—¿Hubo algo que le llamara la atención? ¿Un coche que no hubiera visto nunca, por ejemplo? Intente hacer memoria. A veces el subconsciente registra cosas de las que el cerebro no tiene constancia.

—Estaba oscuro y yo había bebido un poco —empezó a decir Heinrich von Bodenstein—, pero...

—¿Y aun así te pusiste al volante? —se entrometió su hijo.

Pia le habría dado una patada en la espinilla. Reprimir a un testigo que está dispuesto a hablar, por mucho que fuera su padre, era un fallo de aficionado que no podía permitirse durante un interrogatorio.

—Sí, bueno. —Bodenstein padre sonrió avergonzado, y hasta ahí llegó su disposición a recordar al hombre del aparcamiento—. Tres copitas. Dos cervezas. Eso no es nada.

—Por lo menos un 1,3 —replicó el inspector jefe, furioso—. Ya hablaré con el dueño del Krone. Ya que carga bien a sus clientes, por lo menos debería preocuparse de que vuelvan a casa en taxi.

—Anda, venga, no seas tan mojigato, Oliver.

—¡Yo no soy mojigato! —saltó él de mala manera—. Si te hubieran parado en un control, ya no tendrías el carné de conducir. Y a tu edad no te sería tan fácil volver a sacártelo.

—Si me hubieran, si me hubieran... Pero no pasó nada. —Bodenstein padre puso los ojos en blanco y le lanzó una miradita a Pia—. Esto es lo que saca uno de tener un hijo policía.

—Yo también soy del gremio —le recordó la inspectora, y le guiñó un ojo.

—Como queráis. —El inspector jefe miró a Pia con enfado. Por lo visto, no le había gustado el tono amistoso con el que le hablaba a su padre—. Por favor, papá, intenta acordarte de ese hombre. Esta noche volveremos a hablar de ello.

—Esta noche tu madre y yo vamos a la asamblea vecinal de Ehlhalten. —Heinrich von Bodenstein abrió una de las cuadras para meter allí la paja—. Tal vez más tarde. Si estoy de humor.

—Por supuesto. Solo en tal caso —replicó Oliver con sarcasmo, y dio media vuelta.

—Ah, Oliver —dijo su padre cuando casi había llegado a la puerta del establo—. Me he tomado la libertad de explicarles a Gregor, Matthias y Frauke lo que ha sucedido.

Oliver se quedó helado, contó por dentro hasta diez y luego se volvió, despacio.

—Fantástico, papá. Fantástico de verdad. —Se obligó a conservar la calma con gran esfuerzo—. Al dueño del Krone también lo habías informado ya. ¿Alguien más? ¿Tal vez la prensa y la televisión?

Pia notó que su jefe estaba a punto de perder los nervios.

—¿Y ahora qué es lo que he vuelto a hacer mal? —preguntó Heinrich von Bodenstein, consternado.

—Nada —gruñó su hijo, enfadado, con el móvil ya en la mano—. Vamos, Pia. Démonos prisa, antes de que puedan inventarse alguna historia.

La lluvia repiqueteaba sobre el tejado del cobertizo en el que Ricky había instalado su taller. Mark miraba fuera desde la puerta abierta. Menudo tiempo de mierda. ¡Y en pleno mayo! Echó un vistazo impaciente al móvil. Todavía no sabía nada de Ricky, ¡y ya eran las diez y media! ¿Dónde se había metido? ¿Se había olvidado de él? Tenía que hablar urgentemente con ella, pero no por teléfono. A El Paraíso Animal no podía acercarse, porque aún acabaría encontrándose en el centro con algún profesor mientras se estaba saltando las clases. O con su madre.

Se metió en los oídos los auriculares del iPod y buscó en la lista de pistas hasta encontrar algo que se correspondiera con su estado de ánimo. ¡Sí! Bloodhound Gang, *I Hope You Die,* vieja pero genial. Mark se sentó en un taburete junto a la puerta abierta, apoyó los pies contra el marco y contempló la calle vacía mientras la pista del bajo le hacía vibrar los tímpanos.

Yannis escuchaba a todo volumen esa música y cosas aún más fuertes. En su estudio tenía una pared llena de CD, y Mark había descubierto a través de él su pasión por el rock duro y el heavy metal. Cuando escuchaba esas canciones, notaba que algo sucedía en su interior. Esos solos tremendos de guitarra, los bajos, la batería... El corazón se le aceleraba, la sangre circulaba más deprisa por sus venas, se sentía fuerte. Guay. Invencible. Judas Priest le rugía *Breaking the Law* en los oídos cuando Ricky dobló la esquina.

El corazón le dio un vuelco. No había oído llegar su coche, saltó sobresaltado y se quitó los auriculares.

–Eh, Ricky –dijo–. Tengo que hablar urgentemente... –Pero enmudeció al verle la cara.

Estaba pálida como un muerto y tenía unas ojeras marcadísimas.

–Ludwig ha muerto –balbuceó ella, y tomó aire temblando–. Anoche lo... mataron a tiros.

Y entonces sucedió algo con lo que Mark jamás se habría atrevido a soñar: Ricky, la fuerte e indestructible Ricky, se lanzó llorando a su cuello. Con cuidado, como si fuese de cristal, el chico la rodeó con sus brazos y le acarició la espalda con torpeza. Ella se acurrucó contra él, arrasada en lágrimas. A Mark le iba la cabeza a cien por hora, la montaña rusa de sus sentimientos explotó en su estómago. Empezaba a tener calor. De repente Ricky lo soltó.

—Perdona —dijo entre sollozos, y se secó las lágrimas con la mano. Le corrían regueros de rímel por las mejillas—. Es que aún no lo puedo creer. Frauke acaba de recibir una llamada en la tienda, justo cuando yo salía.

Rebuscó en el bolsillo de su falda, encontró un pañuelo de papel y se sonó la nariz. Mark evitaba mirarla. El corpiño se le había descolocado y podía verle el tirante del sujetador. Rojo vivo sobre la piel bronceada. Madre mía. Eso sí que era fuerte.

—... dejamos para mañana, ¿vale?

—¿Q... qué? —Se estremeció al darse cuenta de que Ricky le estaba hablando.

—Ya montaremos el recorrido mañana en un momento. —Había recobrado hasta cierto punto la compostura, le sonrió llorosa y no se dio cuenta de lo que estaba viviendo él, que asentía aturdido—. Tengo que llamar a los demás por teléfono —dijo Ricky, resuelta, y se atusó el pelo—. Hay que decidir qué haremos hoy, ahora que Ludwig... ya no está con nosotros.

A Mark le resbalaban sus palabras, solo podía pensar en el sujetador rojo, en el aroma de su piel, en la presión de su cuerpo cálido contra el suyo. Ricky le puso una mano en la mejilla.

—Gracias, Mark —susurró—. ¿Qué haría yo si no te tuviera a ti? Nos vemos más tarde.

Le dio un beso en la mejilla y se alejó. Él la siguió con la mirada, turbado, mientras el ruido del motor de su coche se perdía a lo lejos. Notaba la boca del todo seca, le ardía la cara y tenía la erección del siglo. Pero ¿qué le estaba pasando? Ricky era su amiga, ¿no? Ese deseo le repugnaba.

¡«Si no te tuviera a ti»! Mark volvió a encender el iPod. Estaba mareado. Fue tambaleándose hacia el establo, entró en una de las cuadras vacías y se desabrochó el pantalón. Ricky en sus brazos. Su aroma, que aún pendía de su mejilla. El sujetador rojo sobre la piel cálida y morena. Mark se sentía terriblemente avergonzado, pero ya no podía parar. Le temblaban las rodillas. Se apoyó en la pared, cerró los ojos y sintió cómo se desencadenaba la oleada de placer. Entonces ya no se avergonzó más; disfrutó.

Madera oscura hasta el alto techo pintado de blanco, una estrecha alfombra sobre las baldosas rojizas, silencio solemne en los despachos. Frauke, que en el Anatómico Forense había esperado encontrar salas frías, asépticas, y médicos malhumorados con batas verdes, estaba desconcertada a la vez que impresionada. Ya desde fuera, esa vieja villa rodeada de árboles altos emanaba un encanto anticuado bajo la llovizna, algo misterioso y lóbregamente británico. A Frauke le encantaba la obra de la escritora Rosamunde Pilcher, soñaba con ir a Inglaterra y muy pronto podría permitírselo. Mientras esperaba en el pasillo con sus hermanos, imaginaba su futuro. Tendría una casita en algún lugar de Cornualles. Junto al mar. Con un millón en la cuenta no le haría falta volver a trabajar jamás. Sonó el móvil de Gregor, que se apartó un poco y siseó algo en voz baja.

—¿Cuánto van a tardar todavía? —Matthias, junto a ella, consultó el reloj con creciente nerviosismo—. Primero son todo prisas y luego nos hacen esperar. A las cuatro tengo una cita importante.

Lo había dicho por lo menos diez veces ya. También sonó su móvil entonces. Frauke, entre sus dos hermanos colgados del teléfono, se entregó a sus ensoñaciones. Durante muchísimos años había sido demasiado débil y demasiado comodona para hacerse con las riendas de su destino, pero desde la noche anterior eso se había acabado. Desde esa noche, ella y nadie más era la dueña de su vida. Y era una sensación insuperable.

Regresar a la casa de sus padres había sido una derrota enorme para ella, el reconocimiento de su fracaso. Después, esos espantosos dos años en los que cuidó de su madre hasta que murió. De pronto se vio allí sin un cometido, sin objetivo y sobre todo sin ingresos, así que el anuncio de Ricky en el *Königsteiner Woche* fue su salvación.

Enseguida le dieron el trabajo. Su padre la había acribillado a burlas, como siempre. Ahí sí que encajas, se mofó: el elefante en la tienda de animales. Mula de carga. Vaca burra. Pero, por primera vez en su vida, Frauke no se calló. Ambos habían pronunciado unas palabras horribles que, una vez dichas, ya no se podían retirar. Frauke se fue de la granja de sus padres aquella misma noche y se mudó al apartamento vacío que había encima de El Paraíso Animal.

La pesada puerta de madera de la entrada se abrió con impulso y Oliver von Bodenstein subió los escalones. Cuando eran niños habían jugado juntos alguna que otra vez, pero de eso hacía mucho tiempo. Ella lo recordaba como un adolescente flaco y callado, y tuvo que reconocer que los años no le habían sentado mal. Tenía buen aspecto; estaba incluso guapo, caray.

—¡Frauke! Gracias por haber venido enseguida. Te acompaño en el sentimiento. —Su voz y su mirada denotaban una sentida compasión.

—Gracias, Oliver. Es horrible tener que reencontrarnos en estas circunstancias —dijo ella, que en el último momento reprimió una sonrisa. A fin de cuentas, no era apropiado sonreír cuando tu padre había sido asesinado apenas unas horas antes.

Bodenstein les dio el pésame también a sus hermanos.

—Acompañadme, por favor —dijo entonces, y se fue directo hacia una puerta que conducía al sótano de la villa.

—¿A qué viene todo esto? —preguntó Matthias—. ¿Por qué nos has citado aquí?

—Tengo mis motivos. —Oliver seguía imperturbable.

Gregor le dirigió una mirada recelosa.

—Vamos —le dijo este a su hermano pequeño—. Quiero quitarme esto de encima de una vez.

Poco después estaban en una sala que ya se correspondía más con el concepto que tenía Frauke de un instituto forense y una morgue. Una desagradable sensación se apoderó de ella. ¿Qué estaba haciendo allí? ¿Era habitual tener que ver a un muerto que ya había sido identificado? Se estremeció cuando llegaron con un féretro metálico sobre ruedas y sintió la mirada atenta de Oliver von Bodenstein en su espalda. Nadie decía una palabra. El trabajador del instituto forense –que sí llevaba una bata verde, aunque no botas de goma– retiró un poco la sábana que cubría el cadáver.

Papá ya no tiene cara, pensó Frauke. Matthias profirió un ruido como de arcadas y salió corriendo al pasillo; solo Gregor permaneció impasible.

–Halalí, murió la fiera–dijo con complacencia en la voz.

Eso fue lo último que recordaría más tarde Frauke, porque al encontrarse con la gélida mirada muerta de un ojo de su padre, que ya no se encontraba en su cuenca sino en algún lugar cerca de la oreja, se desmayó.

Nika estaba sentada a la mesa de la cocina junto a una taza de infusión de escaramujo. Leía por encima el informe pericial que la compañía EuroWind había realizado en el año 2002, por encargo del land de Hessen, para analizar el potencial eólico y las velocidades del viento en las crestas de las montañas de la zona de Ehlhalten. No era difícil comprobar que los dos peritajes encargados por WindPro se basaban en unos números del todo diferentes a los otros tres. Yannis tenía razón: los expertos del Instituto Climatológico de Alemania y de la Universidad de Gales habían realizado sus recomendaciones sobre unos datos manifiestamente falsos. ¿De dónde procedían las mediciones? ¿Quién había realizado esos cálculos? ¿O es que se los habían sacado de la manga sin más? Y ¿cómo había conseguido Yannis esos documentos? Nika retiró la bolsita de la taza, la escurrió y la dejó en el plato. Sus pensamientos vagaban en otra dirección. Dio un sorbo a la infusión y pensó en aquella torturadora sensación de soledad que le había sobrevenido la noche anterior. ¿Estaba condenada a seguir sola el resto de su vida? Se contuvo. ¿De dónde salía de pronto ese anhelo, ese vacío en su interior? Nunca antes le había importado lo más mínimo.

Nika se sobresaltó al oír el timbre de la puerta. Apartó los papeles deprisa, les puso un periódico encima y se levantó. Volvieron a llamar. Dudó un momento y abrió.

—¿Sí? ¿Qué desean?

Frente a ella tenía a un hombre y a una mujer rubia que le enseñaba un carné verde. ¡La Policía! Se asustó. Enseguida se cruzó de brazos para ocultar que estaba temblando.

—Policía judicial. —La mujer no parecía especialmente amable—. Queremos hablar con el señor Yannis Theodorakis.

—No está en casa —repuso Nika al instante.

—¿Y dónde puede estar? ¿Cuándo volverá?

—No lo sé.

—¿Quién es usted? ¿Vive aquí?

—N... no. Yo solo soy... la señora de la limpieza.

Sorprendida y asustada como estaba, había dado la mejor respuesta que se le había ocurrido. Los dos agentes, viendo cómo iba vestida, no parecieron dudar de sus palabras.

—¿Sabe dónde podríamos encontrar al señor Theodorakis? —preguntó el hombre.

Le sonreía con simpatía, pero ella no se dejó embaucar. Algunos polis sabían fingir muy bien.

—Me parece que está en el trabajo —contestó, y se encogió de hombros—. No tengo su número de móvil. Lo siento.

—Por favor, hágale llegar mi tarjeta. —La policía le tendió una tarjeta de visita—. Dígale que nos llame enseguida. Es importante.

—Sí, de acuerdo. Lo haré.

Se marcharon sin hacerle más preguntas. El alivio dejó a Nika con las piernas como si fueran de mantequilla. Tenía la sensación de haberse librado por los pelos. Cerró la puerta de la casa y los miró por la pequeña ventana del recibidor hasta que subieron al coche y se alejaron de allí. ¿Por qué quería hablar la Policía judicial con Yannis? ¿Qué había hecho? De repente las piezas sueltas que flotaban en su cabeza formaron un puzle completo. Yannis no había llegado a casa hasta entrada la madrugada. Antes, en la tienda, no vio que se extrañara, que se sorprendiera, cuando le contó que habían matado a Ludwig a tiros. Pensó en

173

la sangre de la camiseta y de los vaqueros que estaban abajo, en el cesto de la ropa sucia, en la furia de Yannis contra Ludwig Hirtreiter. En sus manos y sus brazos enrojecidos. ¡La Policía podía encontrar trazas de pólvora en las manos cuando alguien había disparado un arma! Tal vez Yannis había intentado lavárselas con algún producto químico. ¡Dios santo! Nika se derrumbó en el último peldaño de la escalera. Si de verdad Yannis había matado a Ludwig, la Policía volvería a presentarse allí y empezaría a husmear. Ella tenía que desaparecer.

El cielo estaba de un gris metálico y llovía a cántaros. También hacía frío. Era más un tiempo de noviembre que de mayo. Pia y Cem estuvieron echando un vistazo por la granja de Ludwig Hirtreiter mientras un centenar de agentes de las fuerzas especiales y un equipo de perros policía buscaban las armas desaparecidas en la enorme propiedad y el bosque colindante.

Se pasearon por los antiguos establos, que en su día seguramente habían albergado vacas y cerdos. Había un matadero con rieles de tubo en una esquina y un almacén frigorífico anticuado. En una pequeña nave contigua se percibía el olor dulzón de las manzanas que se pudrían en cajas apiladas. También había una prensa, y uno de los tres grandes tanques de plástico seguía lleno de sidra. El desorden del taller informaba asimismo de que el trabajo de la granja resultaba ya demasiado para Ludwig Hirtreiter: en el centro había quedado un viejo tractor que tenía un neumático desmontado. El nuevo estaba apoyado allí al lado, y desde hacía bastante tiempo, a juzgar por la capa de polvo. En la pared, por encima del banco de trabajo, colgaba un calendario de 2002.

Siguieron hacia el granero, que estaba algo apartado y parecía asfixiado bajo los zarcillos de la hiedra perenne. Puede que en su día el prado que había entre la granja y el granero fuera un bonito rectángulo de césped con arbustos ornamentales y cuidados rododendros, pero estaba descuidado y las malas hierbas lo habían convertido en una maleza impenetrable.

—Esta propiedad es gigantesca —dijo Cem. Caminaba por el prado en dirección a un pozo que estaba tapado con un tablón de madera agrietada—. Nadie lo diría a primera vista.

—Y ofrece muchísimas posibilidades para hacer desaparecer dos escopetas y una pistola —constató Pia con desánimo.

Su única esperanza era que el asesino de Ludwig Hirtreiter se hubiera limitado a lanzarlas por ahí, en lugar de tomarse la molestia de ocultarlas. Le sonó el móvil. Los dos buzos que debían registrar el estanque habían llegado ya. Cem y ella empujaron la gran puerta del granero con cierta dificultad.

—¡No me lo puedo creer! —exclamó el inspector.

Junto a una antigualla de tractor había dos coches clásicos completamente cubiertos de polvo: un Morgan Roadster verde oscuro y un Mercedes plateado con puertas de ala de gaviota y asientos de cuero rojo.

—¿Son muy valiosos? —Pia no tenía ni idea de coches, ni de los antiguos ni de los deportivos.

—Yo diría que sí. —Cem rodeó los dos vehículos con los ojos brillantes—. Sobre todo este 300 SL. Vale una fortuna.

Sacó el móvil y fotografió los coches desde todos los ángulos.

—No me extraña que los hijos de Hirtreiter estén de un luto tan contenido —dijo Pia—. Esperan una muy buena herencia.

Oliver acababa de explicarle por teléfono lo que había sucedido en el Instituto Anatómico Forense. Juntos, Pia y Cem volvieron a cerrar la puerta del granero y echaron a andar hacia el estanque. El jefe de operaciones no tenía todavía ningún resultado que presentarles. En la zona donde habían encontrado el cadáver de Ludwig Hirtreiter, así como en el bosque cercano, habían encontrado gran cantidad de perdigones gracias al detector de metales, pero ninguna escopeta y ninguna pistola. El centenar de agentes se habían desplazado hasta el aparcamiento del bosque, un poco más arriba, para seguir buscando allí, además de en todo el patio y el camino que bajaba hasta el pueblo.

Los dos buzos avanzaron por la corta pasarela de madera con las aletas puestas, se sentaron y se dejaron caer al agua. La lluvia arreciaba. Pia se puso la capucha de la cazadora por encima de la gorra de béisbol y observó cómo las gotas rizaban la superficie del estanque. Los vaqueros se le pegaban mojados a las piernas, y la cazadora tampoco cumplía las promesas del fabricante. Contemplaron sin decir nada el pequeño lago hasta que los buzos se rindieron, apenas un cuarto de hora después.

—La visibilidad en esta agua es prácticamente nula —informó uno de ellos—, y todo el fondo es una capa de fango. Si algo pesado cae ahí, se hunde al instante. Lo siento.

—Gracias de todas formas —repuso la inspectora—. Valía la pena intentarlo.

De repente, algo oscuro se abalanzó en vuelo rasante sobre ella, que se puso a cubierto de un salto tras la espalda de Cem.

—¿Qué ha sido eso?

—Una corneja o algo así. —Cem miró a su alrededor.

El pájaro negro se había posado en una rama del cerezo bajo el que habían encontrado el cadáver de Ludwig Hirtreiter y los miraba con arrogancia. Abrió el pico, dio unos cuantos aletazos y graznó. A Pia se le puso la carne de gallina.

—Es un cuervo —corrigió a su compañero—. Los cuervos son más grandes que las cornejas y tienen el pico curvo y negro, no gris y de punta.

—Corneja, cuervo. Qué más da. —Cem se encogió de hombros—. Venga, vámonos. Hace un frío que pela.

—No, espera un momento. Hirtreiter tenía un cuervo domesticado. —Pia contempló el gran pájaro, que se había quedado tranquilo y le devolvía la mirada—. ¿Cómo es que ha ido a posarse precisamente en ese árbol?

—¿Casualidad? —supuso Cem.

—No —contestó Pia—. Yo creo que no.

—Venga, no me digas que crees que el cuervo quiere hacer una declaración. —Sonaba ridículo.

—Pues sí. —La inspectora asintió con seriedad—. Justo eso se me ha pasado por la cabeza. Los cuervos son muy inteligentes, y Ludwig Hirtreiter lo tuvo durante años.

—Por desgracia no nos sirve como testigo. A menos que identifique al asesino en una rueda de reconocimiento.

Pia se dio cuenta de que su compañero reprimía una sonrisa, no sin esfuerzo.

—Te estás riendo de mí —le soltó, pero no pudo evitar reírse—. Cosas más locas han sucedido.

—Claro, agente Scully* —dijo Cem con una burla amistosa—. En la tele, pero no en la realidad. Eso nos lo pondría demasiado fácil.

—¿Tenías que hacerlo? —la comisaria jefe Engel sacudió la cabeza. Estaba sentada a su escritorio con las gafas de leer en la punta de la nariz. No le había ofrecido asiento a Oliver von Bodenstein—. El abogado de la familia Hirtreiter se ha quejado muy duramente. Afirma que se ha tratado de un método de interrogación ilícito según el Artículo 136a de la Ley de Enjuiciamiento Criminal. ¿Cómo se te ocurre obligarlos a ver el cadáver?

—Los tres tienen un móvil —replicó Bodenstein—. Un móvil de tres millones de euros. Y por desgracia ya estaban enterados cuando Kirchhoff y yo quisimos darles la noticia de la muerte de su padre.

—¿Cómo es eso?

El inspector jefe suspiró.

—Mi padre encontró el cadáver. Era el mejor amigo de la víctima y llamó a sus hijos. Me temo que no pude evitarlo.

—¿Has comprobado ya sus coartadas?

Nicola Engel hizo un gesto invitador en dirección a una silla. Fin de la obligatoria demostración de poder. Oliver tomó asiento.

—Todavía no tenemos la hora exacta de la muerte, por eso no ha sido posible hasta el momento, pero como mínimo la hija estuvo en la granja de su padre la noche de los hechos. Sin embargo, no me lo dijo hasta que se enteró de que la habían visto.

---

* En referencia al personaje de la serie de televisión *Expediente X,* Dana Scully. *(N. de la T.)*

Supuestamente solo quería comprobar si todo estaba en orden. Y supuestamente no se encontró con él, aunque vio un coche extraño con el motor en marcha aparcado un par de minutos frente a la entrada de la propiedad.

—¿Supuestamente?

—Sé que tanto ella como sus hermanos estaban peleados con su padre desde hacía años. Esa noche querían convencerlo de que aceptara una oferta millonaria por la compra de un terreno. Ludwig no quería vender bajo ningún concepto, sus hijos querían que lo hiciera a toda costa. Además, Frauke, la hija, tiene bastante experiencia con armas. Por menos dinero se ha matado a gente.

La comisaria jefe lo miró pensativa.

—De acuerdo —dijo al fin—. ¿Cómo quieres proseguir?

—Existen indicios de que su muerte está relacionada con la de Rolf Grossmann, ya que tenemos también a otro sospechoso, y es el mismo que en este último caso. Hasta ahora no hemos podido hablar con él, pero lo haremos hoy por la noche. En cuanto recibamos el informe del forense y podamos delimitar mejor los tiempos, comprobaremos las coartadas de los tres hijos y del otro sospechoso.

—¿Qué tiene que ver tu padre con todo esto?

—Nada. —Oliver alzó las cejas con sorpresa—. Ludwig Hirtreiter era amigo suyo. Los dos habían quedado esta mañana y, como Hirtreiter no ha aparecido, mi padre ha ido a buscarlo. Y lo ha encontrado, por desgracia.

El teléfono que había en el escritorio de la comisaria jefe sonó. Ella miró la pantalla y luego a Bodenstein.

—Gracias, eso es todo de momento —dijo—. Tenme al corriente, por favor.

—Lo haré.

El inspector jefe comprendió que lo estaba echando y se levantó. Engel descolgó el auricular, dio su nombre y contestó algo a quien llamaba.

—Ah, Oliver.

Bodenstein se volvió. Su superior había tapado el micrófono con la mano y sonreía.

—Sería conveniente que la prensa no se enterara de que tu padre está implicado en el caso.

Oliver abrió la boca para decir que su padre no estaba implicado en el caso y que no tenía pensado decirle absolutamente nada a la prensa, pero ella ya había vuelto a llevarse el auricular a la oreja. De manera que se limitó a asentir y salió del despacho.

El estómago le rugía de hambre porque no había comido nada desde esa mañana. Había conseguido resistir la tentación del chiringuito de *döner* en el que habían hecho una parada a petición de Pia de camino a la comisaría, y también la de la tarta de queso y nata que la secretaria de la comisaria jefe había repartido para celebrar su cumpleaños. Hasta entonces nunca se había parado a pensarlo, pero la gente parecía comer en todas partes y a todas horas. Ostermann le estaba dando un bocado a una chocolatina cuando entró en su despacho, y Kathrin Fachinger estaba apoyada junto a la máquina de café con un plato en la mano, devorando un trozo de la dichosa tarta. A Oliver se le hizo la boca agua. Kathrin se fijó en su mirada voraz.

—Todavía quedan dos trozos en la nevera, jefe. ¿Quieres que te...?

—No —la interrumpió él con aspereza—. Cuando hayáis terminado de comer, os espero en la sala de reuniones.

Había leído un artículo en el periódico hacía poco sobre un hombre de la India que llevaba treinta años sin comer nada, así que él bien podía echar un poco el freno durante un par de semanas. Era pura fuerza de voluntad, nada más.

—¡Jefe! —exclamó Ostermann tras él con la boca llena—. Acabo de recibir unas informaciones muy interesantes.

—¡En la sala de reuniones! —gritó Bodenstein por encima del hombro, y salió enseguida del despacho.

El pabellón de Ehlhalten estaba lleno hasta los topes y por las puertas abiertas seguían entrando vecinos, así que la gente de la organización los enviaba arriba, a la galería. El interés del público por el parque eólico proyectado parecía enorme, la noticia de la defunción de Ludwig Hirtreiter había corrido por todo Ehlhalten y había avivado la curiosidad de la gente.

Bodenstein, Pia, Kathrin Fachinger y Cem Altunay montaban guardia en el vestíbulo para localizar a Yannis Theodorakis, que llevaba todo el día desaparecido. Era como si se lo hubiera tragado la tierra. Ni en su lugar de trabajo —en el departamento de tecnologías de la información de un gran banco de Frankfurt— ni en la tienda de animales de su compañera sentimental tenían la menor idea de dónde podía encontrarse, pero Oliver estaba firmemente convencido de que aparecería en esa asamblea.

Los grandes paneles informativos exhibían un fotomontaje impresionante y muy realista donde se veían las crestas de la cordillera del Taunus con diez monstruosos molinos de viento. Los vecinos se apretaban en grandes manadas junto a las mesas de la iniciativa ciudadana «Por un Taunus sin molinos», se llevaban folletos y dejaban su firma en las hojas que se adjuntarían a la solicitud en contra de la construcción del parque eólico, y que se entregarían al presidente del distrito administrativo. En una de las mesas había una fotografía enmarcada de Ludwig Hirtreiter sobre la que alguien había colocado un crespón en señal de luto.

—Ahí llega Theissen —dijo Cem—. Muy valiente por su parte.

El director de WindPro entró en el polidepotivo junto con el alcalde de Eppstein y fue recibido por una lluvia de *flashes* y un concierto de silbidos.

—Y también Theodorakis —añadió Pia.

—Incluso se ha traído a la señora de la limpieza —se extrañó Cem.

—Y un cuerno, señora de la limpieza —masculló la inspectora—. Esa nos ha mentido a base de bien.

Oliver se interpuso en el camino del hombre de cabello oscuro, que se apresuraba hacia la puerta del pabellón.

—Buenas noches —dijo, y sacó su identificación—. Es usted más difícil de ver que el Papa. Bodenstein, de la Policía judicial de Hofheim.

Mientras la supuesta señora de la limpieza seguía andando con la cabeza gacha, Theodorakis y su compañera sentimental, la dueña de la tienda de animales de Königstein, se detuvieron. Pia y Cem habían hecho una visita a esta última cuando regresaban de la granja de Ludwig Hirtreiter a la comisaría. La mujer había prescindido de su vestido regional de color rosa y se había presentado de negro de la cabeza a los pies, como si acudiera a un entierro.

–Buenas noches –repuso Theodorakis a disgusto. Llevaba vaqueros y una americana gris; su demostración pública de luto se limitaba a una corbata negra sobre la camisa blanca. Bajo el brazo sostenía un archivador, y sus ojos se deslizaban con nerviosismo hacia la puerta abierta del pabellón–. Iba a presentarme en comisaría mañana a primera hora, hoy aún tenía mucho que organizar.

–Mañana a primera hora es demasiado tarde. Queremos hablar con usted ahora mismo.

La expresión de Oliver von Bodenstein era inescrutable. No tenía intención de impedir que Yannis Theodorakis participara en la discusión del estrado, pero sí quería incomodarlo un poco.

Yannis empezó a sudar.

–¿Y no pueden esperar una hora? Tengo que subir al estrado. Van a empezar ya.

–Lo cierto es que esto no puede esperar ni una hora –dijo el inspector jefe con frialdad, y disfrutó de tener al hombre en ascuas.

–De verdad que es importante que Yannis hable por nosotros esta noche –intervino su novia–. Más aún ahora que..., que Ludwig... ya no está. –Le temblaba la voz y sus ojos azules se llenaron de lágrimas.

–¿Cree usted que nuestro requerimiento no es importante? –repuso Bodenstein–. No hemos venido aquí a divertirnos.

–¡Por favor! –Theodorakis tenía gotas de sudor en la frente–. Llevamos meses trabajando para preparar esta noche. Después estaré a su disposición y responderé todas las preguntas que quieran.

Oliver arrugó la frente como si se lo estuviera pensando. Después asintió.

—De acuerdo —dijo con indulgencia—, pero venga a buscarme en cuanto acabe el acto.

—Por supuesto, así lo haré. —Theodorakis estaba visiblemente aliviado—. Gracias por su comprensión. Vamos, Ricky.

La mujer de negro asintió en dirección al inspector jefe y siguió a su compañero.

—Entremos nosotros también.

Oliver se puso en marcha, pero el encargado de la entrada negó con la cabeza.

—La sala está a reventar. Solo queda la galería.

Oliver le enseñó su identificación policial.

—Está bien. Dos personas, pero no más. Si no, tendré problemas.

Cem y Kathrin subieron a la galería, Oliver y Pia se apretaron en aquella sala en la que no cabía ni un alfiler.

El alcalde y Stefan Theissen ya se habían sentado en el estrado, y junto a ellos se encontraba la representante del Ministerio de Medio Ambiente. Yannis Theodorakis subió los escalones saltando con desenvoltura. A Theissen no lo miró siquiera, saludó con la cabeza al alcalde, le ofreció la mano a la representante del ministerio y se sentó junto al otro portavoz de la iniciativa.

Entre las filas del público se hizo un silencio expectante, el alcalde tomó entonces la palabra como anfitrión del acto. Agradeció el gran interés de las vecinas y los vecinos y presentó a la señora Neumann-Brandt, del Ministerio de Medio Ambiente de Hessen, al señor Theissen, de WindPro GmbH, a Yannis Theodorakis y a Klaus Faulhaber, miembros de la junta de la iniciativa ciudadana.

—Esta noche ha quedado ensombrecida por un trágico suceso —dijo después con voz grave—. El que durante tantos años fuera concejal de nuestra comunidad, nuestro preciado amigo y compañero de fatigas Ludwig Hirtreiter, fue víctima la pasada noche de un horrible ataque. Estamos consternados y profundamente afectados. Por favor, levántense, damas y caballeros, para guardar un minuto de silencio en honor a Ludwig.

Entre toses, crujidos y susurros, las trescientas personas se levantaron y las patas de las sillas enganchadas entre sí chirriaron en el suelo. Pasó un rato hasta que se recuperó la calma.

—El viejo cabrón se lo merecía —dijo alguien en un murmullo.

El comentario despertó la indignación del público, pero después las risas sofocadas se impusieron entre los presentes.

Estaba preocupado. Había visto a Ricky muy mal hacía un rato. ¿Por qué le afectaría tanto que el imbécil de Ludwig Hirtreiter hubiese muerto? ¡En realidad debería alegrarse, por cómo la había tratado ese capullo últimamente!

Mark cerró la última jaula tras de sí y arrastró la carretilla llena hasta los topes hacia el contenedor. Como Frauke tenía otras cosas que hacer y Ricky estaba en la asamblea vecinal de Ehlhalten, en la que él no podía dejarse ver, Mark se había ofrecido voluntario para encargarse del turno de noche del refugio de animales. Ya había ayudado allí muchas veces y sabía lo que había que hacer. Todos los perros, gatos, tortugas, conejos y conejillos de Indias tenían agua limpia y comida, había metido a los perros en sus perreras y luego había limpiado las jaulas.

Por la mañana hubo un ingreso: un viejo terrier jack russell a quien sus crueles amos habían abandonado sin ninguna consideración. Mark fue una vez más a la nave de los perros y abrió la perrera donde el afligido terrier estaba tumbado sobre una manta. El animal alzó la cabeza lleno de esperanza, pero enseguida la bajó decepcionado al reconocer a Mark. ¡El pobre chucho ya no comprendía el mundo! De pronto estaba siempre detrás de unos barrotes y a su alrededor solo había desconocidos. ¿Cómo podía hacerles la gente algo tan terrible a unas mascotas con las que habían compartido su vida tanto tiempo?

Mark se sentó en el suelo de resina sintética gris y alargó una mano. El perro lo miró con escepticismo, pero permitió que el chico le acariciara detrás de las orejas con suavidad. Tenía los ojos turbios y el morro gris a causa de la edad.

—A tus dueños también habría que tirarlos del coche en alguna curva —dijo Mark en voz baja—. Eres un chucho encantador, aunque estés algo viejo.

El perro levantó las orejas y meneó un poco la punta de la cola. Comprendía el tono de voz amistoso, se arrastró para acercarse a Mark y se acurrucó contra su muslo. El chico sonrió con tristeza. Los perros que más le gustaban eran los viejos y los feúchos. Lo único que querían era un hogar en el que recibir amor y cariño, querían alguien en quien confiar. Igual que él. El terrier jack russell cerró los ojos, se estiró y gruñó de placer.

¿Qué estarían haciendo sus amos en ese momento? ¿Se habían ido de vacaciones, o se habían comprado un perro más joven? ¿Cómo podían dormir tranquilos?

—Pronto te encontraremos un nuevo hogar muy bonito —le prometió al perro—. No tendrás que quedarte mucho tiempo aquí.

Le hubiera encantado llevárselo a su casa, pero eso no podía ser por culpa de su hermana, que tenía alergia.

Suspiró, apoyó la cabeza contra la pared y pensó otra vez en Ricky. Lo que había hecho pensando en ella lo torturaba sin parar. ¡Pero si a él no le molaba Ricky! Para él era como... Bueno, no exactamente una madre, más bien como... una hermana mayor genial. Yannis no se la merecía para nada. Él no veía lo mal que estaba, lo triste y deprimida que se sentía. ¿Es que no sabía que padecía dolores de espalda constantes? Mark le quitaba todo el trabajo que podía, no dejaba que cargara cosas pesadas. Si Ricky fuera su novia, no tendría que trabajar nunca más. Él lo haría todo solo para que ella fuera feliz y se riera, como cuando fue con él a hacer prácticas de conducción.

Mark sintió una carga en el corazón. Era terriblemente complicado. ¡Si por lo menos él tuviera ya los dieciocho y pudiera marcharse de casa! Nika no estaría para siempre de «okupa» en el sótano de Ricky y Yannis y, cuando se hubiera ido, él podría trasladarse allí. Sonrió. Esa idea le gustaba. ¿Cómo no se le había ocurrido antes? Vivir bajo el mismo techo que Ricky sería una pasada.

El perro le dio unos golpecitos con el morro húmedo para recuperar su atención, porque había dejado de acariciarlo.

—Uy, perdona —dijo Mark—. Ven, vamos a la oficina. Allí tenemos un cesto muy cómodo para ti, y seguro que encuentro algo rico de comer. ¿Mmm? ¿Qué te parece?

Se puso de pie y el perro lo siguió por el patio, como una pequeña sombra, hacia el edificio bajo en el que se encontraba la administración y la cocina para la comida de los animales del refugio. Eran las ocho y media. Tenía tiempo suficiente para actualizar la página web de la protectora de animales y echarles un vistazo a los caballos de Ricky, como había prometido. Quizá después de todo eso ella habría vuelto ya de la reunión.

El alcalde terminó la farsa después de exactamente cuarenta y dos segundos.

—¡Gracias! —dijo, y todo volvió a serenarse.

No le dio tiempo a decir más. Yannis Theodorakis desenganchó su micrófono del soporte y se levantó, interrumpiéndolo:

—Antes de que los obliguen a oír aquí toda clase de palabras bonitas, quiero darles un par de detalles sobre el parque eólico que está proyectado, y que me temo que el señor alcalde y demás personalidades les ocultarán —dijo.

Por un momento el alcalde no supo cómo reaccionar ante ese ataque inesperado, pero no se dio tan pronto por vencido. A una señal suya, el técnico de sonido cortó la corriente del micro de Theodorakis. Enseguida estalló un concierto de silbidos de indignación. Oliver observó con preocupación la cantidad de tiempo que necesitó el alcalde para calmar a la masa enfurecida. Se volvió hacia Pia, que estaba apoyada en la pared, a su lado, con los brazos cruzados y mordiéndose el labio inferior.

—Esto no me da buena espina —le comentó.

—Los ánimos están muy caldeados —coincidió ella—. Tal vez deberíamos pedir refuerzos.

El alcalde se esforzaba por sonreír. Seguro que ya lamentaba haber accedido a participar en un debate público con los detractores del parque eólico.

—También ustedes tendrán suficiente tiempo para hablar, pero ciñámonos de momento a las reglas de la cortesía, por favor.

Yannis Theodorakis se encogió de hombros e hizo una reverencia que el público recibió con carcajadas. Durante un cuarto de hora, el alcalde y Stefan Theissen alternativamente estuvieron elogiando el proyecto del parque eólico y no hicieron ningún caso a ninguna de las preguntas con las que los interrumpían, lo cual provocó que el público empezara a bullir poco a poco de rabia. Theodorakis sacudía la cabeza e incluso se reía de vez en cuando con burla. En la sala había agitación. Alguna que otra persona se levantaba de pronto a gritar algo, y no dejaban de oírse pitidos y abucheos.

—¡Calla de una puta vez! —vociferó alguien.

En ese momento, el alcalde le cedió por fin la palabra a Yannis, aunque a regañadientes.

—En la iniciativa «Por un Taunus sin molinos» vemos las cosas algo diferentes —comenzó—. Después de que estos señores no hayan hecho más que tirarles arena a los ojos, yo querría presentarles unos cuantos hechos y unas cuantas cifras que refutarán todo lo dicho. En el año 2006, según la opinión de la Autoridad Metropolitana del Rin-Meno, existían 66 posibles emplazamientos para energía eólica. A partir de ese momento se empezaron a examinar a fondo las localizaciones siguiendo un protocolo de criterios establecidos. En enero de 2009 ya solo quedaban cinco de esas denominadas «zonas de prioridad eólica»; el Taunus Sur, a causa de unos patrones de comportamiento eólico altamente variables, no se contaba entre ellas.

—Pero ¿por qué se concedió entonces un permiso de construcción? —gritó alguien—. ¡Un parque eólico inútil no produce ningún dinero!

Murmullos de aprobación. El alcalde y la mujer de apellido compuesto del ministerio miraron a Stefan Theissen, pero este no dejaba traslucir qué le pasaba por la cabeza. Theodorakis adujo que los informes periciales que habían encargado tanto el land de Hessen como la propia iniciativa ciudadana declaraban no rentable un parque eólico en el emplazamiento previsto.

—Los dos peritajes que presentó WindPro, sin embargo, dicen todo lo contrario.

Alarmado, Theissen levantó la cabeza. Oliver recordó la página del peritaje eólico que habían encontrado bajo la fotocopiadora de la sala auxiliar del director.

—¿Estás pensando lo mismo que yo? —preguntó Pia en voz baja.

—Me parece que sí —contestó él, bajando la voz también—. La página del informe pericial.

—Si ese fue el verdadero motivo del allanamiento, Yannis Theodorakis vuelve a colocarse a la cabeza de la lista de sospechosos.

—Mmm —confirmó Oliver—. Incluso empieza a sacarles ventaja.

—Hasta que el explotador se da cuenta de que el parque eólico es ineficiente —resonó la voz de Theodorakis por los altavoces— pasan varios años. Durante todo ese tiempo, la sociedad del proyecto ha duplicado o triplicado el dinero de los fondos mediante los cuales se financió la construcción. Además de eso, reciben millones de euros procedentes de subvenciones de Europa, del Gobierno federal y del land, en las que el municipio también está interesado. Nosotros creemos que es nuestro deber indagar. Y esta noche preguntaremos también qué convenció al Ministerio de Medio Ambiente... —hizo una pausa teatral, hasta que todas y cada una de las miradas de la sala estuvieron fijas en él— para que cambiara tan repentina y drásticamente de opinión. Le preguntaremos al señor Stefan Theissen por qué motivo ha apoyado a las organizaciones medioambientales de la región con unas donaciones tan generosas.

—¿Qué pretende insinuar con eso? —preguntó el alcalde con una sonrisa despectiva que, teniendo en cuenta la tensión del ambiente, estaba fuera de lugar.

—¡No insinúo nada! —replicó Theodorakis—. Tengo pruebas. Correos electrónicos en los que se cerraron acuerdos secretos, pruebas de que hubo intercambio de dinero cuando no debería ser así. Tengo pruebas de que WindPro sobornó a los responsables del ministerio y de la ciudad de Eppstein para conseguir ese permiso de construcción.

El alcalde hizo un gesto negativo con la mano sin dejar de sonreír, como si quisiera tildar de ridículo lo que estaba diciendo su oponente.

—¡Todo eso son disparates! —dijo Stefan Theissen tomando la palabra—. ¡Este hombre solo busca venganza porque el año pasado lo despedimos!

—¿Dónde están esas pruebas? —gritó alguien del público.

—¡No hay ninguna! —se apresuró a contestar Theissen—. A menos que las haya falsificado.

—En falsificar tiene usted más experiencia que yo —replicó Theodorakis, triunfal, que alcanzó su archivador de la mesa y lo sostuvo en alto—. ¡Está todo documentado!

Stefan Theissen y el alcalde cruzaron una breve mirada al comprender que toda esa cháchara inofensiva no había sido más que el preludio de algo peor.

—El señor Yannis Theodorakis fue durante muchos años director de proyectos de WindPro. —Theissen se levantó también entonces y se lanzó a la ofensiva—. A causa de algunas faltas graves como...

—¡Eso no es cierto! —exclamó Theodorakis interrumpiéndolo.

—Ahora déjeme hablar a mí —repuso Theissen con frialdad.

—¡Está mintiendo!

—Ya se verá quién miente aquí y quién no.

Las cabezas de la gente giraban de izquierda a derecha como en un partido de tenis. En la sala hacía calor. Muchos se abanicaban con los folletos de la iniciativa ciudadana. El director se volvió de nuevo hacia el público con una sonrisa.

—Damas y caballeros, no es mi costumbre lavar la ropa sucia delante de todo el mundo, pero tampoco pienso permitir que uno de nuestros proyectos quede en mal lugar por pura sed de venganza. —Su voz, que era algo más grave que la de su contrario, sonaba tranquila y convincente–. El señor Yannis Theodorakis, después de su despido, perdió varios procesos judiciales contra nosotros en Magistratura de Trabajo, y ahora solo busca desquitarse por unos motivos muy personales. ¡No se dejen engañar por sus cuentos, por favor!

Los murmullos crecieron. Un trabajador debía de haber cometido faltas muy graves para que la magistratura le diera la razón al empleador, eso lo sabía todo el mundo. Theissen le concedió la palabra a Theodorakis con un magnánimo gesto de la mano y se sentó otra vez.

El barullo tardó en remitir.

–Aun así, quisiéramos ofrecerles algunos datos –insistió Theodorakis, en apariencia impasible aunque por dentro debía de estar hirviendo–. Ustedes mismos decidirán qué quieren creer, en boca de quién, y qué no.

Inteligente contraataque, pensó Oliver. Él mismo estaba impaciente por ver qué guardaba bajo la manga la iniciativa ciudadana. Theodorakis empezó a enumerar las faltas de las que acusaba a la ciudad, al distrito, al Ministerio de Medio Ambiente y a la sociedad del proyecto.

–Falso –decía Stefan Theissen, lacónico, después de cada frase.

El silencio en la sala era sepulcral, se habría oído caer un alfiler.

–¿Quiere hacer el favor de cerrar la boca de una vez? –le increpó Theodorakis, harto, después de la tercera o la cuarta interrupción.

–Mejor cállese usted –le advirtió el director de WindPro, que sonreía con indulgencia–. Está hablando en público y esa boca suya le perderá. Pero usted ya está acostumbrado a las derrotas.

Theodorakis solo rio y se encogió de hombros.

–Esos ataques personales no son dignos de alguien de su nivel, señor Theissen –continuó, muy calmado–. Estoy aquí como portavoz de los ciudadanos y las ciudadanas que, juntos, queremos impedir un proyecto absurdo que solo servirá para llenar las arcas de WindPro. Si lo que intenta usted es desacreditarme, adelante. De todas formas, lo que tengo que decir esta noche podrá leerse también en nuestra página web, así que no se moleste.

Theissen iba a replicar algo, pero Theodorakis siguió hablando sin darle ocasión.

—WindPro y el municipio pensaban presentarse hoy aquí con una política de hechos consumados —dijo, y señaló con el índice primero a Stefan Theissen y después al alcalde—, habían contratado a una empresa de desmonte que, en contra de todos los acuerdos, ¡el pasado lunes por la mañana pretendía empezar a talar en secreto la zona prevista! ¡Para que confíen ustedes en estos dos embusteros codiciosos!

Ni el alcalde ni Theissen dejaron pasar eso. También el público participó con fuertes silbidos y abucheos en el crudo enfrentamiento verbal que siguió. Ya no se podía esperar un debate bien moderado en el estrado. Un tomate salió volando de repente desde algún rincón y se estrelló en el hombro del alcalde.

Oliver sacó el móvil y marcó el número de Cem Altunay.

—Bajad aquí —ordenó—. ¡Y pide refuerzos! ¡Diles a los encargados que abran las salidas de emergencia! ¡Rápido!

—¡Mentirosos! ¡Embusteros! —gritaban unos cuantos jóvenes.

—¡Silencio, por favor! —exclamó al micrófono, conciliador, el compañero de lucha de Theodorakis, que hasta ese momento se había mantenido completamente al margen de la discusión—. ¡Estén tranquilos! ¡Calma!

—¡Mentirosos! ¡Embusteros! —seguían gritando los jóvenes.

Huevos y más tomates alcanzaron al alcalde, a Stefan Theissen y también a Yannis Theodorakis, a quien sin embargo no parecía importarle. La representante del ministerio, que aún no había dicho nada, se escondió bajo la mesa buscando protección.

—¡Yo no tengo por qué aguantar esto! —vociferó el alcalde con la cara congestionada, y dejó el micrófono en la mesa dando un golpe.

El silbido ensordecedor del acoplamiento silenció las voces de Theodorakis y Theissen, el público bramó más fuerte aún cuando el alcalde saltó del estrado e intentó avanzar por el pasillo central. La gente se levantó y quiso ir también hacia el pasillo. Oliver, preocupado, pensó en sus padres, que se habían sentado en las filas más cercanas al escenario. De algún lugar llegó volando otro tomate que le dio al jefe del consistorio en plena cara, tras lo cual este se lanzó ciego de ira por la fila en busca de quien se lo había lanzado. Casi sin podérselo creer, Oliver vio cómo el alcalde le soltaba una bofetada al del tomate antes de que alguien pudiera impedírselo. En un abrir y cerrar de ojos aquello se había convertido en una pelea, y la gente, atrapada entre las estrechas filas de sillas, no podía escapar. Estalló el caos.

—¿Se ha vuelto loco? —Pia se separó de la pared—. Tiene que salir de aquí. Lo harán picadillo.

—¡Tú no te muevas! —Oliver quiso agarrarse a Pia, pero la gente lo arrastraba y lo apartaba de ella.

Un segundo después ya la había perdido de vista. Al alcalde le llovió encima media frutería mientras no dejaban de gritarle. Él se protegía alzando las manos por encima de la cabeza. El suelo se transformó en una pista deslizante; las sillas empezaron a volcar, la gente tropezaba, gritaba, echaba a correr, resbalaba y caía.

—¡Socorro! —gritó una mujer—. ¡Quiero salir de aquí!

Se desencadenó un tumulto. Una multitud con los rostros deformados por el pánico se lanzó hacia la salida, las sillas volaron por los aires, la sala se había convertido en un infierno. Oliver sintió que lo apretaban bruscamente contra la pared, por un momento se quedó sin aire. Intentó localizar a Pia a toda costa y, al mismo tiempo, reprimir la preocupación por sus padres. Si eran sensatos, se quedarían donde estaban sin moverse.

—¡Pero haz algo! —Klaus Faulhaber agarró a Yannis del brazo—. ¡Se han vuelto locos! ¡Va a haber una desgracia!

—¿Qué quieres que haga? —Yannis se encogió de hombros y sonrió—. El muy imbécil se ha dejado provocar por un par de alborotadores. La culpa es suya.

Al fondo de la sala reinaba el caos: cientos de personas querían salir, pero solo la mitad de la puerta doble estaba abierta.

—Pero ¡qué cojones...! —exclamó Yannis, atónito, al ver que los pocos encargados de la sala ya no tenían la situación bajo control.

Junto a él, la representante del ministerio reaccionó y se levantó de un salto, bajó a trompicones la escalera del escenario y abrió la salida de emergencia. Stefan Theissen la siguió como el rayo y desapareció en la oscuridad. Hasta ese momento los vecinos de las primeras filas habían estado paralizados en sus sillas, pero también ellos se levantaron entonces y empujaron hacia la puerta abierta, aunque con mucha más disciplina que la muchedumbre histérica del fondo de la gran sala.

Yannis vio que aquella policía rubia arrastraba al alcalde en dirección a la salida de emergencia. Tenía que desaparecer antes de que llegaran a la puerta. No le apetecía nada someterse a un interrogatorio; había cosas más importantes de las que ocuparse. No veía a Ricky ni a Nika por ninguna parte, pero ya saldrían de allí como fuera. No vaciló más, alcanzó su archivador y echó a correr. Pocos segundos después ya estaba fuera, buscando la llave del coche en el bolsillo de su chaqueta.

—¡Theodorakis!

Esa voz hizo que diera media vuelta. Ante él, como salido de la nada, estaba Stefan Theissen. Todavía extasiado por la euforia de su éxito, Yannis se sentía intocable.

—Ahora no tengo tiempo —dijo hablando por encima del hombro con la intención de pasar de largo.

—Oh, sí. Sí que tienes tiempo.

Theissen estaba muy cabreado y Yannis sabía que no bromeaba. Intentó huir, pero Theissen lo había agarrado del hombro.

—¡Estoy hasta los cojones de ti, cabrón de mierda! —renegó entre dientes su antiguo jefe, y le dio un fuerte empujón.

Yannis se tambaleó y dio contra un coche aparcado.

—¡Oye! —Empezaba a asustarse—. ¿A qué viene esto?

—¿Quién te has creído que eres? —masculló Theissen, que golpeó a Yannis en el pecho con ambas manos—. ¡No pienso dejar que un fracasado envidioso como tú destroce mi empresa ni mi buena reputación!

Yannis retrocedió, el miedo se estaba apoderando de él. Era evidente que había subestimado su furia.

—La escenita de esta noche tendrá consecuencias, ¡te lo prometo! —amenazó el director de WindPro bajando la voz hasta convertirla en un susurro—. Seguramente se te ha olvidado lo que firmaste cuando cobraste la indemnización. ¡Te llevaré a los tribunales! ¡Acabaré contigo y al final ya no sabrás ni cómo te llamas!

Theissen parecía un loco dispuesto a cualquier cosa.

—¡No pienso dejar que me intimides! —gritó Yannis, aunque casi se lo había hecho encima de miedo—. ¡Solo digo la verdad!

—Una mierda, dices.

Stefan Theissen lo agarró del brazo sin ningún cuidado y se lo retorció con brutalidad hacia atrás. Los bomberos, la Policía y varias ambulancias llegaron al gran aparcamiento con las sirenas en marcha y las luces azules encendidas. Yannis comprendió que en medio de aquel caos no habría nadie que lo oyera aunque gritara pidiendo ayuda.

—¡Pia! —vociferó Oliver, pero solo veía rostros desconocidos, ojos desorbitados por el miedo, bocas abiertas.

Una mujer mayor cayó al suelo justo delante de él, pero no pudo hacer nada porque la muchedumbre lo arrastraba inexorablemente. Varias manos tiraban de su americana, un codo se le clavó en el estómago y le hizo un daño horrible, pisó algo blando y sintió que en su interior crecía una oleada de pánico.

Mantén la calma, se repetía, pero en su cabeza se desataron los recuerdos borrosos de su época en antidisturbios, imágenes de miembros aplastados, de muertos y heridos graves. ¿Por qué no había salido de allí cuando todavía podía? ¡Maldita sea! Estaba empapado en sudor e intentaba dar bocanadas para respirar.

¿Dónde estaba Pia? ¿Dónde estaban sus padres? La cabeza de un hombre le golpeó el mentón, Oliver se apoyó contra la gente, perdió el equilibrio solo un instante y resbaló. Los cuerpos de la muchedumbre lo empujaron sin compasión hacia el suelo. Donde antes veía cabezas, de pronto solo había ropa, brazos, piel desnuda, cinturones; luego, piernas y zapatos. Le dieron patadas en las costillas y en la cara, pero no sintió ningún dolor, solo miedo, un miedo atroz que anuló cualquier otra sensación de su interior y le confirió una fuerza insospechada. No quería morir, no en ese momento y sin duda no sobre el suelo sucio de aquel pabellón.

Se arrastró a cuatro patas por entre pies y piernas en dirección a donde creía que se encontraba la puerta. De repente pudo respirar otra vez. Tragó aire con ansia para llenar los pulmones. ¡Tenía que salir!

Alguien lo agarró de pronto del brazo.

—¡Señor Bodenstein! —Una voz de mujer que no reconoció llegó hasta su conciencia como a través de una niebla.

Alzó la cabeza, aturdido, y se encontró con unos ojos verdes preocupados. La mujer le resultaba vagamente familiar, pero no conseguía ubicarla. ¿Cómo sabía su nombre?

Se puso de pie con dificultad, temblaba como una hoja y tuvo que apoyarse en la delicada mujer rubia para no desplomarse. Ella, sin soltarle el brazo, lo dirigió por el caos con decisión hacia la salida.

—¿Dónde..., dónde están mis compañeros?

—Seguro que están fuera —contestó la mujer—. Tiene que respirar hondo.

Oliver obedeció. ¡Pia! ¿Dónde estaba Pia? Recordaba que había echado a correr hacia el alcalde y luego la había perdido de vista. ¿Cuánto tiempo había pasado desde entonces? Le daba la sensación de que eran horas. Había personas sentadas o tumbadas en el suelo, otras vagaban sollozando con histerismo, o mudas y con la mirada perdida. Por el vestíbulo corrían agentes uniformados, también médicos y personal sanitario; frente al pabellón destellaban las luces azules.

—Mis padres siguen dentro. —El inspector jefe se irguió—. Tengo que ir a buscarlos.

Lanzó una mirada a su reloj. No eran más que las nueve y cinco, la catástrofe apenas había durado segundos, unos minutos como mucho. Dio media vuelta, entró en la sala y se quedó de piedra. Ante sus ojos tenía una imagen de devastación. Sillas rotas, jirones de tela y zapatos sueltos por todas partes. Justo al lado de la puerta había un médico de emergencias atendiendo a una mujer, unos metros más allá había otras dos mujeres en el suelo y un hombre al que la muchedumbre, presa del pánico, le había arrancado toda la ropa. Oliver avanzó y pasó por encima de él con cuidado. Había conseguido serenarse un poco, el temblor iba remitiendo lentamente. Entre las sillas caídas vio el cuerpo encorvado de una mujer. Llevaba vaqueros y una blusa que antes debió de ser blanca, el cabello rubio le tapaba la cara. El corazón dejó de latirle unos segundos.

—¡Oh, no, Pia! —exclamó, y se arrodilló junto a ella.

La Policía había precintado la puerta de la casa, pero eso a ella no le importaba. Conocía otra forma de entrar que, aunque algo más incómoda, había pasado inadvertida.

Frauke no había olvidado que sus codiciosos hermanos habían querido dejarla fuera del asunto de WindPro para repartirse los tres millones, igual que tampoco había olvidado las humillaciones y las burlas que siempre había tenido que soportar de Gregor y Matthias. Jamás la habían invitado a una de sus elegantes casas, no le habían pedido que fuera la madrina de ninguno de sus mocosos... Porque ¿para qué? Ella no habría podido hacerles regalos espléndidos, y además estaban las esnobs de sus cuñadas.

—Os vais a enterar, capullos —murmuró.

Ya estaba anocheciendo, al cabo de media hora la oscuridad sería total, y eso a Frauke le iba de maravilla. Desde el pueblo llegaron a sus oídos los aullidos de unas sirenas; algo sucedía allí abajo. Lo mismo daba. Jadeó al empujar la pesada reja de color rosa hasta que chocó con la pared de la casa. Detrás de ella apareció entonces una estrecha puertecilla oxidada. Se sacó un espray del bolsillo de la cazadora: dos toquecitos en la cerradura y ya pudo meter la llave y girarla sin problemas. La puerta se atascaba un poco, Frauke dio unos cuantos tirones y empujones hasta que consiguió hacerla ceder con un chirrido exageradísimo y levantando una nube de polvo y de partículas de óxido. Se sacudió la suciedad del pelo y entró en la antigua despensa. La pequeña sala olía a moho, putrefacción y excrementos de ratón. Buscó el interruptor de la luz; la bombilla desnuda del techo se encendió. La puerta que daba a la cocina no estaba cerrada con llave, y el poco de luz que había le bastó aún para encontrar el camino por el interior de la casa. Subió con pasos resueltos la escalera de madera, cubierta de polvo, hasta el primer piso. Sabía perfectamente dónde debía buscar, ya que una costumbre de cincuenta años no se abandonaba en la vejez, y Frauke conocía todas las manías de su padre.

Las tablas del suelo crujieron bajo su peso cuando entró en la pequeña habitación abuhardillada de invitados que no había alojado a ningún visitante desde hacía décadas. Abrió el armario de la ropa de cama y tiró de las sábanas con olor a cerrado del anaquel superior. Sus dedos tocaron la caja de hojalata. La sacó, volvió a meter las sábanas de cualquier manera en el armario y cerró las puertas. La llave de la caja la guardaba su padre en el pedestal de la talla de la Virgen María que había en su dormitorio.

Frauke se dispuso a bajar. Estaba bañada en sudor a causa de los nervios, pero contentísima. Cómo le habría gustado ver las caras de sus hermanos... Se detuvo. ¿Qué había sido ese ruido? Cayó en la cuenta de que se le había olvidado cerrar la puerta. Alguien debía de haber entrado en la casa. Conteniendo la respiración, se quedó quieta en el descansillo y aguzó el oído en la oscuridad. El ataque llegó como salido de la nada. Algo negro se le echó encima.

Del susto dejó caer la caja, dio un paso hacia delante sin pensar y perdió el equilibrio. Durante unos segundos agitó aún los brazos con desesperación, luego cayó por la empinada escalera de madera, partió aquella barandilla endeble y se golpeó la cabeza contra el marco de la puerta del dormitorio de su padre.

Se apoyó con una mano en la pared, jadeando, e intentó recuperar el aliento. El hombre al que había sacado a rastras de la sala haciendo uso de todas sus fuerzas estaba sentado en el suelo y se apretaba con la mano una herida que le sangraba mucho en la cabeza.

—¿Se encuentra bien? —preguntó Pia.

—Sí, sí. Gracias —masculló el alcalde, aturdido—. Pero ¿qué ha pasado?

—Ha estado a punto de pelearse usted con unos cuantos jóvenes —respondió Pia—. ¡Y eso que estaban dispuestos a molerlo a palos!

El alcalde levantó la cabeza y miró a Pia.

—Usted... me ha salvado la vida. —Le temblaba la voz.

Por la puerta seguían saliendo personas que buscaban aire para respirar y se alejaban tropezando en la oscuridad. Al otro lado del edificio, en la entrada principal, se oían sirenas y se veían luces azules intermitentes. Dos hombres con traje se acercaron. Iban mirando las caras de la gente que estaba sentada en el suelo, buscando.

—¡Dios santo, jefe, aquí está usted! —exclamó uno de ellos al ver al alcalde.

—¿Podrían ocuparse de él, por favor? —Por sus palabras, Pia dedujo que no eran de los que habían lanzado tomates—. Necesita un médico.

—Por supuesto —repuso el joven.

Su compañero y él ayudaron al maltrecho alcalde a ponerse de pie y se lo llevaron de allí. Pia recordó entonces que el motivo por el que habían acudido a la reunión era Yannis Theodorakis. En el caos reinante se había olvidado de él por un instante. Intentó orientarse. Detrás de ella se encontraba la salida de emergencia del lateral del escenario, por donde habían huido también Stefan Theissen y la representante del Ministerio de Medio Ambiente. ¿Dónde se habían metido esos dos? La inspectora miró a su alrededor. Theodorakis todavía estaba en el estrado cuando ella había sacado al alcalde a rastras. ¿Habría salida también por el otro lado del escenario? A esas alturas ya se había hecho de noche, el reflector de debajo del tejado del pabellón iluminaba a duras penas la explanada pavimentada. Pia sacó su móvil del bolsillo, echó a andar y marcó el número de Bodenstein. No contestaba. Los aullidos de numerosas sirenas se acercaban y ella volvió a guardar el teléfono. Con el ruido que había allí, de todas formas, ninguno de sus compañeros oiría el timbre del móvil. ¿Cómo habían llegado las cosas tan lejos? Seguía andando en dirección a la entrada principal cuando su mirada recayó en dos hombres que estaban en el aparcamiento, junto a un coche, y que parecían pelearse. Un rayo de luz se reflejó en el cristal de unas gafas.

¡Theodorakis! El muy hijo de su madre había querido largarse en lugar de dejar que Bodenstein lo interrogara. Apretó el paso. Justo en ese momento, el otro hombre le retorció el brazo a Theodorakis en la espalda. Aquello no parecía precisamente una charla agradable. Pia echó a correr y sacó el arma de la pistolera.

—¡Policía! —gritó—. ¡Suelte a ese hombre!

El otro obedeció y dio media vuelta. Atónita, la inspectora vio de quién se trataba.

—¿Qué está haciendo, señor Theissen? —preguntó con brusquedad.

—Esto no es asunto suyo —repuso el director de WindPro con no menos severidad. Se recolocó el traje y se enderezó la corbata—. Ya hablaremos más tarde —le siseó a Theodorakis, y desapareció entre los coches aparcados.

Yannis Theodorakis se agachó jadeando y quedó a gatas. Le salía sangre de la nariz y le resbalaba por la barbilla. Pia guardó la pistola.

—Quería desaparecer, ¿eh? —preguntó con frialdad.

—No, no es eso. —Tanteó el suelo con las manos—. ¡Ese loco quería matarme! Pienso denunciar a ese capullo violento.

Encontró sus gafas, se las puso y se irguió soltando un gemido. Con la cara transida de dolor, se apoyó contra el maletero de un coche y se palpó la cara.

—Me ha roto la nariz de verdad —se lamentó—. ¡Usted ha sido testigo de cómo me ha atacado!

—Para ser exactos, yo no he visto quién atacaba a quién —contestó la inspectora—, pero ¿de veras le extraña que Stefan Theissen esté cabreado con usted después de todas las acusaciones que ha lanzado contra él?

—Solo he dicho la verdad —replicó Theodorakis con teatralidad—, pero en este país se juega uno la vida por decir verdades.

Se puso el dorso de la mano bajo la nariz, apretó y luego miró la mancha de sangre.

Pia decidió aprovechar las circunstancias. Al sufrir una conmoción, mucha gente carecía de presencia de ánimo suficiente para mentir sobre la marcha.

—¿De dónde sacó los peritajes que Theissen supuestamente ordenó falsificar? —preguntó.

—¿Qué quiere decir ese «supuestamente»? —saltó Theodorakis. Ni rastro de conmoción—. Tengo contactos. Incluso en WindPro se pueden encontrar un par de personas honradas.

La mano le tembló al apartar el cabello rubio y enredado. Después su corazón volvió a latir con la fuerza de un martillo de forja. ¡No era Pia! Oliver puso los dedos en el cuello de la joven para buscarle el pulso. Al mismo tiempo se volvió.

—¡Aquí! —gritó en dirección a dos auxiliares sanitarios que estaban buscando más heridos entre el amasijo de sillas—. ¡Hay una mujer inconsciente!

Se levantó y dio un paso hacia atrás, cojeando, para hacerles sitio a los dos hombres. Su mirada vagaba de un lado a otro. En el pabellón aún quedaba gente, sentada y de pie, con un horror mudo y atónito en la mirada. El inspector jefe avanzó por entre el desorden de mobiliario volcado. Lo que había vivido esa noche jamás lo abandonaría. Aunque había superado muchas situaciones de peligro, nunca antes había tenido que temer por su vida de esa forma. A pesar de toda la formación recibida para comportarse en situaciones límite, hacía un momento había perdido todo control sobre sus actos, y el instinto más fuerte y salvaje, ese que la humanidad le debía a la evolución, tomó posesión de él: ¡sobrevivir! ¡Sobrevivir a toda costa!

—¡Oliver!

La voz de su madre hizo que se diera la vuelta. Estaba pálida, pero parecía serena. El inspector jefe, aliviado, la abrazó con fuerza. Sus padres, sentados en el primer tercio de la sala, habían tenido la inteligencia de no moverse de su sitio en el momento en el que se desató el pánico. No fue hasta entonces cuando se fijó en que el conde no estaba con ella.

—¿Dónde está papá? —preguntó.

—Quería ir a ver cómo se encontraban los demás —contestó la mujer, y le lanzó una mirada extraña que él pasó por alto.

—Llamaré a Quentin para que venga a buscaros.

—Deja, deja. —Le puso una mano en el brazo—. Ya nos las apañaremos. No te preocupes por nosotros.

—No, espera aquí. No tienes por qué ver todo esto —repuso él.

—He visto cosas peores —le aseguró su madre con decisión—. Tal vez pueda ayudar.

Oliver hizo un gesto de impotencia. Sabía que no servía de nada discutir con ella. Además, era cierto que había sido testigo de mucha miseria en el hospicio donde había trabajado como voluntaria. Su madre era una mujer fuerte y sabía muy bien lo que se hacía. Él, por su parte, no sintió la menor necesidad de seguirla hasta el vestíbulo.

Cuando salió al exterior por la salida de emergencia, cerró un momento los ojos y respiró hondo. Una brisa agradable le refrescó la piel febril. También allí había gente, hablando en voz baja. Una mujer fumaba un cigarrillo, letárgica, con el rostro arrasado en lágrimas. Oliver pasó por delante de ella caminando sin rumbo. Solo quería evitar quedarse plantado y reflexionar.

Frente al pabellón debía de haberse organizado una buena, las luces azules iluminaban como si fueran relámpagos la oscuridad que acababa de caer. Fue entonces cuando volvió a ver a la mujer de antes, que debía de haberlo seguido.

—¿La del pabellón era su compañera? —preguntó.

—No. —El inspector jefe sacudió la cabeza—. Por suerte, no.

Se miraron. Oliver vio un rostro de líneas delicadas, pálido, más atractivo que hermoso. El cabello, claro, se le había soltado de la cola de caballo y rodeaba su cara como si fuera una aureola. Le recordaba un poco a Inka Hansen. Y entonces recordó de dónde la conocía. La había visto un día en la finca de su familia, y su padre la había acompañado en coche a casa. A él le extrañó, pero luego su madre le comentó que era una conocida.

—¿No nos hemos visto hace poco en la finca? —le preguntó—. Se llama Nicole, ¿verdad?

—Nika. —Sonrió con delicadeza, sus dientes casi relucían en la oscuridad. Después se puso seria—. Venga conmigo —dijo—. Siéntese un momento.

El inspector jefe se dejó acompañar hasta una jardinera con flores y se sentó obedientemente en el borde. Ella tomó asiento junto a él.

Estuvieron un momento callados, mirando al suelo. Tenerla tan cerca lo incomodaba un poco, pero a la vez le sentaba bien. Sentía que la calidez de su cuerpo y su silencio admirable tranquilizaban la inquietud de su interior.

—Gracias por su ayuda —le dijo al fin con voz ronca—. Ha sido usted muy amable.

—No hay de qué —repuso ella, que de pronto se volvió hacia él y lo miró como si lo examinara.

Oliver sintió calor.

—Tengo que ir a ver a los demás —añadió la mujer en voz baja—. ¿Usted se encuentra bien?

—Sí, estoy mejor.

Le ofreció una mano, pero ella evitó tocarlo y se levantó enseguida.

—Ya nos veremos.

El inspector jefe la siguió con la mirada. Un instante después había desaparecido entre las luces de los faros, como si se hubiera esfumado.

Pia salió entonces por la puerta de emergencia y miró a su alrededor. Al reconocerlo, fue hacia él caminando deprisa. Su blusa blanca estaba llena de manchas oscuras, igual que los vaqueros. Oliver se levantó y, llevado por el alivio desbordante que sintió al verla sana y salva, tuvo que controlarse para no abrazarla. Ella lo miró extrañada y ladeó la cabeza.

—¿Cómo es que llevas esas pintas?

Él bajó la mirada hacia su ropa. La camisa le colgaba por fuera del pantalón, tenía una manga de la americana medio arrancada y ni siquiera se había dado cuenta de que ya no llevaba los zapatos puestos. Regresó a la realidad.

—Yo... he estado ahí metido —contestó, lacónico—. ¿Y tú? ¿Dónde estabas? De pronto te he perdido de vista.

—He sacado al alcalde del pabellón. Y luego he pescado a Yannis Theodorakis, que se habría largado si Stefan Theissen no hubiese querido darle una paliza. He llegado a tiempo de impedir lo peor.

—¿Dónde está ahora Theodorakis?

—Espera en un coche patrulla.

Al ser consciente de que no iba calzado, Oliver sintió que el frío de las losas le traspasaba los calcetines. Su nivel de adrenalina cayó en picado, empezó a helarse. De pronto se sintió completamente exhausto y se dejó caer otra vez en el borde de la jardinera de cemento.

—Vamos. —Pia le tocó el brazo—. Primero iremos a buscar tus zapatos, luego nos volveremos a Hofheim en coche.

—Pero ¿cómo ha podido pasar esto?

Oliver se frotó la cara con ambas manos. Estaba débil, le dolía todo el cuerpo. No había comido nada, y luego, encima, esa terrible experiencia y el miedo que había sentido por Pia. Ella rebuscó en su mochila y le ofreció un paquete de cigarrillos.

—¿Quieres uno? —preguntó.

—Sí, gracias.

Su compañera le pasó el mechero y él dio un par de caladas.

—¿Crees que el chiringuito del aparcamiento de Königstein seguirá abierto? —preguntó él de repente—. No me vendría mal un *döner*. Y unas patatas fritas con kétchup y mayonesa.

Pia se quedó mirándolo.

—Estás conmocionado —constató.

—Hace unos minutos me ha pasado por encima una muchedumbre —dijo, y dio otra calada—. Creía que había llegado mi hora, que iba a morir. ¿Y sabes qué he pensado en ese momento?

—Cuéntamelo más tarde.

Pia parecía temer que fuera a hacerle alguna confesión íntima y profunda, pero él se echó a reír. ¡Qué ridículo era todo! Acababa de escapar de la muerte y allí estaba, ¡sentado sin zapatos, con la ropa rasgada y pensando en comida! Rio hasta que le entró flato.

—He..., he pensado... —dijo, jadeante—, he pensado en cómo sonaría que el cura dijera en mi entierro: ¡Oliver von Bodenstein murió en el pabellón de Ehlhalten, entre tomates y huevos!

Se tapó la cara con las manos. No conseguía parar de reír, aunque hubiese preferido llorar.

Heinrich von Bodenstein se sentía tan impotente como el pasajero de un barco que se está hundiendo después de que el capitán haya saltado por la borda. Todo se había torcido más de lo que ni en sus peores pesadillas habría podido imaginar. Ludwig tenía razón. ¡Jamás habrían debido permitir que Yannis subiera a ese estrado! Con sus provocaciones había hecho que el ambiente de la sala, ya bastante caldeado de por sí, rompiera a hervir. Había desencadenado el caos en lugar de apaciguar los ánimos. ¡Y luego había desaparecido! ¡Como si se lo hubiera tragado la tierra! El viejo conde deambulaba entre los faros de los camiones de bomberos y los equipos de emergencia que iluminaban la oscuridad, buscando a su hijo y a sus compañeros de la iniciativa ciudadana. Por todas partes había coches patrulla y ambulancias con luces intermitentes.

¿Habría instigado Yannis a esos jóvenes para que armaran jaleo y lanzaran tomates? Heinrich no quería creerlo, pero recordaba las palabras de Ludwig respecto a que el creciente afán de protagonismo de Yannis era peligroso.

Al doblar la esquina casi no pudo dar crédito a lo que vio allí delante, en la explanada del pabellón. Tras la cinta del cordón policial se apretaban curiosos y periodistas llevados por un morbo desmesurado.

Nadie le impidió entrar en el vestíbulo. Junto a la mesa en la que antes estaban las hojas de firmas se distinguía un cuerpo humano bajo una manta de la Cruz Roja. El jefe de operaciones de los bomberos, compañero de caza, se le acercó con gesto grave.

—Será mejor que no lo veas, Heinrich —dijo.

—¿Quién..., quién es? —preguntó este, afectado.

—Marga —contestó el jefe de bomberos—. Debe de haberse caído. Todos le han pasado... por encima.... —Se quedó sin voz, sacudió la cabeza y luchó por recuperar la compostura.

No era lo mismo tratar con desconocidos que conocer a una víctima personalmente.

—Dios santo —murmuró Heinrich von Bodenstein.

Hasta entonces no había sido consciente de la dimensión de la tragedia. Cuánta muerte y cuánto dolor en un solo día. Le dio unas palmadas al bombero en el hombro, luego se abrió camino entre el caos de heridos y personal sanitario. La gente caminaba de aquí para allá buscando a amigos y familiares con caras pálidas y manchadas de sangre, la ropa sucia y rasgada. Un equipo médico sacaba a una mujer herida al exterior.

—¡Kerstin! —exclamó el conde al reconocerla.

De su brazo derecho colgaba una vía conectada a un gotero que un enfermero sostenía en alto y que le suministraba una solución salina en vena. La mujer levantó la cabeza y tardó varios segundos en reconocerlo y alargar una mano hacia él.

—Ricky —murmuró con voz ronca. Tenía la mano helada—. Ella... ha..., ha empezado a...

—Lo siento —la interrumpió el enfermero—. Podrán hablar después. Ahora nos la llevamos al hospital.

Apartaron a Heinrich a un lado, la mano de Kerstin se le resbaló. ¿Qué había ocurrido con Ricky? ¿Dónde estaban los demás? Ya no tenían a Ludwig, así que seguramente era deber suyo preocuparse de sus compañeros y amigos. Regresó y preguntó por Ricky y Yannis a todo el que encontró, pero nadie los había visto. Los miembros de la iniciativa se fueron reuniendo poco a poco en el vestíbulo. Excepto Kerstin, parecía que la mayoría estaban ilesos, para alivio del conde; se habían quedado sentados en las primeras filas, como él mismo. Casi nadie decía nada. Lo que debería haberse convertido en un triunfo para la iniciativa había acabado en tragedia.

—¿Sabéis dónde está Ricky? —seguía preguntando Heinrich—. ¿O Yannis?

—A Ricky la he visto por última vez ahí delante, en el *stand* —respondió al final uno de los encargados, que también era simpatizante de la iniciativa—, poco después de que esto se convirtiera en un infierno. Luego la he perdido.

El móvil de Pia sonó y se iluminó. ¡Christoph!

—¡He oído por la radio lo que ha pasado en Ehlhalten! —exclamó—. ¿Por qué no contestabas al teléfono?

—Porque esto ha sido un auténtico caos —respondió ella—. Hace un momento he intentado llamarte, pero...

—¿Sabes lo preocupado que he estado por ti? —la interrumpió él—. ¡La verdad es que cada vez puedo menos con esto! ¡Y no haces más que prometerme cosas que no cumples!

Su tono duro dejó un momento a Pia sin palabras. ¡Christoph jamás la había tratado así! Era como si las vacaciones, esas semanas maravillosas y relajadas, tan lejos de la rutina y el estrés, nunca hubieran existido.

—Dijiste que volverías a las siete —le reprochó entonces—. Te he esperado hasta las siete y media, después he tenido que irme.

Y al volver no estabas en casa, y voy y oigo eso por la radio. Maldita sea, ¿cómo se te ocurre?

Entonces fue Pia la que se enfadó.

—Por supuesto que habría preferido estar cenando contigo —replicó—, pero no podía largarme de aquí sin más, como tal vez imaginas. He sacado a rastras al alcalde de este infierno; si no, ya no estaría con vida.

Pero ¿qué se había creído? ¿Que estaba allí pasándoselo bien? ¿Que tendría el móvil en la mano para contestar su llamada mientras la gente estaba a punto de morir en una avalancha? Sin embargo, Christoph no entró al trapo.

—¿Cuándo vuelves? —preguntó, frío.

Eso sí que la puso furiosa.

—¡Volveré cuando haya terminado mi trabajo! —gritó, y le colgó.

¡Joder! No quería discutir con él. De repente odiaba su profesión y a la gente como Yannis Theodorakis, que tenían la culpa de que ella no pudiera irse a su casa.

—¿Ha pasado algo? —Oliver apareció junto a ella.

—Christoph está cabreado porque me he olvidado de llamarlo —contestó Pia, alterada.

Su jefe la miró de reojo.

—Vete a casa si quieres. Altunay puede ocuparse del interrogatorio conmigo —le ofreció.

—Cem y Kathrin se han marchado hace diez minutos —dijo ella—. Da lo mismo. Venga, vamos a hablar con Theodorakis. Ahora ya no importa una hora más o menos.

Yannis Theodorakis estaba sentado en un furgón policial; la nariz se le había hinchado a causa de la agresión. Junto a él estaba acuclillada su novia, sollozando, pero Theodorakis no le ofrecía ninguna palabra de consuelo.

Bodenstein y Pia se apretaron en el banco que había frente a ellos, y la inspectora sacó la libreta y el boli de su mochila. Miró el reloj: las 23.45.

—¿Nombre y dirección? —le preguntó a Theodorakis—. ¿Fecha y lugar de nacimiento?

—El 12 de mayo de 1966, en Gross-Gerau. Eichenstrasse, 26, en Schneidhain.

Pia anotó sus datos para el expediente.

—¿Y usted? ¿Cómo se llama? Fecha de nacimiento y dirección.

—¿Quién? ¿Yo? —La novia de Theodorakis se señaló con un dedo y puso cara de extrañada.

—Sí, por supuesto. ¿Acaso ve a alguien más aquí?

Pia, después de todo un día agotador y con la amenaza de una discusión con Christoph por delante, estaba de un humor de perros. Bajo la despiadada luz cegadora del plafón del techo, la mujer ya no parecía ni con mucho tan joven como esa misma tarde en la tienda de animales. La inspectora le echó por lo menos cuarenta años, si no más. Tenía arrugas en el cuello, surcos profundos en el labio superior, una piel oscura y curtida. El precio que tarde o temprano se pagaba por tomar demasiado el sol.

—Friederike Franzen —susurró—. También vivo en Eichenstrasse, 26, en Schneidhain. Nacida el 11 de agosto de 1967.

—Hable un poco más alto —repuso Pia, crispada—. ¿De 1957?

—No, 67. —Ofendida, Ricky Franzen miró a Pia con sus ojos cargados de rímel y levantó el mentón.

—Bueno. Seamos breves, señor Theodorakis —empezó a decir Oliver—. Es casi medianoche y quiero irme a casa. Sospechamos que entró usted sin permiso en el edificio de WindPro la noche del 8 al 9 de mayo.

—¿Cómo dice? —Theodorakis lo miró, enfadado. Estaba pálido, pero muy despierto.

—Todavía tiene una llave.

—Sí, ¿y qué? ¿Qué se me ha perdido a mí en WindPro?

—Si me permite, soy yo el que hace aquí las preguntas —dijo Bodenstein—. ¿Dónde estuvo la noche del 8 al 9 de mayo entre la una y las cuatro de la madrugada? ¿Y dónde estuvo anoche después de salir del bar Krone?

—¿Por qué quiere saberlo? —volvió a preguntar Theodorakis.

—Yo pregunto, usted responde —le recordó el inspector jefe—. Me basta con respuestas cortas y precisas. Por favor.

Theodorakis vaciló.

—Ayer estuve en casa de mis padres —contestó entonces.

Ni a Bodenstein ni a Pia se les escapó la mirada de sorpresa que le lanzó Friederike Franzen a su novio. De modo que tenía secretos con ella. Interesante.

—Ah, vaya. ¿Por qué?

—Mi padre tiene alzhéimer y párkinson. Hace varios días le cambiaron la medicación y no la tolera bien. Anoche la emprendió contra mi madre porque la tomó por un soldado enemigo. Ella me llamó, completamente desesperada.

—¿Cómo no me habías dicho nada? —preguntó su novia con cara de pocos amigos.

—Porque mis padres nunca te han interesado —repuso él sin mirarla—. Llegué a su casa sobre las once. Mi padre estaba en el sótano, en el suelo, cubierto de sangre y llorando de miedo como un niño pequeño. Fue horrible. Mi madre también lloraba. No sabía qué hacer para ayudar, así que llamé al médico de urgencias. Tardó una media hora en llegar y se llevó a mi padre al psiquiátrico. Yo fui en coche con mi madre y aún pudimos hablar con el médico. Después la acompañé a casa. Regresé sobre las tres y media.

No daba la impresión de que se hubiera inventado la historia sobre la marcha, probablemente todo aquello del médico y el hospital podría comprobarse.

—¿Y dónde estuvo la noche del viernes al sábado?

—Estuvo en casa —intervino la señora Franzen al ver que no contestaba enseguida—. ¡Toda la noche!

—Eso no es del todo cierto. —Yannis Theodorakis suspiró y se pasó una mano por sus rizos oscuros—. También estuve con mi madre. Ahora lleva el bar ella sola, esa noche le habían fallado dos trabajadores y tuvo que ocuparse de la cocina. Por eso yo la sustituí en la barra y estuve sirviendo a los clientes. Lo hago más a menudo desde que mi padre ya no puede ayudar.

Pia le lanzó una mirada severa a Friederike Franzen. Era evidente que tampoco sabía nada de eso. Pero ¿por qué se sentía obligada a ofrecerle una coartada a su novio?

—¿Cuándo fue a ver a sus padres y cuándo regresó? —preguntó Bodenstein.

—Llegué al bar a eso de las ocho y media, y a las tres ya estaba en casa.

—¿Y usted? —le preguntó Pia a Friederike Franzen.

—¿Quién? ¿Yo? ¿Por qué? —preguntó ella, desconcertada.

—Bueno, acaba de decir que su novio estuvo toda la noche con usted en casa. Tal vez salió usted también, y por eso no se dio cuenta de que él volvió pasadas las tres.

—Me acosté temprano porque estaba derrotada —repuso la mujer—, después de ver un rato la televisión. Cuando me desperté, Yannis ya estaba a mi lado en la cama.

—¿Qué daban por televisión?

La mujer se pasó la uña del pulgar por el labio inferior. Un pintauñas rojo oscuro que no pegaba con sus manos de trabajadora.

—Un episodio viejo de *Tatort* en Die Dritte, creo. Estuve haciendo *zapping*.

Oliver y Pia cruzaron una mirada.

—Bien —dijo el inspector jefe con una sonrisa comedida—. Gracias. Eso es todo. Quisiera pedirles que vayan mañana a la comisaría de Hofheim para dejar constancia de sus declaraciones en el expediente.

Les tendió su tarjeta de visita. Theodorakis y su novia parecieron sorprendidos y luego aliviados. ¿Qué más habían temido? Y ¿por qué?

Pia les pidió su documentación, se levantó y abrió la puerta corredera del furgón para dejarlos salir.

—Ah, señor Theodorakis, sobre ese incidente de antes en el aparcamiento, ¿quiere ponerle una denuncia al señor Stefan Theissen? Podemos proporcionarle protección policial.

Theodorakis fingió que le costaba recordar de qué le estaba hablando y no hizo caso de la mirada interrogante de su novia.

Tampoco parecía haberle contado nada sobre el ataque de Theissen en el aparcamiento, el motivo de que tuviera roto el tabique de la nariz.

—No, no —rechazó, como si no fuera importante—. No será necesario.

—Como usted quiera. —Pia se encogió de hombros—. Solo era un ofrecimiento.

—Gracias, es muy amable, pero ya le he dicho que no será necesario.

Ambos bajaron del vehículo. La inspectora los siguió con la mirada. Tampoco en ese momento un abrazo, un gesto de consuelo. Caminaban uno junto al otro sin tocarse. Oliver se acercó a ella.

—Un poco arrogante, el tipo, ¿no? —comentó.

—Un poco *muy* arrogante. En general resultan una pareja extraña. —La inspectora sacudió la cabeza—. Y ella no sabe absolutamente nada de él.

—Por lo menos no le cuenta nada de sus padres. —Bodenstein cerró la puerta del furgón tras de sí—. Mañana comprobaremos esas coartadas, aunque estoy casi seguro de que son ciertas.

—Y eso significa que volvemos al principio —dijo Pia con un suspiro—. Qué rabia. Era un sospechoso estupendo.

En el trayecto desde la ventanilla de servicio para vehículos del McDonald's de Wallau hasta la comisaría, Bodenstein se ventiló doce *nuggets* de pollo y dos Big Macs, además de una ración grande de patatas fritas, todo ello regado con un refresco de cola gigante. Tenía el estómago algo revuelto, mala conciencia y los dedos grasientos, pero por lo menos volvía a pensar con claridad.

—Si no se hubieran puesto a lanzar tomates y huevos, la situación no habría llegado a descontrolarse tanto —opinó Pia, que casi no había dicho una palabra en todo ese rato—. Yo creo que los disturbios han sido provocados.

Puso el intermitente y giró hacia el aparcamiento de la comisaría local de la Policía judicial.

—¿Por quién? —Oliver metió los envoltorios vacíos en la bolsa de papel.

—Bueno, al principio he pensado en Theodorakis, pero la verdad es que eso no tiene sentido.

—Ha empezado cuando el alcalde ha querido abandonar la sala.

—No. Antes —lo contradijo Pia, y se detuvo junto a su todoterreno—. En realidad, poco después de que Theodorakis acusara al alcalde y a Theissen de ser unos embusteros codiciosos. —Miró a su jefe—. Seguramente la intención solo era provocar algunos altercados. Nadie podía prever ese pánico colectivo.

—Por favor, no me hables más de eso. —Oliver torció el gesto como si tuviera dolor de muelas—. Todavía intento reprimir el recuerdo.

—¿Con diez mil calorías, o cómo? —Pia sonrío con suficiencia.

—A partir de mañana vuelvo a estar a dieta —repuso él.

La inspectora seguía sin bajar del coche.

—¿Quién podía tener interés en que se desatara el caos? —reflexionó en voz alta—. Los de la iniciativa ciudadana no.

—Stefan Theissen —contestó Oliver—. Así podía hacer desaparecer las hojas de firmas. Sin ellas, cualquier queja al presidente del distrito quedará en nada.

—No sé. Seguro que tienen copias.

—No, por lo visto no.

Pia sacó el paquete de tabaco del bolsillo interior de su cazadora, se encendió un cigarrillo y bajó un poco la ventanilla.

—Esto es un vehículo de servicio —le recordó el inspector jefe.

—Me da igual. Mañana les compro un ambientador.

Le alcanzó el paquete y él aceptó un cigarrillo. Durante un rato estuvieron allí sentados, fumando.

—En la sala había unas quinientas personas —resumió Oliver al cabo de un rato—, y ha podido ser cualquiera de ellas. A fin de cuentas allí no solo había detractores del parque eólico. No obstante, si la idea ha sido de Stefan Theissen, entonces ha tenido que encargarles la faena. Y en ese caso, ha incurrido en delito.

—A estas alturas ya no entiendo nada —reconoció Pia, y contuvo un bostezo. Abrió la puerta—. Venga, es hora de irse a casa.

Oliver asintió, se apeó y rodeó el vehículo. Pia se detuvo y miró a su jefe con curiosidad.

—Ah, sí, ¿quién es esa mujer con la que estabas sentado tan a gusto en la jardinera de flores?

Él dudó, sorprendido de que su compañera lo hubiera visto con Nika.

—¿Por qué lo preguntas? —respondió para ganar tiempo.

—Porque se nos presentó a Cem y a mí como la señora de la limpieza de Theodorakis —contestó Pia—. No sabía que la conocieras.

—¿La señora de la limpieza de Theodorakis? —repitió él, molesto—. Es una conocida de mis padres. De la iniciativa ciudadana. Ha aparecido allí cuando yo..., cuando intentaba salir del pabellón a rastras. No tiene ninguna importancia quién sea.

Pia tiró la colilla y la pisó.

—Puede que no nos venga nada mal, incluso —reflexionó en voz alta.

—¿Qué quieres decir con eso?

—Que a través de ella es posible que podamos descubrir algo más sobre Yannis Theodorakis y su novia.

A Oliver le incomodó la idea de tantear a Nika.

—Ya veremos —dijo con vaguedad—. Primero ve a tranquilizar a tu director de zoo. Con uno en el equipo que tenga problemas de pareja nos basta y nos sobra.

El agua caliente corría por la cara, los hombros y el resto del cuerpo de Oliver, que estaba cubierto de dolorosos hematomas y contusiones. Se había enjabonado dos veces de la cabeza a los pies y todavía se sentía sucio. Su convencimiento de que a Grossmann y a Ludwig Hirtreiter los había matado la misma persona empezaba a quebrantarse. Con Grossmann se trataba como mucho de agresión con resultado de homicidio, y eso en caso de que el intruso lo hubiera tirado por la escalera, lo cual por el momento no era más que una suposición. Ludwig, en cambio, había sido asesinado. Sus hijos tenían un móvil poderoso, pero también Stefan Theissen. Y además estaban todos aquellos que habían odiado al viejo a muerte por motivos diversos.

Al día siguiente sabrían algo más, pues la autopsia de Ludwig estaba prevista para las ocho de la mañana. Oliver suspiró y cerró el grifo, del que ya solo caía agua tibia. Salió de la estrecha cabina de ducha y se prohibió pensar siquiera en el enorme cuarto de baño con calefacción de suelo radiante de su casa de Kelkheim. Allí, en la vivienda de la cochera de sus padres, todo era pequeño y estrecho, constantemente se golpeaba la cabeza con los techos bajos y los marcos de las puertas, y el viejo sistema de calefacción no hacía más que fallar. Se secó, helándose de frío.

En el trayecto hasta la finca, por primera vez desde hacía mucho, no había sentido la necesidad de llamar a Cosima para explicarle lo que le había sucedido. En lugar de eso había pensado en Nika. Por desgracia no tenía su número de teléfono, porque, si no, la habría llamado para darle otra vez las gracias.

Se enfundó a toda prisa los calzoncillos, se puso los pantalones del pijama y una camiseta que ya había preparado y salió del baño. Estaba demasiado agitado para dormir, así que fue al salón y encendió el televisor.

Repeticiones de un culebrón del día anterior, un *talkshow,* un programa de cocina, otro programa de cocina. Todo porquería. Joder. Se vio allí sentado como la viva imagen de uno de esos inspectores de las novelas policíacas suecas: viejo, deprimido y solo. Sin mujer, con la nevera vacía, una vida sin sentido. Algunas personas estaban hechas para vivir solas, pero él definitivamente no se contaba entre ellas. Deseaba un hogar, alguien con quien poder compartir los sucesos del día. El silencio y la soledad casi lo volvían loco por las noches.

De repente alguien llamó a la puerta. ¿Quién podía ser, a la una y cuarto de la madrugada? Sintió una ilusión descabellada: ¡tal vez fuera Nika! A fin de cuentas, sabía dónde vivía. Se levantó

213

con un gemido, se calzó los Crocs grises de camino a la puerta y abrió.

—Papá —dijo, sorprendido y decepcionado a partes iguales—. ¿Ha pasado algo?

—Nada nuevo. Más bien se trate con toda probabilidad de insomnio senil —repuso el conde con sequedad—, pero, como he visto que todavía tenías la luz encendida, he pensado que quizá tú tampoco podías dormir.

Sacó una botella de detrás de su espalda.

—Y he pasado por la bodega. ¿Te apetece compartir un Château Figeac de 1990 con tu viejo padre? —Su expresión era contenida, pero en su voz se percibía tristeza—. Ludwig y yo compramos dos cajas cada uno, hace años, una vez que el *comte* de Figeac nos invitó a ir de cacería. Esta es la última botella y me gustaría compartirla contigo.

—Buena idea —dijo Oliver, y lo dejó entrar.

Tal vez no estaría mal que ambos se ayudaran mutuamente a no darle vueltas a la cabeza. Fue a buscar dos copas de vino y un sacacorchos a la cocina, siguió a su padre al salón y abrió la botella. El corcho salió con un ruido de vacío. Oliver olió el vino. Perfecto. Sirvió el tinto oscuro en las copas y le ofreció una a su padre.

—Gracias, Oliver —dijo este con voz ronca—. Eres un buen hijo. Siento haber sido tan brusco contigo.

—No pasa nada —masculló él, abochornado—. Tampoco yo he estado muy amable. Brindemos por Ludwig.

—Sí. —Bodenstein padre sonrió y alzó la copa. Sus ojos brillaron con recelo—. Por Ludwig. Y por que encuentres a su asesino.

Bebieron y estuvieron un rato sentados en silencio en el ajado sofá. De repente el padre del inspector jefe pareció recordar algo y, con mucha ceremonia, se sacó un sobre del bolsillo interior de la americana.

—¿Qué es esto? —preguntó Oliver.

—Ludwig me lo dio hará un par de semanas —explicó su padre, y sonrió con tristeza—. Dijo que, en caso de que muriera y yo le sobreviviera, debía llevar este sobre a su notario. Qué curioso. Es como si lo hubiese presentido.

Tampoco Yannis podía dormir. En el trayecto desde Ehlhalten a casa, Ricky y él se habían peleado. Ella no dejaba de hacerle reproches sin dejar de llorar. Nada más llegar se tomó un analgésico y un somnífero, y al cabo de nada estaba en el sofá del salón, durmiendo como una marmota. ¿Por qué habría mentido antes por él sin ninguna necesidad? Sus coartadas eran sólidas y firmes, para eso podía confiar al cien por cien en su madre. Además, había estado muy convincente y lo sabía. Primero algo de turbación, luego sinceridad; eso siempre funcionaba con la poli. ¡Si Ricky no se hubiera metido en medio porque sí...! Esa mujer nunca sabía cuándo tener la boca cerrada. Y, claro, la inspectora había empezado a sospechar.

Yannis se arrastró escalera arriba para ir a su estudio y no hizo ni caso de la luz parpadeante del contestador. Si esa policía no hubiese aparecido a tiempo, Theissen lo habría dejado aún más hecho polvo si cabe. Había perdido por completo los estribos. Seguro que había sido su gente la que aprovechó el caos para robar las hojas de firmas. Eso sí que era una auténtica catástrofe, por cierto. ¡Habían volado más de dos mil firmas, después del esfuerzo de recogerlas laboriosamente durante meses! No le quedaba más opción que anular la cita con el presidente del distrito del día siguiente.

Se desplomó con un suspiro en la silla de su escritorio y se tocó con cuidado la nariz, que le dolía una barbaridad. Su mirada recayó entonces en una nota adhesiva de color rosa que había en el teclado de su ordenador. Leyó lo que decía y, como no se lo podía creer, tuvo que volver a leerlo una segunda vez, y una tercera. Se le secó la boca, el corazón se le paró un instante. ¿Qué significaba aquello? Arrugó la nota y se la metió en un bolsillo de los vaqueros.

Se levantó de un salto, apagó la luz y corrió escalera abajo. Los perros estaban en sus cestos y no se movían; Ricky, narcotizada en el salón, roncaba con la boca abierta. Yannis abrió la puerta del sótano y contuvo el aliento cuando la bisagra chirrió. Al llegar al dormitorio de Nika vaciló un instante. La puerta estaba entreabierta, respiró hondo y entró. El brillo de la farola de delante iluminaba la habitación. Nika estaba tumbada en su cama. Estaba despierta, mirándolo, con el pelo suelto sobre los hombros.

—He..., he encontrado tu nota —susurró él, excitado.

Un coche pasó por la calle, la luz de los faros se deslizó por la habitación. Pasaban los segundos y Nika seguía allí tumbada sin decir nada.

—¿Sobre qué querías...? —empezó a preguntar él, pero calló cuando de pronto ella apartó el edredón.

Estaba desnuda. A Yannis casi le explotó el corazón en el pecho. Ya no comprendía el mundo. ¿Qué le había pasado a Nika?

—No quiero hablar de nada —respondió en voz baja—. Quiero acostarme contigo.

Deauville, mayo de 2008

*E*ra *la penúltima noche de los cinco días que duraba la* Conférence internationale sur les changements climatiques, *que se celebraba en el Casino de Deauville, en Normandía. Todo el mundo la había felicitado por su conferencia de la tarde, y en esos momentos se alegraba de poder pasar la velada y la noche con Dirk. Tenían muchísimo que contarse y ella estaba entusiasmada.*

Después de cenar, él tomó sus manos entre las suyas y la miró muy serio con aquellos ojos azul mar. Ella no pudo evitar que le pasara por la cabeza la idea de que por fin le haría la petición que tanto tiempo llevaba esperando. Diez años de secreto eran suficientes, y la casa de Potsdam estaba prácticamente lista para entrar a vivir.

—Eres mi mejor colaboradora, Anna, eso ya lo sabes —le dijo, y ella siguió pendiente de sus labios, llena de esperanza—. Sin ti no habría llegado a donde me encuentro ahora. Tengo mucho que agradecerte. Y por eso debes ser la primera en saberlo.

Inspiró hondo, sus pulgares acariciaban las manos de ella con cariño.

—Bettina y yo nos casaremos a principios de septiembre.

Las palabras la golpearon como un puñetazo. Se lo quedó mirando sin comprender nada. ¿Bettina? ¿Qué significaba para él esa persona difusa que ella consideraba irrelevante y a quien apenas había tenido en cuenta esos últimos años, las pocas veces que había salido de la Selva Negra para hacerles una visita en el instituto? ¡Pero si esa mujer no tenía nada que ver con su vida, si ni siquiera vivía en Berlín!

¿Y qué pasa conmigo?, quiso preguntar, pero no fue capaz de articular ni un solo sonido.

En esos espantosos segundos no sintió ira, sino dolor por la aterradora y oscura humillación de ver que se había equivocado de medio a medio con él. El suelo se abrió bajo sus pies, tenía la sensación de caer por un agujero. ¡Pero si había sido ella quien había encontrado la villa blanca a la orilla del lago Heiliger de Potsdam, había supervisado las reformas, había pasado incontables horas con arquitectos y obreros en la casa, siempre pensando que Dirk y ella vivirían allí juntos! ¡Y ¿de pronto iba a casarse con otra mujer?!

Todos esos años se había estado engañando. ¡Estaba tan perdidamente enamorada que lo había malinterpretado todo! Para Dirk Eisenhut no era más que una colaboradora, el mejor caballo del establo, que con su infatigable trabajo había hecho llegar a las arcas del instituto una cantidad descomunal de dinero, y con ello a los bolsillos de su director. También había sido una amante muy práctica, que siempre estaba dispuesta cuando él tenía ganas de compañía y sexo.

De repente ya no podía soportarlo. Masculló una excusa, se levantó y salió del restaurante. ¡Tenía que alejarse de allí! Sorda y ciega de puro dolor, salió corriendo del hotel y cayó en los brazos de un hombre que le impidió lanzarse ante el primer coche que pasara.

—¡Suélteme! —susurró ella, pero el hombre la sostenía con fuerza.

Entonces reconoció a Cieran O'Sullivan.

El periodista era uno de los críticos más duros de Dirk, por eso nunca había hablado con él, pero lo conocía de vista porque habían coincidido en varios congresos. Hacía un par de meses él incluso le había dado su tarjeta, aunque ella la había roto. En ese momento, en cambio, tropezarse con él era una grata casualidad.

Jueves, 14 de mayo de 2009

—Estupendo. Muchas gracias. —Pia garabateó una cifra en su libreta—. Nos ha ayudado usted mucho.

Colgó el teléfono y contempló sus notas. El padre de Yannis Theodorakis sí que había ingresado la noche del martes al miércoles en la clínica psiquiátrica. A Pia le había costado una buena dosis de poder de convicción, pero al final la médico de guardia le dio la hora exacta del ingreso: las dos y cuarto de la madrugada del miércoles. Theodorakis, según el propietario del Krone, se había marchado del bar después de la pelea con Ludwig Hirtreiter, poco antes de las nueve; Hirtreiter y el conde Von Bodenstein se habían quedado allí aproximadamente hasta las once. En el aparcamiento los esperaba un desconocido, y en Rabenhof, la granja de Ludwig Hirtreiter, estaba ya su hija Frauke, si era cierto lo que decía haber visto la pariente lejana del jefe de la Municipal. ¿Hasta qué hora había esperado la hija allí?

Pia se rascó la cabeza, pensativa, dándole vueltas a qué podía haber sucedido en la granja. ¿Se había acercado Theodorakis a la granja de Ludwig Hirtreiter después de la pelea del Krone para esperarlo? ¿Había encontrado allí a Frauke y se había tomado un coñac con ella? ¿O Frauke ya no estaba, y ese coñac se lo bebió más tarde con Ludwig Hirtreiter, pero luego volvieron a pelearse? ¿Había conseguido Theodorakis, ciego de ira, que el anciano abriera el armario de armas, sacara dos escopetas y una pistola, lo había empujado hasta el prado y allí le había disparado? Después de eso podría haber ido a ver a sus padres. Mmm... ¿Cuánto se tardaba en llegar desde Ehlhalten?

Pia hizo varios cálculos, consultó el planificador de rutas de Google Maps. Por la A-3 se podían recorrer los 53,6 kilómetros en 39 minutos. Mierda. Aquello era demasiado justo y seguro que no bastaría para conseguir una orden de registro de la casa de Yannis Theodorakis. Lo siguiente sería comprobar su coartada para la noche del viernes.

—¿Y bien? —Kai Ostermann entró y se dejó caer en la silla que había junto al escritorio de su compañera—. ¿Has avanzado?

—La verdad es que no —rezongó Pia—. Cuando venga Theodorakis dentro de un rato le tomaré las huellas dactilares y le pediré una muestra de saliva. ¿Tú qué has conseguido?

—Según la información de sus bancos, los hermanos Hirtreiter están completamente arruinados. Acabo de hablar por teléfono con el agente judicial responsable; a Matthias Hirtreiter le embargarán en los próximos días todo lo que puedan. Al otro hermano, el agua ya le llega a la barbilla.

—Bueno, pues si eso no son móviles de peso...

—Justo. Y sus coartadas cojean nada más oírlas.

En la reunión de esa mañana se habían repartido el trabajo: Pia se encargaba de Theodorakis, Ostermann de los tres Hirtreiter, y Kathrin y Cem se acercaban al Anatómico Forense porque Pia no tenía ninguna gana de ver a Henning ni de volver a estar en un tris de caerse redonda en la sala de disección. Oliver asomó la cabeza por la puerta.

—Buenos días —dijo—. ¿Puedes venir un momento a mi despacho, Pia?

La inspectora asintió y se levantó. Su jefe le había enviado un mensaje de texto alrededor de las siete de la mañana en el que le informaba de que llegaría más tarde. Después de todo lo que había vivido el día anterior, ella incluso habría comprendido que no se presentara a trabajar.

La tragedia de Ehlhalten era el tema estrella en la radio y la televisión y, con el espantoso balance de una víctima mortal y 44 heridos, había llegado incluso a las portadas de los periódicos. Pia, Cem y Kathrin solo se llevaron un susto; Oliver, por el contrario, había experimentado el pánico colectivo en su propia piel. Esas cosas dejaban huella.

Entró en el despacho de su jefe y cerró la puerta. Una breve mirada al rostro de Bodenstein confirmó sus sospechas. Todavía parecía bastante afectado. Estaba pálido y con las ojeras marcadas, aunque bien vestido como siempre, con traje y corbata.

—Ludwig Hirtreiter le dio un sobre a mi padre hace poco para que lo guardara —explicó, y se sentó a su escritorio—. Le dijo que, si moría, tenía que entregárselo a su notario.

—¿Su testamento? —preguntó Pia con curiosidad.

—Es posible.

—¿Cómo? ¿Es que no lo habéis abierto? —La inspectora lo miró con incredulidad.

—Seguro que alguna vez has oído hablar del secreto postal, ¿a que sí? —repuso el inspector jefe, y levantó las cejas—. Además, el sobre lleva un sello al estilo antiguo, con lacre.

Le interrumpió el teléfono. Oliver suspiró y contestó.

—Ah, profesor Kronlage. Buenos días.

Le indicó a Pia que se acercara y apretó el botón del altavoz.

—Hola, Tommy —saludó ella al profesor Thomas Kronlage, el jefe de Henning.

—Hola, Pia —repuso el director del Instituto Anatómico Forense de Frankfurt—. ¿Todo bien?

—Sí, gracias por preguntar. Espero que tú también estés bien.

—Estupendamente, por el momento. Bueno, la hora de la muerte puede estimarse con relativa exactitud. Se produjo entre las once y las doce de la noche. El disparo de la cara fue en última instancia lo que lo mató.

—¿Puedes decir cuál fue la secuencia de los disparos? —quiso saber Pia—. ¿Fue primero el tiro de la cara o el del vientre?

—Presumo que este último —respondió Kronlage—. Eso indica el hecho de que había perdido mucha sangre. El disparo en el vientre le desgarró la arteria ilíaca interna y la externa. También son interesantes las contusiones que sufrió en la zona del torso y en los brazos, que conllevaron la fractura de varias costillas.

Pia cruzó una mirada con su jefe.

—¿Contusiones?

—Pudieron ser causadas por golpes o patadas, o por un objeto romo, como la culata de una escopeta. Alguien debió de emprenderla con él a golpes o a patadas con una fuerza considerable; las costillas no se rompen tan fácilmente.

—¿Ante o post mortem?

—Es difícil decirlo. Muy poco antes de que muriera o justo después.

¿Un exceso de violencia? Eso indicaba emociones intensas.

—El asesino debe de ser alguien con mucha fuerza —opinó Kronlage.

—O estaba muy enfadado —añadió Pia pensando en Yannis Theodorakis, a quien su antiguo jefe había descrito como colérico.

—Eso también, sí. La ira da fuerza.

—¿Presentaba heridas de defensa? —preguntó Oliver.

—No. Ninguna. En la cara y en la pelvis de la víctima hemos encontrado leves indicios de que algún animal lo estuvo devorando, así como ADN animal. En el momento de su muerte había bebido: esta mañana ha dado un grado de alcoholemia de 1,3, así que la noche del miércoles debió de rondar el 1,7.

—Gracias, profesor —dijo Oliver—. Con eso ya hemos avanzado bastante.

—Ningún problema —repuso Kronlage—. Yo ya he hecho mi trabajo, ahora les toca a ustedes. Ah, ¿Pia?

—¿Sí?

—Henning vino ayer al instituto, dijo que necesitaba urgentemente un par de días de vacaciones y luego desapareció. Por eso he sido yo quien ha realizado hoy la autopsia. ¿Sabes qué le pasa?

—Creo que sí —contestó la inspectora, que sospechaba adónde había ido Henning con tantísima prisa—. Está haciendo penitencia para ganarse el perdón.

Esa mañana habían entrado un par de clientes, entre ellos varios miembros de la iniciativa ciudadana. El drama del pabellón y la muerte de Ludwig eran los principales temas de conversación, por supuesto. Frauke no se había presentado, y su coche tampoco estaba en el patio. Seguro que se estaba encargando del entierro de su padre y el papeleo correspondiente, así que Nika llamó para cancelar todas las citas de la peluquería canina. Ricky aún estaba dormida en el sofá cuando ella salió de casa, y eso le había venido muy bien. Tenía mala conciencia por lo de la noche anterior, aunque no porque se arrepintiera de haberse acostado con Yannis; eso lo había hecho por puro cálculo después de encontrarse con algo alarmante en su ordenador, que ella utilizaba en secreto cuando él no estaba.

Para ser técnico informático, Yannis resultaba asombrosamente descuidado y casi nunca borraba el historial de su navegador de internet. Así que Nika había abierto las últimas páginas visitadas y descubrió, desconcertada, la meticulosa investigación que Yannis había realizado sobre ella.

Hacía como mínimo dos días que sabía quién era y conocía su verdadero nombre. ¿Por qué no se lo había dicho a la cara? ¿A qué estaba jugando? Su rechazo instintivo hacia él se convirtió en miedo y solo se le ocurrió una posibilidad para tener también en sus manos un arma contra él. Yannis, que era un salido, enseguida mordió el anzuelo. Bajó al sótano y se acostó con ella mientras su novia dormía una planta más arriba.

Nika miró a su alrededor. Ya había gestionado los pedidos a primera hora y, como no tenía nada más que hacer, se puso a limpiar los cristales de la puerta de entrada. Por desgracia, la mayoría de los clientes tenían la mala costumbre de empujarla con las manos en lugar de utilizar el tirador.

Esa noche no había podido enterarse de por qué buscaba la Policía judicial a Yannis. No hablaron mucho. No hablaron nada, en realidad. Él se quedó dormido enseguida, y ella permaneció tumbada a su lado, despierta, pensando en otro hombre.

Justo cuando acababa con los cristales, el coche de Ricky entró en el patio. Poco después, la dueña cruzaba la entrada trasera y sus perros se le adelantaban para ir a saludar a Nika con alegría. Ricky tenía mal aspecto, parecía hinchada y afligida. La muerte de Ludwig Hirtreiter debía de haberla afectado mucho. Qué extraño, después de todo lo que le había dicho el viejo. Pero Ricky tenía un corazón de oro.

—¿Quieres un café? —preguntó Nika.

Su amiga sacudió la cabeza, lúgubre, se encendió un cigarrillo y se sentó en una silla de la oficina. Nika se sirvió un café y le añadió algo de leche.

—Creo que Yannis tiene a otra —soltó Ricky de pronto, rompiendo el silencio.

Nika se sobresaltó.

—¿Cómo has llegado a esa conclusión? —Se llevó la taza a los labios y sopló dentro sin quitarle los ojos de encima a Ricky.

—La Policía le preguntó ayer dónde había estado la noche del viernes y la del martes, y él les explicó una locura de historia sobre que su padre había acabado en el psiquiátrico. No tiene ni pies ni cabeza. Pero en casa no estuvo. Ni el viernes ni el martes. —Apagó el cigarrillo en el cenicero a rebosar—. Yo no tenía ni idea de que su padre estuviera enfermo. Dice que el viernes ayudó a su madre en el bar. ¿Por qué no me lo dijo? ¿Desde cuándo tiene secretos conmigo? —Luchaba por contener las lágrimas—. No me creo esas historias. Seguro que estuvo con otra. Ay, Nika, no puedo soportar la idea de que él..., de que me pueda abandonar por otra. Con mi ex también empezó así. ¡No lo resistiría una segunda vez!

Nika se cuidó mucho de hacer ningún comentario y reprimió enérgicamente sus remordimientos. Solo había sido sexo, nada más. Yannis no dejaría a Ricky por ella.

—Ay, Nika —susurró Ricky con lágrimas en los ojos y llanto en la voz—. ¡Si no te tuviera a ti! Me hace mucho bien que estés aquí conmigo, poder confiar en ti.

—Claro —masculló Nika, que se sentía miserable.

—Me alegro de que esta mierda del parque eólico vaya a acabarse pronto. —Ricky se limpió con dos dedos el rímel que se le había corrido—. Así Yannis y yo tendremos más tiempo para nosotros otra vez.

Ni una palabra sobre los sucesos dramáticos de la asamblea vecinal, ni siquiera un comentario de por qué quería hablar la Policía judicial con Yannis. Aunque en realidad era bueno que estuviera tan obsesionada consigo misma. Desde que Nika estaba allí, Ricky no le había hecho ninguna pregunta sobre su vida, ya que sencillamente no le interesaba lo que le sucediera a nadie. Frauke, con su penetrante curiosidad, era muchísimo más peligrosa, pero de pronto parecía que tenía otras cosas de las que ocuparse.

Sonó la campanilla de la tienda. El viejo doctor Beckmann, que siempre quería que lo atendiera Ricky y nadie más, avanzó hacia la caja.

—No, no. —Ricky se levantó, se alisó el corpiño y se colocó su sonrisa—. Ya voy yo.

Miró a Nika y la abrazó un momento con fuerza.

—Gracias —le susurró—. Por todo.

Unos segundos después estaba en el establecimiento, sonriendo y bromeando, e incluso tarareó una canción hasta que el viejo doctor se fue de allí mareado de felicidad y bien cargado de productos. Al verla, nadie habría pensado que esa atractiva mujer tuviera tan poca seguridad en sí misma y se aferrara a un hombre que a todas luces le ocultaba secretos. En realidad le da lo mismo que Yannis la engañe, pensó Nika. Lo primordial era que no la abandonase.

Pia pasó con el coche por delante del pabellón municipal y vio que el aparcamiento y sus alrededores seguían cerrados. Luego torció por una calle, que tras unos doscientos metros se convertía en la pista que subía hasta la granja de Ludwig Hirtreiter. Acababa de hablar otra vez con el propietario del Krone y con dos miembros de la junta de la iniciativa ciudadana, y después no había podido evitar la tentación de hacer otra breve visita a la granja de Hirtreiter. Le había pedido a Kröger la llave de la entrada y, mientras conducía por la ligera cuesta en dirección al bosque, pensó en la noche anterior. Al llegar a casa, poco después de la una, se había encontrado a Christoph sentado en la cocina. Ya estaba preparada para aguantar una pelea y sus reproches, pero él la sorprendió abrazándola y no desperdició ni una palabra en hablar de su cita frustrada. Le dijo que se había preocupado por ella, y que la sola idea de saber que estaba en peligro le resultaba cada vez más insoportable. La primera mujer de Christoph había muerto de una apoplejía y lo había dejado solo con tres niñas pequeñas; por supuesto que tenía miedo de perderla a ella también de la noche a la mañana. No le gustaba su profesión y Pia lo sabía, aunque él nunca hablaba de ello. La noche anterior no llegaron a discutir, pero ella durmió mal y tuvo extraños sueños sobre cuervos parlantes, Christoph, Inka Hansen y su jefe.

La inspectora se detuvo en la entrada de la granja detrás de un Audi Q7 rojo burdeos. Para su sorpresa, la casa tenía varias ventanas abiertas de par en par. Se apeó, subió los escalones y contempló la puerta de entrada cerrada. El precinto oficial no estaba roto. Lo rasgó con la llave y abrió sin hacer ruido. En el salón, los hermanos Hirtreiter estaban ocupados realizando un registro domiciliario, pero de los ilegales.

Pia se detuvo en el vano de la puerta y observó a los dos hombres un rato.

—El viejo debió de esconderlo en alguna parte —gruñó el mayor de ambos, que utilizaba un formón para intentar abrir un secreter de madera de nogal—. ¡Con esto no hay manera!

Su hermano estaba sentado de espaldas a la puerta y hojeaba un archivador.

—Aquí tampoco está. ¡Joder! —Tiró el archivador al suelo sin ningún cuidado—. ¡Pero si guardaba toda clase de porquerías, incluso recibos de la gasolinera de 1986!

El luto auténtico, pensó Pia, era otra cosa. Carraspeó.

—¿Puedo saber qué es lo que buscan? —preguntó.

Los hermanos se volvieron de pronto y la miraron con una mezcla de espanto y culpabilidad. Gregor Hirtreiter dejó caer el formón. Él fue el primero en recuperar la voz, y no se tomó la molestia de mentir.

—El testamento de nuestro padre —contestó.

—La casa sigue oficialmente precintada. —Pia los miró a ambos—. No tienen ustedes permiso para estar aquí.

—Si le digo la verdad —repuso Gregor Hirtreiter—, eso me importa una mierda. Necesitamos un par de documentos con urgencia.

—¿Les está presionando WindPro?

Matthias bajó la mirada, su hermano solo se encogió de hombros.

—¿Para qué voy a mentirle? Sí, nos han puesto un plazo —reconoció—. Se trata de mucho dinero, y a mis hermanos y a mí no nos vendría nada mal.

—O sea que la muerte de su padre no ha llegado en mal momento —comentó Pia.

Gregor Hirtreiter enarcó las cejas.

—Nuestro padre —dijo— era un egoísta tozudo y obstinado para quien el bienestar de cualquier bestezuela era más importante que el de sus hijos y sus nietos. Ese prado le daba absolutamente igual, la única razón por la que no quería vendérselo a WindPro era para hacernos la puñeta. Él era así. Un capullo. Arrogante, sádico, canalla. No derramaré ni una lágrima por él, pero yo no lo he matado.

—Entonces, ¿quién ha sido?

—La mitad del pueblo tenía motivos para hacerlo —repuso el hijo—. Nuestro padre disfrutó destrozando matrimonios y existencias porque se sentía llamado a ejercer de autoridad moral.

—Qué interesante. ¿Tiene algún nombre que darme?

—Abra usted la guía telefónica y tendrá todos los que quiera. De la A a la Z —intervino Matthias con tono burlón.

—Entonces empezaremos por usted —propuso Pia—. ¿Dónde estuvo la noche en que mataron a su padre?

–Trabajé hasta tarde –respondió–. Después de eso fui a cenar algo al restaurante Le Journal.

–¿Hasta qué hora estuvo allí? ¿Quién puede corroborarlo?

–Estuve hasta que cerraron, que sería sobre la una o la una y media. Seguro que la jefa podrá confirmárselo, incluso me tomé un vino con ella cuando se marcharon los últimos clientes.

–Mmm. ¿Y usted? –Pia miró al hermano mayor.

–Esa noche estuvimos con mis suegros. Mi suegro celebraba sus 65 años por todo lo alto.

–¿Dónde? ¿Y hasta cuándo estuvo allí?

–En su casa. En Heftrich. Llegamos sobre las siete y no volvimos hasta pasada la medianoche.

Heftrich no estaba ni a diez minutos de Ehlhalten. En una fiesta de cumpleaños casi nadie se daría cuenta si un invitado se ausentaba media hora. Pia anotó los nombres y la dirección de los suegros de Gregor Hirtreiter.

–¿Dónde está su hermana? ¿Sabe lo que están haciendo aquí? –preguntó.

–Queríamos decírselo, pero no nos ha contestado al teléfono –explicó Matthias–. Y no tiene móvil.

–Bueno, y ¿cómo han conseguido entrar en la casa?

Los hermanos volvieron a cruzar una mirada.

–Hay una especie de entrada trasera –confesó el mayor con desgana.

Pia lo siguió hacia la oscuridad del pasillo. De pronto se detuvo.

–¿Qué ha pasado aquí?

Encendió la luz y Gregor Hirtreiter se volvió. La barandilla de madera de la escalera que llevaba al piso de arriba se había roto, por todas partes había plumas negras de un brillo metálico. La inspectora se acuclilló.

–Aquí hay sangre –constató, y señaló el marco de la puerta del dormitorio–. Y ahí también.

Sacó un par de guantes de látex del bolsillo de la cazadora, se los puso y tocó con el índice una de las gotas oscuras.

Sangre, sin lugar a dudas. No demasiado fresca, pero todavía no se había secado.

—¿No les ha llamado la atención esto al pasar por aquí?

—No —contestó Gregor Hirtreiter.

Su hermano apareció en el pasillo detrás de Pia.

—¿Qué hay ahí arriba? —quiso saber la inspectora.

—Una habitación de invitados. Nuestras viejas habitaciones de niños. Y el trastero.

—Esperen aquí —les dijo Pia—. Voy a echar un vistazo.

Subió la escalera con cuidado y de pronto se sintió catapultada a la década de 1970: dos de los tres dormitorios infantiles y la habitación de invitados tenían el techo abuhardillado, estaban revestidos con madera de pino y completamente amueblados, en las paredes todavía colgaban pósteres amarilleados de grupos de pop cuyos componentes debían de vivir en un asilo a esas alturas, si es que sus excesos con las drogas no los habían matado antes. Los muebles tenían décadas de polvo encima. También el minúsculo cuarto de baño había conservado un delicado estilo setentero: baldosas beis con florecitas, inodoro, bañera y lavabo de porcelana marrón. Solo una habitación se había renovado. En lugar de moqueta y madera, tenía suelo laminado y grueso papel blanco en las paredes. Pia siguió avanzando. Una cuña de madera sostenía abierta la puerta del trastero, al final del pasillo. El tragaluz estaba abierto y unas plumas negras se movían con el viento sobre el suelo de tablas, que bajo la ventana estaba cubierto de excrementos de pájaro. Esa debía de ser la ruta que permitía entrar y salir al cuervo domesticado de Ludwig Hirtreiter. La idea de que un ave de ese tamaño recorriera la casa aleteando libremente era insólita, pero ofrecía una explicación para los rastros del pie de la escalera. El cuervo había estado en la casa. Debía de haberse producido una pelea, y Pia sospechaba a quién había atacado el ave. Al bajar sacó su móvil y apretó el número de marcación rápida de Kröger, que contestó enseguida.

—Christian, te necesito —dijo la inspectora—. Ahora mismo.

—Caray, hace años que sueño con que me digas eso —repuso su colega, de sorprendente buen humor—. Aunque me temo que solo te refieres al trabajo...

—Has acertado —contestó Pia con frialdad—. Estoy en la granja de Ludwig Hirtreiter, en Ehlhalten. Esto está lleno de sangre. Te espero aquí. Ah, sí, y envía una patrulla a buscar a Frauke Hirtreiter, por favor.

Con cuidado de no destrozar ninguna prueba, bajó hasta el pie de la escalera, donde Gregor Hirtreiter la esperaba obedientemente, y los siguió a él y a su hermano por una puerta de cristal translúcido que conducía a una sala pequeña y oscura, alicatada hasta el techo.

—Hemos entrado por aquí. —Gregor señaló una puerta oxidada con un gesto de la cabeza—. No estaba cerrada.

—¿Cuándo ha sido eso?

Pia examinó la puerta y el suelo de la pequeña estancia. Vio gotas de sangre en las baldosas amarillentas.

—No lo sé muy bien. Hará unas dos horas, más o menos.

—¿Cuándo hablaron con su hermana por última vez?

—Ni idea. Ayer, en algún momento.

—¿Es posible que ella haya estado aquí desde entonces?

—Puede ser. —Gregor Hirtreiter asintió, seco—. La veo capaz.

Salieron por la puerta a un jardín lleno de maleza. Pia miró a su alrededor. Un bidón para el agua de lluvia lleno hasta el borde; a su lado, un emparrado para rosales, oxidado y apoyado en la pared. Los arbustos de lilas en flor cargaban el aire con su intenso aroma. Entre la hierba había un sendero trillado que llevaba hacia el patio delantero.

—Bueno —dijo con firmeza—, quiero pedirles a los dos que me acompañen a comisaría.

—¿Ahora? Será una broma, ¿no? —replicó Gregor Hirtreiter.

—Pocas veces bromeo cuando se trata de un tema tan serio —contestó Pia con sequedad—. Quedan algunas preguntas con relación al asesinato de su padre para las que todavía no he recibido respuestas satisfactorias.

—Pero es que yo tengo una cita... —protestó Matthias Hirtreiter.

—Pues no debería malgastar su tiempo revolviendo domicilios que han sido precintados oficialmente —lo interrumpió la inspectora—. Vamos.

Con el refuerzo de compañeros de otras secciones, Cem Altunay y Kathrin Fachinger habían pasado toda la mañana interrogando a los miembros de la junta de la iniciativa ciudadana. Todos ellos les habían confirmado lo que el propietario del Krone le había contado a Pia. Que Yannis Theodorakis y Ludwig Hirtreiter habían tenido una buena bronca la noche del martes. Ya el lunes, Yannis se había buscado problemas con Hirtreiter al adelantar por su cuenta y riesgo la cita con la televisión, pasando por alto al viejo. La fuerte discusión del martes se había producido porque Theodorakis les había comunicado a los demás miembros de la junta a cuánto ascendía la oferta de compra que WindPro había hecho por el prado de Hirtreiter. Algo que este les había ocultado hasta entonces a sus amigos.

—Ellos habían supuesto que serían cincuenta o sesenta mil euros, pero no tres millones —dijo Cem—. Así que nadie estuvo dispuesto a creerlo cuando afirmó que no pensaba vender. Perdieron la confianza en él y decidieron que sería Theodorakis quien subiría al estrado.

El estilo despótico del liderazgo de Ludwig Hirtreiter, de todas formas, no le gustaba a nadie. Nunca había aceptado que se oyeran otras voces y a menudo era ofensivo con los compañeros de la iniciativa, sobre todo con las mujeres.

Ludwig Hirtreiter era sin duda el ciudadano menos querido de todo Ehlhalten. Pertenecía a la junta de varias asociaciones y no dejaba oportunidad a que participaran los jóvenes. Hacía tan solo unas semanas, en el club deportivo organizaron un complot contra él; como no había prosperado, veintitrés miembros se habían dado de baja esa misma tarde.

—Algunas personas lo odiaban de verdad —concluyó Kathrin.

—No se mata a nadie solo porque ya no quieres tenerlo en la junta de tu asociación —arguyó Oliver.

—Hirtreiter trataba a la gente con mucha brusquedad —intervino Cem—. Destrozó matrimonios destapando en público relaciones con amantes, desacreditó al cura afirmando que iba detrás de los monaguillos. Yo creo que se había pasado con muchísima gente.

En la reunión se hizo un silencio reflexivo.

—Los Hirtreiter recibirán tres millones de euros si venden el prado a WindPro —agregó Pia—. Tal vez contrataron a alguien para que les hiciera el trabajo sucio y les quitara de en medio al viejo.

—¿Un asesino profesional?

—No me parece tan descabellado. Por dinero se consigue cualquier cosa. Incluso a un asesino profesional.

—¿Te refieres al hombre que estaba esperando a Ludwig en el aparcamiento? —Oliver arrugó la frente, pensativo.

—Sí, podría ser. —Pia asintió—. La historia del coche que Frauke Hirtreiter dijo haber visto frente a la granja podría ser inventada, pero tu padre no se imaginó al hombre del aparcamiento.

—Por desgracia no lo vio nadie más —dijo Cem—. Hemos preguntado a todo el mundo.

Oliver miró hacia la pizarra, en la que colgaban las fotografías de Rolf Grossmann, Ludwig Hirtreiter y los lugares donde se habían encontrado los cadáveres. En lo alto de la lista de sospechosos estaba Yannis Theodorakis, a quien sus antiguos jefes y los miembros de la iniciativa ciudadana habían descrito como colérico e impulsivo. ¿Fue él quien, después de que Ludwig arremetiera contra su novia y contra él, lo siguió y lo asesinó dos horas después? Aquello no terminaba de encajar. Los personajes coléricos mataban llevados por un arrebato, no se escondían un par de horas a acechar a sus víctimas. Además, Theodorakis no tenía un móvil plausible. La muerte de Ludwig Hirtreiter no lo beneficiaba, porque, al fin y al cabo, ya había conseguido desarmarlo dentro del grupo de la iniciativa.

No, Pia tenía razón. O bien lo había hecho alguien llevado por el odio o un profesional. Tenían que encontrar al hombre que lo había esperado en el aparcamiento del Krone.

—Vosotros acercaos otra vez a Ehlhalten —decidió el inspector jefe tras pensarlo un momento—. Hablad con toda la gente que vive cerca del bar Krone, con los vecinos de las calles adyacentes, sobre todo con los dueños de perros, que tal vez salieron por la noche a pasear a sus mascotas. Alguien debe de haber visto a ese hombre.

Pia consultó su reloj. Los Hirtreiter llevaban ya unas tres horas cociéndose ahí abajo, en las salas de interrogatorios. Les habían aplicado las medidas de identificación policial y les habían tomado muestras de saliva, lo cual los tenía bastante intimidados. Antes de hablar con ellos, sin embargo, la inspectora quería esperar al resultado de la investigación de Kröger en la casa de Ludwig Hirtreiter. Entretanto, había comprobado que Frauke Hirtreiter no había aparecido ni en su apartamento ni en la tienda ni en el refugio de animales. Tampoco había rastro de su coche y, como no tenía teléfono móvil, no se la podía localizar. Pia sospechaba que se había colado en la casa precintada de la misma forma que sus hermanos y que allí tuvo un desagradable encuentro con el cuervo. Pensó en el comentario burlón de Cem: que el pájaro quedaba descartado como testigo, a menos que identificara al asesino en una rueda de reconocimiento. ¿Y si había hecho exactamente eso? Se le puso la piel de la espalda de gallina.

—¿Pia?

La voz de Oliver la sobresaltó y ahuyentó esa idea absurda.

—¿Qué tienes pensado hacer con los dos Hirtreiter? —quiso saber su jefe.

—Presionarlos —contestó Pia—. Porque los creo capaces de haberle hecho algo a su hermana para quedarse ellos dos con la herencia.

—¿Has comprobado sus coartadas?

—Claro que sí. A primera vista todo encaja, pero las horas que me han dado no son correctas. Matthias Hirtreiter salió de su despacho a las seis y veinte y después ya no apareció por allí, según me ha dicho su contable, que a las diez y media de la noche seguía en el trabajo junto con el asesor fiscal. Esperaban a Matthias, pero no se presentó. En Le Journal estuvo hasta la una y media, sí, pero no llegó hasta las doce menos cuarto. Quedan cinco horas y media enteras para las que no tiene coartada.

—¿Y el hermano número dos?

—He hecho algunas llamadas telefónicas, entre otros al jefe Bradl, de la Municipal de Königstein. Estuvo en la fiesta del suegro de Gregor Hirtreiter y por casualidad llegó en el momento en que Gregor se montaba en su coche y se iba de allí. A comprar tabaco, por lo visto. Pero resulta que no fuma.

—¿Cómo se te ha ocurrido llamar a un compañero de Königstein? —Ostermann sacudió la cabeza con incredulidad.

La inspectora sonrió y se dio unos golpecitos en la frente con un dedo.

—Muy sencillo —respondió—, cuando Gregor Hirtreiter me dijo que su suegro se llamaba Erwin Schmittmann y que había organizado la fiesta en la nave de su empresa, algo me hizo clic aquí dentro. Es el dueño del comercio agrario donde compro la comida para los caballos, serrín y esas cosas. Allí me he encontrado ya un par de veces al jefe Bradl, y en esas ocasiones siempre se charla un poco. Un día me explicó que era vecino de Schmittmann y que hacía años que le ayudaba con el heno y a veces también en la tienda, en sus ratos libres. Por eso pensé que habría invitado a su amigo a la fiesta de cumpleaños, y acerté.

—Increíble —se asombró Cem.

Los demás también estaban impresionados.

—Una estrellita para la señora Kirchhoff —dijo Ostermann sonriendo—. Sensacional, Pia. ¿No sabría también por casualidad cuándo regresó Gregor Hirtreiter?

—Pues sí. —Pia se inclinó hacia atrás y sonrió la mar de satisfecha—. Exactamente diez minutos antes de medianoche. Y sin tabaco, pero con otra ropa.

—Móvil, medios, oportunidad... ¡Lo tiene todo! —Ostermann estaba entusiasmado—. Con eso debería bastar para conseguir una orden de registro. ¿Tú qué dices, jefe?

Oliver no decía nada. Estaba tecleando con cara de concentración en su nuevo iPhone, que lo tenía enamorado. Solo levantó la mirada al darse cuenta de que todos se habían callado.

—¿Qué sacaríamos con eso? —preguntó, demostrándoles que había seguido la conversación—. Si fueron los hermanos, seguro que no se llevaron el arma del crimen a casa. Id a hablar con los Hirtreiter. Si no tienen una explicación sin fisuras sobre dónde estuvieron esa noche en realidad, pediremos órdenes de detención.

—¿No quieres estar presente? —se extrañó Pia.

—Yo iré a Königstein y preguntaré por Frauke Hirtreiter en la tienda de animales —dijo el inspector jefe, que se esforzó por no ver el breve gesto de las cejas de Pia—. Pide una orden de búsqueda para ella y para su coche. Llámame si sabéis algo. Si no, nos vemos mañana temprano.

Faltaban pocos minutos para las cinco cuando Oliver entró en El Paraíso Animal. Se había pasado un cuarto de hora entero sentado en el coche, luchando consigo mismo.

¿Se daría cuenta Nika de que las preguntas sobre Frauke Hirtreiter solo eran un pretexto? Aun así, no le importaba. Quería verla como fuera, aunque le daba un poco de miedo el encuentro. ¿Qué pensaría de él después de haberlo visto hecho un guiñapo lamentable? Para Oliver era muy importante dominar siempre la situación, pero el día anterior no fue así ni mucho menos. Nika estaba ligada indisolublemente a sus recuerdos de esa espantosa vivencia, así que tenía que hablar otra vez con ella para poner en orden sus confusos sentimientos. Quizá su subconsciente le estaba haciendo sentir cosas que no eran, por gratitud o por el motivo que fuera.

Al llegar a la puerta de cristal de la tienda, respiró hondo y entró. Las campanillas repiquetearon y unos segundos después

Nika apareció tras el mostrador. Una sonrisa de alegría asomó a su rostro, y el inspector jefe supo que no se había inventado nada. Entre ellos había algo, algo que también sentía ella.

—Hola —dijo, cohibido.

La cara sin maquillar de Nika era más austera que bonita, con la nariz quizá demasiado grande y una boca un poco más ancha de lo necesario, pero tenía algo especial. Oliver se sintió aliviado, porque en secreto había temido que a la luz del día ya no lo atrajera. Al contrario. Incluso le gustaba su ropa, tan poco convencional: un vestido de tela vaquera desteñida, una sudadera dada de sí y zapatillas de deporte sin calcetines. La vanidad no parecía ser una de sus características más destacables.

—Hola —contestó ella con contención—. ¿Cómo se encuentra?

—Bien, gracias.

Desesperado, Oliver buscó las palabras que se había preparado por el camino, pero de repente todo le sonaba lamentable. «Me salvó la vida. Jamás olvidaré lo que hizo. Tengo una gran deuda con usted.» Todo bobadas.

—Me alegro. —Nika se puso seria, contagiándose de la inhibición de él—. ¿En qué puedo ayudarle?

Bodenstein recuperó la compostura.

—Estamos buscando a Frauke Hirtreiter —respondió—. ¿Ha sabido algo de ella, tal vez?

—No, por desgracia no. —Nika sacudió la cabeza con pesar—. No he visto su coche, y tampoco ha llamado.

—¿Le dijo algo ayer? ¿Cuándo la vio por última vez?

—Ayer a mediodía. Su padre, el señor von Bodenstein, llamó y le dijo que Ludwig había muerto —contestó ella—. Frauke enseguida salió de la tienda y se fue con el coche. Ya no he vuelto a verla. Tal vez Ricky sepa algo más. —Al ver la mirada interrogante de él, añadió—: Friederike Franzen. La dueña de El Paraíso Animal.

Nika no hizo ninguna pregunta, no quiso saber por qué buscaba la Policía a Frauke. ¿Era señal de discreción o de indiferencia? ¿Sabía quizá algo sobre el paradero de Frauke? ¡Al infierno con esa constante desconfianza!

—Ah, sí, la novia de Yannis Theodorakis. —Oliver asintió—. Mi compañera, por cierto, creía que era usted su señora de la limpieza.

Nika sonrió y en torno a sus ojos aparecieron pequeñas arrugas risueñas.

—Ni yo misma sé por qué dije eso —reconoció—. Me asusté un poco al ver de pronto a la Policía judicial en la puerta. Es que no estoy acostumbrada.

—¿Y quién lo está? —repuso el inspector jefe, que sonrió también.

—Hace unos meses que vivo realquilada en casa de Ricky y Yannis —explicó Nika con franqueza—. Ricky es la amiga más antigua que tengo, fuimos juntas al colegio. El invierno pasado yo no estaba muy bien, tuve... una especie de colapso emocional. Entonces me propuso que me viniera a vivir aquí, a trabajar una temporada con ellos.

—Y a través de ellos entró usted también en contacto con mis padres.

Había sido más una afirmación que una pregunta, pero Nika contestó:

—Exacto. Para Ricky y Yannis apenas existe otra cosa que la iniciativa ciudadana, Yannis habla de ello casi cada segundo. —Puso los ojos en blanco y suspiró—. Así que no puedo mantenerme al margen sin ser descortés.

De repente era muy sencillo hablar con ella. Nika era tan normal... y no parecía sentir ningún reparo ante un agente de la Policía. Oliver se atrevió a dar un paso más.

—¿Quiere que vayamos a tomar un café?

Ella lo miró con sorpresa. Él, fascinado, vio cómo una sonrisa muy parecida a la de Inka se extendía por su rostro. Empezaba por los ojos, se asentaba en dos hoyuelos encantadores y luego se deslizaba hacia las comisuras de sus labios.

—¿Por qué no? Aquí de todas formas no hay mucho movimiento, así que puedo cerrar antes.

Poco después estaban sentados en unos taburetes altos de la cafetería Tchibo, en la zona peatonal. Tras pedir dos cafés *latte,* le llegó a Oliver el turno de contarle algo a Nika sobre su persona. ¿Cómo acabó hablándole de su ruptura matrimonial a una desconocida? Por lo general, no permitía que la gente se acercara a él muy deprisa, no solía desplegar su vida privada ante cualquiera. Sin embargo, la atención de Nika le sentaba bien. De vez en cuando le hacía una pregunta, pero no lo abrumaba con consejos o ejemplos de su vida, sino que lo escuchaba. ¿Qué era lo que le impresionaba de ella? ¿Sus ojos, que eran de un color y una intensidad muy peculiares, como él había visto pocos? ¿La forma en que ladeaba la cabeza al escucharlo? ¿Su sonrisa, tímida, casi un poco fascinada? Ni una sola vez apartó la mirada de él; Oliver jamás había experimentado algo así. De todas formas, Nika no era del tipo de mujeres en las que él se había fijado a lo largo de su vida. En realidad era justo lo contrario: delicada, cohibida, como una niña. Carecía por completo de la firme seguridad que le había gustado en Cosima, Nicola, Inka o Heidi.

Se olvidó de Frauke Hirtreiter, de Pia y de su trabajo, y no regresó a la realidad hasta que el personal del establecimiento los invitó a salir con amabilidad pero sin demora.

—No me había dado cuenta de lo tarde que es ya —dijo Nika, y sonrió, avergonzada. Estaban en la zona peatonal y el momento de la despedida se acercaba sin piedad—. Seguro..., seguro que tendrá usted cosas que hacer, aparte de tomarse un café conmigo.

Tenía cosas que hacer, sin duda, pero nada que le pareciera más importante. El trabajo, que para él siempre había tenido prioridad absoluta, habría de esperar. Seguro que el móvil había vibrado unas diez veces en las últimas dos horas, pero no le había hecho ningún caso y había conseguido acallar su mala conciencia.

—Por suerte tengo compañeros —repuso sin pensar demasiado—. Si quiere, puedo acompañarla a casa.

—Eso sería estupendo. —Nika sonrió un instante—, pero... en realidad tengo que pasar antes por el supermercado. Tengo la nevera vacía.

–Buena idea. Yo también tendría que comprar algo. –El inspector jefe sonrió–. Bueno, pues ¿a qué esperamos?

La recopilación de rastros en la granja de Ludwig Hirtreiter fue más costosa de lo que cabía imaginar. Christian Kröger había llamado a Pia mientras ella estaba en mitad del interrogatorio de Gregor Hirtreiter y le había rogado que fuera para allá. Como la situación probatoria contra los hermanos Hirtreiter era más inconsistente que una hoja de papel biblia, la inspectora no habría podido retener mucho tiempo más a ninguno de los dos.

Oliver no contestaba al teléfono, Kathrin tenía cita con el dentista y Cem había salido volando a la fiesta de cumpleaños de su mujer. Molesta, Pia volvió a pensar que, una vez más, nadie le preguntaba a ella por su vida privada.

Henning y Miriam no habían vuelto a dar señales de vida, lo cual quizá fuera bueno, pero aun así su comportamiento era inadmisible. Cuando tenían problemas, la interrumpían con toda naturalidad a cualquier hora del día o de la noche para inflarle la cabeza con sus lamentaciones; cuando todo iba bien, silencio sepulcral.

Y, por si fuera poco, Oliver también estaba muy raro. Desde que lo conocía, hacía ya cuatro años, era cortés, reservado y centrado; pero de pronto era cortés, reservado y tenía la cabeza en otra parte. La aventura de Cosima y su ruptura matrimonial lo habían cambiado por completo. Cada vez era más frecuente que le cediera a Pia la responsabilidad de toda la sección, y se permitía errores que antes jamás habría cometido. La inspectora tenía muy claro que no había ido a la tienda de animales de Königstein por Frauke Hirtreiter, sino única y exclusivamente por esa muñequita rubia que se había presentado ante Cem y ella como la señora de la limpieza. Entre Oliver y esa mujer había algo. Pia los recordaba sentados uno junto al otro, mirándose. Cuando propuso averiguar algo más sobre Yannis Theodorakis y su novia a través de ella, su jefe había vacilado. Lo cierto era que no podía comprender qué le veía a ese ratoncillo gris, pero tal vez, después de Cosima, necesitaba a alguien como ella para recuperar su autoestima.

Suspiró y apretó el botón de rellamada. Otra vez el buzón de voz. Para variar, llamó a Christoph con el mismo resultado. También él estaba «temporalmente fuera de cobertura». A la mierda con los hombres. Esperaba que por lo menos Kröger hubiera encontrado algo muy importante, porque, si no, se iba a poner hecha una furia. Tenía cosas mejores que hacer, la verdad, que andar de aquí para allá con el coche a las siete y media de la tarde ocupándose de asuntos oficiales.

Un cuarto de hora después había llegado a la casa de Ludwig Hirtreiter y de nuevo se había sentido sobrecogida por la belleza de la granja y su idílica ubicación. Después de todo un día nublado, el cielo se había abierto de pronto y se desplegaba ante sus ojos con una impresionante paleta que iba del rosa pálido al rojo púrpura. La puesta de sol se derramaba sobre las construcciones con un resplandor dorado, las golondrinas volaban como flechas a la caza de insectos por el aire suave y saturado de humedad. ¿Cómo sería vivir allí? El silencio resultaba increíble, sobre todo para Pia, que llevaba años afincada junto a una de las autopistas más transitadas de Alemania.

Entró en el patio y miró a su alrededor con extrañeza. No se veía a nadie y no había ningún coche. ¿Dónde estaban sus compañeros? Mosqueada, sacó el móvil del bolsillo y llamó a Kröger. ¡Pensaba decirle cuatro cosas! ¿Cómo se le ocurría hacerla ir hasta allí si él pensaba marcharse ya a casa? Oyó el timbre de un teléfono a lo lejos y, un instante después, el jefe de rastros apareció por la esquina de la casa.

—Hola —dijo.

—¿Dónde están todos? —repuso Pia.

—He enviado a mis chicos al laboratorio para que analicen enseguida las muestras de sangre. —Christian Kröger se encogió de hombros—. He pensado que ya me acompañarías tú a Hofheim.

–Ah. Sí, claro. Yo te llevo. –La inspectora se tragó el cabreo al ser consciente de que sus compañeros llevaban encima un día de trabajo tan largo como el suyo–. ¿Qué habéis descubierto?

–Bastantes cosas. Ven.

Siguió a Kröger por el sendero trillado que llevaba hasta la casa. El sol había desaparecido tras las montañas, de repente hacía frío y los murciélagos se deslizaban raudos por el azul violáceo del crepúsculo. Entraron por la puerta y subieron la escalera.

–Alguien ha estado en esta habitación –comentó Kröger cuando llegaron al pequeño cuarto revestido de madera–. Allí, en el armario empotrado, se ven huellas dactilares recientes en el polvo.

Abrió la puerta del armario.

–La ropa del estante superior ha sido retirada y recolocada luego de cualquier manera. Quien fuera, estaba buscando algo aquí dentro.

Pia asintió. Frauke Hirtreiter debía de haber llegado antes que sus hermanos. Había tenido el mismo descaro que ellos para pasar por alto el sello policial y había entrado en la casa por la puerta de atrás. Sin embargo, no había registrado todos los armarios sin un plan, sino que por lo visto sabía dónde tenía que buscar. Pero ¿qué buscaba?

Según hacían presumir los rastros, cayó por la escalera y se llevó por delante la barandilla carcomida, golpeándose la cabeza contra el marco de una puerta.

–Después –continuaba Kröger–, esa persona, que con toda probabilidad se trata de una mujer, a juzgar por los cabellos largos y oscuros que había en la sangre del marco, ha entrado en el dormitorio. Eso puede concluirse gracias a las gotas de sangre del suelo y de la cama. De allí se ha llevado una talla de la Virgen María.

–¿Y eso cómo lo sabes? –preguntó Pia, perpleja.

–Espera. –Kröger sonrió haciéndose el misterioso–. Luego debe de haberse producido una fuerte pelea. Hemos encontrado plumas de ave hasta en la lámpara del techo. También plumas pequeñas, como de plumón, no solo de las grandes. Creo que aquí se ha armado una buena. —Señaló arriba, al techo del pasillo—. Eso son salpicaduras de sangre, y también en la pared, por todas partes. Sospecho que es sangre de animal, pero todavía tenemos que comprobarlo en el laboratorio con una prueba de antiglobulina humana.

Pia empezaba a impacientarse, pero no quería interrumpir a Kröger. Era un maestro de la reconstrucción de los hechos y, como muchos de sus colegas de profesión, necesitaba recibir reconocimiento por su meticuloso trabajo, que según su opinión estaba muy infravalorado. Cuando resolvían un caso complicado, el mérito público se lo llevaba la K 11 y los técnicos de criminalística se iban con las manos vacías.

—La prueba principal de que la pelea con el ave no se ha producido hasta después de la caída, sin embargo, es esta de aquí...

Kröger salió de la casa por el mismo camino que habían tomado para entrar, se detuvo junto a la puerta y señaló el bidón para el agua de lluvia. Pia lanzó una mirada dentro.

—¿Y dónde está tu prueba principal? —preguntó, confusa—. Yo no veo nada.

—De camino al laboratorio, por supuesto —contestó él—. En este bidón había un cuervo muerto y una talla de madera de la Virgen María que pesa unos dos kilos. La autora de los hechos ha estampado primero el cuerpo del ave contra la pared de la casa, luego le ha aplastado la cabeza con la talla de madera y por último la ha ahogado en el bidón.

—Es espeluznante. —Pia torció el gesto y se estremeció.

—No le ha bastado con matar al pájaro —dijo Kröger con tono profesional—, ha querido aniquilarlo.

La inspectora apartó la mirada del bidón y miró al jefe de rastros. Su cara no era ya más que un borrón de claridad en la penumbra. Al comprender lo que insinuaba con esas palabras, de pronto sintió mucho frío.

—¿Como el asesino de Hirtreiter, quieres decir? —preguntó. Kröger asintió.

—Exacto. Tampoco a él le bastó con disparar al hombre. Después le propinó patadas, o le golpeó con la culata del arma, e incluso mató a su perro. Un exceso de violencia similar al que ha recibido el cuervo.

Pia empezaba a dudar de la teoría del asesino profesional. Un asesino a sueldo no se habría dejado llevar y no habría maltratado a su víctima con golpes y patadas. Habría terminado su trabajo y habría desaparecido, cuanto más rápido, mejor. Sin embargo, ¿era capaz una mujer de semejante brutalidad?

Metió las manos en los bolsillos de sus vaqueros y levantó los hombros. Frauke Hirtreiter y su madre habían aguantado durante años a un padre y un esposo déspota, según explicaba el jefe Bradl. Cuando las mujeres asesinaban, lo hacían casi siempre para poner fin a una situación insoportable. Los hombres, por el contrario, mataban más por ira, celos o incluso por miedo a ser abandonados.

—Christian, eres un as —dijo Pia, despacio—. La verdad es que podrías tener razón. Y, en ese caso, hemos cometido un error garrafal.

—¿Y eso?

Pia no contestó. Pensó en el comentario de Bradl: que Frauke siempre había sido muy buena disparando y cazando, para contentar a su padre. Deseaba recibir su reconocimiento, pero Ludwig Hirtreiter muy probablemente la había despreciado. Ella había estado en la casa del padre la noche del asesinato. Sabía manejarse con las armas. Y odiaba a su padre. ¿Podía ser esa la pista caliente que habían estado buscando sin resultado hasta entonces? La inspectora desoyó los rugidos de su estómago.

—¿Sabes reventar cerraduras? —le preguntó a su compañero.

—Casi todas —contestó Kröger—. ¿Por qué?

—Porque vamos a echar un vistazo en el apartamento de Frauke Hirtreiter. Y si eres bueno y te apuntas, luego te invito a cenar algo.

—Hasta ahí podíamos llegar... —se indignó Kröger.

—¿Eso significa que no vienes?

—Claro que voy, pero no pienso dejar que me invite una colega —dijo, y sonrió—. La cena la pago yo.

Dejó de llover, el sol se puso tras la cordillera del Taunus y se hizo de noche. Mark había pasado toda la tarde en el refugio de animales, después estuvo dando vueltas por ahí con la moto y se pulió un depósito entero de gasolina. Ricky no había dado señales de vida aunque él le mandó tres mensajes al móvil. Tenía que hablar con ella cuanto antes. Por la tarde, para decepción suya, en la tienda solo encontró a Nika, que le dijo que Ricky no se encontraba bien. Mark empezaba a preocuparse de verdad.

Dejó la moto en la valla del pasto de los caballos y decidió esperar un rato en el establo. Ricky iba todas las noches a comprobar cómo estaban sus animales. Desde los jardines del otro lado de la pista asfaltada llegaban los aromas de algo asado a la parrilla. Mark no hacía más que comprobar su móvil, pero seguía mudo. Se estaba volviendo loco por no haber podido ver a Ricky ni hablar con ella en todo el día. Le pidió mentalmente que lo llamara. Susurró su nombre, lo dibujó en la tierra mojada que había junto al establo. Nada. Con sus facultades telepáticas no llegaría muy lejos. ¿Qué era lo que hacía antes, cuando aún no conocía a Ricky y a Yannis? ¡Qué vacía había estado su vida sin ellos!

¡Por fin sonó el móvil! Le dio un vuelco el corazón y los dedos le temblaron, pero entonces vio, decepcionado, que era su madre. Contestó para que no siguiera molestándolo. Sus preguntas y sus reproches le resbalaban. Era increíble la cantidad de tonterías que podía decir esa mujer en tan poco tiempo.

—Enseguida voy a casa —masculló al final—. Adiós.

Eran las nueve y media. Mierda. Ya no aguantaba más. La casa de Ricky estaba a solo dos minutos. Si por lo menos pudiera verla un momento y asegurarse de que estaba bien... Tal vez Yannis no estuviera en casa, o eso esperaba él, y así podría consolarla otra vez. Avanzó por la pista, saltó la verja baja del jardín y atravesó los arbustos de rododendros. El corazón le latía a mil por hora. La barbacoa humeaba, la mesa de la terraza estaba puesta aunque intacta. Mark se acercó algo más a hurtadillas. De pronto Yannis salió de la casa con una bandeja en las manos.

—¡Para ya de una vez con eso! —lo oyó exclamar.

Sonaba claramente cabreado. Mark sintió un asomo de decepción. Yannis estaba allí y Ricky estaba en casa. En realidad, él ya podía irse también a la suya.

—¡No pienso parar! —Ricky apareció en el vano de la puerta—. Te pasas toda la noche fuera, y luego me entero por casualidad de que tu padre está en el hospital. ¿Cómo es que guardas algo así en secreto?

Yannis se limitó a poner cara de exasperación y dejó dos filetes en la parrilla.

—¡Ayer estabas en la tienda con Nika y te marchaste en cuanto llegué! ¿Por qué? ¿A qué vino eso? —Su voz sonaba llorosa.

—¡Por Dios! —Yannis se volvió hacia ella—. ¡No te debo ninguna explicación! Mis padres nunca te han interesado. Ahora no conviertas esto en un drama.

—¡Pero es que es un drama! ¿Sabes lo absolutamente ridícula que me sentí delante de esa poli?

—Si hubieses cerrado el pico no te habrías puesto en ridículo tú sola, imbécil —repuso Yannis con frialdad.

La carne se asaba y desprendía un aroma apetecible, pero Mark ya no podía pensar en comer. Escuchaba la pelea con creciente espanto. Jamás había oído a Yannis y a Ricky hablarse de esa forma.

—¿Estás loco? ¿Cómo puedes decirme eso? —Ricky puso los brazos en jarras—. ¿Qué he hecho para que me trates así? ¿Es que no sabes todo lo que hago por ti? ¡A mí ese parque eólico de mierda me trae sin cuidado! Pero participo en todo ese teatro por ti. Y tú, para agradecérmelo, ¡me mientes!

Mark tragó saliva. Llevaba todo el día preocupado por Ricky, pero estaba bien. Seguramente no había tenido ganas de llamarlo y punto, porque era un crío tonto y pesado. No daba la impresión de que estuviera ni un poco triste, ni siquiera enferma.

—¡A mí también me la suda lo que pase con el parque eólico de las narices! —gritó Yannis, que toqueteaba la carne con un trinchante—. ¡Lo que me importa es el cabrón de Stefan Theissen! ¡Lo sabes muy bien! Pero ¿qué? ¿Ahora tengo que ir todo el día besándote los pies solo porque has reunido unas cuantas firmas? ¡Que, encima, han volado!

A Mark se le abrió la boca. Pero ¿qué estaban diciendo? Hacía meses que no le hablaban más que del parque eólico, de la mentira del clima, de la iniciativa ciudadana, ¿y de pronto les importaba una mierda?

—No tienes por qué besarme los pies. Solo quiero...

—¡Calla de una vez, joder! —gritó Yannis con tanta violencia que Mark se sobresaltó—. ¡Tanto reproche y estas discusiones constantes me tienen asqueado! ¡Tú me das asco! ¡Todo esto me da asco!

Los dos perros se metieron en la casa con la cola entre las piernas.

Mark se puso a temblar y sintió un pinchazo intenso detrás de los ojos. Todo su mundo, que giraba alrededor de Ricky y de Yannis, se estaba desmoronando. Él los había admirado e idolatrado y, de repente, la imagen inmaculada que se había formado de ellos se hacía pedazos con gran estruendo. ¿Qué haría él si se separaban?

—Parad. Parad, por favor —susurró, desesperado.

Ricky cayó de rodillas, ocultó el rostro en sus manos y empezó a sollozar, pero Yannis no le hizo caso. Impasible, se puso a dar la vuelta a los filetes en la parrilla.

Mark no soportaba seguir viendo a Ricky tan triste. Lo que le hubiera gustado habría sido acercarse a ella, abrazarla y consolarla. ¿Cómo podía Yannis mostrarse tan insensible y tan cruel? Al chico le resultaba desagradable ser testigo de esa pelea, pero tenía la sensación de que, si se iba, dejaría a Ricky en la estacada. Ella se levantó, se acercó a Yannis, lo abrazó desde atrás y le suplicó que no siguiera enfadado con ella. ¡Era horrible verla humillándose tanto, sometiéndose así!

—Déjame —dijo Yannis con disgusto, y se volvió hacia ella—. Ahora no me apetece... ¡Joder! Pero ¿qué haces?

Mark contempló sin dar crédito cómo Ricky se arrodillaba delante de Yannis. El corazón empezó a martillearle en el pecho, sintió frío y luego calor. En ese momento sí tendría que haber desaparecido, pero ya no era capaz. Un poder misterioso lo frenaba, lo obligaba a quedarse detrás del gran cedro y mirar hacia la terraza como un *voyeur*. Casi se olvidó de respirar y sus dedos se hundieron en la corteza gruesa y pegajosa de la conífera. Yannis dejó el trinchante y, sin decir nada, empujó a Ricky hacia la tumbona. Repugnado y fascinado a partes iguales, Mark los vio aparearse como animales, sudando, sin palabras, sin caricias, mientras la carne se quemaba en la parrilla. Una imagen brutal que le arrebató cualquier ilusión de amor y romanticismo. Se odió a sí mismo por estar contemplando aquello y, además, sentir que se excitaba. Odió a Yannis por comportarse de una forma primitiva y asquerosa, y odió a Ricky por haberle mentido y haberle ocultado su verdadera cara. Era una zorra barata que se dejaba insultar y humillar. Un dolor salvaje rugía en su cabeza y hacía que se le saltaran las lágrimas.

—¡Dios, oh, Dios, te quiero! —exclamó Ricky en ese momento.

¿Cómo podía decirle eso a un hombre que diez minutos antes la había llamado imbécil? Mark ya no lo soportó más. Dio media vuelta y echó a correr como si el diablo en persona estuviese persiguiéndolo. Unas lágrimas ardientes corrían por su cara. ¡Nunca, jamás podría volver a mirar a ninguno de los dos a los ojos sin pensar en eso y avergonzarse de ellos! Lo habían traicionado, le habían mentido y engañado. Igual que todos los demás.

La vecina de Frauke Hirtreiter, que también era su casera, tenía una llave del piso, así que Pia y Kröger se ahorraron el allanamiento. En realidad, que entraran allí sin una orden de registro no era del todo legal, pero la inspectora contestaría a cualquier posible queja alegando un peligro inminente; eso siempre funcionaba. A esas alturas ya estaba más que cabreada con su jefe, que seguía sin contestar al maldito móvil. Llevaba desde las cuatro y media desaparecido, casi como Christoph, que tampoco contestaba a ningún teléfono: ni al móvil ni al del trabajo ni al fijo de casa. ¡Como fuese una revancha barata por la noche del miércoles, ya se podía ir preparando!

–¿Cuándo vio a la señora Frauke Hirtreiter por última vez? –Pia volvió a guardar su identificación después de que la vecina, una señora ajada de unos setenta años con una melena corta completamente blanca y un aliento a ajo espectacular, la examinara con atención.

–Ayer, sobre las seis. La señora Franzen había cerrado la tienda antes de hora, seguro que para asistir a esa reunión... Qué horror lo que pasó allí, ¿verdad?

–Sí, fue horroroso –coincidió Pia, y dominó su impaciencia.

–Yo aquí me entero de todo. La casa es mía y, desde que esos jóvenes tienen la tienda de animales ahí abajo, vuelve a haber vida en el edificio. –La vecina sonrió. Le brillaban los ojos–. Mi marido murió hace quince años. Antes la tienda era nuestro comercio de electrodomésticos, pero tuve que cerrar.

Eran las diez de la noche y a Pia no le interesaba lo más mínimo la biografía de la anciana, pero, claro, la gente mayor y solitaria disfrutaba cuando era el centro de atención, aunque fuera por poco tiempo.

–Frauke llegó algo después de que la señora Franzen se marchara. Subió directa a su apartamento. Yo quería darle el pésame porque la señora Franzen me había contado lo sucedido... Así que llamé a la puerta.

La vecina alargó el cuello con desconfianza para observar qué hacía Kröger en el interior del piso.

–¿Qué impresión le dio la señora Frauke Hirtreiter?

—¿Impresión?

—¿Parecía triste? ¿Conmocionada?

—No. —La mujer sacudió la cabeza—. Lo cierto es que no. A mí también me extrañó un poco, porque a su padre acababan de matarlo de un tiro, pero parecía más bien... acelerada. No me dijo mucho, y eso que habla por los codos... —Esas últimas palabras sonaron despectivas.

—¿Y qué le dijo?

Pia oía a Kröger haciendo ruido detrás de ella.

—Pues ya no me acuerdo bien. ¡Sí! Me pidió que le regara las plantas, porque era posible que tuviera que salir de viaje unos días.

Frauke Hirtreiter se había enterado de la muerte de su padre por la mañana a través del padre de Bodenstein, después había estado con sus hermanos en el Anatómico Forense de Frankfurt. ¿Podía saber ya a las seis de la tarde lo que encontraría en el armario de la habitación de invitados de la casa de su padre, y había empezado a planear su fuga?

—¿Pia? ¿Puedes venir? —llamó Kröger a media voz desde el apartamento.

—Pues muchísimas gracias, señora...

—Meyer zu Schwabedissen. Irene.

Una vaharada de olor a ajo hizo que Pia contuviera un momento la respiración. Con el estómago vacío, aquel olor resultaba casi insoportable.

—Ah, ya. —La inspectora le entregó una tarjeta de visita y forzó una sonrisa—. Si recuerda algo más, o si la señora Frauke Hirtreiter aparece o se pone en contacto con usted, llámeme, por favor.

La señora Meyer zu Comosellamara asintió con brío.

Pia entró en el piso. «Humilde» fue el adjetivo que le vino a la cabeza al ver aquella sala escasamente amueblada. La cocina de módulos estaba limpia, pero era antiquísima y estaba muy desportillada; en el salón había un sofá raído, un televisor viejo y diminuto con antena, y un desvencijado mueble de pared al que parecía que se le iban a caer las puertas con solo abrirlas. Paredes frías sin cuadros, ningún libro, ninguna figurita. Desangelado. Un par de plantas en el alféizar eran lo único que lo diferenciaba de la celda de una cárcel. Nadie vivía así por elección. A Frauke Hirtreiter le hacía mucha falta el dinero de WindPro.

—¿Christian? —preguntó Pia—. ¿Dónde estás?

—Aquí, en el dormitorio —oyó que decía su voz desde la habitación contigua.

La inspectora siguió andando. Suelo laminado claro sin alfombra. La cama, el armario y la estantería del dormitorio eran relativamente nuevos y parecían comprados en un almacén de construcción.

Kröger estaba de pie frente al armario abierto y fotografiaba algo del interior con la cámara de su móvil.

—Has tenido buen olfato —dijo volviendo la cabeza—, ven a ver esto. Ni siquiera se ha tomado la molestia de esconderla.

Pia miró más allá de él. Entre algunas perchas con ropa colgada había apoyada una escopeta.

Viernes, 15 de mayo de 2009

Dos cadáveres, una sospechosa de asesinato desaparecida y un centenar de preguntas sin responder. Todos los caminos llevaban a un callejón sin salida. No había ninguna novedad sobre Frauke Hirtreiter y su coche; era como si se la hubiera tragado la tierra. Durante el interrogatorio del día anterior, sus hermanos se habían enredado en mentiras y en algún momento habían confesado haber estado con su hermana en la granja el martes por la noche. A las nueve se encontraron allí, sobre las diez y media se marcharon sin que su padre hubiese aparecido. Los dos decían haber visto también el coche oscuro, un BMW o un Audi. Había llegado poco antes de las diez, se paró unos cinco minutos con el motor en marcha en la curva del camino y luego se fue. Eso podía ser cierto, pero también podía ser un intento de conducir las sospechas hacia un misterioso desconocido al que la Policía nunca encontraría, porque no existía.

A la pregunta de por qué se había cambiado de ropa antes de regresar a la fiesta de su suegro, Gregor Hirtreiter dio la hábil respuesta de que el perro de su padre le había saltado encima.

Matthias Hirtreiter justificó los tres cuartos de hora faltantes hasta su llegada a Le Journal con el rodeo que tuvo que realizar a causa del corte de la B-455. No tenían trazas de pólvora en las manos. No había sospechas de riesgo de huida o entorpecimiento de la acción policial que justificaran una orden de detención. Ninguna posibilidad de que les aceptaran la solicitud de rastreo de movimientos de sus móviles. Ni una maldita prueba. Nada.

Pia tuvo que dejarlos marchar con la sensación de que le habían mentido del derecho y del revés.

—De todas formas intentaré conseguir órdenes de registro domiciliario —dijo Ostermann con un deje casi rebelde al terminar su informe—. Aunque solo sea porque en un principio nos ocultaron la verdad.

Las novedades del laboratorio de criminalística daban pie a una ligera esperanza, si bien todavía faltaban los análisis de ADN del trozo de guante de látex, que tardaban más, como de costumbre. En la ropa de Ludwig Hirtreiter se habían encontrado fibras textiles diferentes a las del cadáver de Grossmann, pero, gracias a un programa informático especial, se pudo calcular con bastante exactitud la estatura del intruso de la empresa.

Pia escuchaba a sus compañeros con una oreja mientras garabateaba ensimismada en su libreta. La noche anterior no llegó a casa hasta las doce y media, después de cenar con Kröger unas enchiladas que picaban como el demonio en un mexicano y haberlas hecho pasar con caipiriñas. Había dado por hecho que encontraría a Christoph enfadado, pero no fue así, ya que ni siquiera estaba en casa. «Jirafa de parto, la cosa puede alargarse», le había escrito en una nota amable.

—Theodorakis mide más o menos un metro ochenta —estaba diciendo Cem.

—Tenía un motivo para entrar en la empresa, ya que necesitaba esos peritajes. —Pia bostezó y dibujó un cuervo en su libreta—. Tiene la llave y conoce bien el edificio.

—Ayer por la tarde hablé con él —intervino Oliver, que hasta entonces se había mantenido fuera de la discusión.

Pia aún no le había perdonado que la hubiera dejado tirada, pero no podía pasar de él sin más, porque al fin y al cabo era su jefe. Y fuera lo que fuese a lo que se había dedicado el día anterior, le había sentado bien; se le veía contento como nunca.

—Vaya, ¿dónde lo encontraste? —preguntó.

—Vino a casa, a la finca, para hablar con mi padre. Le pregunté cómo había conseguido los peritajes de WindPro.

—Ah, ¿sí? ¿Y qué cuento te soltó?

Pia accionó varias veces seguidas el resorte de su bolígrafo, hasta que Kai le lanzó una mirada de mosqueo.

—Afirma que se los dio un antiguo compañero del Ministerio de Medio Ambiente.

—¿Yannis Theodorakis trabajó en el Ministerio de Medio Ambiente? —preguntó Cem, sorprendido.

—Sí, en el Departamento de Energías Renovables y Protección Medioambiental. Conoció a Stefan Theissen a través de su trabajo, y este le hizo una oferta de empleo muy lucrativa. Para WindPro, Theodorakis y sus contactos valieron oro durante años; él, a su vez, sabe muchísimo sobre los negocios de la empresa.

—Entre otras cosas, cómo entrar en su edificio —señaló Pia, lacónica—. ¡Esos informes periciales jamás han estado en manos de nadie del ministerio!

—A mí me parece posible —la contradijo Oliver—. No olvides que estaban incluidos en la solicitud de permiso de construcción del parque eólico. Kai, aquí tienes el nombre y el número de teléfono del antiguo compañero de Theodorakis en el ministerio. Ponte en contacto con él, por favor, y pídele que venga.

Ostermann asintió.

—Estoy convencida de que el intruso era Theodorakis —insistió Pia—. Quiere jugarle una mala pasada a Theissen.

—Tiene coartada —le recordó Cem.

—Es poco clara. ¿Y si solo estuvo trabajando con su madre hasta las doce? Después habría tenido un montón de horas para realizar su pequeño allanamiento.

—¿Y casualmente llevaba un hámster muerto en el bolsillo?

¡El hámster! Pia miró a Cem a los ojos un par de segundos.

—Su novia tiene una tienda de animales —reflexionó en voz alta—. En las tiendas de animales se venden mascotas vivas. Tal vez deberíamos consultar los albaranes de venta. Cuántos hámsteres han comprado y cuántos hámsteres han vendido.

Durante un rato siguieron discutiendo algunos detalles y al final decidieron que Cem y Kathrin se acercaran a Ehlhalten con más agentes y preguntaran por ese desconocido a los vecinos de los alrededores del Krone. Mientras tanto, informarían de la búsqueda de Frauke Hirtreiter por prensa, radio y televisión.

Se sentía enfermo. Enfermo y miserable. El mundo entero era mentira. Todos se reían en su cara y pensaban lo contrario de lo que decían. Pero ¿por qué? ¿Por qué no podía nadie ser sincero y honesto? Mark estaba tumbado en su cama mirando el techo de la habitación. Le retumbaba la cabeza, la migraña había empeorado más aún durante la noche.

Fuera brillaba el sol, su luz se colaba por las ranuras de las persianas y proyectaba dibujos en el suelo. El chico oía las voces de sus padres en la terraza, bajo su ventana. Tintineos de porcelana; debían de estar desayunando. Su madre soltó una risita falsa. Siempre reía, aunque no hubiera absolutamente nada de qué reír, interpretaba el papel de la esposa feliz siempre que tenía espectadores. Cuando no se sentía observada, lloriqueaba. O se bebía vasos enteros de vodka a escondidas. Se mentía a sí misma. Igual que yo, pensó Mark, y se hizo un ovillo.

El perro del vecino ladraba.

—¡Calla de una vez! —le gritó su padre al animal.

También él era todo sonrisas, pero debajo de esa alegría forzada hervían una frustración y una ira que a veces se desataban en una explosión. Solo cuando nadie lo veía ni lo oía, desde luego. Una noche, hacía poco, sus padres habían vuelto a tener una bronca, y de las gordas. Al terminar, su madre se había encerrado a llorar en su taller, pero a la mañana siguiente volvía a estar radiante, como si no hubiese pasado nada. Besitos de despedida. ¡Hasta esta noche, cariño! Y un vaso de vodka en cuanto su «cariño» se había largado de una vez. Qué asco.

—¡Maaark! —tarareó su madre desde abajo—. ¡A levantarse!

No, ese día no pensaba levantarse ni aunque llamara Ricky. ¡Ricky! Las imágenes, sus palabras y gemidos regresaron en una oleada amarga como la hiel. Mark se tapó la cabeza con la almohada y se apretó las manos contra las orejas, como si así pudiera acallar esos jadeos lascivos.

¿Por qué no había vuelto directamente a casa la noche anterior? Ojalá no hubiera visto a Ricky así, tan extraña, tan fea, tan vulgar. Lo atormentaba. Le daba asco. Casi como aquella vez que Micha lo dejó tirado. Mark también había confiado en él... y de pronto desapareció sin más, de un día para el otro, y no hizo nada por impedir que se abalanzaran sobre él, aquellos buitres que lanzaban mierda sobre todo lo hermoso y lo convertían en algo repugnante. Él guardó silencio ante sus insistentes preguntas, resistió y conservó la esperanza. Micha regresaría. Lo explicaría todo y entonces las cosas volverían a ser como antes. Pero Micha nunca regresó y nada volvió a ser igual.

El móvil de Mark sonó con un tono de aviso. Lo alcanzó y abrió el mensaje de texto. «Hola Mark —escribía Ricky—. Siento no haber dicho nada ayer. No estaba bien, ¡dolor de espalda! Me acosté pronto. Vienes luego a los perros? Besos Ricky.»

¡Dolor de espalda! ¡Ja! Si no hubiera visto con sus propios ojos lo que había estado haciendo, enseguida la habría creído. El estómago se le encogió con dolor. ¿Cuántas veces le habría mentido? Pero ¿por qué lo hacía? ¡Si no había ningún motivo! De repente volvió a encontrarse mareado. Saltó de la cama, se tambaleó en dirección al cuarto de baño y vomitó hasta la primera papilla.

—¡Mark! —Su madre apareció en el marco de la puerta con preocupación en la voz—. ¿Qué ocurre? ¿Te encuentras mal?

—Sí. —Tiró de la cadena—. Seguramente he comido algo en mal estado. Hoy me quedo en la cama.

Pasó medio arrastrado junto a su madre, regresó a su cuarto y se desplomó sobre el edredón. Ella lo siguió e incluso le dijo algo, pero Mark se limitó a cerrar los ojos y esperar a que se marchara de una vez.

¡Mierda, también él acababa de mentir! No era ni pizca mejor que Ricky o que Yannis, esos embusteros.

Llegó un segundo mensaje de Ricky. «Mark! Responde, por favor!»

Ni pensarlo. La decepción era profunda, estaba rabioso. Ricky había destrozado la imagen que tenía de ella. Ricky no podía ser una persona como las demás, él quería admirarla e idolatrarla, igual que había admirado e idolatrado a Micha hasta que se dio cuenta de que solo había mentido y traicionado. El móvil volvió a sonar. Un tercer mensaje de Ricky. Esta vez sí respondió: «Estoy en clase. Ya te diré algo». Nada más. Era la primera vez que le mentía a ella.

Cem y Kathrin salieron, Ostermann recogió sus papeles y desapareció en su despacho. Oliver y Pia se quedaron sentados a la mesa. Un vago recuerdo zumbaba en el subconsciente de Bodenstein desde que había estado con su padre la noche anterior, como si tuviera una palabra en la punta de la lengua pero no hubiera manera de encontrarla. Lo estaba volviendo loco, porque no conseguía caer en qué era.

—Mi padre, por cierto, ha empezado a recordar cómo era el hombre que habló con Ludwig Hirtreiter —dijo al cabo de un rato, rompiendo el silencio—. Por desgracia no eran ni Theissen ni Rademacher, pero sí un hombre que llamaba la atención. Al menos tan alto como Ludwig, o sea que mediría su buen metro noventa.

—¿De verdad piensas en un asesino profesional?

Pia seguía dibujando en su libreta sin levantar la mirada. El inspector jefe podía entender su enfado. No había sido justo por su parte no contestarle al teléfono.

—No. Un profesional raramente se habría arriesgado a abordar a Ludwig en un aparcamiento y en presencia de testigos. —Oliver, pensativo, apoyó la barbilla sobre el puño—. Pero no es suficiente para una orden de búsqueda.

—Esperemos a ver qué descubren Cem y Kathrin —propuso Pia a la vez que sus dedos hacían malabares con el bolígrafo.

El anillo que llevaba, y en el que Oliver se había fijado hacía unos días, destelló bajo la luz de la lámpara del techo. Un destello similar hizo aparecer un recuerdo en la cabeza del inspector jefe, pero entonces le sonó el móvil y el recuerdo volvió a hundirse en las profundidades de su cerebro. ¡Mierda!

—Bodenstein —contestó de mal humor.

—El mismo. ¿Dónde estás? —La voz de su padre sonaba extraña.

—En el trabajo. ¿Por qué? —preguntó, alarmado—. ¿Ha ocurrido algo?

—Ya lo creo. ¿Puedes venir a Königstein? Estoy en el café Kreiner.

—Enseguida nos reunimos contigo.

Oliver se levantó y estaba a punto de colgar cuando su padre añadió:

—Ven solo, por favor. Es una..., bueno..., una situación algo delicada.

—Está bien. Ahora voy. —Y colgó.

—¿Ha sucedido algo? —preguntó Pia.

—Eso me ha parecido. —Oliver asintió—. Tengo que ir a Königstein. Solo, por desgracia.

—Desde luego. —Pia se reclinó en el respaldo, cruzó los brazos a la altura del pecho y se quedó mirándolo con una expresión impenetrable.

Su jefe la conocía lo bastante como para saber que la estaba hiriendo con su conducta, pero no podía explicarle lo que le sucedía desde la noche del miércoles. Al fin y al cabo, ni él mismo estaba seguro de qué era. Sentía algo completamente distinto a cuando tuvo la aventura con Heidi, unos meses antes, que había sido poco más que un pequeño consuelo. Nika, por el contrario, le había tocado una fibra que hasta entonces ni siquiera había sospechado que tuviera. Cuando pensaba en ella —algo que hacía casi de continuo—, notaba un hormigueo en el estómago. Nunca le había sucedido nada parecido, estaba desconcertado y se sentía inseguro porque se veía del todo impotente frente a ese sentimiento.

Pia lo miraba desde abajo con la cabeza inclinada, esperando una explicación que él, lamentándolo mucho, no era capaz de darle. Tras unos segundos de silencio, también ella se levantó.

—Pues nos vemos más tarde —dijo con frialdad—. Ah, y si tus recados por casualidad te llevan hasta la tienda de animales de Friederike Franzen, podrías preguntarle por los hámsteres.

Se echó la mochila al hombro y abandonó la sala de reuniones sin volver a mirarlo.

Achim Waldhausen, secretario del Ministerio de Medio Ambiente de Hessen, no tenía tiempo de acercarse a Hofheim, así que fue Pia quien condujo hasta Wiesbaden.

No se explicaba el comportamiento de su jefe. ¿De verdad se había quedado embobado con aquel ratoncillo gris y mentiroso de la tienda de animales? Le costaba hacerse a la idea, porque esa mujer no encajaba en el patrón de sus conquistas habituales. Aunque tal vez fuera una reacción causada por la conmoción de la noche del miércoles. Un trastorno de estrés postraumático podía provocar cualquier cosa. Pia intentaba convencerse de que le daba igual lo que hiciera su jefe con su vida privada, pero tenía que reconocer que le sacaba de quicio cómo se estaba comportando con ella. Subió el volumen de la radio del coche, se encendió un cigarrillo y bajó un poco la ventanilla. No tenía sentido romperse la cabeza pensando en Bodenstein, así que se obligó a preparar mentalmente la conversación que tenía por delante. Con algo de suerte conseguiría alguna pista para corroborar sus sospechas sobre ese presuntuoso de Yannis Theodorakis.

Achim Waldhausen esperaba a la inspectora en su despacho y no necesitó ningún estímulo para soltar la lengua. Explicó que Theodorakis había sido compañero suyo, incluso algo parecido a un amigo, pero que de pronto le había mostrado su verdadero rostro. En la época en que dejó el ministerio por la empresa privada, explotó a fondo y con frialdad todos sus contactos e intentó sobornar a antiguos compañeros a cambio de ventajas para sus jefes.

—En realidad —dijo Pia interrumpiendo la perorata del secretario de Medio Ambiente— no me interesa saber quién se dejó sobornar. Estamos investigando dos muertes. Yo solo quería saber si le entregó usted a Yannis Theodorakis dos informes periciales que WindPro presentó para conseguir el permiso de construcción del parque eólico de Ehlhalten.

—De ninguna manera —repuso Waldhausen, consternado.

—Anteanoche mencionó su nombre en la asamblea vecinal —dijo la inspectora—. Afirmó que usted era el contacto de Stefan Theissen en el Ministerio de Medio Ambiente y que le dio el visto bueno al permiso en contra de su propia opinión.

—Eso es típico de ese hombre. —El secretario sonrió con rabia—. Mi departamento, tras un extenso examen de todos los peritajes y los estudios de impacto ambiental, autorizó en su momento la construcción del parque eólico siguiendo un procedimiento del todo normal. No había ningún motivo para rechazar la solicitud.

—¿Y los argumentos de la iniciativa ciudadana? —se interesó Pia.

Achim Waldhausen puso los ojos en blanco.

—Verá —dijo entonces—, todo el mundo prefiere la energía renovable, todo el mundo está en contra de la energía nuclear. Sin embargo, nadie quiere un parque eólico o una planta de biogás delante de la puerta de casa, muchas gracias. Esas iniciativas ciudadanas con sus políticas de bloqueo les cuestan millones de euros no solo a los inversores, sino sobre todo a los contribuyentes, porque alargan innecesariamente los procedimientos de autorización. Y, en la mayoría de los casos, detrás de ellas se esconden motivaciones egoístas.

—¿También en el caso del parque eólico de Ehlhalten?

—Uy, sí. —Waldhausen cruzó las piernas—. A Theodorakis no le interesa para nada el parque eólico. Quiere jugarle una mala pasada a su antiguo jefe, y para eso se servirá de cualquier medio.

—Mmm. ¿Conoce al señor Stefan Theissen en persona?

—Sí, desde luego. No es la primera central eólica que proyecta y construye su empresa en Hessen.

—¿Qué sucedería si se demuestra que los peritajes eólicos que se presentaron para el permiso del parque sí fueron falsificados?

El secretario de Medio Ambiente dudó.

—¿Para qué se iban a falsificar esos peritajes? —preguntó a su vez—. Un parque eólico que no funciona es un despilfarro millonario.

—¿Para quién?

—Para el explotador.

—¿Y quién será el explotador en el caso del parque eólico de Ehlhalten?

—Eso no lo sé muy bien. No estoy familiarizado con los detalles del proyecto. De ello se ocupan los especialistas de las distintas secciones de este organismo. De todas formas, no acabo de entender adónde quiere llegar con su pregunta.

—Y yo no acabo de entender cómo pudo conseguir WindPro un permiso de construcción para un proyecto que ni siquiera tiene claro el camino de acceso. A día de hoy todavía no se han determinado con exactitud los límites del terreno en el que se levantarán los molinos.

—¿Qué quiere decir con eso?

—Que, aquí, en el ministerio, alguien no prestó la atención necesaria cuando concedió el permiso. Y eso me extraña, porque conozco la meticulosidad con que se tramitan normalmente esos procedimientos de autorización. Se trata de un fallo grave. Con permiso o sin permiso, ese parque eólico no se puede construir.

—Se consensuaron diversas variantes del proyecto. —De repente Achim Waldhausen sí recordaba los detalles, por lo visto—. Para la variante A, WindPro había cerrado ya contratos preliminares con los propietarios de los terrenos. La variante B era algo más cara, pero no requería de ninguna inversión añadida, puesto que los terrenos afectados por el camino de acceso pertenecían al land y al municipio. Aun así, había varios obstáculos en cuanto a la protección natural que, en última instancia, no pudieron salvarse. Por eso solo pudimos considerar la variante A.

Pia pensó en los hámsteres.

—Y, entonces, ¿cómo es que de pronto se levantaron las protecciones paisajísticas y naturales, respectivamente, de los terrenos de esa zona en cuestión? —quiso saber.

—Los procedimientos exactos escapan a mi conocimiento —repuso el secretario de Medio Ambiente con rotundidad—. Las condiciones se cumplían. No teníamos ningún motivo para rechazar la solicitud para la construcción.

Todo aquello sonaba a un caso grave de nepotismo en el que tal vez no solo estaba implicado el Ministerio de Medio Ambiente, sino también el Ayuntamiento de Eppstein y quizá incluso el distrito y el land. Sin duda, Stefan Theissen había untado a los cargos adecuados, y Theodorakis lo sabía. De repente Pia comprendió que ese hombre, con sus confrontaciones abiertas, caminaba sobre hielo muy fino. Un antiguo colaborador que se iba de la lengua. La inspectora recordó la desmesurada agresión de Theissen hacia Theodorakis el miércoles por la noche. Era evidente que WindPro tenía muchísimo que perder si la construcción del parque eólico fracasaba, y Stefan Theissen no era un hombre que pensara permitir que eso ocurriera sin luchar. Pia dudaba que hubiera participado directamente en el asesinato de Ludwig Hirtreiter, pero estaba claro que no le venía nada mal. Theodorakis estaba en peligro y era demasiado arrogante para darse cuenta.

La inspectora le dio las gracias a Achim Waldhausen por haberla atendido y salió del despacho. De camino a la salida comprobó su móvil, que había puesto en vibración. Dos llamadas perdidas. Le devolvió a Kai la suya; su compañero había conseguido órdenes de registro para las casas, los apartamentos y los despachos de los hermanos Hirtreiter. A la una tenían reunión de planificación, después se pondrían en marcha.

—¿Y qué? —preguntó Kai—. ¿Qué te ha contado ese tipo?

—Dice que no le entregó nada a Yannis Theodorakis. La antipatía por su antiguo compañero es bastante evidente.

Pia fue hacia su vehículo, que había dejado unos doscientos metros más allá, delante de un concesionario de coches, para ahorrarse el poco práctico trayecto desde la planta del aparcamiento del ministerio. Una comodidad que le había costado una multa.

–Stefan Theissen consiguió ese permiso de construcción mediante sobornos, me juego lo que sea. –Arrancó el papelito azul del limpiaparabrisas y se lo metió en el bolsillo del pantalón–. Tengo el mal presentimiento de que acabo de sacudir un nido de avispas.

–Pero esas avispas no van tras de ti –repuso Kai.

–No –Pia se sentó al volante–, pero sí tras mi sospechoso preferido.

Oliver von Bodenstein dejó su coche en el aparcamiento, fingió no ver el parquímetro y torció hacia la zona peatonal. El café Kreiner se encontraba más o menos enfrente del Tchibo, donde el día anterior había tomado algo con Nika. Su padre estaba sentado a una de las mesas que había bajo el toldo bajado. Estaba pálido y demacrado, y delante tenía un trozo de tarta de fresas intacto.

–Bueno, ¿qué ha pasado? –preguntó Oliver, preocupado–. Parece que hayas visto un fantasma.

Se sentó y pidió un café. Sin leche ni azúcar.

–Es que... estoy todavía bastante afectado –contestó su padre mientras levantaba la taza de café; pero la mano le temblaba tanto que tuvo que dejarla de nuevo.

Pues ya tenemos algo en común, pensó Oliver. Desde la noche anterior había perdido el apetito, ni siquiera le tentaba la tarta de fresas que su padre había despreciado. El camarero le sirvió su café solo.

–Bueno –dijo–, pues cuéntame.

Heinrich von Bodenstein respiró hondo.

–Acabo de salir del notario –empezó a decir por fin–. Esta mañana me ha llamado y me ha pedido que fuera a verlo.

–Ah, o sea que sí era el testamento de Ludwig lo que había en el sobre.

–Sí. En realidad no se ha producido todavía la apertura oficial, pero el notario ha leído el testamento a petición de Gregor y Matthias.

Oliver miró a su padre con curiosidad.

–¿Y? ¿Te ha dejado algo?

–Sí –contestó el conde Von Bodenstein con voz sepulcral–. Sus terrenos. Todos ellos.

–Pero ¿también...? –empezó a preguntar Oliver sin poder creerlo.

–Por desgracia sí –confirmó su padre con tristeza–. También ese prado maldito.

–¡Dios santo! –exclamó Oliver al comprender lo que significaba eso.

¡Su padre sería el dueño del prado por el que WindPro estaba dispuesto a pagar tres millones de euros!

–Es increíble –dijo–. ¿Se lo has dicho ya a mamá?

–No. Acabo de enterarme hace solo una hora.

–Y ¿cómo han reaccionado los hijos de Hirtreiter? ¿Estaba Frauke también presente?

–No. Eso me ha extrañado. Ludwig le ha legado a ella la granja. Gregor y Matthias estaban fuera de sí, por supuesto, porque solo les ha tocado algo de dinero y la casa familiar de Elfi. Querían impugnar el testamento, pero el notario ha dicho que no tienen muchas probabilidades de sacar nada.

El conde no hacía más que moverse nervioso en su silla.

–Tendrías que haber visto a esos dos. –Soltó un hondo suspiro–. El odio con que me han mirado... Como si yo pudiera hacer algo.

–No pienses en eso –repuso Oliver–. ¿Le venderás el prado a WindPro?

–¿Estás loco? –Su padre lo miró estupefacto–. ¡Ludwig quería impedir la construcción del parque eólico! Me ha dejado a mí ese prado porque sabía que yo jamás haría algo que él mismo no quisiera hacer. En todo caso, lo que estoy pensando es si debo aceptar la herencia.

—Por supuesto que sí —dijo Oliver en un susurro, para que no le oyera el matrimonio que estaba sentado en la mesa de al lado—. Ludwig quería que tuvieras ese prado, pero él no puede decidir qué harás con él. A menos que esté especificado en el testamento.

¡Tres millones de euros! ¿Cómo podía dudarlo su padre ni un segundo?

—¡Oliver! ¿Es que no lo entiendes?

El conde miró nervioso a su alrededor y luego se inclinó hacia delante. Oliver vio en sus ojos una expresión que jamás le había conocido: miedo puro.

—¡Ludwig modificó el testamento hace solo seis semanas, como si sospechara algo! Puede que lo mataran por ese prado... ¡y ahora es mío! ¿Y si yo soy el siguiente?

—¿Cómo han permitido esos idiotas que se abra el testamento? —Stefan Theissen tenía que esforzarse para no gritar de lo furioso que estaba—. ¡Habíamos acordado explícitamente que esperaríamos!

—La codicia no tiene límites. —Enno Rademacher se encogió de hombros.

Costaba creerlo. Apenas la noche anterior, los hermanos Hirtreiter se presentaron allí y firmaron los precontratos para la venta del prado. Incluso habían compartido unas copas de champán después. Y de pronto resultaba que su padre no había dejado en herencia ese maldito terreno a sus hijos, sino a un amigo que también era un acérrimo detractor del parque eólico.

—¿Y una medida cautelar? —Theissen se apartó de la ventana.

Sus pensamientos giraban en círculo. En realidad no tenía ni un minuto para ocuparse de ese asunto, debía marcharse de inmediato. Dirk Eisenhut, el director del Instituto Climatológico de Alemania, habría llegado ya, quería comer con él y aprovechar para hablar del desagradable tema de los peritajes.

—Es muy difícil. —Rademacher estaba sentado a su escritorio con una expresión tirante y negaba con la cabeza. En el cenicero se consumía un cigarrillo–. ¿Contra quién vamos a presentarla? El propietario ha muerto, el heredero todavía no está inscrito en el registro de la propiedad, por lo que todavía no hay propietario. Puede alargarse mucho.

Un testamento tardaba un tiempo en ejecutarse y, si los Hirtreiter además lo impugnaban, pasarían meses, si no años, antes de que la propiedad estuviera clara.

–¡Joder, joder, joder! –maldijo Theissen, y se pasó una mano por el pelo–. Intenta acordar con él un precontrato. Ofrécele a ese tipo dinero, presiónalo, ¡yo qué sé! Todo el mundo tiene un precio. No podemos permitirnos ningún retraso. Si no hemos empezado antes del 1 de junio, el permiso de construcción habrá expirado.

–Eso ya lo sé –repuso Rademacher, y tosió–, pero también hay otro problema.

–¡Cómo odio esa palabra!

–Ludwig Hirtreiter le ha dejado sus terrenos al conde Heinrich von Bodenstein, y resulta que su hijo es el tipo de la Policía judicial que investiga lo de Grossmann.

–Encima eso. –Stefan Theissen inspiró hondo y reflexionó.

Habían invertido demasiado para dejar morir el proyecto sin más. Si el parque eólico no se construía, WindPro estaba acabado y ese incordiante de Theodorakis, que les había armado todo aquel alboroto, saldría triunfante. Eso no podía permitirlo de ninguna manera. De pronto se le ocurrió una idea. Se volvió hacia Rademacher.

–Lo que ya funcionó una vez podría volver a funcionar –dijo–. Primero lo hablaremos con el viejo y, si este se opone, con el hijo. Los policías son funcionarios, y los funcionarios suelen ser de la opinión de que ganan muy poco dinero.

–¿Quieres sobornar a un policía? –A Rademacher le sobrevino un nuevo ataque de tos y apagó el cigarrillo.

–¿Por qué no? –Theissen arrugó la frente–. Dos terceras partes de nuestros amigos son funcionarios, y ni a uno solo de ellos tardamos en convencerlo.

Rademacher le lanzó una mirada de duda.

—Ya se te ocurrirá algo —dijo Theissen—. Primero ve hasta allí y hazle una oferta al viejo. Una que no pueda rechazar.

Sonrió al darse cuenta de a quién acababa de citar y consultó su reloj. Ya iba siendo hora de salir si no quería cabrear a Dirk Eisenhut más aún.

Como su padre, con la impresión, ya se había tomado dos licores de pera en el notario y luego un coñac doble en el café Kreiner, fue Oliver quien condujo el desvencijado todoterreno verde. En la salida a la carretera los adelantó un Porsche con un motor ruidoso que se alejó como una flecha negra. Oliver se sorprendió pensando que con tres millones en su haber podría permitirse un deportivo como aquel.

Y de repente cayó en la cuenta de que tenía un montón de sueños y que ese dinero no le iría nada mal para hacerlos realidad. Un coche nuevo, por ejemplo. Después de haber dejado su BMW para chatarra el noviembre anterior, utilizaba un coche de servicio de la Policía. No era algo permanente, como tampoco lo era vivir en la cochera de la granja familiar, aunque ya llevaba cinco meses allí. Sin embargo, un apartamento bonito costaba... dinero. Un dinero que él no tenía y que nunca podría conseguir. A menos que fuera capaz de convencer a su padre de que dejara a un lado todas las consideraciones morales y aceptara la oferta de WindPro. Aquello no era nada ultrajante, a fin de cuentas, sino un simple negocio. Oferta y demanda. Un golpe de suerte como no volverían a tener otro.

¡Tres millones! Un coche nuevo, una vivienda en propiedad con una cocina elegante. Un crucero por el Báltico en un gran velero con destino a San Petersburgo. Una casa de vacaciones... Ahí se le iría acabando el presupuesto, porque, claro, desafortunadamente habría de compartirlo con Theresa y Quentin. Aunque ¿por qué? Theresa, siendo realistas, no necesitaba dinero, ella ya tenía suficiente. Y Quentin se había hecho cargo de la finca y del castillo; Theresa y él mismo habían renunciado a su herencia en su favor. Si su hermano pequeño tuviera unas ideas y un estilo algo más comerciales, ambas cosas podrían ser una verdadera mina de oro.

Cuando giró por la calle que llevaba a la finca, constató con sobresalto que ya estaba pensando en cómo arrebatarles a sus hermanos su parte de la herencia. Educado desde pequeño en el ahorro, él siempre se había tenido por una persona para quien el lujo no significaba demasiado. Su suegra era una mujer adinerada y, gracias a su discreto apoyo, Cosima y él habían podido vivir sin ninguna preocupación, pero el inspector jefe nunca habría permitido que Gabriela le financiara un deportivo o unas vacaciones.

Miró de reojo a su padre, que estaba sentado en el asiento del acompañante, mudo y visiblemente rendido. Sus hermanos y él no tendrían acceso a ese dinero hasta que sus padres murieran. Al instante se avergonzó de esos pensamientos egoístas y codiciosos. ¡Cómo se le había ocurrido imaginar algo así! Poco antes de llegar al aparcamiento de la finca Bodenstein, su padre rompió el silencio.

—El martes por la noche, después de la pelea con Yannis, Ludwig me explicó que Stefan Theissen y su compañero Rademacher habían ido a verlo esa mañana a la granja —dijo, y carraspeó—. Llevaban consigo un borrador del contrato y un cheque, y le presionaron para que firmara.

—¿Un cheque?

Oliver no le recriminó a su padre que hubiera olvidado contárselo antes. Era comprensible, después de todo lo que había vivido.

—Sí, imagínate: un cheque de tres millones de euros.

—¿Y qué hizo Ludwig?

—Rompió el cheque y azuzó a *Tell* para que los echara. —Una breve sonrisa se estremeció en el rostro demacrado del conde, pero se extinguió al momento—. Theissen consiguió llegar a su coche. Rademacher también, solo que con los pantalones desgarrados.

267

Stefan Theissen estaba fuera, pero el director de ventas de WindPro, Enno Rademacher, lo atendió. No negó que le habían hecho una visita a Ludwig Hirtreiter el martes por la mañana.

—Esperábamos poder hablar con él de una forma sensata —le contó a Oliver—. A fin de cuentas, dos años antes, cuando se realizaron las primeras planificaciones para el parque eólico, se había mostrado dispuesto a vender el prado o arrendarlo a largo plazo. De repente le entraron remordimientos de conciencia por motivos incomprensibles y ya no quiso saber nada más.

El director de ventas de WindPro se sentó tras su escritorio. Su despacho era más pequeño y más oscuro que el de Theissen. Las estanterías repletas, que llegaban hasta el techo, hacían que la sala pareciera una cueva.

—¿Le molesta si fumo?

—No. —Oliver negó con la cabeza—. ¿Qué sucedió después?

—Intentamos dejarle claro que esa carretera no le acarrearía prácticamente ningún perjuicio. —Rademacher dio una calada al cigarrillo como si quisiera fumárselo hasta el filtro de una tacada, después lo dejó en el cenicero—. No será una autopista, sino un estrecho camino de asfalto que solo se utilizará con frecuencia durante la fase de construcción. Después, algún técnico pasará por allí de vez en cuando, pero por lo demás no habrá tráfico ni ninguna molestia. Los molinos de viento estarán tan alejados, en la cresta de las montañas, que Ludwig Hirtreiter apenas los vería desde su granja. Pero seguía obstinado.

—Estaban dispuestos a pagarle tres millones de euros —dijo Oliver—. ¿No habría sido más fácil y más barato llegar al terreno por otro camino? ¿Y los otros prados que hay alrededor?

—Créame, hemos comprobado todas las posibilidades. No estamos encantados con la idea de pagarle tanto dinero a alguien, pero todos los terrenos que ofrecen posibilidades son de Hirtreiter. En todas las demás variantes, las organizaciones ecologistas y las autoridades de protección de la naturaleza se oponen. Tendríamos que atravesar por mitad del bosque. Una considerable inversión suplementaria.

—La muerte de Ludwig Hirtreiter les resulta muy oportuna, entonces.

—¿Qué quiere decir con eso? —Rademacher lo miró entornando los ojos.

—Con sus hijos seguramente tendrán menos problemas —contestó el inspector jefe.

—Es cierto, sí. Esos caballeros habrían accedido a la venta de inmediato.

—¿Habrían? —preguntó Oliver.

Enno Rademacher le dio otra calada a su cigarrillo, después lo apagó en el cenicero y se puso de pie.

—Señor Von Bodenstein —dijo, y metió las manos en los bolsillos del pantalón—, basta ya de jueguecitos. Estamos al tanto del cambio en las condiciones de la herencia, y supongo que usted también.

El inspector jefe no dejó que notara su sorpresa. La cita con el notario se había producido tan solo dos horas antes.

—Sí, así es —confirmó tras una breve vacilación.

—Tanto mejor. —Rademacher rodeó el escritorio y se apoyó en el borde—. Entonces no me andaré con muchos rodeos. Se nos echa el tiempo encima. Por desgracia, pueden pasar meses hasta que su padre figure en el registro de la propiedad como nuevo propietario, de ahí que pensemos presentarle hoy mismo un precontrato y hacerle una oferta de compra en condiciones similares a las del señor Hirtreiter.

—No harán eso —replicó Oliver con aspereza.

—¿Es que acaso quiere prohibírnoslo? ¿Por qué? —Toda amabilidad desapareció del rostro de Rademacher, sus ojos adoptaron una expresión desagradablemente calculadora—. Su padre es...

—Mi padre es un hombre mayor que está muy afligido por la muerte de un amigo —lo interrumpió el inspector jefe—. Como imaginará, esta herencia inesperada ha representado una enorme carga moral para él.

—Sí, puedo imaginarlo, y tiene mi más sentido pésame —dijo Rademacher aparentando comprensión—, pero es que para nosotros el proyecto del parque eólico tiene prioridad absoluta. Estamos hablando de mucho dinero y muchos puestos de trabajo. —Fingió reflexionar un momento y luego miró a Oliver a la cara—. Pero ¿sabe una cosa? —dijo entonces, como si acabara de ocurrírsele una idea en ese mismo instante—. Tal vez podría influir usted en su señor padre. Decirle que no haga nada que perjudique a sus hijos.

En la cabeza de Oliver se dispararon todas las alarmas. Aquel hombre, con ese traje marrón tan poco favorecedor y esa corbata de mal gusto, parecía tan inofensivo como un vendedor de aspiradoras. Sin embargo, tras ese exterior amable acechaba algo peligroso.

—Cuidado —advirtió antes de que Rademacher siguiera hablando—. Piense usted muy bien lo que va a decir.

—Oh, ya lo hecho. La verdad es que hoy he estado francamente trabajador. —Rademacher sonrió, relajado. Se cruzó de brazos y ladeó la cabeza—. La finca cuya dirección asumió su hermano en sustitución de su padre se encuentra muy endeudada desde la construcción del picadero, y la explotación agrícola no es rentable. En principio, toda la propiedad se financia solo gracias al restaurante del castillo, que funciona de maravilla.

Oliver miró fijamente al hombre, cada vez con mayor malestar. ¿Adónde quería llegar?

—Ahora imagine usted por un momento —prosiguió Rademacher con su tono distendido— que de pronto el restaurante ya no fuera tan bien. Un pequeño escándalo en cuanto a la materia prima, sobre el que la prensa sin duda se lanzaría entusiasmada, o la renuncia del chef. Se tarda mucho menos en destruir una buena reputación que en forjarla. ¿Cree que podría salvar usted el negocio con su sueldo de funcionario?

Oliver se quedó tan descolocado que no dijo nada durante unos instantes. Sentía cómo la sangre le afluía a la cara.

—Eso es chantaje —murmuró con voz ronca.

—Ah, no, querido señor Von Bodenstein, yo no lo llamaría así. —Enno Rademacher volvió a sonreír, con una breve sonrisa—. Es una visión de futuro desagradable, lo reconozco, pero no del todo inconcebible. Con tres millones, por el contrario, su familia se libraría de todas las preocupaciones. Igual que nosotros. Un acuerdo bueno para ambas partes. Piénseselo un poco con tranquilidad y ya me llamará luego.

A media tarde, cuando Mark se levantó y salió de casa, toda su familia había desaparecido. Dos pastillas habían reducido su dolor de cabeza hasta un nivel soportable, volvía a poder abrir los ojos sin sentir mareo.

Aunque se había hecho el firme propósito de no ir a ver a Ricky, el ansia de estar con ella pudo más. Diez minutos después dejó su moto junto al recinto de los perros, al lado del establo. Por allí se veía mucho movimiento y había numerosos coches aparcados a izquierda y derecha del camino asfaltado que pasaba por debajo de la casa de Ricky. El curso para cachorros ya había empezado. El corazón se le aceleró al verla. Ella, sonriendo, le guiñó un ojo igual que siempre.

Mark se apoyó en la valla y la observó mientras hablaba con los propietarios de los cachorros y les explicaba con paciencia cómo atraer la atención de sus mascotas. Se sintió aliviado y al mismo tiempo decepcionado al verla tan recuperada. No sabía por qué, pero había supuesto que la noche anterior le habría dejado alguna huella, un estigma visible, como ojeras, arañazos o moratones. En cambio, nada. Cuando su mirada recayó en la boca de Ricky, se estremeció.

Había vuelto a ponerse ese corpiño provocativo que le estaba tan estrecho y cuyo amplio escote dejaba ver mucho más que el principio de sus pechos bronceados. Un hombre mayor con un cachorro de bóxer flirteaba con ella sin ningún disimulo. Ricky sonreía divertida por sus cumplidos y ladeaba la cabeza con coquetería. Mark se puso celoso al instante. ¿Es que no sospechaba lo que estaba pensando ese viejo verde? ¡No hacía más que comerse con los ojos sus pechos y su trasero! ¡Si Ricky fuera su novia, le prohibiría terminantemente llevar esos tops! Mark se aferró al poste de la valla. Cuando vio que el vejestorio, encima, le ponía una mano en el hombro, casi no pudo soportarlo. ¿Qué se creía ese capullo? De repente alguien le dio una palmada en la espalda y él se volvió, sobresaltado.

—Eh, colega. —Allí delante estaba Linus, el líder de la pandilla más guay del instituto, que nunca hablaba con él—. ¿Cómo tú por aquí?

—Es que todavía tengo que hacer servicios comunitarios —mintió Mark sin pensarlo, y enseguida se enfadó consigo mismo.

—¿De verdad, todavía? Menudo coñazo. —Linus se apoyó en la valla a su lado—. Yo he venido con mi abuelo. Se ocupa del nuevo chucho de mi madre, porque a ella no se le dan nada bien los animales. —Linus hizo un gesto con la cabeza en dirección al viejo del bóxer y soltó una risita—. Pero yo creo que él más bien viene por esa tía buena —confesó bajando la voz—. Está colado por ella.

Mark tenía a ratos calor y a ratos frío.

—¿A quién te refieres? —Se sentía imbécil—. ¿A Ricky?

—Claro. Está buenísima, ¿no crees? Un poco arrugada, vale, pero tampoco es que mi abuelo sea un tío cachas.

Mark nunca había podido soportar a Linus y en ese momento empezó a odiarlo. Sintió cómo se le retorcía el estómago de rabia. ¿Cómo se atrevía a hablar tan despectivamente de Ricky? Le hubiese gustado soltarle un guantazo en toda la cara, primero a él y luego al salido de su abuelo.

—No veas la suerte que tienes de poder trabajar aquí, colega. Esto son como unas vacaciones —siguió diciendo Linus sin malicia—. A mí una vez me metieron en la cocina de la guardería y fue una mierda, tío. ¡Para vomitar! Oye, a ti también te pone la vieja, ¿a que sí?

—¡Qué va! —Mark apartó enseguida la mirada de Ricky—. No digas chorradas. Si es un vejestorio. De verdad que no me gusta.

Enseguida se avergonzó. Menudo gallina estaba hecho.

El curso terminó por fin y los dueños de los perros dejaron corretear un poco más a sus mascotas. El abuelo de Linus le estaba soltando un rollo a Ricky, y ella parecía encontrar de lo más interesante cada una de sus palabras. Se reía y meneaba las caderas. Mark estaba a punto de estallar de celos y de asco hacia sí mismo. «¡Sí, Ricky es genial! Para mí es la tía más enrollada del mundo. Me mola mogollón», tendría que haberle dicho a Linus. Pero en lugar de eso se había quedado callado porque tenía miedo de que Linus se burlara de él.

—¡Vamos, abuelo! ¡Que tengo que ir a entrenar! —gritó el chico al final, y luego le dio un golpe a Mark en el hombro—. Nos vemos, colega. ¡Adiós!

—Sí, adiós —dijo Mark.

Ojalá no volvamos a vernos nuca, imbécil de mierda, pensó. Después echó a andar en la dirección contraria.

—¡Mark! —exclamó Ricky justo en ese momento—. ¡Mark, espera!

Linus estaba todavía allí cerca y se lo quedó mirando, así que Mark dio media vuelta con una indiferencia exagerada.

—¿Qué pasa? —preguntó.

Ricky se acercó a la valla.

—Tengo que ir un momento al refugio de animales. Imagínate, la propietaria de nuestro viejo jack russell ha dado señales de vida. Estaba en el hospital, y preocupadísima porque su perro había desaparecido. Seguramente se escapó de la guardería canina a la que lo había llevado. —Sus ojos azules relucían.

—Eso es genial. ¿Quieres que vaya contigo y te ayude a darles de comer? —ofreció Mark.

—No, no, puedo yo sola. Pero hoy mis perros se han movido muy poco. ¿Te importaría dar una vuelta con ellos y llevarlos luego a casa?

Se sintió algo decepcionado, pero asintió.

—No, claro que no.

—Eres un cielo. —Ricky le puso un momento la mano en el brazo—. ¡Hasta luego!

Hacía mucho bochorno. Después de la lluvia de los últimos días, la temperatura había subido y de pronto el cielo amenazaba con tormenta. Los dos batientes de la ventana de la cocina que daba a la terraza estaban abiertos, pero no corría ni una pizca de aire. Nika estaba ensimismada frente a los fogones, dando vueltas a las piezas de ternera que iban tomando color en la cazuela a fuego vivo. La campana extractora estaba a máxima potencia y por eso no oyó cómo se cerraba la puerta de entrada, así que se sobresaltó cuando Yannis la abrazó de pronto desde atrás.

—¡Para! —murmuró, y se volvió entre sus brazos—. ¿Te has vuelto loco?

—Aquí no hay nadie más —contestó él.

Intentó besarla, pero Nika lo rehuyó.

—Ahora no —dijo, buscando pretextos—. Se me quemará la carne.

—Mmm, huele muy bien. ¿Qué vas a hacer?

Yannis miró con curiosidad el interior de la cazuela.

—Osobuco. —Nika se apartó un mechón de pelo de la cara.

Él sacó una botella de agua de la nevera y desenroscó el tapón. El gas se escapó con un siseo.

—Por cierto, ayer te vi hablando en el aparcamiento del Rewe con ese tipo de la Judicial —comentó como de pasada—. ¿Qué quería de ti?

Nika se asustó, no había contado con eso. Pensó desesperadamente qué debía responder. Cuando Oliver von Bodenstein y ella salieron juntos del supermercado, se sentaron en el coche a hablar un rato y, cuando por fin paró de llover, dieron un paseo. Pero no podía contarle eso a Yannis.

—Me lo encontré por casualidad haciendo la compra. Quería saber cuándo vi a Frauke por última vez —contestó, fiel a la verdad. Al fin y al cabo, para eso había ido Oliver von Bodenstein a la tienda.

—Ah, y ¿por qué?

—Por lo visto ha desaparecido. —Nika se encogió de hombros y se volvió—. Hoy tampoco la he visto en todo el día.

—Frauke odiaba a muerte a su viejo. A saber si no se lo habrá cargado ella.

Yannis empezó la botella dándole un par de tragos. Tenía la asquerosa costumbre de beber a morro.

—Sí, sí —dijo sin pensar—, todo el mundo tiene sus secretos.

Sobre todo tú, pensó Nika al recordar la sangre que vio en su ropa. Después de la pelea con Ludwig se metió directamente en el coche y no volvió a casa hasta entrada ya la madrugada. A veces Yannis se enfurecía tanto que lo creía capaz de matar.

Sin embargo, guardó silencio y empezó a trocear cebolla, tomate y pimiento rojo.

—Hablando de secretos... —Yannis reprimió un eructo y se sentó en una de las sillas de la cocina—. Como hace poco te asustaste tanto al leer el periódico, me entró curiosidad.

Ella sentía su mirada como un puñal clavado en la espalda. Le sudaban las manos.

—Hojeé el periódico con atención, página a página —siguió diciendo él.

Nika dio media vuelta. Yannis se había echado una pierna por encima de la rodilla y tenía los brazos cruzados detrás de la cabeza. Sonreía satisfecho sin quitarle los ojos de encima.

—Y entonces me encontré con el anuncio de la conferencia del profesor Eisenhut. ¿Sabías que salen varios cientos de resultados si buscas su nombre y el tuyo juntos en Google?

—No me extraña, Eisenhut fue mi jefe durante muchos años. —Nika intentó mostrarse tranquila aunque en su cabeza arreciaba un furioso temporal. Yannis no podía hacer nada con lo que sabía. ¿O sí?—. Fui su ayudante.

¿Por qué no se lo había dicho ya la otra noche, si lo sabía desde hacía unos días? ¿Qué estaba tramando?

—Me molesta un poco que no me hayas contado nada de todo eso —dijo él—. Te has pasado meses enteros oyéndome hablar de tu especialidad y haciendo como si no tuvieras ni idea. ¿Por qué?

De repente había algo imprevisible en su mirada. Un miedo frío atenazó el corazón de Nika hasta el punto de que casi le impedía pensar. ¡No podía permitirse ningún error! Era imposible que Yannis supiera nada, solo había descubierto su nombre y que había sido la ayudante de Dirk. Pero la sonrisa había desaparecido de su cara y sus ojos oscuros la miraban fijamente.

—¿Por qué no me acompañas esta noche a su conferencia, doctora Sommerfeld? —le propuso con una sonrisilla inofensiva—. Imagínate cuánto se alegrará tu jefe de volver a verte.

Eran poco más de las seis y media de la tarde cuando Oliver subió la escalera despacio y enfiló el pasillo hacia los despachos de la K 11. Por una puerta abierta salía un murmullo de voces. Casi toda la plantilla de la comisaría local de la Policía judicial de Hofheim se había hecho un hueco en la sala de reuniones. Él hubiera preferido pasar de largo hasta su despacho, pero Pia lo vio y se abrió paso hacia él con cara de pocos amigos.

—¿Dónde te has metido todo el día? —preguntó con un claro reproche que Oliver no podía tomarle a mal—. He intentado localizarte un millón de veces. ¿Por qué no has contestado mis llamadas? ¡Aquí se ha armado una gorda!

El inspector jefe no se vio capaz de contarle lo de Rademacher ni lo del aciago testamento de Ludwig Hirtreiter. Era demasiado fuerte para una conversación de pasillo.

—Lo siento —empezó a decir—, es que...

Pero se quedó callado en cuanto se abrió la puerta del despacho del fondo. La comisaria jefe Engel salió y se les acercó con un repiqueteo de tacones y una cara que no presagiaba nada bueno.

—Te tiene en el punto de mira —le susurró Pia—. El coche de Frauke Hirtreiter... Quería decírtelo, pero es que no contestabas al teléfono.

—Vaya, el señor inspector jefe se ha dignado aparecer al fin —espetó Nicola Engel, de visible mal humor—. Empezamos. Por favor...

Oliver y Pia entraron en la abarrotada sala de reuniones. Dieciocho compañeros de diferentes departamentos habían reforzado el equipo de la K 11 y estaban sentados o de pie alrededor de la mesa alargada.

Al ver a la comisaria jefe, las conversaciones cesaron y se hizo un silencio absoluto. Todos, menos Bodenstein, parecían sospechar lo que vendría a continuación. Nicola Engel se sentó a la cabecera de la mesa y el inspector jefe tomó asiento a su lado, junto a Pia.

—Estoy francamente enfadada —empezó a decir la comisaria jefe con tono glacial—. La inspectora Pia Kirchhoff acaba de informarme sobre una metedura de pata vergonzosa, y yo quiero saber, aquí y ahora, cómo ha podido suceder. ¿Por qué no se había dado cuenta nadie de que la sospechosa que buscamos no había utilizado ese vehículo que con tanto esfuerzo intentábamos localizar?

Oliver, que no entendía ni una palabra, permaneció allí sentado con semblante impasible, esperando poder deducir algo más de las siguientes declaraciones de Nicola Engel.

—Autorizo que dieciocho compañeros sean retirados de sus casos actuales para reforzar el trabajo de la K 11, ¡y esto es lo que sucede! Un equipo tan numeroso solo tiene sentido si hay alguien en situación de coordinarlo con eficiencia, y me parece que no ha sido el caso.

Con una de sus temidas miradas de rayos X, la comisaria jefe fue repasando las caras de todos los presentes. La mayoría bajaban los ojos o miraban de reojo a Oliver, contra quien iban dirigidos aquellos reproches en realidad.

—¡Estos informes que tengo son un caos absoluto! —La jefa dio unos expresivos golpecitos con el dedo índice en las dos carpetas que tenía ante sí sobre la mesa—. Aquí solo hay una sucesión de suposiciones confusas. Faltan pruebas contundentes de principio a fin. ¡Y, encima, este patinazo de hoy! Estamos a años luz de resolver los casos Grossmann y Hirtreiter..., y hablo en plural con toda intención, ¡porque esta investigación chapucera salpicará a la dirección de nuestra comisaría!

Un silencio incómodo. Ni toses, ni carraspeos; todo el mundo parecía estar conteniendo el aliento.

—Inspector jefe Kröger, ¿podría explicarme quizá cómo es que ninguno de los suyos miró en el garaje? —preguntó Nicola Engel.

Sin embargo, fue Oliver quien tomó la palabra.

—Si se ha cometido algún error —dijo, todavía sin saber qué había encolerizado tanto a su jefa—, el responsable soy yo, ya que dirijo la investigación.

La comisaria se volvió hacia él.

—Ajá. De manera que dirige usted la investigación. Pues hoy no me ha dado esa impresión. ¿Dónde ha estado todo el día? —Era imposible no percibir el sarcasmo de su voz.

—He estado fuera, trabajando. —Oliver le sostuvo la mirada.

La situación se convirtió de repente en un duelo público de poder, y el inspector jefe no pensaba doblegarse. No tenía intención de disculparse, como tampoco de justificar sus actos. No en ese momento, y mucho menos en ese lugar.

—Eso ya lo aclararemos. —Su jefa lo fulminó con la mirada.

Oliver casi pudo oír cómo le rechinaban los dientes de rabia cuando, al final, fue ella la primera que miró hacia otro lado para salvar la situación.

—Kirchhoff, por favor. Empiece —le ordenó Engel a Pia, y sus ojos dispararon una mirada furibunda a la que Oliver solo reaccionó levantando un instante las cejas.

Él se esforzó por seguir las explicaciones de su compañera, pero al cabo de pocos minutos sus pensamientos se fueron por otros derroteros.

Durante sus más de veinte años en la Policía, varias veces se había encontrado con intentos de soborno, pero nunca se había sentido seriamente tentado. Su integridad significaba mucho para él. Entonces, ¿por qué no le había despertado una auténtica indignación moral esa oferta de cohecho de Rademacher? ¿De verdad había sido una oferta, o lo había entendido mal? En sentido estricto, el director de ventas de WindPro solo había dicho que no le perjudicaría convencer a su padre para que vendiera el prado. Ni el investigador de asuntos internos más malintencionado podría considerar eso como un auténtico intento de soborno.

Con todo, ¿qué debía aconsejarle a su padre esa noche? Tenía que hablar con Quentin y con su mujer de esa vaga amenaza de Rademacher, aunque entonces ellos le exigirían enseguida a su padre que vendiera el prado para no verse metidos en serias dificultades económicas.

Si la cosa llegaba tan lejos, si su padre decidía ceder ante la petición de sus hijos y vender el terreno a WindPro en contra de sus convicciones personales... ¿se habrían dejado presionar? Y, aun en tal caso, ¿tenía eso alguna importancia, hablando de tres millones de euros?

Oliver suspiró por dentro. Esa sería la solución más fácil, y además lucrativa, pero no era realista esperar que su padre cambiara de opinión. Se pondría tan terco como Ludwig Hirtreiter. Por otros motivos, cierto, pero eso a Enno Rademacher le traía sin cuidado. Y él no dudaba ni un segundo de su crueldad despiadada.

—¿Y bien? —Yannis seguía mirándola—. ¿Por qué has mantenido tan en secreto tu pasado?

Estaban sentados a la mesa de la cocina, uno frente a otro. El osobuco estaba en el horno y en los fogones hervían unas patatas. Nika se había recuperado del sobresalto inicial y sopesaba si contarle la verdad a Yannis para que comprendiera la gravedad de la situación. Él había decidido asistir esa noche a la conferencia de Dirk Eisenhut. Solo para provocar a Stefan Theissen. Pero ¿se conformaría con eso? Yannis era como una bomba de relojería, estaba cegado por la sed de venganza y por su orgullo herido.

—Trabajé durante quince años sin apenas un día de vacaciones, hasta que ya no pude más. —Nika se decidió por seguir mintiendo. No confiaba en él—. Sufrí un colapso emocional. Nada me salía bien. Mi jefe no tuvo comprensión conmigo, por eso poco antes de Navidad decidí dejarlo todo y dimitir.

Yannis la miró. Nika percibía la duda en sus ojos.

—Caray, Nika. —De repente alargó el brazo sobre la mesa y puso una mano sobre la suya—. Tú y yo podríamos conseguir muchas cosas juntos. Fuiste la ayudante del papa climático de Alemania, tú... ¡eres una verdadera infiltrada! También yo era muy bueno en mi trabajo antes de que mi jefe me diera la patada, y ahora no consigo volver a poner un pie en el sector.

Le soltó la mano y se levantó.

—Stefan Theissen es un codicioso hijo de puta. Toda esa chorrada del ecologismo le importa una mierda. ¿Sabías que antes fue un pez gordo del gigante energético RWE? Responsable del departamento de energía nuclear. Junto con un par más del *lobby* de las nucleares, en los años ochenta tuvieron la gloriosa idea de inventarse prácticamente la problemática del clima para justificar la construcción de más y más centrales nucleares nuevas. La energía atómica como alternativa a la emisión de CO^2, por así decir.

Yannis metió las manos en los bolsillos de los vaqueros mientras caminaba de un lado a otro de la cocina. Nika lo miraba con inquietud.

—Los políticos de todo el mundo estuvieron encantados de aferrarse a eso —prosiguió—. Como la deforestación y el agujero de ozono no les habían dado resultado, una catástrofe climática causada por la acción del hombre les venía de perlas. Hoy en día se puede justificar casi cualquier cosa en nombre de la llamada protección medioambiental, cualquier prohibición, cualquier subida de impuestos. Los poderosos del mundo han vuelto a encontrar un enemigo maravilloso que amenaza a toda la humanidad y que ya no se llama Unión Soviética ni bomba atómica, sino dióxido de carbono.

Nika lo escuchaba en silencio. Conocía los argumentos de quienes consideraban exagerada en exceso la política mundial sobre el clima, y desde hacía ocho meses sabía que tenían razón. Las voces de los escépticos del cambio climático cada vez se hacían oír más. Cada vez más científicos de renombre tildaban de patraña esa supuesta catástrofe climática mundial provocada por el hombre y podían documentar sus opiniones con números y datos. Sin embargo, a pesar de las crecientes protestas en contra de una lucha legislada contra la emisión de CO2, ni los políticos y ni la ONU habían cambiado de rumbo. Nika también había estado convencida de que actuaba correctamente; bueno, hasta el día que tropezó con Cieran O'Sullivan en Deauville.

Yannis se detuvo frente a la mesa y se encorvó hacia ella.

—Nuestro inteligente amigo Stefan Theissen fue uno de los primeros que se subió al tren de las energías renovables —dijo—. El gran chiste de todo esto es que su empresa y sus proyectos están financiados por los mismos que perforan en todo el mundo en busca de petróleo y carbón. Pero eso no lo ve nadie. Igual que la gente tampoco se fija en que, con la aceptación mundial del gran timo del clima, quienes se enriquecen en primer lugar son los investigadores climáticos, los medios, la industria y la política. ¡Contra eso lucho yo! Contra una ecodictadura mundial basada en una mentira y de la que se aprovecha un puñado de gente: personas como Theissen y tu antiguo jefe. Ese estúpido parque eólico me trae sin cuidado, pero es una forma de sacar a la luz pública los chanchullos de esa mafia.

El brillo fanático de su mirada hizo que Nika sintiera miedo. Se estremeció a pesar del calor sofocante. Lo que Yannis había dicho en último lugar era una burda mentira. Al contrario que Cieran O'Sullivan, él no luchaba ni mucho menos por verdadera convicción contra algo que consideraba falso, para Yannis la salvación del mundo no significaba nada. Yannis solo ansiaba venganza por la humillación que había sufrido de manos de Theissen, y para ello había instrumentalizado la iniciativa ciudadana. Lo siguiente sería utilizar el nombre de ella para perjudicar a su enemigo, y Nika no podía permitirlo. ¡De ninguna manera!

—Yannis —dijo, suplicante—, no tienes idea de lo peligroso que es todo lo que dices.

—Me da igual. —Él desechó sus reparos con un impaciente movimiento de la mano—. Alguien debe tener el valor de decirlo en voz alta. No tengo miedo.

—Pues deberías tenerlo. La gente a la que denuncias es poderosa y no se anda con chiquitas —susurró Nika—. Créeme, sé hasta dónde son capaces de llegar. No te metas con ellos.

Yannis ladeó la cabeza y la miró con ojos escrutadores.

—Tú no vives en nuestro sótano porque necesites recuperarte después de un colapso emocional, ¿verdad?

Nika no contestó. Se levantó y fue a los fogones para comprobar cómo iban las patatas. Él se acercó a ella por detrás, le puso las manos en los hombros y la volvió hacia sí.

—Sabes que tengo razón. ¡Ayúdame! ¡Apóyame! —exigió.

—¡No! —replicó Nika con vehemencia—. No quiero tener nada más que ver con todo eso. ¡Y tampoco quiero que me utilices para vengarte de tu antiguo jefe!

Yannis le clavó una mirada penetrante.

—Yo no quiero utilizarte —afirmó fingiendo indignación.

Por supuesto que sí, pensó Nika. Había cometido un error enorme al permitir que Yannis se le acercara tanto. Susceptible como era, se tomaría como algo personal cualquier forma de rechazo, y eso podía tener unas consecuencias terribles.

¿Debía correr el riesgo de decirle a Yannis toda la verdad para que comprendiera lo grave que era su situación? No. Imposible. Con ello se estaría poniendo enteramente en sus manos.

La tensión de su interior hizo que le temblara todo el cuerpo. El agua de las patatas se estaba saliendo, las gotas se evaporaban con un siseo al caer en los fogones calientes, pero Nika no se daba cuenta. Fuera ladró un perro, luego el otro.

—Si esta noche vas allí —susurró en tono conspirativo—, tienes que prometerme que no mencionarás mi nombre. Bajo ningún concepto.

Él no podía querer causarle ningún problema, a fin de cuentas le gustaba, o eso le había asegurado. Pero ¿era cierto o lo había dicho solo por decir? Ningún hombre era sincero cuando la libido le arrebataba el control a la sensatez. ¿Por qué iba a ser Yannis una excepción?

—Te lo prometo —repuso él, quizá demasiado deprisa para parecer creíble.

De repente Nika ya no pudo soportar más su presencia y su cercanía pegajosa, esas manos húmedas sobre sus brazos; aún así, superó su aversión, le tomó el rostro con ambas manos y lo besó. La lengua de Yannis penetró con un ansia desenfrenada en su boca. La rodeó con sus brazos y apretó el abdomen contra el de ella. Nika hubiese querido apartarlo de un empujón, clavarle la rodilla en los huevos y hundirle un cuchillo de cocina entre las costillas. No había sentido tanto asco por una persona en toda su vida, pero, si lo rechazaba en ese momento, Yannis la odiaría. Con una fuerza inesperada, él la levantó y la sentó en el borde del fregadero. Le subió la falda con la mano y tiró de sus bragas con tanta impaciencia que rompió la tela.

—¡Oh, Nika, Nika! Estoy loco por ti —murmuró casi ininteligiblemente.

Se colocó entre sus piernas y frotó su erección contra el cuerpo de ella sin dejar de gemir. ¿De verdad creía que eso le gustaba, que la excitaba? Nika apartó la cabeza, cerró los ojos y se mordió el labio. Había sido ella la que había empezado a jugar con fuego, así que tendría que seguir la partida. Hasta el amargo final.

Pia le dio una pequeña patada a Oliver por debajo de la mesa. Él levantó la mirada, molesto, y se encontró con los ojos gélidos de Nicola Engel. Si no quería perder el favor de su jefa, tenía que apartar de momento sus problemas personales.

—... por desgracia todavía ningún resultado concluyente de balística en lo tocante a la escopeta encontrada en el apartamento de Frauke Hirtreiter —oyó que decía Kröger—. Sin embargo, sí hemos podido identificar el pájaro muerto del bidón para el agua de lluvia, gracias a la anilla de la pata, como el cuervo de Ludwig Hirtreiter.

Kröger describió en términos sobrios la brutalidad con la que mataron al animal.

—Aunque hasta ahora no tenemos ninguna prueba criminalística contundente, por el momento suponemos que fue Frauke Hirtreiter quien entró en la casa precintada y mató al ave. Después debió de guardar su coche en el garaje y huyó con el vehículo de su padre —dijo, concluyendo su informe.

Por fin comprendió Oliver cuál era el fallo que había sacado de sus casillas a la comisaria jefe. La búsqueda de la hija de Ludwig Hirtreiter iba a toda máquina, el país entero intentaba localizarla gracias a los anuncios en radio, televisión y prensa. A ella y a su Fiat Punto: un coche que no conducía, puesto que seguía en el garaje de la granja de su padre. Eso había sido una metedura de pata grave, sí, pero al mismo tiempo hacía aún más probable que Frauke Hirtreiter fuese la autora de los hechos. Al contrario que su jefa, Oliver von Bodenstein creía que ya contaban con un buen número de pruebas contundentes que permitían tener más que una ligera sospecha contra Frauke. La hija no solo presentaba un móvil poderoso, también había tenido la oportunidad y los medios idóneos para cometer el asesinato.

Sin embargo, esa tarde habían sucedido más cosas aún. Durante el registro de la casa de Gregor Hirtreiter habían encontrado la copia de un precontrato de venta del prado a WindPro firmada por él y por su hermano, así como por Stefan Theissen y Enno Rademacher, con fecha de un día antes. Puesto que Gregor no tenía coartada y, además, no ofrecía una explicación plausible de por qué la noche del martes se había cambiado de ropa antes de regresar a la fiesta de cumpleaños de su suegro, Pia había ordenado detenerlo cautelarmente.

—¿Y Matthias Hirtreiter? —preguntó Oliver.

Un par de agentes se sonrieron; habían estado presentes en el registro de la casa de Matthias y habían sido testigos de cómo se había derrumbado por completo.

—No lo veo capaz de asesinar a nadie —repuso la inspectora—. Es un blando.

Junto con la Policía judicial se había presentado en casa de Matthias Hirtreiter el agente judicial y lo había embargado. A Hirtreiter la presencia de la Policía parecía darle igual, pero había llorado como un niño mientras le arrebataban cuadros, muebles, joyas y, por último, incluso el deportivo de su mujer.

—¿Qué habéis averiguado sobre el hombre del aparcamiento? —preguntó Bodenstein al grupo.

—Dos vecinos llegaron a verlo —respondió Cem Altunay—. Una mujer que fue a recoger comida preparada al Krone y un hombre que volvía del bosque con su perro.

—¿Descripción?

—Muy alto y fuerte. Pelo gris, cola de caballo. Gafas de sol. El coche era un BMW Serie 5 negro con matrícula de Múnich.

La niebla de la cabeza del inspector jefe se disipó en ese instante y el recuerdo lo atravesó como un rayo resplandeciente.

—¡Yo he visto a ese hombre! —exclamó, interrumpiendo a Cem, que estaba proponiendo encargarle el retrato robot a un dibujante de la Policía.

Todas las miradas se volvieron hacia él.

—Acuérdate, Pia. Fue el martes, en WindPro. Salió con nosotros del edificio y luego fue al aparcamiento. Cuando acabábamos de ver a Stefan Theissen.

Pia, conocida por su fenomenal memoria, movió la cabeza en un gesto de que no recordaba nada. En la sala de reuniones se hizo un silencio lleno de expectación. Nada producía mayor satisfacción a los subalternos que ver a un jefe cagándola en público.

Pero Bodenstein estaba seguro al cien por cien. El hombre, un auténtico gigante con chaleco de cuero y una coleta gris, lo había mirado con curiosidad antes de seguir camino hacia el aparcamiento andando con un extraño balanceo.

—Les habíamos enseñado a Theissen y a Rademacher la copia del informe pericial —insistió, impaciente, intentando darle un empujón a la memoria de Pia—. Me acuerdo tan claramente de ese momento porque me llamó la atención que tú...

Se quedó callado. Tal vez no debiera decir aquello delante de todos.

—¿Qué te llamó la atención? —preguntó la inspectora, no obstante, con el ceño fruncido.

Veinticinco agentes de la Policía judicial estaban pendientes de la explicación de Bodenstein.

—El anillo —contestó al fin—. Poco antes me había fijado en que llevas un anillo en el dedo. Por eso me acuerdo tan bien.

Veinticinco pares de ojos se deslizaron como teledirigidos hacia la mano izquierda de Pia, que en ese momento se cerró en un puño y luego volvió a abrirse. Ella contempló pensativa la delgada banda plateada de su anular; su frente se alisó, pero su semblante siguió impertérrito.

—Lo siento —dijo al cabo de unos segundos—. De verdad que, por mucho que quiera, no me acuerdo de ese hombre.

Alzó la cabeza y miró a Nicola Engel, que asintió a su vez.

—Eso es todo por hoy. —Pia los miró a todos—. Gracias por vuestra participación. Y a los que no tengáis guardia, que paséis un buen fin de semana.

Entre murmullos y chirridos de sillas sobre el suelo de linóleo, la reunión se disolvió y los agentes salieron al pasillo. Solo quedó en la sala el equipo de la K 11.

—Lo espero mañana a primera hora, a las nueve en mi despacho —dijo aún la comisaria jefe Engel en dirección a Oliver, luego se despidió con una cabezada altiva.

Oliver esperó a que saliera de la sala de reuniones.

—¿Tienes diez minutos? —le preguntó a Pia.

—Por supuesto, jefe —contestó ella sin mirarlo. Aún seguía enfadada.

—¿Qué significa ese anillo? —quiso saber Kai, curioso.

—Puede que os lo diga mañana. —La inspectora alcanzó su mochila—. O puede que no.

La puerta de cristal chocó de pronto contra una de las sillas, y los perros se precipitaron al interior de la cocina meneando la cola y jadeando de excitación. Yannis soltó a Nika, sobresaltado, y se tambaleó un par de pasos hacia atrás. Un puño cayó sobre él, que apenas si consiguió esquivar el golpe.

—¡Eres un cerdo! —vociferó Mark, fuera de sí, y se abalanzó sobre él.

Una silla volcó, los perros aullaban. Nika se bajó la falda.

—¿Estás loco? —gritó Yannis, y se llevó las dos manos a la cara para protegerse—. ¿A qué viene esto?

Pero el chico estaba descontrolado. Furioso, volvió a atacarlo y lo empujó con ambas manos contra la enorme mesa. Tenía la cara arrasada en lágrimas. Una segunda silla se estrelló contra el suelo, los perros huyeron de la cocina. Por fin Yannis consiguió agarrar a Mark de las muñecas.

—¡Para! —ordenó—. ¡Basta!

—¡Te lo estabas montando con ella! ¡Con esa... zorra! —exclamó el chico, y movió la cabeza en dirección a Nika, que estaba paralizada junto a los fogones.

Mark intentó zafarse de Yannis, pero este lo tenía agarrado con fuerza. ¿Cuánto tiempo los habría estado escuchando desde la terraza? A juzgar por su entrada, seguro que bastante rato. Eso no era bueno. No era nada bueno.

—¡Lo has malinterpretado todo! —repuso Yannis.

El chico, sin embargo, no quería escucharlo.

—¡Mientes! ¡Mientes! ¡Mientes! —gritaba, hecho una furia—. ¡Estás loco por ella! ¡Me he dado cuenta de cómo la miras! ¿Cómo puedes engañar así a Ricky?

—¡Para ya de decir eso! —le ordenó Yannis, y lo zarandeó—. Pero ¿a ti qué te ha dado?

Mark se desplomó.

—¿Por qué haces esto? —preguntó entre sollozos—. ¿Por qué te enrollas con Nika? ¡Si tienes a Ricky!

Se aferró a la pierna de Yannis y lloriqueó como un niño pequeño. Él cruzó una rápida mirada con Nika, que se volvió sin decir nada y desapareció en el sótano.

—Escucha, Mark. —Le acarició la cabeza al joven. Ricky podía presentarse en cualquier momento y la cosa se complicaría—. Ahora tranquilízate. Ven, levanta.

Yannis se encorvó y puso bien las sillas, luego recolocó la mesa de la cocina.

—Has malinterpretado la situación —dijo—. Eso no ha sido nada.

Quería ponerle una mano en el hombro a Mark, pero el chico retrocedió ante él con cara de asco.

–¡Mentira! –repitió con voz tensa–. ¡Eres un cerdo! He visto perfectamente cómo le metías la lengua en la boca y cómo te restregabas contra ella. ¡Si yo no hubiera llegado por casualidad, te la habrías tirado en la cocina de Ricky!

Yannis lo miró fijamente. ¿Qué se había creído ese mocoso con aires de superioridad moral, queriendo provocarle mala conciencia? No le apetecía en absoluto justificarse delante de un adolescente de dieciséis años medio chalado, pero aun así tenía que ocurrírsele alguna historia creíble, porque si no el chico era capaz de irle corriendo a Ricky con el cuento. Se mareó al comprender lo cerca que había estado de una catástrofe total. ¡Si Mark hubiese entrado dos minutos más tarde, sí que los habría pillado in fraganti a Nika y a él sobre el fregadero!

–¡No armes tanto alboroto por esto! Sí, vale, la he besado.

–Pero ¿por qué? –preguntó Mark con todo acusador–. Tú... ¡Tú quieres a Ricky!

–Mark. –Yannis se obligó a hablar con voz conciliadora–. Por supuesto que quiero a Ricky. Lo que acabas de ver no ha sido culpa mía, de verdad. Es mejor que Ricky no sepa nada, solo le haría daño.

Mark sacudió la cabeza con insistencia.

–He oído perfectamente lo que decíais –dijo, y se sorbió la nariz–. El parque eólico te da igual. Pero yo..., yo... ¡te he ayudado! ¡He hecho todo lo que querías! Y pensaba que lo hacías en serio.

Yannis no necesitaba esa clase de problemas en ese momento. Se inclinó y abrazó al muchacho, aunque lo que en realidad le hubiera gustado era darle una patada en el trasero. La ira demencial de Mark lo había asustado, hasta entonces solo lo había visto tranquilo, casi sumiso. ¿Qué sucedería dentro de su retorcido cerebro?

Al final consiguió que el chaval se sentara en una silla. Se acuclilló frente a él y le tomó de las manos.

–Ha empezado Nika –dijo, convincente–. Hace ya semanas que intenta ponerme cachondo, incluso se pasea desnuda por ahí cuando Ricky no está. Yo no he hecho más que decirle que pare, pero hoy... ¡Joder! Me alegro muchísimo de que hayas aparecido en el momento oportuno. Quién sabe lo que habría pasado si no. Habría tenido remordimientos toda la vida. Por Ricky.

Se pasó las dos manos por la cara.

—¡Mark, también tú eres un tío! ¿Qué habrías hecho si la mejor amiga de tu novia de pronto se te echa al cuello y empieza a besarte? Me... Me ha... ¡Me ha pillado completamente desprevenido! ¿No puedes imaginarte cómo es eso?

La apelación a la complicidad masculina tuvo éxito. El chico lo miró con recelo, pero la confianza regresó poco a poco a su mirada.

—Te lo digo yo, la mayoría de las mujeres son malas. A Nika le importa una mierda que Ricky sea su mejor amiga. —Yannis hablaba y hablaba, ya no le importaba qué imagen estaba dando de Nika.

Esa misma noche sin falta tendría que decirle a Ricky que no quería volver a ver a Mark por casa. El chico estaba mal de la cabeza; y no era de extrañar, con su pasado.

La puerta de la casa se abrió y los perros se pusieron a ladrar de contento y a saltar alrededor de su dueña. Ricky entró sonriente en la cocina y dejó dos bolsas de la compra en la mesa. Insensible como era, no se dio cuenta de nada.

—¡Hola, cielo! —Le dio un beso a Yannis y luego se volvió hacia Mark—. Eh, Mark. Gracias por pasear a los perros.

Vació las bolsas y guardó la compra en la nevera mientras explicaba que la propietaria del jack russell había llorado de alegría y que había donado al refugio de animales un cheque de más de mil euros. Justo entonces pareció extrañarse de que ni Yannis ni Mark dijeran nada.

—¿Pasa algo? —preguntó, sorprendida, y los miró a uno y a otro.

—No, nada, cariño. —Yannis le sonrió con candidez—. Solo estaba pensando. Te vienes conmigo a Falkenstein para la conferencia, ¿verdad?

—Claro que sí. Por eso me he dado más prisa.

Ricky le correspondió la sonrisa y Yannis la abrazó. Le lanzó a Mark una mirada de advertencia por encima de su hombro y le indicó que se esfumara con un gesto de la cabeza. El muchacho tragó saliva, pero por suerte no tuvo presencia de ánimo para explicarle a su adorada Ricky lo que había sucedido.

—Pues... yo tengo que irme ya —masculló, y desapareció hacia el jardín por la puerta de la cocina.

Los importantes invitados del mundo de la economía y la política estaban animados y expectantes. En las primeras filas de la sala se habían sentado los notables de la ciudad, el distrito y el land; detrás de ellos, los representantes de la prensa, que habían aceptado en gran número la invitación del Círculo Empresarial del Taunus Sur.

El señor Stefan Theissen, como presidente del Círculo Empresarial, había inaugurado la velada con un breve discurso de bienvenida, y en esos momentos el profesor Dirk Eisenhut hablaba sobre las consecuencias ecológicas, económicas y políticas del cambio climático. Ofrecía cifras y datos, ponía ejemplos ilustrativos y leía algún que otro pasaje de su nuevo libro, que en pocos días había conseguido colocarse en el número uno de la lista de los más vendidos. El público seguía atento sus explicaciones y agradeció la conferencia con un aplauso entusiasta. Aun así, Theissen estaba algo nervioso cuando subió al estrado junto a Dirk Eisenhut para moderar el debate final. Al ver que las preguntas, bienintencionadas todas ellas, eran respondidas con elocuencia por el gurú climático Eisenhut, respiró tranquilo. Pero su tranquilidad era prematura.

—Les doy las gracias y espero... —empezaba a despedir ya el acto, cuando un hombre se levantó en una de las filas del centro.

Stefan Theissen no podía creer lo que veía. ¿Qué narices hacía Theodorakis en la sala?

—Yo tengo alguna pregunta —dijo—, pero para el señor Theissen.

Los de las primeras filas se volvieron con curiosidad.

—Vamos a dar por terminado el debate en este punto. ¡Muchas gracias!

—¿Y eso por qué? ¡Deje que le haga una pregunta! —exclamó alguien.

Stefan Theissen sintió que rompía a sudar. Para su desgracia, Theodorakis estaba sentado en medio del público, así que no podía expulsarlo de la sala sin levantar revuelo.

—El miércoles, en el pabellón de Ehlhalten, por desgracia no pude hacerlo —dijo Theodorakis—. Como tal vez sabrán, la asamblea vecinal terminó en tragedia, hubo heridos e incluso una muerte. Sin embargo, yo quería que el señor Theissen me explicara cómo consiguió el permiso de construcción del parque eólico del Taunus. Para su información —Theodorakis se volvió hacia el resto del público—, WindPro quiere erigir junto a Ehlhalten un parque eólico con diez molinos monstruosos aunque ese emplazamiento es completamente inadecuado a causa de falta de viento. Para ello se pagaron sobornos al Ministerio de Medio Ambiente de Wiesbaden, se gaseó una población de hámsteres comunes y se falsificaron informes periciales.

Stefan Theissen miró a Dirk Eisenhut con el rabillo del ojo y percibió la rigidez de su expresión.

—¿A qué viene esto ahora? —murmuró el experto climático—. ¿Quién es ese hombre?

El público empezó a intranquilizarse, todos se volvían hacia Theodorakis. Theissen, desesperado, pensaba en cómo salvar el acto. ¿Interrumpiéndolo sin más?

—Profesor Eisenhut —añadió entonces Theodorakis—, aparte de que todo lo que acaba de explicarnos acerca del cambio climático son completos disparates, me interesaría saber por qué usted y su colega Brian Fuller, de la Universidad de Gales, falsificaron peritajes a nuestro estimado señor Stefan Theissen.

Para horror de Theissen, que aún albergaba una minúscula esperanza de que el público silbara o hiciera callar de alguna otra forma a Theodorakis, el silencio que siguió fue sepulcral. Los periodistas, que durante la conferencia apenas habían tomado notas, se olieron un escándalo y abrieron las libretas, expectantes.

—Sé, gracias a fuentes expertas y competentes, que los peritajes eólicos del parque proyectado en el Taunus que realizaron su colega británico y usted fueron manipulados. Sencillamente no introdujeron en sus cálculos datos muy importantes. Estoy convencido de que le sonará de algo el nombre de la doctora Annika Sommerfeld. Fue ella, en concreto, quien constató el error al comparar para nosotros, la iniciativa ciudadana «Por un Taunus sin molinos», esos informes con los de EuroWind de 2002.

Stefan Theissen observó que a Dirk Eisenhut se le desencajaba la cara unos instantes.

—Lo siento muchísimo —murmuró—. Lo vamos a dejar aquí. Acompáñeme, nos vamos.

Pero Dirk Eisenhut seguía sentado, paralizado y con las manos aferradas a los brazos de la silla, y no daba muestra alguna de que pensara levantarse.

—Tengo que hablar con ese hombre —repuso con voz tensa, lo cual sorprendió a Theissen—. ¡Ahora mismo!

Yannis Theodorakis, mientras tanto, se había dado cuenta de que tenía la atención de todo el mundo y sonrió, seguro de su triunfo.

—De modo que, o es usted un incompetente, o manipuló conscientemente los peritajes —añadió—. ¿Tal vez por deferencia, porque la empresa del señor Stefan Theissen va a financiarle su nuevo instituto climatológico de Frankfurt? ¿O por una vieja amistad? ¿O tal vez... por dinero?

Al fin se alzaron voces que lo interrumpieron. Otros asistentes se levantaron también. Stefan Theissen estaba desesperado. Entretanto, sus compañeros del Círculo Empresarial se habían dado cuenta de que aquello se le iba de las manos. Dos de ellos intentaron abrirse camino hasta Yannis Theodorakis a través de las filas de asientos, otro salió de la sala y regresó con tres guardias de seguridad. Ciego de ira, Stefan Theissen comprendió que había subestimado por completo a su antiguo empleado. Ese presuntuoso vengativo estaba a punto de destrozar absolutamente todo.

—¡Ya basta! —dijo, y se levantó.

Con una determinación descabellada, saltó del estrado para detenerlo él mismo. Pero ya era tarde. Doscientas personas esperaban ávidas la respuesta de Dirk Eisenhut; los periodistas habían olido sangre y olvidaron cualquier discreción. Saltaron de sus asientos, se empujaron, sacaron micrófonos y dictáfonos mientras intentaban llegar hasta Theodorakis. Empezaron a dispararse *flashes,* la gente gritaba en medio del desorden. Había quien chistaba para que volviera a hacerse el orden.

A Stefan Theissen ya le daba lo mismo lo que pudieran pensar de él. Su rabia se había transformado en pura ansia asesina cuando alcanzó a su adversario y lo agarró de la camisa.

—¡Te lo advertí! —murmuró.

Sintió cómo la tela se desgarraba bajo sus dedos, los botones saltaron. Theodorakis solo reía con burla.

—Tú mismo... —se mofó—. Las fotografías saldrán mañana en todos los periódicos.

Esas palabras y los gritos de indignación de algunas personas de la sala consiguieron que Stefan Theissen recobrara el juicio. Bajó las manos y comprendió el gigantesco error al que se había dejado arrastrar. De pronto se hizo un silencio consternado. Theissen vio cómo Dirk Eisenhut alcanzaba el micrófono con la cara pálida.

—¡Detengan a ese hombre! —ordenó, y toda la gente se volvió hacia él—. ¡Bajo ningún concepto dejen que se marche!

Los guardias de seguridad estrecharon el círculo imperceptiblemente. Theodorakis, que los vio con el rabillo del ojo, abandonó su sonrisa de seguridad. Nadie se movía, nadie quería perderse el último acto, el más emocionante de aquella obra teatral. En el silencio se oyó un trueno, los primeros goterones de la tormenta golpearon contra los grandes ventanales de la sala de actos.

De repente Yannis Theodorakis sintió prisa por salir de allí, así que aprovechó el amparo del público y pasó de largo junto a Theissen empujando a su acompañante rubia por delante de sí mismo, como si fuera un escudo.

—¡Ya ven cómo intentan taparme la boca! —Su voz sonó estridente.

Los guardias de seguridad le dirigían miradas interrogantes a Stefan Theissen, que sacudió la cabeza con discreción. Theodorakis comprendió que no lo detendrían y abandonó la sala, pero de espaldas, por si acaso.

—¡Volveremos a vernos! —exclamó en voz alta—. ¡Quien siembra vientos, señor Theissen, recoge tempestades!

Ya era tarde cuando Oliver detuvo su coche de servicio en el aparcamiento vacío de la finca. La conversación con Pia le había dejado una sensación extraña. Debería habérselo esperado. Ella lo conocía bastante bien, y además tenía un olfato muy bueno con los estados de ánimo de los demás. Era una de las cualidades principales que la hacían una policía no solo buena, sino excepcional. Cuando le había preguntado qué le pasaba, él había evitado contestar, como un cobarde. Y eso que sabía lo mucho que molestaba a su compañera no recibir respuesta. ¿Por qué no había sido capaz de contarle lo del testamento y lo de Rademacher? Pia acabaría sabiendo de todas formas a quién le había dejado Ludwig Hirtreiter ese prado; si no lo sabía ya. ¿Había guardado silencio porque llevaba todo el día sopesando en secreto la idea de seguir el consejo del director de ventas de WindPro?

Oliver se mordió el labio inferior, pensativo. Tenía que llamar a Pia enseguida. Buscó el móvil en el bolsillo de su americana, que se había quitado a causa del calor.

Todavía hacía un bochorno espantoso, no se movía ni una gota de aire. Alrededor de las farolas revoloteaban un par de polillas, los truenos y los relámpagos que se veían a lo lejos prometían una refrescante tormenta.

El inspector jefe marcó el número de su compañera, pero le saltó el mensaje del buzón de voz. Le pidió que lo llamara, daba igual a qué hora, y volvió a guardar el iPhone. Los rugidos de su estómago le recordaron que llevaba todo el día sin comer. Bajó del coche. ¿Cómo es que la gran verja de hierro forjado de la finca estaba cerrada? Por lo general siempre estaba abierta. Maldijo en voz baja y buscó la llave en su bolsillo, abrió y entró en el patio. En la casa de sus padres, al otro lado de la explanada, se veía luz. Con algo de suerte todavía encontraría algo de comer en la nevera de su madre; además, quería preguntar cómo se encontraba su padre. Pasó junto al imponente castaño, subió los tres escalones de la casa y comprobó con sorpresa que también esa puerta estaba cerrada. No había timbre, así que golpeó con el puño la pesada madera de roble. Su padre abrió poco después y, en el resquicio, su cara tensa asomó por encima de la cadena de seguridad.

—Ah, eres tú —dijo, cerró otra vez y abrió del todo.

—¿Por qué os habéis atrincherado así?

Oliver entró en el vestíbulo, que olía a cera para suelos. Su padre espió con recelo hacia la oscuridad del patio antes de volver a pasar la cadena, cerrar el pestillo oxidado y darle dos vueltas a la llave en la cerradura. Su madre apareció en la penumbra. Al ver la expresión de miedo en la cara de esa mujer que solía ser tan intrépida, el inspector jefe sintió al mismo tiempo una honda compasión y una rabia intensa. ¿Cómo había podido cargarlos Ludwig Hirtreiter con semejante responsabilidad al legárselo todo? Siguió a sus padres a la cocina. También allí habían pasado los cerrojos de la puerta lateral y habían cerrado los viejos postigos de las ventanas. En lugar de la lámpara del techo, la débil luz que inundaba la habitación procedía de dos velas.

—Pero ¿qué ha pasado? —preguntó, preocupado.

En el aire se percibía un leve aroma a ajo y salvia que le estremeció las terminaciones nerviosas del estómago, pero no era momento para ponerse a pedir algo de comer.

—Ha estado aquí ese hombre —dijo su padre con voz insegura.

—¿Qué hombre?

—El que quería hablar con Ludwig en el aparcamiento. Me ha entregado una carta. Leonora, ¿la tienes ahí?

Su madre asintió y le alcanzó una hoja de papel doblada. Al inspector jefe le temblaron las manos mientras la leía.

Tal como había anunciado, Enno Rademacher no había perdido el tiempo. Le ofrecía a su padre tres millones de euros por el terreno. Era increíble.

—¿Estás seguro de que era el mismo hombre?

—Absolutamente —confirmó el conde con un asentimiento de cabeza—. Cuando lo he visto de pronto ante mí, lo he recordado todo. Su voz. Su acento.

—¿Acento?

—Austríaco. Ha dicho que la oferta tenía un plazo, que debía decidirme deprisa o las consecuencias serían más que desagradables.

—¿Te ha amenazado? —quiso asegurarse Oliver sin poder creerlo. Intentaba mantener la calma.

—Sí.

Su padre se dejó caer sin fuerzas sobre el banco de la cocina, junto a la puerta del sótano; su madre se sentó a su lado y le tomó de la mano. En esas circunstancias era imposible hablarles de las amenazas del director de ventas de WindPro ni intentar convencerlos para que vendieran el prado. La imagen de sus padres, sentados como dos niños aterrados y cogidos de la mano, se le clavó a Bodenstein en el corazón. Un trueno retumbó e hizo temblar la casa desde los cimientos.

—¿Qué vamos a hacer ahora, Oliver? —preguntó su madre con voz temblorosa—. ¿Y si ese hombre quiere matarnos a nosotros también?

Nika recorría la casa intranquila. En la tele no daban nada que pudiera distraerla, y el calor la ponía más nerviosa todavía. Salió a la terraza, se sentó en una de las sillas de plástico y contempló la oscuridad del jardín. Se había levantado una leve brisa, olía a lluvia.

Dirk no estaba ni a cinco kilómetros de ella y no sospechaba lo cerca que la tenía. Le sobrevino un sentimiento de añoranza que se convirtió en dolor físico e hizo que se le saltaran las lágrimas. Apretó los dientes. No podía soportar más la tortura de su corazón ni ese miedo constante. Tantos meses viviendo escondida y con secretos le estaban afectando, se había vuelto asustadiza y se sentía horriblemente sola. Hacía tiempo que se había dado cuenta de que estaba en un callejón sin salida: no había vuelta atrás, pero tampoco podía seguir adelante sin ponerse en peligro de muerte. Sus días en esa casa se acercaban a su fin, porque Mark en algún momento le contaría a Ricky lo que había visto. Y Yannis, que conocía su verdadero nombre, ya no la dejaría en paz.

Un relámpago cruzó el negro cielo nocturno, segundos después resonó un trueno enorme. Justo en ese momento se encendió la luz del pasillo y los perros saltaron de sus cestos. Nika se levantó y entró en la cocina. Yannis y Ricky habían regresado. Entraron de la mano y riendo con alegría.

−¡Nika! −exclamó Ricky, radiante−. ¡Habrías tenido que estar allí! ¡Ha sido sensacional! ¡A ese Stefan Theissen casi le da un infarto cuando Yannis se ha levantado y le ha cantado las cuarenta delante de todo el mundo! −Pasó junto a ella para ir a la nevera−. ¡Tenemos que brindar por eso!

Nika lo supo al instante y la sangre se le heló en las venas. Yannis había roto su promesa; la expresión compungida de su cara y su tímida sonrisa eran explicación suficiente.

Antes de que pudiera decirle algo, él salió de la cocina. Ricky, como siempre, no se dio cuenta de nada. Sacó tres copas de champán del armario y se dispuso a abrir una botella mientras cotorreaba sobre su éxito triunfal. Nika pasó junto a ella, salió al pasillo y abrió de golpe la puerta del lavabo. Yannis estaba vaciando la vejiga y la miró asustado por encima del hombro. Llevaba la mala conciencia escrita en la cara.

−¿Cómo has podido hacerlo? −le recriminó ella. Le daba igual lo que pensara Ricky−. ¡Me lo habías prometido!

—Si me dejas que te lo... —empezó a decir, pero ella lo agarró del hombro y le dio la vuelta con una fuerza inesperada.

Yannis maldijo, furioso, porque se había meado en los pantalones y los zapatos.

—Has dicho mi nombre, ¿verdad?

Ricky apareció detrás de ella con la botella abierta en una mano y un cigarrillo encendido en la otra.

—¿Qué pasa aquí? —preguntó, y los miró a uno y a otro con desconfianza mientras Yannis, angustiado y con toda la cara roja, intentaba meterse el pene en los pantalones.

—¿Cómo has podido hacerlo? ¡Me lo habías prometido!

—¡Venga ya, ahora no te pongas así por eso! —masculló él, molesto por la situación tan bochornosa en la que se encontraba—. ¡Tampoco es que seas tan interesante!

—Me gustaría saber de qué habláis, si no os importa —se entrometió Ricky.

Nika no le hizo caso. Miraba a Yannis sin poder creerlo. Había aprovechado fríamente la primera ocasión de decir lo que sabía sobre su verdadera identidad para conseguir colocarse a sí mismo y sus peticiones en el centro de los focos. Ella no le importaba lo más mínimo.

—¿Sabes lo que eres, Yannis? —le soltó—. ¡Eres un cabrón despiadado, egoísta y con afán de protagonismo! Con tal de salir en los periódicos eres capaz de lo que haga falta. ¡Pero no tienes ni puta idea de lo que me has hecho hoy!

Él ni siquiera tuvo la decencia de disculparse.

—Tan horrible no será... —repuso con desdén.

La deprimente sensación de que una vez más le habían mentido y se habían aprovechado de ella la había dejado abatida. Sobraban las palabras. Lo que había sucedido no podía deshacerse. Se volvió y desapareció en el sótano.

Los vio de pie en el resplandor de la farola, con el coche de la Policía y sus luces azules intermitentes a pocos metros. A él no lo habían descubierto; se preparó, apuntó y apretó el gatillo.

¡Bum! ¡Diana total! El cráneo estalló como una calabaza, sangre y sesos por todas partes. Ya tenía en la mira la cabeza del siguiente. Esta vez apuntó algo más abajo. Al pecho. Apretó el gatillo. ¡Otra diana! El grito mortal le aceleró el corazón, sacó la lengua entre los dientes, concentrado. Su mirada se deslizaba de un lado a otro. ¡Ahí, otro más! Mark se secó las palmas de las manos en los vaqueros y disparó. Las balas le arrancaron el brazo al hombre y empezó a brotarle sangre del muñón.

Yannis, eres un cerdo, pensó. Había visto perfectamente cómo agarraba a Nika, cómo se frotaba la polla contra ella y le metía la lengua en la boca. Primero se tiraba a Ricky, luego se enrollaba con Nika. ¡Y lo que había dicho del proyecto del parque eólico...! A ese no le importaba nada la protección de la naturaleza, ¡solo su estúpida venganza y algo de una conspiración mundial! ¡Menudo mentiroso de mierda! Mark luchaba contra las lágrimas y disparaba a todo lo que se le ponía por en medio. Dejó un baño de sangre virtual en la pantalla de su ordenador.

Otros días el juego le ayudaba a controlar sus agresividad, pero esa noche no. Estaba confuso y furioso. Además, esos malditos dolores de cabeza lo estaban volviendo loco. ¿Debía contarle a Ricky lo que había visto? Tal vez así echaría de casa a Yannis, ese cabrón mentiroso, y él podría vivir con ella. Mark la amaría para siempre jamás. ¡Nunca le mentiría ni la engañaría! Podrían llevar juntos la tienda, la escuela canina, el refugio de animales. Al contrario que Yannis, que jorobaba a los gatos en secreto, a Mark le gustaban todas las mascotas, igual que le pasaba a Ricky.

Cerró el juego apretando una tecla. Le resultaba inimaginable hacer algo así. Si le decía la verdad a Ricky, todo cambiaría. ¡Yannis y ella eran los únicos amigos que tenía en el mundo! Por otra parte, eso ya lo había pensado una vez... y se había llevado una decepción.

«Eres el único amigo que tengo en todo el mundo», le había dicho a Micha, y era verdad. El recuerdo del cálido sentimiento de protección se convirtió en un globo de dolor que se infló y se infló hasta que casi no le dejó respirar. Micha nunca se impacientaba, siempre disponía de tiempo para él. Juntos habían trabajado en el jardín, habían salido a pasear y, por la noche, se habían tumbado en el sofá a ver la tele, a leer o a charlar. Los fines de semana, cuando todos los demás se iban a su casa y solo a los padres de Mark, una vez más, parecía molestarles la visita de su hijo, Micha le preparaba un chocolate caliente. Después se podía quedar a dormir con él, en lugar de tener que dormir solo en su habitación para cuatro. En casa no había contado nada de todo eso, claro, porque seguro que su padre no habría entendido lo espantosamente solo y abandonado que se sentía esos fines de semana en el internado. Mark seguía aún sin comprender muy bien por qué Micha desapareció de un día para el otro. A él habían ido a buscarlo en plena clase y lo llevaron al despacho de la directora; sus padres estaban allí, y también muchas otras personas a quienes no había visto nunca. Fue un trago duro de pasar, que le hicieran esas preguntas tan vergonzosas. Una psicóloga le soltó una charla de buen rollo, intentando sonsacarle historias perversas con toda clase de trucos. Le dio una muñeca y le pidió que les enseñara dónde lo había tocado Micha, qué había hecho con él. Mark no dijo ni una palabra; no comprendía nada, pero se sentía fatal.

No fue hasta muchos meses después cuando por casualidad vio en la televisión una noticia sobre lo que la prensa denominaba un «escándalo de abusos sexuales», y entonces se enteró de que el profesor Michael S. se había ahorcado en la cárcel a dos días del inicio de su juicio por abusar sexualmente de sus alumnos.

Ese fue el día que robó uno de los palos de golf de su padre y se volvió loco. Todavía era capaz de sentir el profundo alivio que le sobrevino al reventar a golpes las ventanas de los coches y ver los añicos de los cristales en el asfalto mientras se disparaban las alarmas.

Con cada golpe, la presión de su pecho y el entumecimiento de su cabeza remitían un poco. Hasta que se libró de ellos. Se tumbó en mitad de la calle y contempló las estrellas del cielo. En algún momento apareció la poli y se lo llevó a rastras.

De todo aquello hacía ya mucho tiempo, pero de pronto esa presión estaba otra vez ahí, insoportable y penetrante como antes. No podía desoírla más. Tenía que deshacerse de ella. Como fuera.

Mark se golpeó la cabeza contra la superficie del escritorio. Una y otra vez, hasta que le sangró la nariz y la piel se hinchó y reventó. Tenía que dolerle, tenía que sangrar, sangrar, ¡sangrar!

El profesor Dirk Eisenhut caminaba nervioso de un lado a otro de la suite de su hotel. En realidad tendría que haber salido a cenar con los anfitriones y sus esposas, pero él estaba demasiado agitado para mantener conversaciones superficiales. No hizo caso ni de la botella de champán que estaba metida en una cubitera con hielo ni de la bandeja de exquisiteces de la cocina del hotel.

¿De verdad tenía una pista de Annika después de cinco meses? Jamás habría creído posible que una persona pudiera desaparecer por completo en la Alemania de 2009, pero así había sido. Al principio había estado seguro de que un día volvería a aparecer. Había movido todos los hilos, había acudido a todos sus contactos, que no eran pocos. Contrató de su propio bolsillo a un afamado despacho de detectives y puso al personal de seguridad del instituto tras la pista más pequeña, todo en vano. A principios de febrero, la Policía había recuperado su coche en la ciudad de Espira, en un meandro del Rin, pero no se habían hallado indicios de que Annika estuviera dentro del vehículo o se hubiera ahogado. Aquella fue la última pista. ¿Qué había sucedido con ella? ¿Qué había ido a hacer en Espira?

Dirk Eisenhut se detuvo junto a la ventana y miró hacia el parque oscuro. Fuera arreciaba una fuerte tormenta, la primera de esa primavera. La lluvia caía del cielo como un diluvio, unas ráfagas violentas azotaban los imponentes árboles. Parecía que sus siluetas negras ejecutaran una danza demencial. El nombre de Annika estaba en la lista de personas desaparecidas de la Dirección Federal de la Policía judicial, pero nadie había avisado diciendo haberla visto, ni siquiera un loco en busca de protagonismo. Era sencillamente desesperante.

Unos golpes en la puerta hicieron que se volviera. Su corazón dio un par de latidos de más, después vino la decepción. Stefan Theissen y otros dos miembros de la junta del Círculo Empresarial entraron. Llevaban los trajes empapados por la lluvia.

—¿Y bien? —preguntó, tenso—. ¿Lo tienen?

—No, lo siento. —Stefan Theissen levantó las manos con pesar—. La tormenta... De repente todo era un caos.

—¡Menuda puta mierda! —renegó Dirk Eisenhut sin poder dominarse—. ¡Esto no puede ser cierto! ¿Para qué tienen un servicio de seguridad?

Los tres hombres cruzaron miradas de bochorno.

—Para nosotros también ha sido muy desagradable —dijo uno de ellos, apaciguador—. No podemos explicarnos cómo ha conseguido entrar en la sala.

—Quizá con un pase de prensa falso —opinó el otro.

Los apocados empresarios formaban delante de él como niños castigados después de que la velada hubiera terminado casi en catástrofe.

—No se preocupe por ese hombre, no tiene nada en contra de usted —dijo Theissen, esforzándose por minimizar los daños.

Dirk Eisenhut, sin embargo, apenas lograba reprimir su decepción.

—A mí me da igual lo que haya dicho —replicó con vehemencia—. Eso no me importa lo más mínimo. Yo...

Se quedó callado al ver la extrañeza en los rostros de sus anfitriones. Acababa de meter la pata. Entonces fue consciente de lo graves que eran las acusaciones que aquel hombre había expresado públicamente. Podían causarle grandes complicaciones y daños económicos a Theissen y a su empresa, puesto que aquella aparición espectacular al final de una conferencia discreta había sido sin duda carnaza para la prensa.

Respiró hondo.

—Por favor, disculpen que me haya comportado con tan poca corrección —se excusó—. Es que estoy algo desconcertado. Ese hombre ha mencionado el nombre de una colaboradora que trabajó conmigo muchos años y de manera muy estrecha, y que hace unos meses desapareció sin dejar rastro. Por un momento me ha sacudido la esperanza de que tal vez él sepa dónde se encuentra.

En la suite del hotel Kempinski se hizo el silencio, solo se oían el viento que aullaba y la lluvia que golpeteaba los cristales de las ventanas. Stefan Theissen miró a Dirk Eisenhut, después despidió a sus colegas del Círculo Empresarial.

—Annika era algo más que una colaboradora —explicó Eisenhut, que se dejó caer en una silla y se pasó ambas manos por la cara—. Fue mi ayudante durante quince años, la única persona en quien podía confiar de verdad. Tuvimos... una fuerte discusión, y desapareció. Después ocurrió la desgracia de mi mujer. Desde entonces intento desesperadamente encontrar a Annika.

Alzó la cabeza y miró a Theissen.

—Lo entiendo —dijo este—. Y tal vez pueda ayudarle. Sé quién es ese hombre.

—¿De verdad? —La mirada de Dirk Eisenhut parecía delirante.

—Sí —contestó Theissen, y asintió con la cabeza—. Trabajaba en nuestra empresa como director de proyectos y quiere vengarse de nosotros intentando impedir la construcción del parque eólico. Se llama Yannis Theodorakis, y sé incluso dónde puede encontrarlo.

Sacó su móvil del bolsillo de la americana y empezó a marcar. Dirk Eisenhut, que no podía estarse sentado ni un segundo más, retomó sus paseos por la suite. La sola idea de volver a tener delante a Annika provocaba en su interior un verdadero caos de emociones. Theissen, hablando en voz baja con el teléfono a la oreja, se acercó al elegante secreter de nogal y garabateó algo en una hoja del papel de cartas del hotel.

—Aquí tiene el nombre y la dirección de su novia. —Le tendió la hoja a Eisenhut, que tuvo que reprimirse para no arrancársela de la mano—. Por lo visto vive con ella. Espero que pueda ayudarle.

—Gracias. —El profesor sonrió con cansancio y le puso un momento la mano en el hombro a Stefan Theissen—. Al menos es una oportunidad. Y disculpe, por favor, mi comportamiento de antes.

—No pasa nada. Me alegro de haber podido ayudar.

Cuando el director de WindPro cerró la puerta al salir, Dirk Eisenhut sacó su móvil, llamó a un número grabado y esperó con impaciencia hasta que alguien descolgó al otro lado de la línea.

—Soy yo —dijo únicamente—. Creo que la he encontrado. Tenéis que ir allí ahora mismo.

Después se acercó al minibar, sacó una botellita de whisky y la vació de un solo trago. La alta graduación alcohólica le tranquilizó los nervios. Respiró hondo un par de veces y volvió a la ventana; se acercó tanto al cristal que lo empañó con el aliento.

—¿Dónde te has escondido, mal bicho? —masculló apretando los dientes.

Estaba viva, lo sentía con todo su cuerpo. La encontraría. Y entonces, que Dios se apiadara de ella.

Estaban sentados con cara sombría alrededor de la desgastada mesa de la cocina. Nadie decía una palabra. La tormenta ya había llegado y jarreaba sin parar. Oliver von Bodenstein se levantó, abrió la ventana y apartó el postigo. Un aire húmedo le sopló en la cara, olía a lluvia y a tierra. El agua borboteaba en los canalones y provocaba un ruido al caer en el bidón que había junto a la puerta de la cocina.

—No podemos permitir que ese tipo cumpla su amenaza —dijo Marie-Louise, disgustada—. Hace años que me deslomo día y noche en el restaurante, y no me apetece que me lo destrocen.

Oliver había llamado a su hermano y a su cuñada y les había hablado de la herencia y de la amenaza abierta del director de ventas de WindPro. Llevaban dos horas y media dándole vueltas a cómo actuar.

—No entiendo por qué dudas, papá —opinó Quentin, que hasta entonces apenas había dicho una palabra—. Véndeles ese prado. Así te librarás de todas las preocupaciones.

Oliver le lanzó una breve mirada a su hermano. Quentin era un pragmático; las consideraciones morales casi nunca lo atormentaban.

—No puede ser —contradijo Heinrich von Bodenstein a su hijo pequeño con voz cansada—. ¿Cómo voy a mirar a los demás a la cara si hago eso?

En los últimos cuatro días había envejecido décadas. Su rostro delgado parecía enjuto, tenía los ojos hundidos en las cuencas.

—¡Ay, papá! ¡Como si eso fuera lo único que importara! —Quentin sacudió la cabeza con indignación—. Cualquier otra persona de este mundo tendría menos remordimientos de conciencia que tú, te lo juro.

—Por eso Ludwig me dejó la herencia a mí, y no a ningún otro —replicó su padre—. Precisamente porque sabía que yo actuaría como él habría querido.

—Tu decencia te honra —comentó Marie-Louise, mordaz—, pero sigo sin ver por qué tenemos que sufrir nosotros las consecuencias. Deberíamos votar, y luego...

Unos golpes en la puerta de entrada la interrumpieron. Todos se sobresaltaron y se miraron con inquietud. Era casi medianoche. ¿Quién podía ser?

—¿Es que no habéis vuelto a cerrar la verja al entrar? —susurró la madre de Oliver con una expresión de espanto en la mirada.

—No —reconoció Quentin—. Como luego teníamos que salir otra vez...

—Pero yo te había pedido que...

—Mamá, esa puerta lleva abierta las veinticuatro horas del día desde hace cuarenta años —la atajó él con impaciencia—. ¡Estás viendo fantasmas!

Nadie daba muestras de querer ir a abrir, así que Oliver apartó su silla y se levantó.

—¡Ten cuidado! —exclamó su madre tras él.

En el pasillo le dio al interruptor de la luz exterior y abrió, uno tras otro, el pestillo, la cadena y la cerradura. Si de verdad el gigante de la coleta tenía el descaro de presentarse allí a esas horas, se iba a enterar. Oliver abrió la puerta con impulso y, bajo la tenue luz del farol de la pared, en lugar de un hombre imponente vio a una mujer delicada. Llevaba todo el día pensando en ella, y al verla ante sí tan inesperadamente el corazón le dio un vuelco salvaje de alegría.

—¡Nika! Esto sí que es una sorpresa —dijo, aunque luego reparó en su estado, y su alegría se transformó en preocupación—. ¿Qué ha ocurrido?

Iba calada hasta los huesos, tenía el pelo pegado a la cara y junto a sus pies había una maleta de piel.

—Disculpe que lo moleste tan tarde —susurró—. Yo... Es que... no sabía adónde ir...

El padre de Oliver apareció en el pasillo y se acercó.

—¡Nika! —exclamó, y pronunció la misma pregunta que acababa de hacer su hijo—. Pero ¿qué ha ocurrido?

—Pues... he tenido que irme de casa de Yannis y Ricky —explicó ella con voz temblorosa—. He venido corriendo desde Schneidhain porque no sabía adónde...

Se quedó callada, le temblaban los hombros y luchaba por contener las lágrimas.

Heinrich von Bodenstein le ayudó a quitarse la cazadora mojada y la hizo pasar a la cocina. Le temblaba todo el cuerpo. ¿Estaba en *shock?* Al verla en aquel estado tan lamentable, la madre de Oliver recuperó la energía. Se levantó y le acercó una silla.

—Ven, siéntate —dijo—. Espera, voy a buscar una toalla y un jersey seco. Y algo para calentarte. —Aliviada de no verse condenada a la inactividad mientras esperaba la visita de un asesino, salió de la cocina.

Oliver contempló a la mujer, que se sentó rígida y lívida en la silla rodeándose el tronco con los brazos, y sintió una enorme preocupación. Se veía claramente que estaba asustada y su mirada contenía desesperación. ¿Qué había sucedido? ¿Por qué había acudido allí en plena noche y a pie, cruzando el bosque oscuro y la tormenta? Recordó a la chica que había estado hablando y riendo con él la noche anterior. Le costaba relacionar a aquella Nika con el ser humano maltrecho que estaba sentado en la cocina de sus padres. El conde sacó una manta, su mujer regresó con una toalla y un vasito de coñac que le puso a Nika en la mano con cariño.

—Bueno, parece que la Orden Hospitalaria de Malta ha encontrado una nueva misión —comentó Quentin con sarcasmo. Le dio una palmada a su hermano en el hombro—. Nosotros nos vamos. Confío en que tú puedas conseguirlo, hermanito.

—Sí, empléate a fondo —murmuró también su cuñada, que le guiñó un ojo—. Con ese dinero por fin podría ampliar el hotel.

Típico de Marie-Louise. Su segundo nombre era «Negocianta». Oliver se limitó a enarcar las cejas y no dijo nada. Esperó hasta que su hermano y su cuñada se hubieron marchado, luego se sentó frente a Nika a la mesa de la cocina. Ella sostenía el vaso con ambas manos y tiritaba cada vez que una ráfaga de viento húmedo y frío atravesaba las cortinas. Las velas temblaban intranquilas en la corriente.

—¿Quiere que cierre la ventana? —preguntó Oliver.

Ella sacudió la cabeza en silencio. El inspector jefe se fijó en su cara. Parecía joven y vulnerable, y le conmovió que en un claro caso de emergencia hubiese acudido a él. Confiaba en él. Vio cómo se llevaba el vaso a los labios, temblando. Bebió un trago de coñac y torció un momento el gesto. Su mirada vagaba de aquí para allá, la conmoción iba retrocediendo, aunque poco a poco.

—¿Mejor? —dijo él en voz baja.

Los ojos de Nika buscaron los suyos y se aferraron a ellos. El reloj de pie tocó la media.

—¿Quiere explicarme lo que ha ocurrido? —preguntó Bodenstein con tacto.

Lo que le habría gustado hubiese sido levantarse y abrazarla para consolarla. Nika lo miró fijamente con sus grandes ojos y se apartó un mechón mojado de la frente.

—Es que ya es muy tarde —susurró—. Mañana... tendrá que trabajar. Lo siento mucho...

Su consideración lo impresionó.

—No lo sienta —se apresuró a decirle—. Y mañana es sábado. Tengo todo el tiempo del mundo.

Ella sonrió; un destello breve y agradecido iluminó su rostro, pero enseguida se extinguió. Su cara, pálida, recuperó algo de color. Dejó el vaso a un lado, unió las manos y respiró hondo.

—Me llamo Annika Sommerfeld —comenzó en voz baja—. Durante quince años trabajé en el Instituto Climatológico de Alemania como ayudante del profesor Dirk Eisenhut, que ahora quiere matarme.

Berlín, agosto de 2008

Bajó del taxi delante del Tacheles, se quedó quieta en la acera y miró a su alrededor como buscando algo. La peculiar ruina de unos grandes almacenes de principios de los años veinte, con sus cafeterías, sus talleres de artistas y una discoteca, atraía sobre todo a los turistas, que quedaban fascinados por su anárquica atmósfera artística y cultural. Todavía no eran las nueve, había llegado pronto.

El punto de encuentro escogido por Cieran era perfecto, ya que la cálida tarde de verano había convertido la zona entre el norte de Frie-drichstrasse y Oranienburger Strasse en una gran fiesta vibrante con sus numerosos bares y restaurantes... y por ello seguramente sería el último lugar en el que podría aparecer Dirk.

Turistas y jóvenes con ánimo festivo se apretaban frente al Tacheles cuando alguien la empujó. Ella avanzó unos metros, se detuvo en un semáforo para peatones y cruzó la calle junto a un pelotón de adolescentes que ya iban bastante borrachos. De las cocinas de los restaurantes llegaban aromas de comida; olía a ajo, a pescado, a patatas fritas y a carne asada. Retazos de música, chirridos de neumáticos, bocinazos, carcajadas. La sensación de soledad que no la había abandonado desde aquella horrible noche en Deauville se intensificó al encontrarse entre personas alegres. Su encuentro con Cieran había sido decisivo. Él le había abierto los ojos y había sembrado la duda sobre la bondad de su trabajo, pero no solo eso. De pronto había visto una oportunidad para vengarse de Dirk.

—Hola, Annika. —La voz de Cieran la llevó de vuelta a la realidad. Le dio dos besos rápidos en la mejilla.

—Hola, Cieran.

Estaba tan absorta en sus pensamientos que no lo había visto. Parecía cambiado. Preocupado. Cansado. Estresado. La sonrisa juvenil que suavizaba las leves arrugas de su rostro había desaparecido. Y había adelgazado desde la última vez que lo vio. No tenía buen aspecto.

—¿Dónde quieres que vayamos? —preguntó él.

—Pues no sé. Seguro que tú conoces esto mejor que yo —repuso ella—, aunque me apetece tomar un cóctel.

Cieran levantó las cejas.

—¿No prefieres una copa de vino? Ah, ya veo... —Ahí estaba esa sonrisa, que se encendió un instante pero enseguida volvió a extinguirse—. Pues, entonces, iremos al Bellini Bar. Allí podemos sentarnos fuera.

Le pasó el brazo por los hombros con un gesto lleno de naturalidad, ella acomodó su paso al de él y por un momento permitió que al menos los demás los tomaran por una pareja. Dirk nunca la había rodeado con el brazo en público. Y ¿por qué? Porque nunca la había querido. Le costaba trabajo dominar esa amargura que se había convertido en su perpetua compañera. Intentó concentrarse en Cieran. Encontraron dos sillas libres, Cieran pidió una cerveza para él y dos caipiriñas. Esperó a que el camarero les sirviera las copas, luego se inclinó hacia ella y empezó a explicarle. Ella lo escuchaba muda e incrédula. Su odio y su ira hacia Dirk Eisenhut crecieron hasta el infinito. Estaba tan atenta a lo que le decía Cieran que no vio al hombre con la cámara.

Sábado, 16 de mayo de 2009

—¡Nika se ha ido! ¡Se ha largado, la muy imbécil!

Yannis parpadeó confuso contra la intensa luz del sol. Ricky estaba de pie con cara de pocos amigos delante de su cama y agitaba una hoja de papel.

—¿Qué pasa? —murmuró él, dormido.

—¡Que se ha ido! ¡Ha recogido sus cosas y me ha dejado esta nota en la mesa de la cocina! —Ricky estaba fuera de sí—. Y eso que sabe perfectamente que Frauke no está. ¿Cómo voy a arreglármelas yo sola en la tienda?

Yannis tardó un par de segundos en despertar del todo y comprender lo que había ocurrido. Nika se había esfumado.

—Puedes estar contenta —dijo.

—¡No estoy contenta, no! —replicó Ricky con vehemencia—. Estoy más sola que la una con la tienda y la casa. ¿Cómo voy a encontrar a un sustituto tan rápido? ¿O es que vas a ayudarme tú? —Y salió corriendo.

Yannis suspiró y se frotó los ojos. No fue nada fácil tranquilizar a Ricky la noche anterior. Después de la escenita que había montado Nika, había empezado a desconfiar y quería saber qué le había prometido él a Nika. Yannis consiguió inventarse una historia que Ricky aceptó, más o menos. Pero la situación se había puesto peligrosa, sobre todo por Mark. Entonces leyó la nota que Ricky le había tirado a la cama.

«Querida Ricky. Por desgracia tengo que desaparecer. Gracias por tu ayuda y por dejarme vivir en tu casa. Quizá más adelante pueda explicártelo todo. Cuídate, Nika.»

Yannis apartó el edredón, se levantó y salió en camiseta y calzoncillos hasta el buzón para recoger el periódico. Tal vez dijera algo sobre lo de la noche anterior. Dejó el periódico en la mesa de la cocina, se sirvió un café y se sentó. Las puertas de la terraza estaban abiertas de par en par. Ricky estaba en el jardín, dando de comer a sus bichos; los perros estaban sentados en la terraza y la vigilaban con atención. Yannis pasó las páginas deprisa hasta la sección local.

La culpa de que Nika se hubiera marchado era suya, eso lo tenía claro. Le había pedido que no mencionara su nombre, pero él de todas formas lo había hecho, porque su preocupación le pareció exagerada. Sin embargo, sus temores parecían fundados en algo real, ya que el famoso climatólogo Eisenhut se había quedado de piedra cuando él pronunció el nombre de Annika Sommerfeld... Theissen, por su parte, perdió por completo los papeles e hizo el ridículo delante de doscientas personas y de la prensa.

Yannis sonrió con malicia. Pasó una página y se estremeció de alegría al encontrar una fotografía de Eisenhut, Theissen y otros dos tipos. Leyó el artículo por encima con curiosidad, pero su decepción fue creciendo de línea en línea. ¡Ese periodista de pacotilla pasaba por alto su aparición y la violenta salida de tono del director de WindPro! ¡Maldita sea! ¿Se habrían dejado corromper esos gacetilleros por Theissen y sus compinches del Círculo Empresarial? ¡Toda su acción había sido inútil si la prensa no escribía sobre ello! Ricky volvió a entrar en la cocina.

—El *Taunuszeitung* no dice ni una palabra sobre mí —se quejó Yannis—. ¡Esto ya es lo último! ¡Llamaré a la redacción y les preguntaré si Theissen se lo ha prohibido!

—No sabes lo mucho que me resbala —repuso Ricky de mala gana—. ¡A Frauke la busca la Policía y ahora a Nika le da por desaparecer! No sé cómo voy a conseguir sacar todo el trabajo, y tú solo tienes en la cabeza tu delirante campaña de venganza.

Metió los cuencos sucios de los animales en el lavavajillas haciendo todo el ruido que pudo.

—¿Me vas a ayudar hoy en la tienda? —preguntó—. Si no, más vale que no abra.

—Pues deja cerrado —masculló Yannis antes de levantarse.

Los problemas de Ricky no le interesaban. Tal vez el *Rundschau* o el *FAZ* informaban sobre él. El quiosco del final de Wiesbadener Strasse abría a las nueve los sábados, y para eso faltaba más de hora y media. Además, creía adivinar dónde había ido Nika a esconderse. Tenía que dar con ella y convencerla para que regresara y le ayudara. Era su mejor arma contra Theissen, tal como había comprendido el día anterior. La próxima vez no lo dejaría todo en manos de la prensa corrupta.

En cuanto volviera de comprar los periódicos, publicaría los peritajes falsificados en internet... junto con el nombre de Nika. Sabía lo que tenía que hacer para que los chanchullos de Theissen y Eisenhut se convirtieran en un escándalo que se difundiría a toda velocidad entre la conectada comunidad mundial de escépticos del cambio climático.

Habían pasado toda la noche hablando. La historia que le contó Nika era difícil de creer. La revelación de su verdadera identidad le había supuesto una gran impresión, pero tenía pruebas indiscutibles. Oliver von Bodenstein se rompía la cabeza pensando cómo ayudarle, y si debía siquiera tomarlo en consideración. Nika tenía en su poder unos documentos cuya importancia explosiva ya les había costado la vida a tres personas. ¿Y si llegaba a saberse que él, el director de la K 11 de Hofheim, la escondía en su casa? Aquel asunto le quedaba demasiado grande; ya no se trataba de política de provincias, sobornos y chanchullos, sino de algo muchísimo más peligroso y de personas capaces de pasar por encima del cadáver de quien hiciera falta. Sin embargo, Annika era inocente. Se había visto atrapada entre la espada y la pared, y su vida correría peligro mientras conservara esos documentos.

—Podrías darle todo eso a Eisenhut y ya está —dijo Oliver rompiendo el silencio—. Así no tendría motivo para perseguirte.

—No es tan fácil, por desgracia. Cieran depositó los documentos en una caja de seguridad de un banco suizo. Yo tengo la llave y la autorización para abrirla, sí, pero no me es posible viajar a Suiza.

—¿Por qué no?

—Al tener que marcharme tan precipitadamente de Berlín, dejé mi pasaporte, mi carné de identidad, lo dejé todo allí. —Suspiró—. A veces me parece que esto es una pesadilla descabellada. ¡He perdido toda mi vida!

Su desesperación le partía el corazón a Bodenstein.

—Muchas veces he pensado entregarme a la Policía —siguió diciendo ella—, y explicarlo todo. Contar toda la verdad. ¡Tienen que creerme!

Sí, susurró el policía que había en él, ¡entrégate! Eres inocente, ellos descubrirán la verdad. Sin embargo, sin dudarlo un momento, hizo a un lado todo aquello por lo que tantos años atrás había dejado sus estudios de Derecho para entrar en la Policía.

—Me temo que te equivocas —repuso con realismo—. Si de verdad Eisenhut tiene buenos contactos en la Oficina Federal para la Protección de la Constitución, si incluso puede que hayan sido ellos los responsables del asesinato de ese periodista, entonces te buscarán un móvil para el asesinato basándose en el solo hecho de que esos documentos se encuentran en tus manos. Si te entregas ahora, no tendrás ninguna oportunidad.

Estaban sentados a la mesa de la pequeña cocina de la cochera. La intimidad que había surgido entre ellos esa noche se transformó en timidez con la luz de la mañana. Annika parecía agotada, pero el miedo había desaparecido de sus ojos. Sonrió temerosa.

—¿Me aconsejas que siga escondiéndome?

—Por lo menos de momento —contestó él.

En algún instante de la noche, Oliver le propuso que se trasladaran desde la casa de sus padres a su apartamento. Por suerte ella no lo malinterpretó, no le pareció fuera de lugar, solo asintió y lo siguió por el patio hasta la cochera, que quedaba algo apartada. Por la ventana de la cocina se veía el patio de la entrada; uno de los trabajadores del establo llevaba en ese momento un par de caballos a la dehesa y sus cascos resonaban sobre el asfalto, que seguía mojado tras el fuerte aguacero. El cielo estaba de un azul resplandeciente y prometía un bonito día.

—¿Qué voy a hacer? —Annika soltó un profundo suspiro—. No puedo involucrarte en todo esto.

—Ya lo has hecho al contármelo. Y yo intentaré ayudarte.

Se miraron. Doctora Annika Sommerfeld. Así se llamaba en realidad. No era una señora de la limpieza ni una dependienta, sino una científica de renombre que estaba en graves apuros. ¿Era un error creer esa historia descabellada? ¿Cómo iba a ayudarle? ¿Estaba nublando su objetividad la atracción que sentía hacia ella? ¿Y si era una farsante que se estaba aprovechando de él? Pero ¿se podía fingir ese miedo, esa desesperación?

—Me pregunto cómo pude ser tan ingenua —dijo Annika—. Todo lo que quería hacer en la vida era investigar. Dirk me abrió posibilidades insospechadas. Jamás lo habría creído capaz de hacer algo así.

—Confiabas en él —repuso Bodenstein—. Y lo amabas.

—Sí, lo amaba de verdad. —Su voz sonó amarga de pronto—: Durante todos esos años fui yo quien hizo el trabajo, y él se apropió de los resultados de mis investigaciones. Su nuevo libro..., en realidad debería ser mi trabajo para obtener la cátedra.

Le dirigió una mirada tan abatida que Oliver se sobresaltó.

—Ya no tengo futuro —dijo sin fuerzas—. Me lo ha robado todo. Ha destruido mi nombre. En realidad, ya da lo mismo lo que suceda.

—¡No digas eso! —Oliver la tomó de la mano y apretó con fuerza—. Siempre hay una salida, y tenemos que encontrarla.

–No, Oliver. Tú no tienes por qué hacer nada. Esto es asunto mío. Anoche no debería haber venido.

No había llorado en todas esas horas, pero de pronto tenía lágrimas en los ojos.

–Cometí un error –susurró–. Un error enorme. Y ahora debo pagarlo.

Bajó la cabeza y empezó a sollozar. Oliver la miró mientras una oleada de ternura le aceleraba el corazón. Y en ese momento se arriesgó, sin poder decir muy bien por qué lo hacía, y echó a andar por la cuerda floja de la confianza: una acrobacia peligrosa, sin red ni trampa ni cartón.

–No estás sola, Annika. Yo te ayudaré –le prometió.

Bodenstein había decidido ser insensato por una vez en su vida, porque se había enamorado.

Yannis esperó a que Ricky se marchara de casa echando espuma por la boca después de insultarlo un poco más y recriminarle que fuera tan egoísta. Se vistió, buscó el móvil y la cartera y sacó la bicicleta del garaje. Antes de que el quiosco abriera, pedalearía a través del bosque hasta la finca de los Bodenstein. Recordaba haber visto a Nika sentada muy a gusto frente al supermercado con el hijo de Heinrich, ese tipo de la Policía. Seguro que se había escondido en su casa.

Tenía que convencerla como fuera para que volviera. Al menos durante unos días. Le pediría perdón y, si era necesario, hasta se haría el compungido y reconocería su error. Eso siempre funcionaba con las mujeres.

Yannis estaba tan absorto en sus pensamientos que no se fijó en la furgoneta blanca que había aparcado junto a la acera dos casas más allá y que entonces se puso en marcha. El aire era claro y fresco, la tormenta se había llevado el bochorno. Un día fantástico para dar una vuelta en bici o un paseo con Nika. Si los periódicos no decían nada, ya no podría seguir enfadada con él. Sus secretitos y su manía persecutoria eran una completa exageración.

Yannis pedaleaba con fuerza y derrapó al bajar por una curva empinada. Enseguida tomó velocidad, el viento en contra le hacía lagrimear. Con el rabillo del ojo vio que se acercaba un vehículo. Lo llevaba muy pegado por detrás. La calle era lo bastante ancha... ¿por qué no lo adelantaba aquel imbécil?

Giró la cabeza y se llevó un buen susto al ver el parachoques de la furgoneta de reparto justo al lado de su pierna. De pronto sintió un fuerte topetazo. En un acto reflejo, giró el manillar un poco a la derecha, la rueda delantera tocó el bordillo y se trabó. Él salió disparado a toda velocidad. Perdió las gafas, primero se dio contra la acera con el hombro derecho, luego con la cabeza, se rasguñó las palmas de las manos y los codos sobre el asfalto. El manillar se le clavó en el muslo y por un momento vio las estrellas. Su bicicleta patinó varios metros por la calle y se deslizó bajo un coche aparcado.

La furgoneta de reparto, que se había detenido, dio entonces marcha atrás acelerando en dirección a él. ¡Maldita sea! ¡¿No veía ese imbécil que estaba allí tirado?! Yannis, desesperado y presa del pánico, intentó salir de la calzada para pedir ayuda, pero no podía moverse. Atónito, vio cómo un neumático trasero le pasaba por encima de la pierna izquierda y oyó un feo crujido. Sin embargo, no sintió ningún dolor. Solo espanto.

De repente tenía a dos hombres de pie junto a él, vio sus pantalones oscuros y unos zapatos negros y brillantes.

—Ayúdenme —pidió con voz ronca, aturdido—. ¡Ayúdenme, por favor!

En lugar de ayudarle, una mano enguantada lo agarró del cuello y lo presionó con brutalidad contra el asfalto mojado. Sin gafas, Yannis solo distinguía los contornos borrosos de una cara con gafas de sol.

—¿Dónde está Annika Sommerfeld? —gruñó aquel tipo—. ¡Venga, contesta! ¿O vas a obligarnos a partirte también la otra pierna?

—Yo... no..., no sé dónde está —farfulló Yannis.

Tenía la sensación de que en cualquier momento se le saldrían los ojos de las cuencas. ¡No había sido ningún accidente! Nika no exageraba: esos hombres iban tras ella.

—Suelte... ¡Suélteme, no puedo respirar!

La presión despiadada se intensificó en su garganta. Un puño se estrelló contra su cara sin previo aviso. La segunda vez en tres días que le rompían el tabique nasal; un torrente de sangre empezó a manar de su maltrecha nariz. En su interior se abrieron las esclusas de un miedo tan elemental como jamás lo había sentido. Esos tipos lo habían atropellado a sangre fría en pleno día, y no daba la impresión de que fueran a andarse con contemplaciones.

—Esa respuesta no nos gusta. Venga, ¿dónde está?

—Yo... no..., no lo sé —lloriqueó Yannis, aterrado—. ¡No me hagan nada, por favor!

Un segundo golpe le saltó los dientes. Se encontraba impotente, en manos de la violencia desatada de su atacante, y el miedo impedía que su cerebro formara ningún pensamiento claro.

—Saludos cordiales del profesor Eisenhut. Volveremos a vernos —siseó el hombre, y aún le dio una última patada en las costillas antes de desaparecer de su campo de visión.

Una puerta de coche se cerró. La aparición se había desvanecido. Yannis rodó con esfuerzo hacia un lado, se llevó la mano al cuello, se apretó la garganta y tosió. ¿Dónde estaban sus gafas? ¿Y su móvil? Se arrastró hacia delante boca abajo. Un rugido de motor. Horrorizado, vio que el parachoques aceleraba y rodó para apartarse con sus últimas fuerzas.

Pia caminaba intranquila de aquí para allá en el aparcamiento de la comisaría local de la Policía judicial de Hofheim con el móvil en la oreja. Media hora antes, una llamada de la comisaria jefe Nicola Engel le había echado a perder toda la mañana.

Acababa de lavarse el pelo y de alarmarse al ver la cantidad de cabellos que recogía del desagüe de la bañera, cuando Christoph entró en el baño con su móvil. Todavía enfurruñada por la terrible perspectiva de una calvicie prematura, a Pia le cayó encima la andanada de indignación de Engel, que seguía sin encontrar a Bodenstein. Como si ella fuera responsable de que su jefe no contestara al móvil para poder dedicarse a perseguir faldas... Desde entonces Pia estaba a cien.

Bodenstein seguía ilocalizable. La noche anterior le dejó un mensaje en el buzón de voz en el que le pedía que lo llamara enseguida, por muy tarde que fuera, ella lo hizo pero él no le contestó. ¿Qué mosca le había picado? Ni siquiera durante la depresión que le sobrevino tras descubrir la infidelidad de Cosima se había comportado de una forma tan extraña.

La inspectora tenía la sensación de haberse quedado completamente sola. Después de la reunión del día anterior, la K 11 se puso en marcha enseguida y ella se acercó otra vez a WindPro. El comentario de Bodenstein de que se habían cruzado allí con el hombre de la cola de caballo unos días antes no la dejaba tranquila.

En el aparcamiento, Pia se encontró con el jefe de personal, que salía ya para el fin de semana y le dio información de forma voluntaria. Bodenstein tenía razón. En WindPro conocían a un hombre que se correspondía con aquella descripción. Se llamaba Ralph Glöckner y de ninguna manera era un asesino a sueldo, sino el director de obra del proyecto del parque eólico del Taunus. Durante su estancia se hospedaba en el hotel Zum Goldenen Löwen de Kelkheim. Pia se acercó en un momento con el coche, pero por desgracia Glöckner había salido dos horas antes y no se le esperaba de regreso hasta la noche del lunes. A través del propietario del hotel, de todos modos, la inspectora descubrió algo muy interesante. El martes, Glöckner había cenado en el restaurante del establecimiento con otro hombre. Sobre las ocho y media ambos se habían marchado en el coche de Glöckner, que no había regresado hasta poco después de medianoche. La descripción de ese otro hombre era muy vaga, pero el dueño sí recordaba que durante la cena el acompañante de Glöckner había salido a la puerta por lo menos tres veces para fumar. Enno Rademacher, el jefe de ventas de WindPro, fumaba como un carretero. ¿Había sido él quien acompañó a Glöckner a alguna parte la noche del asesinato?

¡Cómo le habría gustado a Pia hablarlo con su jefe! ¿Debía intentar conseguir el número de móvil de Glöckner a través de Theissen, o era más inteligente decretar una orden de busca y captura contra el hombre, para no ponerlo sobre aviso? También seguía sin saberse absolutamente nada de Frauke Hirtreiter. Por lo menos el laboratorio de criminalística le había comunicado hacía diez minutos que a Ludwig Hirtreiter le habían disparado con la escopeta que Kröger había encontrado en el apartamento de su hija.

Aparte de eso, la coartada de Theodorakis para la noche del martes había saltado, lo cual había vuelto a catapultarlo al equipo de los sospechosos: sí que había ido a casa de sus padres, pero no había llegado allí hasta dos horas después de lo que había declarado.

Pia había tenido que dejar marchar a Gregor Hirtreiter hacía veinte minutos a causa de la vehemente insistencia de su abogado; las pruebas de culpabilidad contra él no bastaban para retenerlo más tiempo. Y, encima, Engel se había presentado con un humor de perros acompañada por tres tipos vestidos de traje.

—¿Dónde está Oliver von Bodenstein? —le soltó sin saludar siquiera.

Pia se sintió tentada de contestarle, con ese mismo tono de voz, que ella no era la niñera de su jefe, pero en el último momento cerró la boca. Justo cuando estaba pensando si enviar una patrulla a la finca de sus padres, el vehículo de Bodenstein entró en el aparcamiento. Pia fue hacia él.

—¿Dónde te habías metido? —preguntó en cuanto abrió la puerta del coche. Sabía lo mucho que detestaba que lo abordaran así, pero esa mañana no le importaba en absoluto—. ¿Por qué tienes el móvil apagado?

—Buenos días —repuso el inspector jefe, y salió con dificultad del estrecho Opel—. Se habrá agotado la batería. ¿Qué ha pasado?

Parecía que no hubiera pegado ojo en toda la noche. Pia no pensaba preguntarle una segunda vez por la causa de su extraña conducta. Su desconcertante evasiva tras su pregunta directa del día anterior tenía a la inspectora profundamente ofendida; lo último que necesitaba era que se repitiera. Si de repente ya no confiaba en ella, pues que se las apañara él solo.

—¡Que no damos abasto! Y arriba, en el despacho de Engel, hay tres tipos que quieren hablar contigo.

—Ah, ¿sí? ¿De qué?

—¿Y yo qué narices sé? Pero yo en tu lugar no los haría esperar más.

Entraron juntos en el edificio. Pia intentó informarle de todas las novedades mientras subían al primer piso, pero él parecía distraído.

—¡Oliver! —Pia se detuvo en la escalera y lo agarró del brazo—. ¡Que hemos encontrado el arma del crimen! ¡Enno Rademacher nos ha ocultado información! ¡La coartada de Theodorakis ha saltado! ¡Estamos hasta el cuello de trabajo y tú ni siquiera me escuchas! ¿Qué se supone que tengo que hacer?

Oliver se volvió. Sus facciones parecían cinceladas en piedra, pero nunca había conseguido controlar la expresión de sus ojos tanto como su gesto. Parecía confuso y al mismo tiempo tan agitado y torturado como nunca lo había visto. La inspectora se detuvo, asustada, y le soltó el brazo.

—Lo siento, Pia, de verdad —se excusó Bodenstein. Inspiró hondo y se pasó la mano por el pelo—. Te lo explicaré todo, pero es demasiado...

La puerta del despacho de Nicola Engel se abrió de golpe y la comisaria jefe apareció en el pasillo con un semblante que no anunciaba nada bueno.

—Dime, ¿te has vuelto loco? ¿Cómo me cuelgas el teléfono? —le gritó a Bodenstein. Una ira gélida vibraba en su voz—. Hace ya una hora que estoy aquí sentada con estos...

Su mirada recayó entonces en Pia, que estaba dos escalones por debajo de Bodenstein. La comisaria jefe se interrumpió a media frase y se volvió con brusquedad. Bodenstein la siguió. La puerta se cerró tras él con un golpe enérgico que resonó como un disparo en los pasillos vacíos de ese sábado.

Engel y Bodenstein solían tratarse de usted delante de todos, pero seguro que Pia era la única de la comisaría que sabía que esa distancia cortés era puro teatro. El inspector jefe y Nicola habían sido pareja de jóvenes durante una buena temporada, hasta que Cosima entró en escena, le quitó el prometido a la comisaria jefe y se casó con él en menos de un año. Además, Pia albergaba la sospecha de que el invierno anterior, poco después de que el matrimonio modelo de Bodenstein se hiciera añicos, los dos habían pasado por lo menos una noche juntos. No tenía pruebas de ello, y su jefe antes se habría mordido la lengua que explicarle nada a ella, pero desde aquel día el tono de voz entre la comisaria jefe y él había cambiado.

Pia subió los últimos tres escalones, torció a la izquierda por el pasillo que llevaba a los despachos de la K 11 y sacudió la cabeza. Hasta hacía un par de días había estado firmemente convencida de que conocía bastante bien a su jefe, pero ahora ya no lo tenía tan claro.

El dolor latía tras sus ojos. No era insoportable, pero sí un constante recordatorio de que nada iba bien. El odio hacia Nika hervía en sus entrañas. Ella lo había estropeado todo, todo, ¡todo! Desde que apareció en sus vidas nada había vuelto a ser como antes. Se había metido entre Ricky y Yannis, aunque Ricky era su mejor amiga. Aquello era el colmo. Siempre tan inocente y reservada... cuando en realidad era muy diferente. Y Yannis era un débil. Un mentiroso que lo había utilizado todo el tiempo. A él lo odiaba tanto como a Nika.

Mark miraba fijamente su rostro en el espejo del cuarto de baño. Tenía un hematoma que le bajaba por el ojo desde la sien izquierda hasta el pómulo, la herida abierta de la ceja ya tenía costra. Se rascó la postilla con la uña hasta que la desprendió y la sangre volvió a manar. Un fino reguero. Demasiado fino para calmar el dolor.

Ese mismo día tenía que poner las cartas sobre la mesa y decirle a Ricky lo que había visto y oído el día anterior. Era su deber como amigo. Si no lo hacía, se convertiría en cómplice. Ricky tenía que comprender de una vez qué clase de cerdos mentirosos eran Nika y Yannis. Seguro que Yannis llevaba tiempo tirándose a esa guarra. Fijo. Y si no, seguro que no habría tardado mucho, porque estaba loco por ella. Y pensar que Ricky tenía que suplicarle de rodillas a ese traidor que se la...

El chico torció el gesto ante ese recuerdo tan desagradable. Hiciera lo que hiciese, no se quitaba esas imágenes de la cabeza y, lo que era mucho peor, no conseguía luchar contra sus propios sentimientos obscenos. A veces ya no sabía a quién odiaba más: si a Nika, a Yannis o a sí mismo. Todo aquello se arremolinaba en torno a él y hacía que estuviera a punto de explotarle la cabeza.

No quería eso. No quería que le gustara Ricky, no quería pensar todo el rato en su cuerpo, en el sujetador rojo y en su cara transformada por la lujuria mientras Yannis se la follaba en la terraza.

¡Todo tenía que volver a ser como antes! Una relación bonita, de camaradería, inocente. Él solo quería ser su amigo y, en lugar de eso, ¡constantemente lo torturaban aquellos pensamientos sucios, feos, repugnantes! Lo único que conseguía contenerlos durante un rato era el dolor y la sangre. Un dolor nuevo, intenso, y un reguero de sangre roja.

Mark buscó en el cajón de debajo del lavabo una cuchilla de esas con las que su hermana se afeitaba las piernas. Con ella podría agrandarse la herida de la ceja, podría infligirse un dolor que le recordaba a Micha. Siempre le había hecho mucho daño, la mayoría de las veces había llorado, pero luego Micha lo consolaba, lo acariciaba y le preparaba un chocolate caliente. Aquello lo convertía todo en bonito y enseguida le hacía olvidar el sufrimiento.

Llamaron a la puerta del baño y Mark se sobresaltó. Sus dedos se cerraron sobre la cuchilla de afeitar, justo a tiempo. Entró su madre.

—¡Dios mío, Mark! ¿Qué te ha pasado? —preguntó, atónita, al verle sangre en la cara.

—Me he resbalado en la ducha, no es para tanto. —Mentir le resultaba cada vez más fácil—. Pero no encuentro ninguna tirita.

—Siéntate aquí.

Su madre bajó la tapa del retrete. Él obedeció mientras la mujer revolvía en el armarito del espejo y encontraba lo que buscaba.

—¿Es que vuelves a tener jaquecas? —Lo interrogó con la mirada y le puso una mano en la mejilla.

Mark apartó la cabeza de mala gana.

—Un poco.

—Entonces tendríamos que ir otra vez al médico.

Estaba allí de pie, encorvada sobre él y sacando un poco la lengua entre los dientes mientras le cerraba la herida con concentración. Mark vio su cuello justo delante, la arteria palpitante que se transparentaba azulada a través de su pálida piel. Con un único tajo profundo bastaría. La sangre brotaría como un manantial, caería en los azulejos blancos, en el suelo, correría por sus manos y sus brazos. La idea era seductora. Excitante. Tranquilizadora.

Su madre se irguió y contempló su obra con ojo crítico. La mirada de Mark seguía fija en su cuello, como si fuera un vampiro, y aferró la cuchilla entre el índice y el pulgar.

—Túmbate un poco —le aconsejó su madre con dulzura—. Aunque podrías haber sufrido una conmoción cerebral. Quizá será mejor que vayamos al hospital ahora mismo.

Él no dijo nada y se levantó del retrete. Tenía la boca muy seca. Inspiró hondo. Sería muy fácil.

—¿Mamá?

Ella, ya en la puerta, se volvió y lo miró expectante. Abajo sonó el timbre, se oyeron voces. Su hermana había vuelto de correr. Mark se obligó a sonreír. Tragó saliva.

—Gracias, mamá —dijo.

Abrió los ojos con esfuerzo y reconoció a medias el hocico de un perro, húmedo y negro. En sus oídos resonaban voces como lejanas, también sirenas. ¿Qué había sucedido? ¿Dónde estaba?

—¡No se mueva! —exclamó una voz de mujer histérica—. ¡La ambulancia ya está aquí!

¿La ambulancia? Pero ¿por qué? Yannis intentó levantar la cabeza y gimió sin querer. Un hombre se inclinó sobre él, su rostro parecía distante y al mismo tiempo amenazadoramente grande.

—¿Me oye? ¡Hola! ¿Puede oírme?

Que no estoy sordo, pensó Yannis. Y tampoco muerto, por lo visto.

—¿Le duele algo?

No. Sí. No lo sé.

Movió los ojos y vio a una mujer con un border collie nervioso que no dejaba de ladrar atado a su correa, pero de alguna forma la perspectiva no era la correcta. La mujer estaba boca abajo. Un líquido cálido le llenaba la boca. Yannis intentó tragar pero no lo consiguió.

—¿Cómo se llama? ¿Puede decirme su nombre?

Unos hombres vestidos de blanco y con chalecos rojos se afanaban a su alrededor. Le recordaban vagamente al personal de un hospital. Unas manos extrañas querían agarrarlo, lo cual le resultó desagradable. Quería apartarlas, pero eran inexorables.

—Mif gafaf —masculló.

Sin gafas veía menos que un topo. Iba a pedirle a aquel hombre que se las buscara, pero entonces lo atravesó un dolor tan brutal que sintió ganas de vomitar. La calidez se desbordó por la comisura de su boca y se derramó por su mejilla.

325

¿Qué estaban haciendo esos imbéciles? ¿Por qué no lo dejaban en paz?

Por un breve instante se sintió ingrávido, vislumbró un retazo de cielo azul claro con pequeñas nubes blancas que se desplazaban con diligencia. Los pájaros piaban a un volumen desproporcionado. «Un día fantástico para dar una vuelta en bici o un paseo con Nika.»

Nika, Nika. Algo pasaba con ella, pero ¿el qué? No lograba recordarlo. ¿Por qué estaba allí tirado en la calzada? Yannis sintió un pinchazo intenso en el pliegue del codo y oyó ruidos metálicos que no lograba identificar. Chasquidos. Deslizamientos. Algo que encajaba en su sitio. El cielo desapareció y de pronto se encontró mirando un techo blanco.

Quería pasarse la lengua por los labios secos. Qué sensación tan extraña, como si... Mierda. Le pasaba algo en los dientes. ¡No estaban! ¡No tenía dientes!

El recuerdo regresó con contundencia y trajo consigo un miedo que todo lo engullía. La furgoneta, la caída de la bici. ¡Los hombres con gafas de sol! ¡Lo habían atropellado adrede, la furgoneta le había pasado por encima de la pierna! ¡Y luego lo habían metido en una ambulancia! Yannis, espantado, intentó conseguir aire, se atragantó y tuvo que toser.

—Tranquilo —dijo alguien antes de meterle un tubo por la nariz.

¡Joder, eso dolía! ¿No podían ir con más cuidado?

—¡Tenmof que avifar a la Polcía! —susurró desesperado—. ¡Theiffen ef refponfable! ¡Me quere madar!

Los dos caballeros que estaban sentados a la mesa de reuniones volvieron la cabeza cuando Oliver von Bodenstein entró en el despacho de la comisaria jefe Nicola Engel, el tercero miraba con expresión estoica por la ventana.

—Buenos días, Heiko. Hacía mucho tiempo que no nos veíamos —dijo Bodenstein antes de que su jefa pudiera tomar la palabra—. Señora Engel. Caballeros.

La alegría que mostró el hombre del tres piezas color coñac por ese reencuentro no bastó ni para una sonrisa ni para un apretón de manos. Se reclinó en su asiento y fulminó al inspector jefe con una mirada despectiva. Este se la sostuvo sin sonreír tampoco. Heiko Störch y él habían ido juntos a la Escuela Superior de Policía, pero durante esos tres años no se hicieron amigos. El tiempo no había pasado en balde para Störch: lo recordaba bajo y musculoso, pero los años habían convertido sus músculos en grasa, y tenía una cabellera blanca sobre su cara obesa y rojiza. El traje no le sentaba bien, y además le quedaba estrecho.

—Señor Von Bodenstein. —Su voz presuntuosa y gangosa, sin embargo, no había cambiado. Ya entonces había dado por saco interponiendo siempre el nobiliario «von» ante el apellido de Bodenstein—. Este es mi compañero Herröder.

—Y el profesor Dirk Eisenhut —dijo la señora Engel, presentando al tercer visitante, el de la ventana, que justo entonces se volvió.

El corazón de Oliver se aceleró unos instantes. No había contado con conocer tan pronto en persona a ese hombre del que había oído hablar por primera vez la noche anterior.

Eisenhut era casi tan alto como él mismo y debía de contar unos cincuenta y cinco años. Tenía la cara angulosa y seria, con pómulos altos y unos ojos azules hundidos que escrutaron brevemente al inspector jefe. De manera que así era el hombre al que Annika había amado una vez y del que tenía que esconderse.

—Vayamos al grano. —Störch carraspeó—. Estamos buscando a una mujer que según nuestras últimas informaciones pertenece al círculo de una iniciativa ciudadana contra cuyos miembros usted y su gente están realizando unas investigaciones. Se trata de la doctora Annika Sommerfeld.

—Ajá.

Oliver necesitó de todas sus fuerzas para mantener una expresión neutral y sorprendida. La cabeza le daba vueltas. ¿Cómo podía ser? ¿Por qué se habían presentado allí dos altos cargos de la Dirección Federal justo ese día preguntando por Annika? Heiko Störch estaba en Defensa Nacional, dirigía la sección ST de la Dirección Federal de la Policía judicial, que solía ocuparse de investigaciones y órdenes de busca y captura internacionales. La única explicación era que el profesor Eisenhut, justo después de que Theodorakis mencionara el nombre de Annika en la conferencia de la noche anterior, hubiese utilizado su influencia. Y sus contactos debían de ser extraordinarios. La visita de esos tres hombres era la prueba patente de que Annika le había dicho la verdad.

—¿Inspector jefe? —lo interpeló Nicola Engel con impaciencia.

—Estaba repasando mentalmente todos los nombres que conozco en relación con los casos Grossmann y Hirtreiter —repuso Bodenstein, hábil—. El de Annette Sommerfeld no me dice nada.

—Annika. Annika Sommerfeld —lo corrigió Störch—. Es una de las principales investigadoras sobre el clima del país y trabajaba en el Instituto Climatológico de Alemania como ayudante del profesor Eisenhut.

Su compañero, que hasta entonces se había mantenido del todo al margen, dejó un maletín en la mesa y abrió los cierres. Sacó un sobre y lo lanzó con un gesto algo chulesco en dirección al inspector jefe.

—¿Qué es esto?

—Fotografías de la persona que buscamos —informó Herröder, sucinto.

Era delgado y estaba moreno. Su cara alargada, la barbilla prominente y la expresión agresiva de sus pequeños ojos negros le conferían cierto parecido con un dóberman.

—Mírelas bien. Tal vez la conozca por otro nombre.

Bodenstein se inclinó sobre la mesa, sacó las fotos del sobre y las hojeó. Annika. Annika hablando por móvil. Acompañada de un hombre pelirrojo. Annika y el pelirrojo en un coche. De pie en una calle muy concurrida de una gran ciudad. Sentada en unos sillones frente a un bar. En esas imágenes parecía más joven, tenía la cara más rellena y el gesto más suave. Los últimos meses no le habían sentado bien.

—¿Por qué la buscan? —preguntó.

Cuatro pares de ojos atentos se fijaron en él, pero, gracias a su férreo autocontrol, lo único que verían sería un rostro imperturbable. No percibirían su pulso acelerado ni sus manos sudadas.

—Sospechamos que la señora Sommerfeld pudo asesinar al hombre de las fotografías. Se llamaba Cieran O'Sullivan, era un periodista económico *freelance* que trabajaba para publicaciones inglesas y estadounidenses.

Bodenstein creyó haber oído mal. ¿Decían que Annika había matado a O'Sullivan? ¿Por qué motivo?

—Además, seguramente también estuvo implicada en el asesinato de un cómplice de O'Sullivan en Suiza.

¡Santo cielo! Le costó un esfuerzo sobrehumano controlar la agitación que arreciaba en su interior.

—¿Por qué tenían a esa mujer bajo vigilancia?

Volvió a dejar las fotografías en la mesa con supuesto desinterés. Ni Störch ni el dóberman habían esperado esa pregunta.

—No era la señora Sommerfeld, sino O'Sullivan el que estaba vigilado. Y no éramos nosotros, sino Protección de la Constitución. Pero así fue como llegamos a ella —contestó Störch—. O'Sullivan pertenecía a un grupo internacional de escépticos del cambio climático. Sus contactos con la señora Sommerfeld, colaboradora del Instituto Climatológico de Alemania, que trabaja en estrecha relación con el Gobierno federal y la ONU, se seguían de cerca.

Lo que decía Störch sonaba convincente. ¿Por qué le había ocultado Annika que era sospechosa de dos asesinatos? ¡A él le había explicado una historia del todo diferente! ¿Estaría escondiendo a una asesina en su casa?

—O'Sullivan redactó una gran cantidad de artículos que abordaban de una forma extremadamente crítica la política sobre el clima del Gobierno alemán, cuyo organismo consejero es el Instituto Climatológico de Alemania. Entre otras cosas, publicó incluso un libro sobre ellos. Sospechamos que se puso en contacto con la señora Sommerfeld por encargo de su organización para obtener datos sensibles a través de ella.

Eso a Bodenstein no le interesaba.

—¿Cuándo y dónde mataron a ese hombre? —quiso saber.

—La noche del 30 de diciembre del año pasado —respondió Störch.

—Su cadáver fue encontrado en una habitación de hotel de Berlín. El arma del crimen se localizó más adelante en el apartamento de la señora Sommerfeld. Por desgracia, consiguió huir y evitar su detención.

Una sensación de mareo le invadió el estómago. Eso sonaba completamente diferente a lo que le había contado Annika. ¿Qué versión de la historia era cierta?

—¿Cómo lo mataron?

—Con más de cuarenta puñaladas —repuso el dóberman—. La señora Sommerfeld, además, había recibido el alta del psiquiátrico la tarde de ese mismo 30 de diciembre. Había sido hospitalizada allí después de un ataque violento contra el profesor Eisenhut el día 24.

Ahí la historia volvía a coincidir con lo que le había contado Annika, aunque en su versión faltaba el ataque violento. Ella seguía sin tener recuerdo alguno de los sucesos de la Nochebuena de 2008. Bodenstein le lanzó una mirada escrutadora a Eisenhut.

—Todavía me cuesta creerlo. Al fin y al cabo fue mi más estrecha colaboradora durante más de quince años —dijo este en voz baja—. Pensaba que la conocía, pero es evidente que me equivocaba.

Su rostro seguía inexpresivo, pero sus ojos delataban lo mucho que le costaba mantener esa fachada de serenidad interior. Si lo que había contado Annika era cierto, Eisenhut se jugaba mucho, muchísimo. ¿Lo suficiente para encargar el asesinato de una persona?

—En el curso de las investigaciones se puso también de manifiesto que poco antes de Navidad habían apuñalado en Zúrich a un ciudadano estadounidense —prosiguió el dóberman—. También en un hotel. El hombre pertenecía al mismo grupo de escépticos del cambio climático militantes que O'Sullivan. Y la señora Sommerfeld se encontraba en Zúrich en ese momento.

—¿Por qué se interesa Protección de la Constitución en esos casos? —se extrañó el inspector jefe—. Es más bien un asunto policial.

Störch y Herröder cruzaron una breve mirada.

—Hay motivos para ello. —Heiko Störch no estaba dispuesto a compartir más información—. Esta conversación es alto secreto, por cierto, imagino que eso no tengo que recordárselo.

—No hace falta —repuso Bodenstein—. De todas formas me temo que no puedo ayudarles, pero tendremos los ojos y los oídos bien abiertos.

—Usted tendrá los ojos y los oídos bien abiertos, nadie más —corrigió Störch con aspereza—. Este asunto exige la máxima discreción. No necesita saber más sobre ello, Bodenstein. En caso de que descubra dónde se encuentra la mujer, infórmenos.

El inspector jefe asintió sin decir nada. ¿A qué demonios estaban jugando? ¿Por qué tenían tanto interés Protección de la Constitución y la Dirección Federal de la Policía judicial en ocultar el asunto al público? ¿Qué hacía allí Eisenhut en persona? La pregunta más importante de todas, sin embargo, era la de quién había matado realmente a Cieran O'Sullivan y a ese otro hombre en Suiza. Y por qué.

El edificio de la comisaría estaba muerto. Solo en la K 11 reinaba un ambiente de excepción. Desde el laboratorio de criminalística iban enviando información gota a gota vía correo electrónico o fax a la mesa de Kai Ostermann.

—¡Pia! —exclamó este por la puerta abierta—. ¡Tenemos una coincidencia! ¡No te lo vas a creer, un ADN del caso Grossmann estaba registrado!

Pia saltó electrizada de su silla de oficina y entró en el despacho de su compañero. ¿Se movía otra vez la investigación después de todos los callejones sin salida en los que habían quedado atrapados?

—¿Quién es? ¿Tienes ya un nombre?

—Espera. —Ostermann tecleó y movió el ratón entornando los ojos, muy concentrado—. El guante roto no ha dado ningún resultado, por desgracia, pero sí un pelo y algunas escamas de piel que se encontraron en el cadáver de Grossmann. —Alzó la cabeza y sonrió de oreja a oreja—. Ioannis Stavros Theodorakis.

Por unos instantes, la sensación de haber tenido razón contra todo pronóstico se apoderó de Pia. Se dejó caer en una de las sillas que había junto al escritorio de Kai y cerró el puño.

—¡Lo he sabido desde el principio! —exclamó, rabiosa—. ¡Bueno, ahora va a tener que explicármelo, el muy mentiroso!

Ostermann descolgó el teléfono.

—Yo me encargo de la orden de detención.

—Sí, genial. Y también quiero una orden de registro para la casa. Tal vez encontremos allí unos zapatos que encajen con la huella. Entonces sí que lo tendríamos pillado.

—Te la pido.

—¿Y podrías ocuparte de citar al director de ventas de WindPro, Enno Rademacher, aquí? La noche del martes estuvo haciendo algo con Glöckner y nos lo había ocultado.

A la inspectora le sonó el móvil. Se lo sacó del bolsillo del pantalón y contestó.

—Soy yo —le siseó una voz temblorosa de mujer al oído—. Me dijo usted que la llamara si veía algo raro.

¡Siempre esa gente que daba por hecho que los reconocería!

—¿Con quién hablo, por favor? —preguntó Pia, molesta.

—Soy Irene Meyer zu Schwabedissen.

La inspectora recordó entonces. La abuela del aliento a ajo, la dueña del edificio de la tienda de animales.

—Es que la señora Frauke Hirtreiter ha regresado. Acaba de subir la escalera y ahora está en su apartamento.

Pia se puso de pie tan bruscamente que a Kai se le cayó de la mano el auricular del teléfono.

—¿Qué quiere que haga? —susurró la casera de Frauke Hirtreiter.

—Nada. Usted no haga nada, por favor —dijo la inspectora con insistencia. Kai la miró con curiosidad—. Quédese donde está. Enseguida envío a unos agentes a la casa.

—Sí, está bien. —Parecía algo decepcionada—. Ah, ¿señora inspectora?

—¿Sí? —Pia ya tenía la cabeza en otra parte.

—¿Me darán una recompensa? Ha sido una información muy útil, ¿verdad?

Increíble. La gente enseguida pensaba en dinero.

—Pues no lo sé —repuso con frialdad—. Gracias por llamar, señora...

Ya se le había vuelto a olvidar el apellido, así que colgó el teléfono enseguida. Le estaba pidiendo a Kai que enviara dos coches patrulla para allá, cuando la cabeza de Oliver asomó por el marco de la puerta.

—¡Frauke Hirtreiter ha reaparecido! —informó Pia, exaltada—. Y el laboratorio de criminalística acaba de informar de que han encontrado ADN de Theodorakis en el cadáver de Grossmann.

Salió y pasó junto a él, fue a su despacho y sacó su arma reglamentaria del cajón. Oliver la siguió y cerró la puerta al entrar.

—¿Qué ocurre? —Pia lo miró un segundo mientras rebuscaba la orden de detención contra Frauke Hirtreiter en la bandeja de documentos de su escritorio.

—Yo iré después —dijo Oliver—. Ha sucedido algo. Tengo que volver un momento a casa, pero no tardaré mucho.

El tono apremiante de su voz hizo que Pia levantara la visa y se irguiera.

—¡No me lo dices en serio! Estamos a punto de...

—Llévate a Kröger. Está en su despacho —la interrumpió su jefe sin ninguna cortesía, algo muy poco habitual en él—. Llámame y dime dónde puedo encontrarte. Yo iré luego.

Ya tenía la mano en el tirador de la puerta. Pia sacó la orden de detención de su carpeta.

—Me parece que te has quedado sin batería en el móvil —repuso, mordaz, alcanzó la mochila y salió del despacho sin dignarse mirarlo—. Nos vemos luego. O eso espero, por lo menos.

—No contesta al teléfono —dijo Mark, nervioso—, y Nika tampoco se ha presentado. Hace ya una hora que estoy aquí esperando.

—Eso es muy extraño. —Frauke sacó su manojo de llaves y abrió la puerta trasera de la tienda.

Mark se apresuró a entrar antes que ella y echó un vistazo en el almacén, luego en la oficina y al final hizo una ronda por el establecimiento. Nada. Ni rastro de Ricky. El chico nunca había visto la tienda cerrada un sábado por la mañana. ¿Por qué no había ido Nika? ¿Por qué no contestaba Ricky ni al móvil ni al teléfono fijo de casa? Tampoco había visto a nadie en el refugio de animales. ¿Había salido Ricky a montar al ver el buen día que hacía y se había caído del caballo? ¿Se había peleado con Yannis por culpa de esa bruja de Nika? Demasiadas posibilidades terroríficas copaban su pensamiento. Regresó a la oficina. Frauke había encendido el ordenador y estaba a punto de prepararse un café. No parecía muy preocupada.

—Seguro que ha pasado algo malo —masculló Mark, sombrío—. Puede que Ricky haya descubierto que...

—¿Que qué? —preguntó enseguida Frauke con curiosidad.

El chico dudó. Seguramente la chismosa de Frauke no era la persona más adecuada para recibir sus confidencias, pero él tenía que hablar con alguien antes de que esa presión espantosa le aplastara el corazón.

—Ayer por la noche descubrí por casualidad a Yannis y a Nika... enrollándose —reconoció al final, y evitó mirar a Frauke—. En la cocina, ¡en casa de Ricky!

—¡Anda ya! Bueno, en algún momento tenía que ocurrir —repuso ella. En su tono se mezclaban diversión y desdén—. El salido de Yannis con dos mujeres en casa... Eso no podía ir bien mucho tiempo. La propia Ricky tiene la culpa.

—¿Por qué? ¡Si ella no ha hecho nada! —Como de costumbre, Mark se sintió obligado a defender a Ricky frente a la menor crítica.

—Ya sé que la idolatras —repuso Frauke—, pero no es tan perfecta como tú la ves.

—¿Qué…, qué quieres decir? —Los horribles recuerdos del jueves por la noche acudieron a su mente.

—Cuando alguien miente tan descaradamente como Ricky, en algún momento se le pierde el respeto —afirmó Frauke, y se dejó caer en la silla con un suspiro.

—¡Ricky no miente! ¡A mí nunca me ha mentido!

—Ah, ¿no? ¿De verdad? —Frauke sonrió con malicia al ver la perplejidad del chico.

Mark tragó saliva y calló. Pensó en ese mensaje de texto en el que Ricky le decía que se encontraba mal. Una hora después la había visto en plena forma, primero discutiendo con Yannis y luego follándoselo.

—Bueno, hay quien sabe hacerlo y hay quien no —comentó Frauke—. Yo siempre he sido demasiado tonta y demasiado sincera. Pero todo se acaba sabiendo. Se pilla antes a un mentiroso que a un cojo.

—¿Por qué dices eso? —La indignación de Mark se había suavizado—. Pensaba que Ricky te caía bien.

—Y me cae bien. Pero solo soy su empleada, no su amiga. Si yo fuera Yannis, estaría harto de que me tomara tanto el pelo. —La mujer resopló con desprecio—. ¡Y un cuerno, rica heredera! ¡Ni estudios en una universidad de élite de Estados Unidos ni nada! ¡Bah! Justo tres semestres de marketing a distancia, eso es lo que ha estudiado. Con tanto embuste al final consiguió que el último novio la abandonara, pero no aprendió la lección. Ella es así. Siempre aparenta un poco más de lo que es.

—No…, no entiendo qué quieres decir —dijo Mark, desconcertado.

—Ricky ha maquillado un poco su biografía porque seguro que la verdadera no le parece lo bastante espectacular. —Frauke se encogió de hombros–. Lo hace más gente de lo que pensamos. La mayoría es consciente de lo que se inventa, pero Ricky acaba creyéndose sus propios cuentos.

–¿Quiere eso decir que no estudió para ser técnico aeroespacial en Stanford? –susurró el chico sin poder creerlo.

Frauke abrió mucho los ojos y se echó a reír.

–¿Técnico aeroespacial? ¿En Stanford? –No podía parar de reír, incluso le cayeron lágrimas por su cara redonda–. Dios santo, ¿eso? ¡¿Eso te ha contado?! ¿Y tú te lo has creído? –preguntó jadeando, y dio un golpe con la palma de la mano en la mesa–. ¡Es como si yo soltara que una vez fui primera bailarina en el ballet del Bolshói!

Entonces Mark se enfadó.

–¡Deja de reírte! –gritó–. ¡Tú solo tienes envidia de Ricky porque eres gorda y fea!

Lamentaba profundamente haberle contado nada a Frauke. Furioso, agarró su casco y salió corriendo al patio. ¡A la mierda con esa imbécil! ¡Encontraría a Ricky aunque fuera sin su ayuda!

Pia puso el intermitente y giró hacia casa de Frauke Hirtreiter. El bonito día de principios de verano había hecho salir a la calle a un montón de familias que ocupaban la pequeña zona peatonal de esa localidad del Taunus. Como no veía ningún sitio para aparcar, metió el coche en el patio trasero de El Paraíso Animal. De pronto apareció delante de ella un chico en moto.

–¡Cuidado! –Pisó el freno con tanta fuerza que Christian Kröger, junto a ella, se vio sacudido bruscamente.

El chaval de la moto giró el manillar, dio gas y pasó de largo rozando el guardabarros del coche de servicio.

–¡Menudo idiota! –lo insultó Pia, más asustada que enfadada.

Kröger ya había bajado del coche y había corrido hasta la calle. En el patio, ella le echó un vistazo al guardabarros, en el que había quedado un buen arañazo de color rojo. ¡Eso le costaría un montón de papeleo!

—Se ha largado —informó Kröger al regresar—, pero tengo la matrícula. Consultaré a nombre de quién está a través del Sistema Centralizado de Información de Vehículos.

Pia solo asintió con la cabeza y miró a su alrededor. ¿Dónde estaban los agentes que había pedido Kai? ¡Tendrían que haber llegado hacía un buen rato! Delante de los tres garajes vio un todoterreno rojo y el Mercedes plateado de Ludwig Hirtreiter. Se le aceleró el corazón. Frauke todavía estaba allí. Con algo de suerte habría resuelto el caso dentro de poco, y tal vez conseguiría incluso una confesión.

La puerta de la casa se abrió y la casera salió disparada y avanzó a hurtadillas pegada al muro. Su cara arrugada relucía de emoción bajo un peinado como de algodón de azúcar.

—¡Señora inspectora! —susurró mientras le hacía señales exageradas con sus delgados brazos—. ¡Está en la tienda! ¡Ahí! ¡Ahí dentro!

—Vuelva a su casa —dijo Pia, seca—. Luego subo a hablar con usted.

La señora Meyer zu Comosellamara asintió y obedeció. Kröger había terminado de hablar por teléfono.

—¿Qué hacemos ahora? —preguntó.

—No esperaremos a los refuerzos —decidió Pia—. Quién sabe cuándo se presentarán. Vamos.

Kröger subió los peldaños y llamó a la puerta metálica gris junto a la que había un cartel en el que se leía «El Paraíso Animal – Entregas». Una llave sonó en la cerradura. Pia y Kröger cruzaron una mirada. La puerta se abrió y en el vano apareció Frauke Hirtreiter.

—Ah, hola —dijo como si nada, y miró a Pia y a Kröger alternativamente—. ¿Qué puedo hacer por ustedes?

—Hola, señora Hirtreiter —repuso Pia, y la tensión aflojó—. Tenemos una orden de detención contra usted.

—¿Cómo? ¿Y eso por qué?

Su cara adoptó una expresión de asombro. O era una actriz extraordinaria, o de verdad no tenía ni idea de que Alemania entera la estaba buscando desde hacía dos días. Pia sacó el papel rosa del bolsillo de su chaleco vaquero, lo desplegó y se lo tendió a la mujer.

—Querríamos pedirle que nos acompañara —dijo—. Es sospechosa de haber asesinado a su padre.

El monovolumen oscuro estaba justo delante de la verja del jardín. Mark apretó el freno y la moto se detuvo con una derrapada. La dejó caer en las ortigas, se quitó el casco y lo dejó sobre el sillín. Los perros empezaron a ladrar de alegría en sus cajas de transporte nada más verlo. Vio la llave puesta en el contacto del coche, y el bolso de Ricky en el asiento del acompañante; parecía que solo había entrado un momento en la casa y que saldría enseguida. Ella nunca dejaba a los perros mucho rato en el vehículo, y menos aún si hacía sol, ya que el Audi se calentaba enseguida. Mark abrió el maletero para que los animales respiraran al menos aire fresco.

Después saltó con agilidad la puerta baja de la verja, como tantas otras veces, y cruzó el césped a zancadas. Recorrió con la mirada las jaulas de animales que había a la sombra del cedro. La mesa y las sillas estaban retiradas contra la pared de la casa, y sobre ellas se apilaban ordenadamente los cojines amarillos y blancos. Mark tuvo que tragar saliva al ver la parrilla y recuperó al instante su rabia contra Yannis, a quien había olvidado por completo en su preocupación por Ricky. Y de repente ya no supo con quién estaba más enfadado: si con Yannis, que lo había utilizado y engañado; o con Nika, que lo había estropeado todo al aparecer en sus vidas. Un dolor intenso le atravesó la cabeza. Mark torció el gesto y se llevó las manos a la frente. ¡No, ahora no! ¡Era el peor momento para tener una jaqueca! Primero tenía que saber dónde estaba Ricky. Fue a espiar el interior de la casa por la puerta de la terraza y la encontró entreabierta.

—¿Ricky? —llamó, y entró con inseguridad en la cocina, que seguía sin recoger.

El fregadero estaba lleno de platos y vasos usados, el lavavajillas abierto. En los fogones había cazuelas y una gran olla, y una botella de champán abierta en la mesa. Llamó a Ricky otra vez y aguzó el oído. Nada. Ningún ruido aparte del martilleo de su corazón. Con el rabillo del ojo percibió un movimiento y dio media vuelta sobresaltado. Un gato rojizo se deslizó desde la puerta que llevaba al dormitorio y al baño.

—Eh, tú —susurró—. ¿Qué ocurre aquí? ¿Dónde está Ricky?

El gato se acercó a él y se frotó contra sus piernas. Él se agachó un momento y le acarició el pelaje sedoso. El animal ronroneó y se encorvó, luego maulló y desapareció como el rayo. ¿Quería que lo siguiera? Mark respiró hondo, salió al pequeño pasillo y echó un vistazo en el dormitorio. La cama estaba revuelta, en el suelo había un par de prendas de ropa. Le temblaba todo el cuerpo, pero aun así siguió adelante y abrió la puerta del baño. El gato había saltado al banco de baldosas que había junto a la bañera, donde ocupó su trono como de estatua egipcia y lo miró con sus grandes ojos color ámbar.

Mark dio un paso adelante y se espantó. La sangre se le heló en las venas al descubrir a quién estaba vigilando el gato en la bañera.

Un coche patrulla entró en el patio y aparcó detrás del coche de servicio de Pia. Dos agentes bajaron con parsimonia y miraron alrededor. Entonces la inspectora estalló.

—Pero ¿dónde os habíais metido? —dijo con severidad—. ¡Hace más de media hora que os hemos llamado, joder!

—Desde Glashütten hasta aquí se tarda un rato —repuso uno de ellos—. Hemos tenido que ir allí por un robo en una tienda. Y solo tenemos dos coches patrulla.

—Bah, ahora ya da igual. —Pia sacudió al cabeza.

Frauke Hirtreiter estaba sentada en la parte de atrás del coche de servicio. No había opuesto resistencia a su detención, se encogió de hombros y le devolvió a Pia el papel de la orden sin hacer ningún comentario. Incluso aceptó las esposas sin protestar.

—Solo tengo que ir un momento a apagar la cafetera y buscar mi bolso —dijo.

Pero de eso se había encargado Pia, que también había cerrado con llave la puerta trasera de la tienda al salir con el bolso de Frauke.

—Os vamos a necesitar un momento a las dos patrullas para hacer una detención —les dijo a los agentes de Königstein, y les pasó la dirección de Theodorakis—. Mientras tanto, llevad a la señora Hirtreiter a una celda de la comisaría.

En realidad consideraba prácticamente imposible que la mujer intentara fugarse, pero era mejor tomar precauciones. Otra metedura de pata y Engel le arrancaría la cabeza. Frauke Hirtreiter bajó como pudo del vehículo y fue hasta el coche patrulla, que poco después salía del patio dando marcha atrás.

Kröger caminaba de aquí para allá mientras hablaba por teléfono, y Pia se acordó de la casera, que esperaba frotándose las manos tras la puerta de su casa.

—¿De verdad mató a su padre? —quiso saber la mujer sin apenas disimular su afán de sensacionalismo.

¡Una asesina en su casa! Con semejante novedad sería la estrella indiscutible del vecindario, por lo menos durante una temporada.

—Eso todavía no lo sabemos —repuso Pia, para su decepción—. Muchas gracias por haberme llamado, señora... mmm... Meyer. Ha sido usted de gran ayuda. Y si vuelve a ver u oír algo, avíseme enseguida, ¿de acuerdo?

La anciana sonrió con felicidad. Su gris rutina se había convertido de repente en algo emocionante.

—Sí, lo haré. Será un placer —afirmó, y asintió con solicitud.

Pia se obligó a sonreír y regresó al coche. Kröger, que había terminado de hablar por teléfono, la siguió.

—¿Y? —La inspectora se dejó caer en el asiento y se puso el cinturón—. ¿Has averiguado algo sobre esa moto?

—Sí, y la verdad es que es bastante extraño —contestó Christian Kröger al montar también en el coche—. No te lo vas a creer: la moto del chico está a nombre de nuestro muerto.

—¿Cómo dices? —Pia miró a su compañero con sorpresa—. ¿De Hirtreiter?

—No. —Kröger intentaba alcanzar su cinturón—. De Rolf Grossmann.

Los dos coches patrulla la esperaban delante, en la calle. Uno de los agentes, que conocía la zona, propuso enviar un coche a la pista asfaltada de atrás, por si acaso Theodorakis intentaba huir por los jardines. Pia asintió y condujo hacia la casa unifamiliar en la que Theodorakis vivía con su novia. Una construcción de los años sesenta sin estilo, como casi todas las de la urbanización. Kröger, mientras tanto, pidió por teléfono refuerzos a su departamento para registrar la vivienda a fondo en cuanto detuvieran a Theodorakis.

Ante el garaje de la casa de enfrente, un padre y sus dos hijos adolescentes lavaban el viejo coche familiar, y en la entrada de la casa de al lado un abuelo enjuto cortaba un césped que ya estaba bien esquilado. La imagen idílica por excelencia de la vida de las afueras. Cuando el coche patrulla se detuvo tras el vehículo de Pia, el viejo dejó el cortacésped y se arrastró hasta la verja de maderos entrecruzados.

—Hoy esa casa parece un hormiguero —comentó sin que nadie le preguntara—. Y ahora, encima, vuelve la Policía...

—¿A qué se refiere? —se extrañó Pia.

—Bueno, a que hace una hora ya han estado aquí. Haciendo un registro.

—¿De verdad? —La inspectora estaba atónita—. ¿La Policía?

—Sí, iban de paisano. Yo he preguntado, por supuesto. Como vecino, uno quiere saber qué sucede cuando unos extraños salen de la casa de al lado con cajas y bolsas de basura.

Sacó un pañuelo de tela del bolsillo de su pantalón de pana y se secó con él las gotas de sudor de la calva enrojecida.

—Ajá. ¿Y el señor Theodorakis y la señora Franzen? ¿Qué han dicho ellos?

—Ellos no han visto nada, pero él debe de estar en la casa. Por lo menos tiene el coche ahí delante. —El viejo hizo un gesto despectivo con la cabeza en dirección a un BMW Serie 3

341

negro—. Todos los de aquí lo veíamos venir. Es verdad que ese joven es muy educado, pero siempre hemos pensado que tenía algo extraño.

El vecino se inclinó un poco por encima de la valla del jardín y bajó la voz hasta convertirla en un susurro conspirativo:

—Mi mujer tiene muy buen olfato para estas cosas. Dice que podría ser un terrorista, uno de esos... durmientes. Como los que secuestraron los aviones en Estados Unidos. Un poco árabe sí que parece, ¿verdad?

Pia vio cómo Kröger reprimía una sonrisa con mucho esfuerzo y se preparó para contradecir al vecino. Fuera lo que fuese lo que había ocurrido allí una hora antes, al viejo le habían contado una historia para no dormir. La experta en terrorismo de la urbanización apareció en la puerta de su casa con unas bermudas de cuadros y un polo, y los escrutó con una mirada curiosa. También el lavacoches y sus hijos los miraban fijamente.

Kröger sacó el arma de servicio de la pistolera.

—Será mejor que entre en casa —le aconsejó con semblante serio al vecino—. Podría producirse algún disparo si los terroristas se resisten a su detención.

El hombre, asustado, dio un paso atrás y se batió en retirada a toda prisa. El cortacésped quedó tirado en medio del jardín y Pia soltó una risita.

Kröger le guiñó un ojo y volvió a guardar el arma con una sonrisa.

—Lo siento —dijo—. No he podido resistirme.

El sol abrasaba desde un cielo sin nubes. El viejo del cortacésped debía de haber montado una rueda de llamadas, porque en todos los jardines de alrededor se interrumpieron de pronto las actividades de aquella mañana de sábado. La calle entera quedó desierta. El coche recién lavado se secaba al sol sin que le hubieran sacado brillo; el cubo y la manguera quedaron tirados en el suelo sin ningún cuidado. La ocurrencia de Kröger por lo menos había limpiado la calle de curiosos. A Pia le sonó el móvil.

—Estamos en el jardín de atrás –informó uno de los agentes–. Junto a la puerta de la verja hay un coche con dos perros, pero por lo demás todo está tranquilo.

—De acuerdo –repuso Pia–. Manteneos a cubierto. Vamos a entrar ya.

Seguida de Kröger y de uno de los agentes, cruzó el jardín de la entrada y subió los dos escalones. La puerta estaba abierta. Pia la empujó un poco y dio un paso en la penumbra del interior de la casa. Ante sí tenía un gran vestíbulo de entrada que llevaba directo a la cocina. A la derecha había una puerta y una escalera que subía al primer piso, a la izquierda arrancaba un estrecho pasillo junto al que se abría un salón inundado de sol con ventanas hasta el techo y una gran chimenea.

—¿Hola? –exclamó Pia, tensa–. ¿Hay alguien en casa? ¡Policía!

Se internó un poco más, con Kröger pisándole los talones. Primero el vecino del cortacésped les soltaba desvaríos sobre un registro domiciliario y luego encontraban la puerta abierta. ¿Qué ocurría allí? Pia sintió un cosquilleo en la nuca.

—¿Señor Theodorakis? ¿Señora Franzen?

La tensión era máxima. Un contacto visual les bastó a Kröger y a ella para entenderse: a una señal de la cabeza de él, la inspectora desenfundó su arma y quitó el seguro. No era la primera vez que entraba en una vivienda desconocida sin saber qué la esperaba dentro, pero siempre se le hacía extraño. No llevaba chaleco antibalas. Involuntariamente pensó en Christoph y en lo poco que le gustaba esa parte de su trabajo. Intentó reprimir ese pensamiento, pero, por debajo de la tensión, nació en ella otra emoción que no le iba nada bien en esos momentos: miedo.

—¿Qué pasa? –murmuró Kröger, que parecía percibir sus dudas–. ¿Voy yo delante?

—No.

Pia entró decidida en el pasillo. A la izquierda, un dormitorio. A la derecha... Se quedó sin aliento, un fuerte subidón de adrenalina le aceleró la frecuencia cardíaca. En las baldosas blancas de delante de la bañera había un joven arrodillado. Cuando Pia apareció en la puerta, miró espantado hacia arriba. Aferraba un cuchillo de cocina, y tanto sus manos como su camiseta clara estaban llenas de sangre. A lo sumo tenía dieciséis o diecisiete años, ya no era un niño, pero tampoco un adulto. Rasgos faciales suaves, inmaduros, medio ocultos por una cortina de pelo rubio oscuro.

—¡Suelta ese cuchillo! —ordenó Pia con voz firme, y lo apuntó con la pistola.

El joven se la quedó mirando un par de segundos, luego se levantó de un salto y dejó caer el cuchillo, que tintineó sobre las baldosas. La inspectora, que no estaba preparada para el ataque, se tambaleó contra Kröger cuando el chico chocó con ella. Se golpeó la cabeza contra el marco de la puerta. También a su compañero lo pilló demasiado perplejo para reaccionar a tiempo. El joven se escabulló como una comadreja, empujó al agente que esperaba en el vestíbulo y salió al jardín por la puerta de la cocina, que estaba abierta.

—Maldita sea —masculló Kröger—. Nunca me había pasado algo así.

—Los compañeros lo atraparán. —Pia se frotó el chichón de la cabeza, que ya le dolía, guardó el arma y se volvió.

Kröger había desaparecido, estaba sola en el baño. Su mirada recayó sobre el cuchillo ensangrentado.

—Vaya, genial —murmuró, e inspiró hondo—. Me ha vuelto a tocar la lotería.

Dudó un momento, pero luego se recompuso y se inclinó sobre la bañera.

En el henil del establo hacía un calor pegajoso y, aun así, a Mark le tiritaba todo el cuerpo. Se había arrastrado hasta el fondo y se había quedado encogido, sollozando sobre las balas de paja con la cara hundida en las manos. ¡Ricky! ¡Qué pálida y rígida estaba, metida en la bañera! Jamás olvidaría esa imagen. Seguro que la poli pensaba que se la había cargado él, ¡pero con el cuchillo solo había querido liberarla! Se estremeció. ¡Algo espantoso había ocurrido en la casa! Seguro que había sido

Yannis, para quitársela de en medio y poder enrollarse con Nika sin que los molestara nadie. O Ricky los había sorprendido a los dos juntos, se habían peleado, ellos dos la habían vencido y... la habían matado. ¡Por eso no había aparecido Nika esa mañana en la tienda! Mark intentaba controlar los temblores, pero no podía. Se había escapado por los pelos de la poli, y eso que incluso en el jardín había dos agentes esperando. Pero ¿por qué? ¿Qué habían ido a buscar allí? La jaqueca brutal no le permitía pensar.

Parpadeó. El polvo del heno le provocaba picor en los ojos, y los arañazos que se había hecho al huir por entre los arbustos de espino blanco le ardían como el fuego. El corte del dedo era más profundo de lo que había creído y sangraba bastante. Rodó hasta quedar tumbado boca arriba, levantó una mano por encima de la cabeza y se apretó la herida. La sangre le resbaló por la muñeca, hacia el brazo, y le goteó en la cara. Sí, aquello estaba bien. Poco a poco consiguió respirar de nuevo, tranquilizarse. El terrible dolor de cabeza se transformó en un latido sordo.

Tenía que saber como fuera qué le había sucedido a Ricky, esa idea no lo dejaba en paz. Se arrastró a gatas por las balas de paja hasta el frontón. Allí había un pequeño tragaluz desde el que se veía la calle. De repente su espinilla chocó contra algo duro y se hizo daño.

—¡Ay! —masculló, y se detuvo.

Con ambas manos tanteó en la penumbra en busca del objeto. Era alargado y estaba bien escondido entre las balas. Tiró de él. Tuvo que tirar con más fuerza, hasta que aquella cosa y uno de sus extremos topó con las vigas bajas del techo. Mark se quedó sin aliento. ¡En sus manos tenía una escopeta!

Estaba preparada para lo peor. Sin embargo, en lugar de un cadáver horriblemente despedazado, se encontró con una momia. Friederike Franzen estaba en la bañera hecha un fardo bien atado; alguien le había envuelto todo el cuerpo hasta por encima de la boca con varios rollos de cinta americana. Tenía los ojos cerrados.

Pia se inclinó sobre la mujer y le buscó la arteria del cuello. Encontró un pulso lento pero regular. Soltó un suspiro de alivio, recogió el cuchillo de cocina y empezó a cortar la cinta adhesiva, lo cual no resultó ser nada sencillo, porque se pegaba una barbaridad. A esas alturas ya estaba del todo segura de que quienes habían realizado un registro en la casa no eran de la Policía, porque ellos no solían amordazar ni maniatar a los propietarios. Aunque Pia a veces se había sentido muy tentada.

Se oyeron voces en la casa. Kröger apareció en la puerta.

—El chico se nos ha escapado, pero la moto está ahí abajo, en el camino. Es el mismo que te ha rayado el coche hace un rato. ¿Quién es esa? —Se lo veía algo más despeinado y sudado que diez minutos antes, pero no había perdido la serenidad que lo caracterizaba.

—La dueña de la casa —contestó Pia apretando los dientes.

Estaba enfadada porque le temblaban las manos, y la cinta americana estaba tan tensa que le daba miedo herir a la mujer con el cuchillo.

—¿Quieres que te ayude? —se ofreció Kröger.

—Puedo yo sola —refunfuñó Pia.

—Primero tenemos que sacarla de ahí. Si no, no podrás.

Le quitó el cuchillo de la mano y, entre los dos, jadeando por el esfuerzo, levantaron por encima del borde de la bañera a la mujer, que seguía inconsciente. La dejaron en el suelo.

Pia se pasó un antebrazo por la frente bañada en sudor. Le dolía la espalda de haber estado tanto rato encorvada. Con el cuchillo de cocina, Kröger empezó a diseccionar concentrado la cinta que cubría la cara de Friederike Franzen y separó con cuidado la que le tapaba la boca.

—Ah, la momia vuelve en sí. —Kröger le pasó el cuchillo a Pia y le dio unos golpecitos a Friederike Franzen en las mejillas—. ¡Hola! ¿Me oye?

La cabeza de la mujer caía a un lado y a otro, pero entonces abrió los ojos.

—¿Qué...? ¿Dónde..., dónde estoy? —balbuceó, desconcertada—. ¿Quién..., quién es usted?

—Kirchhoff, Policía judicial de Hofheim —respondió Pia—. Ya nos conocemos.

La mujer se la quedó mirando un momento sin ver demasiado, luego su mirada recobró la claridad y sus ojos se abrieron con horror. Quiso incorporarse, pero todavía tenía los brazos pegados al torso.

—Espere un momento —dijo Kröger apresurándose a liberarla.

Cuando le despegaron los brazos, Kröger y Pia le ayudaron a levantarse. Se tambaleaba un poco.

—Será mejor que se siente —dijo la inspectora—. ¿Qué es lo que ha ocurrido?

—Yo... Me han atacado —respondió la mujer sin vocalizar bien. Sonaba extrañada. Se puso una mano en la frente y sacudió la cabeza—. Ya estaba fuera y... entonces he recordado que me había dejado el bolso en la cocina. Y de repente... había dos hombres. Me..., me han echado un *spray* en la cara y..., y...

Se quedó sin voz; la conmoción iba remitiendo. Junto a las lágrimas también le caían regueros negros de rímel por las mejillas. Pia le acercó una caja de pañuelos de papel que había en un estante, junto a la bañera.

—¿Reconoció a alguno de ellos? —preguntó con delicadeza.

La señora Franzen sacudió la cabeza, sollozando, y se restregó sin ningún cuidado la cara maquillada con las palmas de las manos abiertas.

—No. Ellos... llevaban caretas y no han dicho nada.

Tiró de un pañuelo de la caja de cartón y se sonó la nariz con mucho ruido.

Hasta entonces Friederike Franzen no le había caído demasiado bien a Pia, pero en ese momento le dio mucha lástima. Prácticamente no había nada más traumático que ser atacada entre tus propias cuatro paredes, y eso lo sabía por experiencia propia. Se sentó junto a ella y le pasó un brazo por los hombros para consolarla mientras luchaba con valentía contra las lágrimas.

—¿Dónde está su pareja? —preguntó la inspectora sin desvelar que en realidad habían ido allí para detenerlo—. ¿Podemos llamarlo para que venga?

La mujer solo se encogió de hombros. Uno de los agentes de uniforme apareció en la puerta.

—Hemos mirado un poco por la casa —informó—. Aquí no hay nadie más, pero tal vez deberían subir un momento al desván.

—¿El desván? ¿Qué hay allí? —quiso saber Pia.

—Es el despacho de Yannis —intervino Friederike Franzen con voz temblorosa—. Nada más.

—Puede que en algún momento fuera su despacho... —repuso el agente—. Ahora ya no queda mucho.

Zúrich, diciembre de 2008

*D*irk *no se había dado cuenta de nada. No merecía que lo avisara de lo que se estaba forjando contra él, y menos aún merecía clemencia por lo que le había hecho a ella. Saberlo completamente desprevenido le provocaban una satisfacción inesperada y hacía que el odio fuese algo más soportable. Habría un después de todo aquello. El instituto necesitaría un nuevo director y a ella no la dejarían marchar.*

Dirk había volado a Nueva York desde Frankfurt para encontrarse con algunos colegas en una reunión estratégica. Ella conocía la lista de los participantes de esa reunión por uno de los memorándums confidenciales en cuya lista de distribución seguía apareciendo su nombre, como siempre. Asistirían el jefe del Panel Intergubernamental sobre el Cambio Climático, el IPCC, así como el doctor Norman Jones de la Universidad de Baltimore, el doctor John Peabody de la Unidad de Investigación Climática de la Universidad de Gales y varios científicos más de gran peso, todos ellos responsables de las mentiras del informe del IPCC del año anterior. Ella había acompañado a Dirk al aeropuerto, pero no había regresado al instituto, sino que había embarcado en el siguiente avión hacia Zúrich.

Poco antes de las dos de la tarde se encontró con Cieran y con su amigo Bobby Bennett en el elegante vestíbulo de un pequeño banco privado de la ciudad suiza. Un empleado los llevó a la sala de cajas de seguridad, donde los dejó solos con total discreción. Su escepticismo inicial ante las afirmaciones de Cieran había desaparecido, ya que las pruebas que su amigo y él le habían dado sobre los años de manipulación de datos climáticos eran firmes y contundentes.

Bobby Bennett, que era colaborador de la Unidad de Investigación Climática de la Universidad de Gales, se había introducido en su servidor de correo electrónico y había descargado copias de miles de mensajes que se remontaban hasta el año 1998. Eran mensajes de los directores de los cuatro institutos que proveían al IPCC de datos, hechos y mediciones sobre cuya base se elaboraban los informes de evaluación. Ella conocía a cada uno de esos hombres en persona y aún seguía muy afectada por el descaro con el que desde hacía más de diez años se ponían de acuerdo sistemáticamente para engañar a la opinión pública. Juntos habían manipulado casi todos los datos climatológicos y meteorológicos del mundo entero para decantarlos hacia el calentamiento global. Un fraude premeditado para sostener la tesis de un cambio climático provocado por el ser humano. Habían avivado a conciencia los miedos de miles de millones de personas, por pura codicia y afán de lucro e influencia.

—¿Cuándo se sabrá? —preguntó.

—A principios de febrero —contestó Cieran.

Le brillaban los ojos, estaba absolutamente eufórico. Eso era algo desacostumbrado en un hombre sobrio y pragmático como él, pero el desenmascaramiento de esas maquinaciones fraudulentas provocaría un escándalo impresionante y sacudiría para siempre la creencia de la humanidad en un cambio climático.

—¿Por qué no antes? —quiso saber ella.

Bobby se sentó sobre la mesa y balanceó las piernas. También él estaba ansioso y lleno de expectación.

—Voy detrás de algo grande —explicó—. Aún espero unas informaciones detalladas, después podré probar qué intereses tiene el jefe del IPCC en todo esto. Se ha metido incluso en negocios de inversiones de miles de millones cuyo éxito depende de las recomendaciones del IPCC.

—¿De verdad?

—Sí, es increíble. —Cieran asintió—. Si seguimos con la investigación un par de meses, seguro que descubriremos más aún. Pero el tiempo apremia.

Sus dedos tamborilearon sobre la maleta de piloto negra que había dejado en la mesa, al lado de Bobby.

—Está todo aquí dentro. El original de todas las pruebas. Las grabaciones de las llamadas telefónicas, mi manuscrito. —Se puso serio—. Te lo confiamos a ti. Si algo nos sucediera a nosotros, serás la única que tendrá conocimiento de esto.

—¿Por qué os iba a suceder algo? —Rio nerviosa, pero por dentro se le heló la sangre.

Era una responsabilidad muy grande. Una responsabilidad inmensa.

—Nunca se sabe. A partir de ahora será mejor que no nos llamemos por teléfono —dijo él en voz baja—. Ni llamadas ni correos electrónicos.

—Pero ¿cómo nos comunicaremos en caso de que suceda algo? —preguntó ella.

—Solo en persona. Con un mensaje de texto bastará. No pueden controlarlos todos.

Ella asintió.

—Entonces, ¿crees que de verdad es peligroso?

Cieran la miró. Luego cruzó una mirada con Bobby.

—Ya lo creo —afirmó—. Me temo que, hasta que lo hagamos público, nos jugamos la vida. Después ya no podrán hacernos nada.

Bobby Bennett pareció darse cuenta de lo incómoda que se sentía de repente. Se levantó y le dio unas palmadas en el hombro.

—Eh —dijo—, nosotros somos los buenos. Ellos te han mentido y se han aprovechado de ti. Han engañado al mundo entero. Eso no debes olvidarlo. ¿De acuerdo?

Y sobre todo me han engañado a mí, se han aprovechado de mí, pensó ella.

—¿Cómo voy a olvidarlo? —dijo en voz alta.

Cieran y Bobby, esas buenas personas idealistas, creían de verdad que ella apoyaba su causa por motivos altruistas, similares a los suyos, tal vez por la profunda decepción de conocer la verdad que se escondía tras la mentira del clima. Pero no era así. Ella bullía de odio y disfrutaba pensando que desencadenaría el desprendimiento de tierras que se llevaría por delante al profesor Dirk Eisenhut y lo aniquilaría.

—Todos ellos tendrán que dimitir. —Bobby sonrió.

Sí, también Dirk tendría que dimitir. Dejaría su villa blanca y desaparecería de la vida de ella junto con su Bettina. Cieran metió el maletín en la caja, la cerró, sacó la llave y se la alcanzó.

—Ya estoy impaciente —dijo ella con una sonrisa mientras sus dedos aferraban con fuerza el metal frío.

Esa incertidumbre torturadora era casi peor que jugar todo el tiempo al escondite. ¿Cómo había podido ser tan tonta para confiar en Yannis? ¿Por qué no se había largado en cuanto él le confesó que sabía quién era? De pronto estaba en una trampa. Dirk no se rendiría, seguro que ya había soltado a sus perros de caza tras su rastro.

Nika se sentía prisionera en aquella pequeña casa, pero no podía marcharse. Oliver von Bodenstein era su única esperanza. Enseguida se dio cuenta de que se sentía atraído por ella. En otras circunstancias tal vez habría podido enamorarse de él, pero ¿qué sentido habría tenido en su situación actual? El inspector jefe había aparecido en su vida en el momento equivocado.

Oliver debía de haber estado allí hacía un rato, mientras ella aún dormía, porque le había dejado una nota en la mesita del café.

«Tengo que hablar contigo urgentemente. No salgas de casa, por favor. ¡Nadie debe verte! O.» ¿Qué significaba aquello? Nika interrumpió sus paseos sin rumbo. Se detuvo en la ventana de la cocina y miró fuera, hacia el prado y lo alto del castillo. ¿Cómo sería vivir allí para siempre, sin miedo a los despiadados fantasmas del pasado?

Se sentó en una silla de la cocina e imaginó cómo sería la vida junto a Oliver. ¿Comprar, limpiar, cocinar, esperarlo hasta que llegara por la noche del trabajo? Antes, algo así le habría parecido impensable, pero el último medio año lo había cambiado todo. Su enorme ambición se había esfumado en el aire aquel día en Deauville, cuando Dirk le comunicó que se casaría con otra mujer. De repente ya no entendía qué la había impulsado a trabajar de la mañana a la noche. ¿De veras había creído que podría contribuir a salvar al mundo de la locura de la humanidad? No, todo ese tiempo se había mentido a sí misma. La triste verdad era que todos aquellos años, en secreto, solo había deseado conquistar el corazón de Dirk con su dedicación. Para la cama y para el trabajo sí había sido lo bastante buena, pensó con acritud, pero no para el matrimonio. Esa idea hizo resurgir de nuevo la ira, caliente y poderosa. Él le había mentido. Había alimentado sus ilusiones. ¡Había sacrificado quince años de su vida por ese capullo! ¡Tendría que arrastrarse en el fango ante ella, verse rechazado entre insultos y burlas, despreciado por todo el mundo! Sí, ese sería seguramente el justo castigo, el único que merecía. Nika se puso de pie e inspiró hondo. No le quedaba mucho tiempo. Tenía que llegar lo antes posible a esos documentos.

Friederike Franzen se quedó paralizada en el penúltimo peldaño de la escalera.

—¡Oh, Dios mío! —murmuró, horrorizada—. Cuando Yannis vea esto se va a poner hecho una furia. ¡Hasta se han llevado su colección de CD!

Pia y Kröger pasaron junto a ella y entraron en el desván, donde antes debía de encontrarse el despacho. Las estanterías estaban tan vacías como el escritorio, en cuya superficie de madera solo había una solitaria pantalla plana. Los cables colgaban sueltos por debajo. Una marca rectangular en la moqueta gris claro de debajo de la mesa era lo único que quedaba del ordenador. Friederike Franzen se desplomó en el último peldaño, inclinó la cabeza contra la barandilla y se echó a llorar otra vez.

—¡Se lo han llevado todo! ¡Pero todo! ¿Por qué?

A Pia se le ocurrían varias respuestas a esa pregunta. Yannis Theodorakis se había granjeado muchos enemigos. En realidad, era asombroso que algo así no hubiera sucedido antes.

Kröger sacó un par de guantes de látex del bolsillo de sus vaqueros y se los puso. Inspeccionó los cajones del escritorio. Estaban todos vacíos, igual que los armarios y un archivador con ruedas. Ni una hoja, ni un bolígrafo, nada. En el suelo había un rollo de bolsas de basura azules que seguramente se habían dejado los ladrones.

—Lo han limpiado muy bien —afirmó con sobriedad—. No queda nada.

Friederike Franzen sollozaba.

—¿Dónde puede estar el señor Theodorakis? —preguntó Pia.

—Yo... no tengo ni idea de dónde está, pero tengo que llamarlo. ¡Ay, Dios, se pondrá como loco! De verdad que no he podido evitarlo.

Pia seguía sin mencionar la orden de detención. Tal vez Theodorakis regresara a casa si su compañera sentimental lo llamaba. Así se ahorrarían una tediosa búsqueda.

—Tranquila. —Pia se arrodilló y tocó el brazo de la mujer—. Todo esto es demasiado para usted. ¿Puedo ayudarle de alguna forma?

—No, ya... estoy bien. Tengo que ir a la tienda. Y al refugio de animales.

Friederike Franzen se quedó sentada un momento más allí, con los ojos vidriosos y la mirada perdida. Por fin se levantó ayudándose de la barandilla y bajó la escalera de caracol como en trance.

Pia y Kröger la siguieron hasta la cocina.

—Menudo día de mierda —masculló después de sonarse la nariz con un trozo de papel de cocina. Su voz volvía a sonar algo más firme, había superado el primer sobresalto—. Mi amiga Nika, que me ayuda en la tienda, se ha largado esta noche, y Frauke sigue desaparecida, como si se la hubiera tragado la tierra.

—Frauke Hirtreiter ha regresado —informó Pia—. La hemos detenido hace un rato.

Friederike Franzen la miró fijamente y se quedó boquiabierta. Era la viva imagen de la perplejidad.

—¿Frauke ha vuelto? Pero... ¿por qué la han detenido?

—Es sospechosa de haber matado a tiros a su padre —contestó Pia.

—No —susurró la mujer, atónita—. ¡Eso no puede ser!

Sus ojos se movían nerviosos de aquí para allá, de pronto daba la impresión de haber recuperado la normalidad, algo sorprendente tras lo que acababa de vivir. Aun así, Pia había visto toda clase de reacciones diferentes al tratar con víctimas de allanamientos. A la conmoción inicial le seguía a menudo una fase de actividad casi maníaca antes de que llegara el colapso total con la asimilación de lo sucedido.

—Pero entonces, ¿cómo voy a ocuparme de todo yo sola?

Llamaron al timbre de la casa aunque la puerta seguía abierta. Tres figuras vestidas con monos blancos entraron como si fueran la tripulación de una nave espacial. Kröger los envió arriba y luego entró en la cocina. Friederike Franzen miró a su alrededor como buscando algo.

—Necesito un cigarrillo.

—Seguramente tendrá tabaco en su bolso —supuso Kröger—. Que, por cierto, ¿no se lo había olvidado aquí, en casa?

Ella lo miró y sonrió distraída.

—Ah, sí, es verdad.

El equipo de Kröger subió al desván y Friederike Franzen decidió que quizá una llamada a su novio tenía más prioridad en ese momento que un cigarrillo. Descolgó el teléfono que estaba en la consola del recibidor y marcó un número con el pulgar. Entre sus cejas apareció un profundo surco.

—No contesta —dijo—. Salta el buzón de voz.

De pronto parecía furiosa.

—¡Cómo odio cuando le da por desaparecer sin decir adónde va! —exclamó, y dio un golpe con el teléfono sobre la cómoda.

Estuvo unos instantes mirando al frente sin ver nada, después se puso en marcha con mucho ímpetu.

—¡Ay, Dios mío! ¡¡¡Los perros!!! —gritó—. ¡Todavía están en el coche! ¡Con este calor!

–Un momento. –Pia la detuvo–. Cuando hemos entrado en la casa había un chico en el cuarto de baño. Tenía un cuchillo en la mano, pero por desgracia se nos ha escapado. ¿Sabe quién puede ser?

Friederike Franzen metió los pies en unas bailarinas que había junto a la puerta de la cocina.

–Debe de ser Mark.

–¿Mark? ¿Qué más?

–Theissen.

Pia se encontró con la mirada de Kröger. El jefe de rastros no estaba menos sorprendido que ella misma.

–¿Theissen? –quiso asegurarse Pia–. ¿Cómo el director de WindPro?

–Sí, exacto. Es su hijo. –La señora de la casa tenía prisa–. Lo siento, pero tengo que ir enseguida a sacar a los perros del coche.

Desapareció como el rayo hacia el jardín.

–¿Y qué hacía el hijo de Theissen en casa de Theodorakis? –se extrañó Pia–. ¿Tú entiendes algo?

–Tal vez quería matarlos. Quién sabe. –Kröger se encogió de hombros–. Tengo que subir a ver qué hacen mis chicos.

La inspectora se quedó sola en la cocina mirando pensativa hacia el jardín. Justo entonces le sonó el móvil. Era Cem, que quería saber dónde estaba.

–En casa de Theodorakis, pero él no está –contestó–. ¿Por qué lo preguntas?

–Ha pasado algo. Enno Rademacher ha venido a ver a Engel, que ahora está hecha una furia. ¿El jefe está contigo? En realidad es con él con quien quiere hablar.

–No, no está conmigo. Inténtalo en su móvil. Pero yo voy enseguida, solo tengo que pasar a buscar a Frauke Hirtreiter.

Colgó. El hecho de que el hijo del peor enemigo de Theodorakis estuviera en su casa con un cuchillo en la mano no dejaba de rondarle la cabeza. Salió por la terraza, cruzó el césped y, medio oculta entre los crecidos arbustos de rododendro en flor que había junto a la valla, encontró una pequeña puerta que conducía a la pista asfaltada de atrás. Justo delante había aparcado un Audi familiar con el maletero abierto; la moto roja que le había rayado el coche de servicio estaba unos metros más allá. Enfrente se extendía un pasto para caballos que llegaba hasta la linde del bosque, algo más lejos valle abajo se veían un establo y, en el prado contiguo, una pista de entrenamiento canino. En el aire resonaban los zumbidos industriosos de las abejas por entre lilas y setos de espino blanco. Al chico no se le veía por ninguna parte, y los agentes de uniforme también habían desaparecido.

La señora Franzen estaba de pie de espaldas a Pia. Se hallaba junto a la valla del prado, con los codos apoyados en la madera superior, hablando por teléfono.

—¡... que estoy enfadadísima! —oyó la inspectora que decía, y se quedó inmóvil donde estaba—. ¡Ha sido una completa exageración! He estado...

Los dos perros liberados del maletero correteaban alegres entre la hierba crecida del otro lado de la valla. Al descubrir a Pia, se lanzaron hacia ella ladrando con fuerza. Friederike Franzen se interrumpió a media frase, se volvió y colgó.

—¿Ocurre algo? —preguntó, y miró a la inspectora con las cejas enarcadas.

De no ser por el maquillaje corrido de su cara, a Pia le habría costado creer que era la misma mujer a la que un cuarto de hora antes habían encontrado inconsciente y maniatada en la bañera. Ya no quedaba ni rastro de la conmoción, como tampoco de esa alegría forzada que solía irradiar. Era la primera vez desde que Pia conocía a Friederike Franzen que parecía auténtica.

—Es por lo de ese chico —dijo la inspectora—. ¿Qué podía estar buscando en su casa?

—¿Mark? ¿Por qué lo pregunta?

—Pues porque es el hijo de Stefan Theissen, y ese hombre no es precisamente un amigo para ustedes.

—Es cierto. —La mujer asintió—. Mark trabaja en el refugio de animales. Sus padres no están muy entusiasmados, pero fue la condena que le impuso el tribunal.

—¿El tribunal?

—Sí, hizo una tontería y tuvo que pagar con servicios comunitarios.

—Ah. ¿Sabía usted que la motocicleta roja que lleva Mark está a nombre de Rolf Grossmann, el vigilante de WindPro al que mataron?

—No, no lo sabía. —La señora Franzen alzó los hombros. Le sonó el móvil, pero ella miró un momento la pantalla, apretó una tecla y lo silenció—. Ahora mismo tengo problemas más importantes que la moto de Mark, como comprenderá.

—Eso me lo creo. ¿Ya ha localizado a su novio?

—¡No! No me contesta. ¡Me va a volver loca!

Apretó un puño y lo dejó caer sobre el travesaño de la valla.

—Mis compañeros siguen buscando en su casa algún rastro de los intrusos —dijo Pia—. Por favor, llámenos cuando sepa algo del señor Theodorakis. Debemos hablar urgentemente con él.

—Sí, lo haré.

Volvió a sonarle el teléfono.

Desde el valle se acercaba un todoterreno verde. Pia retrocedió un paso hacia las grandes matas de ortigas para dejarlo pasar, y su mirada recayó entonces en el asiento del copiloto del coche de Friederike Franzen. Algo gritó en su mente, pero antes de pudiera desentrañar el motivo, le sonó el móvil. Esta vez era Kai, que le confirmaba la orden de registro para la casa.

La señora Franzen escuchaba con atención al conductor del todoterreno verde, Pia se despidió de ella con la cabeza y regresó a la casa. Una conducta extraña. Ni parecía demasiado afectada por el destino de Frauke Hirtreiter ni se comportaba como alguien que acababa de temer por su vida. En su historia había algo que no encajaba. Pia no podía decir qué era ni por qué, pero no se quitaba de encima esa sensación de desconfianza.

Oliver dejó el coche delante de los garajes y se acercó al edificio de la comisaría local. Tenía que explicárselo todo a Pia antes del interrogatorio de Frauke Hirtreiter: desde lo de la funesta herencia de su padre hasta el secreto de Annika Sommerfeld. Cuanto más esperase, más profundo sería el abismo entre ambos, una brecha infranqueable como la que se había abierto entre Cosima y él.

Infranqueable, pensó. Que palabra más extraña. La noche anterior, cuando estaba hablando con Annika, pensó varias veces en Cosima y había constatado que el rencor hacia ella había desaparecido. De repente tenía una nueva perspectiva en su vida. No sabía mucho acerca de Annika, y lo que sabía no daba lugar a demasiadas esperanzas sobre un futuro en común. Sin embargo... algo había sucedido. Se había enamorado ya en su primer encuentro. Desde entonces sentía un hormigueo en el estómago y perdía el apetito solo con pensar en ella. Algo así solo le había ocurrido otra vez en toda su vida, con Inka Hansen, y de aquello hacía mucho, muchísimo tiempo. Nicola no había sido más que un pequeño consuelo para su corazón roto, y Cosima la desbancó fácilmente. Lo había desafiado y vencido, y se lo había llevado a la cama como premio. Al mirar atrás, tenía que reconocer que nunca había estado del todo a la altura del temperamento de Cosima. En su relación siempre había sido ella quien llevó la batuta. Como maestra de la manipuladora que era, había presentado sus deseos de tal manera que a menudo le hizo creer que eran también los suyos. Su infidelidad había sido tan terrible para él porque le había hecho ver lo poco que lo necesitaba ella en realidad: ni como compañero de viaje ni como sustentador de la familia, y mucho menos como amante. Lo había convertido en un monigote, y en público, además. Eso era lo que más le había dolido.

Annika tenía otra forma de ser. Le recordaba a Inka, con quien no había vivido un final feliz a causa de una serie de desgraciados malentendidos. No permitiría que volviera a sucederle lo mismo.

Oliver saludó con un gesto de la cabeza al agente de guardia, que apretó un botón. Se oyó un zumbido y el inspector jefe abrió la puerta de cristal. Cem Altunay fue a su encuentro al verlo entrar: la comisaria jefe Engel quería hablar con él, y enseguida. Poco después, llamaba a la puerta de su superior, y ella abrió casi en ese mismo segundo. Su mirada se encontró con Enno Rademacher tras la espalda de Nicola, sentado en una de las sillas que había delante del escritorio con las piernas cruzadas. Enseñaba sus dientes amarillentos de nicotina formando una sonrisa satisfecha y muy poco tranquilizadora. Oliver no se olía nada bueno.

—Espere un momento fuera, señor Rademacher, por favor —dijo la comisaria jefe—. La inspectora Kirchhoff enseguida estará con usted.

Rademacher salió del despacho, no sin lanzarle una mirada burlona a Oliver. La comisaria jefe cerró la puerta tras él y entró en materia sin ningún rodeo.

—¿Es cierto que tu padre ha heredado un prado del difunto Ludwig Hirtreiter? —Regresó tras su escritorio, abrió una de las ventanas y se sentó.

Oliver asintió. ¿De qué iba aquello? ¿Adónde quería llegar?

—¿Y que ese prado es relevante en las investigaciones del asesinato de Hirtreiter?

—Sí, Rademacher y su jefe le habían ofrecido varios millones de euros a Hirtreiter por él. Incluso habíamos supuesto momentáneamente que la negativa de Hirtreiter a venderle ese prado a WindPro podía ser el móvil de su asesinato.

—Ajá. Y ahora ese prado es de tu padre.

—Según la última voluntad de su amigo, sí.

—¿Es cierto que WindPro ya le ha hecho también a tu padre una oferta de compra?

—Sí, es cierto. —Oliver asintió—. Rademacher me exigió que influyera en mi padre para que firmara el contrato. Amenazó, si no accedía, con sabotear el restaurante de mi hermano y mi cuñada. Y también me ofreció dinero por mi labor de mediación.

La comisaria jefe lo miró con severidad.

—A mí el señor Rademacher me ha contado una historia muy diferente.

—Ya lo imagino.

—Por lo visto ayer le dijiste que para ti no sería problema convencer a tu padre para que acepte la oferta de WindPro. Pero que, a cambio, le exigías ciento cincuenta mil euros. En metálico.

—¿Cómo dices? —El inspector jefe, incrédulo, se quedó sin respiración.

—Parece que después amenazaste con falsificar las pruebas para endilgarle la muerte de Hirtreiter en caso de que se le ocurriera no pagarte.

—¡Debe de ser una broma!

—De ninguna manera. Estás con el agua al cuello, querido. Rademacher te ha denunciado. Intento de chantaje, coacción y prevaricación.

—¡Ni una sola palabra es cierta, Nicola! —insistió Oliver, atónito—. ¡Tú me conoces! Mi padre ha decidido rechazar la herencia o dejar el prado baldío. Acaba de decírmelo hace unas horas.

—¿Lo sabe ya Rademacher?

—No. Antes quería que me explicara por qué nos había ocultado que la noche del asesinato estuvo en casa de Hirtreiter junto con su director de obra. Todavía no he hablado con él sobre el crimen, ¡pero porque hasta hoy por la mañana no he sabido que estuvo allí!

Nicola Engel suspiró y se reclinó en su asiento.

—Bueno —dijo con pesar—. Yo te creo, Oliver, pero no me queda más remedio que retirarte de la investigación del caso por conflicto de intereses.

—¡No puedes hacerme eso!

Aquello no eran más que palabras: él sabía que podía perfectamente, que incluso era su deber para no poner en peligro el posible éxito de las pesquisas. Un inspector bajo sospecha de no ser imparcial podía hacer fracasar todo un juicio por asesinato.

Impotente, levantó los brazos y los dejó caer de nuevo. ¿Cómo había podido suceder todo aquello? En sus veinticinco años en la Policía judicial, jamás había caído sobre él ni una sombra de duda, y de pronto estaba metido en un atolladero sin tener ninguna culpa.

—Lo siento. Tómate un par de días de fiesta —dijo Nicola, casi con compasión—. Kirchhoff podrá seguir sola.

Eso no lo dudaba, pero así no lograría precisamente calmar el enfado de Pia.

—¿Y qué hay de lo otro? —preguntó con cautela—. ¿Sabes algo de los de la Dirección Federal y esa mujer a la que buscan?

—Ese presuntuoso de Störch... Que la encuentre él solito —repuso la comisaria jefe con una sonrisa algo agria—. No tiene nada que ver con nosotros. A mí esas chorradas conspirativas me parecen un auténtico disparate.

Por un instante Oliver se sintió tentado de contarle que él sabía muy bien dónde se encontraba Annika Sommerfeld. Sin embargo, lo pensó mejor. Primero tenía que hablar con Annika y descubrir qué había sucedido en realidad.

—También a mí —dijo, y salió del despacho.

—¿Mark? Mark, ¿estás aquí?

La voz de Ricky hasta en su sueño. Se resistía a despertar. Ahora no. No...

—¡Mark!

Miró a su alrededor, desconcertado. El móvil sonaba en sus pantalones. ¿Por qué estaba en el henil? ¿Qué había ocurrido? ¿Cuánto llevaba allí tumbado y dormido como un tronco? Consiguió sacar el teléfono, pero ya había dejado de sonar. Entonces lo recordó todo. Ricky en la bañera, la Policía, su huída. Se enderezó a toda prisa.

—¿Ricky? —dijo.

Tenía la piel caliente y sudada y, aun así, estaba tiritando. ¿Se había imaginado su voz en el sueño? Se arrastró hasta la trampilla y de pronto la cara de ella apareció ante sus ojos.

—¡Estás ahí arriba! —exclamó Ricky—. Qué pinta tienes...

Mark empezó a temblar de alivio. Se inclinó por el borde de la trampilla y lanzó los brazos alrededor del cuello de Ricky.

—¡Ten cuidado! —exclamó ella—. ¡Que me tiras escalera abajo!

—¡Ay, Ricky! —Sollozó—. ¡Qué alegría! Yo... había pensado de verdad que estabas..., que estabas...

No conseguía pronunciar la palabra «muerta». Ella lo agarró de las muñecas y se liberó de su abrazo con brusquedad.

—Vas todo sucio y lleno de sangre —constató, y se apartó de él.

A Mark no le importó. Estaba contentísimo de ver que no le había ocurrido nada.

—Yo... quería desatarte y me he cortado con el cuchillo de cocina —dijo—. Y de repente estaba allí esa poli. Me ha apuntado con una pistola y entonces me he largado. ¿Qué ha pasado?

—Me han atacado —respondió Ricky. Se encorvó, volcó un cubo que había por allí y se sentó encima—. Alguien ha vaciado el despacho de Yannis. ¡Es una pesadilla!

—¿Te han atacado? ¿Quiénes?

—Si lo supiera... —Apoyó la barbilla en las manos y sacudió la cabeza—. Yannis ha tenido un accidente, me lo acaba de decir el guarda forestal. Ha visto cómo se lo llevaban en una ambulancia.

Mark se la quedó mirando. Yannis. Menudo notición.

—Tengo que ir a verlo al hospital —siguió Ricky—. No puedo explicarle nada de esto. ¡Se pondrá como loco si se entera de que le han robado el ordenador y todos sus documentos!

—¿El ordenador? ¿Y los documentos de la iniciativa ciudadana? —preguntó Mark.

Ricky suspiró y asintió con la cabeza.

—¿Quién habrá sido?

—Da igual quién haya sido. El caso es que ha volado todo. Los peritajes, todo. Tanto trabajo para nada. Tu padre construirá su parque eólico.

Mark se frotó la cabeza, pensativo. El dolor casi había desaparecido. De repente recordó lo que había encontrado.

—Espera un momento —dijo, y subió deprisa la escalera.

Enseguida encontró lo que estaba buscando y regresó junto a Ricky.

—Mira —susurró, y le tendió la escopeta—. La he encontrado arriba, en el henil.

Ricky se levantó del cubo de un salto.

—¿Qué dices?

Vaciló un momento, pero la tomó en sus manos.

—Estaba clavada entre las balas de paja, bastante al fondo.

Bajó los últimos peldaños resbalando y se sacudió las briznas de heno de la camiseta y los vaqueros.

—Yo no sé mucho de estas cosas, pero diría que es de verdad. Por lo menos pesa mucho. —Ricky sostenía la escopeta con las puntas de los dedos y algo apartada de sí, contemplándola con estupefacción—. ¿Quién puede haberla escondido ahí arriba?

—¿Yannis? —sugirió Mark.

Ricky lo miró y se le abrieron mucho los ojos.

—Ay, Dios mío —dijo—. ¡Puede que sea el arma con la que mataron a Ludwig!

La dejó con cuidado en el suelo, mirándola como si fuera una serpiente venenosa.

—¿Cómo se te ha ocurrido pensar que Yannis escondió eso ahí arriba? —le preguntó al chico con recelo.

—Porque no hace más que mentir —contestó Mark con vehemencia—. A mí me dijo que estaba en contra del parque eólico porque en esa ubicación sería inútil y porque había que conservar la zona como reserva natural.

—Sí, ¿y? Eso es verdad.

Los ojos azules de Ricky lo miraron fijamente, y de pronto Mark sintió ganas de echarse a llorar. ¡Estaba a punto de estropearlo todo! ¿Por qué no sabía estarse callado?

—Pero no es el motivo por el que está en contra. Todo lo que dijo hace poco en la tele era mentira. ¡A él eso le importa una mierda! El verdadero motivo es que quiere jugársela a mi padre por haberlo despedido. Él mismo se lo dijo a Nika hace dos días, incluso. Y a ti también.

Ricky no podía dejar de mirarlo. Entonces se inclinó, tomó la escopeta y subió la escalerilla. Mark la miró sin decir nada y esperó a que volviera a bajar.

—Se lo preguntaré a Yannis —dijo, decidida—. Iré ahora mismo al hospital y se lo preguntaré a la cara. Y si de verdad ha sido él quien ha escondido la escopeta en mi establo, se va a enterar.

Pia estaba apoyada en la pared amarilla del pasillo con los brazos cruzados. Cuando su jefe salió por la puerta, se separó de la pared y se acercó a él.

—Hemos detenido a Frauke Hirtreiter —informó—. Ha reaccionado con bastante serenidad. La verdad es que yo creía que se enfurecería y se pondría a chillar como una loca, pero solo ha leído la orden de detención y ya está. A Theodorakis no lo hemos pillado aún, por desgracia, pero es solo cuestión de tiempo. Puede que incluso quede al margen de todo este asunto si ahora conseguimos una confesión. Igual que Rademacher. He pensado que tú podrías encargarte de él con Kai. Cem y yo interrogaremos a Frauke Hirtreiter.

—Pia... —empezó a decir Oliver, pero su compañera siguió hablando.

Le brillaban los ojos, la perspectiva de abrir una vía por la que avanzar en aquella investigación tan tenaz la tenía entusiasmada.

—Alguien ha entrado esta mañana en casa de Theodorakis y le ha vaciado el despacho. Los intrusos han atacado a Friederike Franzen, la han dejado amordazada como una momia en la bañera. ¿Y a que no sabes a quién nos hemos encontrado en la casa? ¡Ya te digo que no lo adivinarías en la vida! —Hizo una breve pausa y lo miró con expectación—. ¡Al hijo de Stefan Theissen! Estaba junto a la bañera con un cuchillo de cocina en la mano. Christian cree que pensaba hacerle algo a la mujer. Yo no estoy tan segura, pero en ese chico hay algo que no encaja. Nos lo habíamos cruzado poco antes en el patio de El Paraíso Animal y me había rayado el coche con su moto. Christian ha consultado la base de datos y resulta... ¡que la motocicleta pertenecía a Rolf Grossmann! Eso son dos casualidades de más, ¿no te parece? De camino aquí he estado pensando qué hacía el chaval en la casa y creo...

—¡Pia! —la interrumpió Oliver—. Tengo que decirte algo.

—¿No puede esperar hasta que hayamos...?

—No, por desgracia no. —El inspector jefe se metió las manos en los bolsillos del pantalón y suspiró—. Engel acaba de informarme de que estoy retirado del caso con efecto inmediato. Me ha dado unos días de vacaciones. Dice que hay un conflicto de intereses.

—¿Qué? —Pia se lo quedó mirando sin comprender nada—. ¿Conflicto de intereses? Y ¿eso por qué?

Oliver sacudió despacio la cabeza.

—Debería haberte contado antes toda la historia.

—¿Qué historia?

¿Podía ser que los hermanos Hirtreiter no le hubieran dicho nada sobre el testamento de su padre? ¿O lo estaba poniendo a prueba?

—Enno Rademacher y Frauke Hirtreiter están esperando —dijo Oliver, evasivo.

—Un momento. —Un profundo surco apareció entre las cejas de la inspectora, era claro signo de enfado—. ¿No crees que deberías empezar a explicarme algo, en lugar de soltarme esas insinuaciones crípticas? ¡Quiero saber ahora mismo qué está pasando aquí!

Estaba furiosa. Herida. Y tenía todo el derecho del mundo. Oliver hizo de tripas corazón.

—No es algo que se pueda explicar tan deprisa —dijo—. Esta noche me paso por tu casa, si te parece bien.

La inspectora lo miró con frialdad. Su jefe casi esperaba que dijera que no, pero al cabo de unos segundos asintió con la cabeza.

—Sí, de acuerdo —repuso. Ya iba siendo hora, decía su mirada—. Esta noche a las ocho, en mi casa. Te llamo si hay algún contratiempo.

Giró en redondo y las suelas de sus zapatillas de deporte chirriaron un poco sobre el desgastado suelo de linóleo. Antes de torcer hacia los despachos de la K 11, se volvió una última vez.

—No me des plantón —le advirtió.

—Durante todo el viaje no he escuchado ni una sola vez la radio, solo CD. Es que el Mercedes de mi padre, al contrario que mi tartana, tiene reproductor —dijo Frauke Hirtreiter en respuesta a la pregunta de Pia de por qué decía no saber nada de que toda Alemania la estaba buscando—. Y tampoco tengo móvil.

Sí, todavía quedaban personas que, en esos tiempos en que se daba por sentado que podía localizarse a todo el mundo en todo momento, se permitían el lujo de no tener móvil. Increíble pero cierto.

—¿Cómo es que salió de viaje? —quiso saber la inspectora—. ¿Qué estuvo haciendo la noche del miércoles en la granja? ¿Y por qué mató al cuervo?

—Porque esa bestia salvaje me atacó —masculló Frauke—. En los dos años que estuve cuidando de mi madre, tuve que soportar a ese pájaro repugnante un día tras otro. Tuve que limpiar sus excrementos y sus plumas, porque revoloteaba por toda la casa. Por la noche, mi padre se sentaba delante del televisor con su maldito cuervo en lugar de hablar conmigo o hacerle compañía a mi madre. Así que, cuando se abalanzó sobre mí y caí por la escalera, perdí el control.

—Hemos encontrado el arma con la que dispararon a su padre en su armario ropero. —Pia dejó sobre la mesa de la sala de interrogatorios la fotografía que Kröger había sacado con su móvil. Le había pedido a Frauke Hirtreiter que llamara a su abogado, pero ella no había querido—. Y estuvo usted en casa de su padre la noche del 12 de mayo.

Frauke Hirtreiter escuchaba sin dar ninguna muestra de inseguridad o de miedo. Había apoyado los codos en la mesa y su barbilla descansaba sobre las manos unidas, que estaban cubiertas de arañazos recién cicatrizados.

—El 13 de mayo entró sin permiso en la casa precintada de su padre y se llevó algo del armario de la habitación del piso de arriba —dijo Cem, retomando el interrogatorio como habían acordado—. Sospechamos que conocía usted el contenido del testamento y que por eso quiso hacerlo desaparecer.

¡El testamento! Pia seguía sin poder creerse que Oliver le hubiera ocultado algo de una importancia tan enorme. Poco después de que el inspector jefe se marchara, la comisaria jefe Engel le había traspasado a ella la dirección provisional de la K 11 con efecto inmediato y hasta nueva orden. Pia había preguntado por el motivo de las vacaciones de su jefe, a lo que la comisaria jefe había respondido con la historia del testamento de Hirtreiter. En un primer impulso furioso, Pia había estado a punto de llamar a su jefe y retirarle la invitación de esa noche, pero no lo hizo. En realidad sentía más decepción que enfado.

Trabajaban muy bien juntos desde hacía cuatro años y entre los dos habían resuelto más de un caso de los complicados. Con el tiempo, la distancia había ido desapareciendo y entre ellos había surgido una relación de confianza que les permitía apoyarse uno en el otro sin reservas; pero de pronto todo eso había cambiado.

A Pia le dolía en el alma tener que presenciar cómo Bodenstein se ocupaba solo de sus asuntos personales y perdía por completo su perspicacia y su buen juicio. Se había quedado sola. Ni siquiera podía llamarlo para consultarle nada, porque la comisaria jefe se lo había prohibido de forma explícita.

—Escuche —dijo Frauke interrumpiendo los pensamientos de la inspectora—. No tengo ni la menor idea de cómo llegó esa escopeta a mi casa, pero yo no maté ni a mi padre ni a *Tell*. ¿Por qué iba a hacerlo?

—¿Porque odiaba a su padre? —aventuró Cem—. Ese hombre las humilló y las maltrató durante años a su madre y a usted. Además, sabemos que maneja bien las armas y que es muy buena tiradora.

Frauke Hirtreiter rio con amargura.

—Para darle a una persona disparando a bocajarro con una escopeta de perdigones no hace falta ser muy buen tirador.

Cem no hizo ningún comentario al respecto.

—¿Qué buscaba el miércoles en la granja? —insistió, sin embargo.

—Ya conocen a mis hermanos. —Frauke suspiró—. Y a estas alturas seguramente también sabrán que están arruinados. Quería poner a buen recaudo y lejos de su alcance un par de cosas a las que mi madre tenía cariño y que eran valiosas para ella. Esos dos venderán todo lo que puedan pillar para sacar dinero.

—No la creo.

—Está bien. Verán, no eran solo recuerdos. En una caja de cartón, entre otras cosas, encontré los papeles de los dos coches clásicos. También una copia de su testamento, sí. De modo que ya sabía que yo heredaría la granja y mis hermanos la casa familiar de nuestra madre en Bad Tölz. No quería conducir todo ese trayecto con mi viejo coche, así que decidí llevarme el Mercedes de mi padre.

—¿Se fue a Bad Tölz?

—Sí, esa misma noche.

—¿Qué hizo allí? —preguntó Pia interviniendo de nuevo en el interrogatorio.

—Vaciar la casa familiar de mi madre. Desde su muerte estaba cerrada, mi padre ya no quería ir allí. El abuelo de mi madre había sido un comerciante acaudalado de Múnich y mecenas de las artes. Compró muchísimos cuadros de pintores desconocidos de aquel entonces, hasta que se quedó más pobre que una rata. Mi madre fue vendiendo la mayoría de esos cuadros a museos, pero tres de ellos los conservó porque le gustaban mucho: un Spitzweg, un Carl Rottmann y una obra de Vladímir Bejteyev, del período de El Jinete Azul. Esos cuadros valen hoy mucho dinero. Los bajé del desván, los encontrarán en el maletero del Mercedes.

—Comprendo —dijo la inspectora—. Antes de que lo hicieran sus hermanos, prefería vender los cuadros usted misma.

–No, no tengo pensado hacer eso. Quiero conservarlos, porque para mí significan mucho.

Durante un momento se hizo el silencio; solo una mosca que había conseguido colarse en la sala de interrogatorios sin ventanas zumbaba en círculos por encima de sus cabezas.

Pia observó pensativa a Frauke Hirtreiter. Había interrogado a muchas personas, culpables e inocentes, criminales, homicidas, asesinos pasionales, mentirosos y tipos que se creían más listos que esos idiotas de la Policía. Algunos se ponían nerviosos, otros agresivos, otros llorosos. ¿A qué categoría pertenecía la mujer que estaba sentada frente a ella y que le sostenía la mirada con calma? ¿Era una buena actriz?

La inspectora buscó señales en el comportamiento de Frauke Hirtreiter y en sus gestos, algo que delatara culpabilidad o mala conciencia, pero allí no había nada. Ni un pestañeo nervioso, ni una mirada inquieta, ni un solo balbuceo. Sus respuestas eran precisas y las ofrecía sin dudar.

En ese instante, a Pia le sobrevino la deprimente convicción de estar yendo por el camino equivocado. Por mucho que la escopeta hubiera acabado en el armario ropero de Frauke Hirtreiter esa mujer no había matado ni a su padre ni al perro. Seguir con ese interrogatorio era una pérdida de tiempo.

Se levantó, le hizo una señal a Cem para que la siguiera y salió de la sala. Desde su vuelta de las vacaciones le habían caído tantas cosas encima que ya no sabía cuándo había perdido el rumbo entre esa enredada maraña de pistas. En casos como ese, su jefe solía tomarse un tiempo muerto y salía a dar un paseo para tranquilizarse y ordenar sus pensamientos. Tal vez ella debería hacer lo mismo. Y sin demora, además.

–¿Qué sucede? –preguntó Cem ante la puerta.

Pia se apoyó en la pared.

–No ha sido ella –dijo, y soltó un suspiro–. Menuda mierda. Y yo que estaba tan segura.

–Me temo que tienes razón. ¿Quieres dejarla marchar?

–No, todavía no, pero necesito una pausa.

Cem asintió con comprensión. Pia unió las dos manos y se dio unos golpecitos con los índices en los labios. Mark Theissen en casa de Friederike Franzen. ¿Qué hacía el chico allí? ¿Dónde estaba Theodorakis? ¿Cómo había llegado su ADN al cadáver de Rolf Grossmann? ¿Por qué conducía Mark una motocicleta que pertenecía al vigilante nocturno? ¿Qué era lo que le había sorprendido antes al ver el coche de Friederike Franzen? ¿Qué estaba haciendo el director de ventas de WindPro con Ralph Glöckner en casa de Ludwig Hirtreiter el martes por la noche? Cuanto más reflexionaba sobre todo ello, mayor era el desconcierto que reinaba en su cabeza.

–Pregúntale a la señora Hirtreiter por Mark Theissen. Y también por la señora Franzen y el señor Theodorakis. –Consultó su reloj. Las dos y cuarto–. Sobre las cuatro volveré a estar aquí. Iremos a casa de los Theissen, y tal vez para entonces haya reaparecido ya Theodorakis.

El coche patrulla se detuvo en el aparcamiento. Oliver von Bodenstein les dio las gracias a sus compañeros y esperó a que hubieran desaparecido. Al estar de vacaciones no podía disponer de un coche de servicio, y no tenía vehículo propio desde que su BMW había quedado hecho chatarra el noviembre anterior. El inspector jefe no se sentía en condiciones mentales mucho mejores a las del día de aquel accidente. Su sentido común le decía que no debía seguir ocultando a Annika mientras fuera sospechosa de asesinato. Su corazón le exigía lo contrario.

¿Cómo debía actuar? ¿De verdad podía confiar en ella? Apenas la conocía, pero sus fuertes sentimientos hacia esa mujer impedían que sopesara objetivamente la complejidad de la situación. ¿Por qué le había ocultado el verdadero motivo de su huída? No servía de nada seguir aplazando esa conversación. Necesitaba certezas. Y de inmediato.

Fue hacia la cochera y cerró la puerta. Annika –pensaba en ella por su verdadero nombre desde que lo conocía, porque no le gustaba el diminutivo– seguía durmiendo en el sofá con las rodillas dobladas y la cabeza apoyada en el brazo izquierdo. La nota que le había dejado ese mediodía continuaba en el mismo sitio. La miró desde la puerta. Tenía la camiseta algo levantada. La visión de su delicada piel, blanca como el alabastro, lo llenó de una ternura repentina.

¡Esa mujer no podía haber asesinado a nadie a sangre fría! Todas esas acusaciones contra ella estaban sin duda pensadas única y exclusivamente para acabar con su credibilidad, porque conocía un secreto peligroso que podía causar un gran perjuicio.

Annika pareció sentir su presencia. Se movió, luego abrió los ojos y parpadeó contra la intensa luz del sol que entraba por la ventana. Su mirada somnolienta se dirigió hacia él y una sonrisa encantadora se extendió por su rostro.

—Hola —susurró.

—Hola —repuso él con seriedad—. Tengo que hablar contigo.

Ella dejó de sonreír, se sentó y se alisó el cabello alborotado con ambas manos. El borde del cojín le había dejado una marca en la mejilla enrojecida por el sueño. Oliver cruzó la sala y se sentó a su lado.

—¿Qué ha ocurrido? —preguntó Annika, alarmada.

¿Por dónde podía empezar? Störch y Herröder eran compañeros y, en otras circunstancias, no habría dudado de sus palabras. ¿Por qué la miraba de repente como a una adversaria? Más aún: como a una enemiga. ¿Estaba a punto de cometer un error?

Los ojos verdes de Annika estaban posados en él, esperando. Había aprisionado las manos entre sus rodillas y estiraba la espalda.

—Esta mañana Dirk Eisenhut ha ido a la comisaría —dijo.

Ella se sobresaltó, asustada.

—Lo acompañaban dos agentes de la Dirección Federal de la Policía judicial. Dicen que han averiguado que te encontrabas por la zona y me han preguntado si sabía dónde estabas. He mentido y he dicho que no sé quién eres.

El alivio que asomó al rostro de Annika desapareció enseguida al oír lo que Oliver dijo a continuación.

—Afirman que tú... —Se interrumpió. Eran unas acusaciones atroces, y él temía su reacción. ¿Qué debía hacer si ella seguía mintiéndole? Se obligó a continuar—. Te acusan de haber asesinado a dos hombres. Uno en Zúrich y otro en Berlín.

Silencio. Solo se oía el burbujeante susurro del viento en las copas de los árboles que entraba por la ventana. Oliver observó cómo la perplejidad y el horror se extendían por el rostro de Annika, y no se atrevió a respirar.

—Pero..., pero... eso... no puede ser —tartamudeó—. ¿Cómo voy a... haber asesinado yo a nadie? ¡Pero si en mi vida he matado una mosca!

—Cieran O'Sullivan fue asesinado en una habitación de hotel de Berlín. Dicen que te sorprendieron junto al cadáver pero que conseguiste escapar.

Annika lo miraba de hito en hito.

—Dios mío.

Tragó saliva con esfuerzo, se puso de pie de un salto y se tapó la boca y la nariz con las manos. Su mirada vagaba sin rumbo por la habitación. Oliver también se levantó y posó las manos en sus hombros.

—Annika, por favor —pidió con insistencia—. Yo ya no sé qué creer. ¡Dime la verdad! ¿Mataste a O'Sullivan?

Ella se lo quedó mirando, completamente pálida.

—¡Dios santo, no! —exclamó entonces—. ¿Por qué habría tenido que hacerle nada a Cieran? No me enteré de que había muerto hasta días después, a través de internet. Decían que le habían disparado, pero no dónde lo habían encontrado. —Vio la duda en la cara de él, alargó una mano y lo agarró del antebrazo—. ¡Oliver, te juro que en la vida he empuñado un arma!

En alguna de sus investigaciones, Oliver había decidido no difundir ninguna información ni hacer públicos datos erróneos para impedir que se supieran detalles que solo podía conocer el autor de los hechos. ¿Era eso lo que había hecho Störch? Psicológicamente, un disparo era algo muy diferente a más de cuarenta puñaladas.

—Sé que Cieran temía por su vida —siguió explicando Annika con voz tensa—. El día de Nochebuena por la mañana hablamos por teléfono y me dijo que uno de sus amigos se había tirado desde el tejado de una universidad. Él dudaba que fuera un suicidio. Y unos días antes de eso habían encontrado el cadáver de Bobby Bennett en el aparcamiento del aeropuerto de Zúrich, en el maletero de un coche de alquiler, un día después de que...

Enmudeció, luego abrió mucho los ojos.

—¿Un día después de... qué? —quiso saber Oliver.

—Ha debido de saberlo todo el tiempo. —Inspiró hondo, temblorosa—. Seguro que sabía que nos reunimos en Zúrich y que nadie más que nosotros conocía todos los detalles del asunto. Solo nosotros cuatro. Dios mío. Ahora comprendo a qué venía todo aquello.

—¿De qué estás hablando? —preguntó el inspector jefe, desconcertado—. ¿Quién lo sabía?

¿No había dicho Störch que el cadáver del estadounidense se encontró en una habitación de hotel?

—Caí en su trampa —siguió diciendo Annika, como si él no la hubiera interrumpido—. ¿Cómo iba a saber yo lo que tenía planeado hacer conmigo? Siempre confié en Dirk, y entonces me hace algo así...

Annika se abrazó el torso con sus propios brazos, como si tuviera frío, y se quedó callada y con la mirada enloquecida.

—¿Qué..., qué voy a hacer ahora?

Sus ojos desesperados se clavaron en lo más profundo del alma de Bodenstein. No estaba interpretando ningún papel, su horror era auténtico. El inspector jefe se acercó a ella y la abrazó. Ella se aferró a él, que la sostuvo con fuerza mientras murmuraba palabras tranquilizadoras. Después la llevó al sofá, la sentó y se puso muy cerca de ella.

—Todo estaba planeado —susurró Annika con el rostro en el pecho de él—. Dirk me pidió que fuera a su despacho la mañana de Nochebuena, supuestamente para desearme feliz Navidad. Bebimos champán. Yo... a día de hoy no sé muy bien lo que sucedió, pero..., pero cuando desperté estaba en una sala con ventanas con barrotes. ¡Me encerró en un psiquiátrico!

Levantó la cabeza, tenía los ojos vidriosos y atónitos.

—Unos días después me dejaron salir. Así, sin más. Dijeron que todo había sido una equivocación y que podía marcharme. —Se estremeció—. Me devolvieron mis cosas, el móvil y la llave del coche, y de repente me encontré en el aparcamiento. No sabía dónde estaba ni qué día de la semana era. Estaba muy desorientada. De repente recibí un mensaje de texto de Cieran, que estaba en la ciudad y que tenía que hablar urgentemente conmigo. Fui en coche a la dirección que me dio. Me extrañó un poco que Cieran quisiera verme en un hotel del barrio de Wedding, pero él conocía Berlín mejor que yo. Además, sabía que debía andarse con mucho cuidado. No dudé ni un segundo de que el mensaje fuera suyo, porque yo tenía un número nuevo que nadie conocía. Pero no pensé que... Dirk, mientras estuve en el psiquiátrico, pudo haber utilizado mi móvil. ¿Entiendes lo que quiero decir? ¡Nos tendieron una trampa a ambos!

Se tapó la boca con la mano y empezó a sollozar. Oliver le acarició la espalda y la sostuvo contra sí mientras ella seguía explicándose a trompicones. Él se sorprendió una vez más de las cosas impensables que la gente era capaz de hacer por mantener oculto algo a toda costa.

Ensilló la yegua con diestras maniobras, apretó bien la cincha y subió a la silla. Hacía semanas que Pia no montaba a caballo, así que esa noche tendría unas buenas agujetas, pero en ese momento le daba lo mismo. Pocas cosas había mejores para despejar la cabeza que una galopada.

La yegua cabeceaba arriba y abajo impaciente y casi no había manera de mantenerla al paso. Después de unos cientos de metros sobre el camino asfaltado que discurría paralelo a la autopista, Pia llegó al campo. Allí solo había algunos paseantes, corredores, *skaters* y ciclistas desperdigados; al día siguiente, en cambio, que era domingo, los caminos estarían tan abarrotados como los pasillos de un centro comercial. El buen tiempo empujaba a la mitad de Frankfurt hacia el cercano Taunus los fines de semana. Pia comprobó las hebillas una vez más, acortó las riendas y puso a la yegua al trote.

La plantación de colza estaba llena de flores de un amarillo resplandeciente y ofrecía un contraste muy pintoresco con el azul intenso del cielo. Los sonidos se perdían a su espalda; pronto solo quedaría la sorda trápala de los cascos y los trinos de las alondras que hacían acrobacias en el aire. La yegua echó a galopar por sí misma en cuanto llegaron a la recta larga. El suelo estaba embarrado en algunos puntos por la tormenta de la noche anterior, pero sus herraduras encontraban buenos puntos de apoyo. Pia dejó que galopara en un amplio arco hasta lo alto de la carretera nacional que unía Kelkheim con Hofheim. Allí redujo al paso y, en la bifurcación, decidió regresar por el camino más largo.

¿Por qué no le había contado Oliver nada sobre lo de la herencia a su padre? Estaba ansiosa por ver si mantenía su promesa y se presentaba más tarde en su casa.

Los cascos de la yegua, que avanzaba relajada y con riendas largas, resonaron sobre el cemento. Tras ella iba una mujer con patines que empujaba uno de esos carritos de niño todoterreno de alta tecnología y con solo tres ruedas, donde llevaba a un bebé dormido. La mujer la adelantó, y Pia la siguió con la mirada y contempló con envidia sus piernas esbeltas y torneadas. Debía de rondar los cuarenta y tantos años, y a esa edad –Pia lo sabía por propia y dolorosa experiencia– no se tenía una figura así por casualidad. Acabó pensando en Friederike Franzen, que también tenía un tipo sorprendentemente bueno para su edad: ni un gramo de grasa en su cuerpo bronceado por el sol, solo músculos fibrosos. Se había fijado esa mañana, al ponerle un brazo sobre los hombros para consolarla.

Pia dejó pasar a dos ciclistas y torció a la izquierda por el camino del prado que llevaba a su casa. Dejó que la yegua se pusiera primero al trote y luego al galope. El viento le silbaba en los oídos mientras disfrutaba del sol en la cara.

Y de repente el nudo de su cabeza se deshizo. ¡El bolso! ¡Eso era lo que había despertado su recelo! Friederike Franzen había dicho que había regresado a la casa porque se había dejado el bolso en la mesa de la cocina. ¡Pero en realidad estaba en el asiento del copiloto de su coche!

La inspectora detuvo su montura y sacó el móvil del bolsillo. Entró en el menú de llamadas recibidas y encontró el número con prefijo de Königstein que buscaba. La casera de Frauke Hirtreiter contestó al segundo tono.

—Sí, así es —respondió a la pregunta de Pia—. La señora Franzen ha venido esta mañana, pero solo un momento, sobre las ocho. Ha estado un rato sentada dentro del coche, en el patio, hablando por el móvil y se ha vuelto a marchar. Sin bajar del coche. A mí me ha parecido extraño, por eso me he quedado junto a la ventana.

La anciana sonaba orgullosa. Por lo visto había estado vigilando el patio sin interrupción desde el alba, y tenía una memoria minuciosa. Una testigo de ensueño.

—El chico se ha presentado más o menos sobre las diez. El Paraíso Animal suele abrir a esa hora, pero hoy Nika no estaba. El chico ha esperado sentado en la escalera y ha llamado por teléfono. No sé por qué, pero parecía nervioso... Mmm, no me viene a la cabeza cómo se llama.

—Mark —le ayudó Pia.

—¡Sí, Mark, claro! —exclamó la mujer, encantada—. Ay, a mi edad siempre se olvida una de algo.

—Pues a mí me parece que tiene usted una memoria extraordinaria —la alabó la inspectora antes de darle las gracias.

Entonces intentó recapitular el día de Friederike Franzen. A eso de las ocho había estado en la tienda de animales, se había quedado dentro del coche y había hablado por teléfono, pero no había llegado a apearse del vehículo. Desde allí debía de haber regresado a su casa. Pero ¿por qué? ¿Había olvidado algo? Aquella historia no tenía ni pies ni cabeza. Y luego esa llamada telefónica de la que Pia solo había podido captar fragmentos. «¡... que estoy enfadadísima! ¡Ha sido una completa exageración!» ¿Qué quería decir eso? ¿Con quién había hablado? ¿Dónde estaba Theodorakis? ¿Y qué hacía el hijo de Stefan Theissen en la casa del mayor enemigo de su padre? Perfectamente podía haber sido también Mark el que había entrado aquella noche en el edificio de WindPro... Seguro que sabía cómo hacerlo. ¿Habían puesto Theodorakis y su novia al chico en contra de su padre y lo habían convencido para que les consiguiera los peritajes falsificados?

¡Preguntas y más preguntas! Sin embargo, al contrario que dos horas antes, Pia intuía que las respuestas ya no se harían esperar mucho más. El chico era la clave.

Yannis volvió en sí. Sentía la boca como llena de algodón y tenía los labios hinchados, enormes, pero por lo menos ya no le dolía nada; de eso se encargaba el gotero que le inyectaba algo en el brazo izquierdo. Había tenido suerte dentro de lo malo, según acababa de decirle el médico en la visita de la tarde. Era cierto que le faltaban cinco dientes, pero le había quedado la mandíbula entera. Tenía la pierna izquierda rota por varios puntos y habría que operarla para ponerle clavos y tornillos. El resto de su cuerpo estaba repleto de contusiones, magulladuras y unas rozaduras que le escocían una barbaridad con el roce más leve.

Al despertar de la anestesia le costó un buen rato comprender dónde estaba. Del accidente solo recordaba fragmentos, pero sí tenía un recuerdo muy vivo de esa espantosa sensación de temer por su vida que le había sobrevenido al darse cuenta de que aquellos tipos no bromeaban. La determinación cruel y despiadada con la que lo habían atropellado a plena luz del día y propinado una paliza después había transformado algo en su interior. Jamás olvidaría esos terribles minutos, el miedo no lo abandonaría nunca. ¿Qué habrían hecho esos hombres con él si no hubiera pasado casualmente por allí la mujer con el perro? Yannis soltó un suspiro y se estremeció. Los miedos de Nika, de los que se había burlado con tanta frivolidad, estaban más que justificados. Se había equivocado por completo al juzgar la situación, y eso era lo que había sacado por ser un bocazas. Maldita sea.

Yannis volvió la cabeza hacia la izquierda. Ricky no le había llevado sus gafas de repuesto, claro, ¿cómo iba a llevárselas? No sabía que se le habían roto. Había llorado como una magdalena y había hecho muchísimo teatro. Tal vez pareciera un ingrato, pero él se alegró cuando su novia se fue llevándose consigo todo ese griterío exasperante y el estrés que irradiaba.

Contempló adormilado cómo los rayos del sol bajo iban deslizándose por las paredes pintadas de blanco. Fuera, el bonito y brillante día de mayo se encaminaba ya hacia la noche mientras él seguía allí tumbado, condenado a la inacción. Se sobresaltó cuando llamaron a la puerta. Lo primero que vio fue un ramo de flores enorme.

—Tiene usted visita —canturreó la regordeta enfermera asiática con voz alegre—. Su padre y su hermano.

Yannis se espabiló de repente. Él no tenía ningún hermano, y su padre, que él supiera, seguía en la habitación de seguridad del psiquiátrico de Riedstadt. La puerta se cerró sin hacer ruido y él se quedó a solas con dos hombres cuyas caras solo percibía borrosas. El más grande de los dos dejó caer el ramo de flores sin ningún cuidado en la mesa del televisor, el otro se acercó a la cama.

A Yannis le faltó el aire al reconocerlo. El miedo brotó desde su interior en forma de escalofríos. Habían regresado, cumpliendo sus amenazas.

La casa de los Theissen, en Königstein, resultó ser una maravillosa construcción antigua de estilo modernista, con saledizos, torrecillas y balcones. El sol de tarde que caía por entre los altos abetos proyectaba reflejos mágicos sobre la pintura ocre de la casa y hacía brillar las ventanas reticuladas. Pia llamó al timbre y retrocedió un paso ante la puerta, que era una verdadera obra de arte con cristales de decoraciones esmeriladas. Unos pasos presurosos bajaron la escalera y entonces la puerta se abrió. Una muchacha de unos veinte años con el cabello oscuro, los ojos muy grandes y pintados con raya negra, y vestida con una camiseta Hollister de color naranja chillón miró a la inspectora sin demasiado interés.

—Hola. —Su mirada fue de Pia a Cem, en cuyo rostro se detuvo con curiosidad.

—Hola, me llamo Pia Kirchhoff, de la Policía judicial de Hofheim —dijo la inspectora, y sostuvo en alto su identificación—. Mi compañero, Cem Altunay. Querríamos hablar con el señor y la señora Theissen.

—Ah. Sí, claro. —La chica se puso colorada, como si la hubieran pillado haciendo algo indebido—. Enseguida aviso a mis padres.

Se marchó. En algún lugar de la casa había alguien tocando el piano.

—Chopin —comentó Cem—. La ejecución no es para concierto, pero no está nada mal.

Pia le lanzó una mirada de sorpresa, luego curioseó a su alrededor. La casa también era preciosa por dentro, estaba decorada con mucho gusto. Las antigüedades se mezclaban con muebles modernos y cuadros expresionistas en las altas paredes pintadas de color crema. En el salón había una librería que llegaba hasta el techo. Sin duda era un hogar que enseguida hacía que uno se sintiera a gusto. Las notas del piano se interrumpieron y poco después Stefan Theissen apareció en el recibidor.

—Pasen. —No les dio la mano, y se veía claramente que su presencia no era bienvenida en esa casa—. Mi mujer llegará enseguida.

Pia y Cem lo siguieron al salón. Theissen no les ofreció asiento.

—¿Era usted el que tocaba el piano? —preguntó Cem.

—Sí —contestó el hombre—. ¿Está prohibido?

—De ninguna manera. —Cem sonrió—. Chopin. Toca usted muy bien.

Una minúscula sonrisa de asombro tiró de las comisuras de los labios de Theissen, que se relajó un poco. Antes de que pudiera decir nada, su mujer entró en la habitación. Era sin lugar a dudas la madre de la señorita Hollister de grandes ojos que les había abierto la puerta. Igual de delgada, aunque sin esa frescura juvenil que convertía en bonita la cara más bien corriente de su hija.

—Hola, señora Theissen. —Pia volvió a enseñar su identificación—. ¿Dónde está Mark? Tenemos que hablar urgentemente con él.

—¿Y eso por qué? —La mujer arrugó la frente y cruzó una mirada con su marido—. ¿Ha vuelto a hacer algo?

—Sospechamos que está involucrado en dos asesinatos. —Pia no tenía ni tiempo ni ganas de andarse con muchos rodeos.

—¿Cómo se le ocurre pensar algo así? —saltó Stefan Theissen con indignación.

—Tenemos indicios —explicó Pia con vaguedad—. Bueno, ¿dónde está?

—No lo sé. —La señora Theissen se encogió de hombros—. No ha dicho cuándo volvería.

—Sabemos dónde ha estado esta mañana —dijo Pia—: en casa de Friederike Franzen y Yannis Theodorakis. Eso nos ha sorprendido un poco.

—¿Por qué? Mark trabaja en el refugio de animales de la señora Franzen —repuso su madre—. Desde todo aquello de los coches...

—¿Qué quieren exactamente de nuestro hijo? —preguntó Stefan Theissen interrumpiendo a su mujer con brusquedad—. ¿De qué lo acusan?

Pia se preguntó por qué le había resultado Theissen tan simpático al principio.

—Escuche —dijo con vehemencia—, todo esto no parece interesarle demasiado, pero hace una semana alguien entró en su empresa y su vigilante nocturno acabó muerto. Tenemos la sospecha de que su hijo tuvo algo que ver en el asunto. Por eso queremos interrogarlo.

—Pero Mark no tuvo nada que ver con la muerte de Rolf —apuntó la señora Theissen—. Rolf se...

Una mirada de su marido la hizo callar.

−Tampoco nosotros afirmamos eso −repuso Pia, y miró a Stefan Theissen−, pero ¿cómo consiguió el señor Theodorakis los peritajes manipulados y los correos electrónicos confidenciales con los que lo dejó a usted en evidencia en la asamblea vecinal de Ehlhalten? ¿Es posible que Theodorakis pusiera a su hijo en su contra y lo convenciera para que entrara en la empresa?

El semblante de Theissen seguía impasible.

−Mi hijo no hace esas cosas −dijo con frialdad−. Y ahora salgan de mi casa, por favor.

−¿Por qué va su hijo por ahí con una motocicleta que está a nombre de Grossmann? −preguntó Pia sin inmutarse−. ¿Cómo se hizo las heridas que tiene en la cara? ¿Dónde estuvo la noche del pasado viernes? ¿Dónde está ahora? Que yo sepa, tiene dieciséis años, y usted está faltando a sus obligaciones tutelares legales si no lo tiene controlado.

−A Mark le robaron la moto −respondió la señora Theissen−, y seguro que mi hermano no habría tenido nada en contra de dejarle la suya.

Durante unos instantes se hizo el silencio.

−¿Cómo que su hermano? −preguntó la inspectora, sorprendida−. ¿Rolf Grossmann era su hermano?

La señora Theissen asintió con inseguridad y comprendió que había dicho algo que a su marido no le gustaría.

−¿Dónde ha estado usted esta mañana, señor Theissen?

−Aquí −contestó el hombre−. Después he ido un par de horas al despacho, pero a partir de las tres, más o menos, ya estaba otra vez en casa.

−Gracias. −Pia asintió−. Eso es todo por ahora. Buenas tardes.

−No tengo ningún interés en usted, señor Theodorakis −dijo el profesor Dirk Eisenhut con voz cansada. Había acercado una de las sillas para visitas y estaba sentado junto a la cama de Yannis−. Es más, me es del todo indiferente. Pero me temo que no comprende lo importante que es para mí encontrar a Annika Sommerfeld.

Yannis no apartaba la vista de él. El corazón le latía con tanta fuerza como si quisiera salirse del pecho. Entonces torció la mirada hacia el interruptor para llamar a la enfermera, pero colgaba por encima del teléfono, a una distancia inalcanzable.

—Mencionó usted su nombre, y creo que sabe dónde se encuentra. —Eisenhut se pasó las dos manos por la cara, luego por el pelo, y suspiró—. No quiero ningún escándalo ni ninguna discusión, por eso se lo preguntaré de nuevo con calma: ¿dónde está Annika? ¿Qué tiene usted que ver con ella?

El otro hombre se acercó a los pies de la cama. Esta vez no llevaba gafas de sol, pero Yannis estaba seguro de que era uno de los que le habían partido los huesos por la mañana.

En la habitación el silencio era absoluto. Al otro lado de la puerta cerrada se oían voces y risas amortiguadas. Si gritaba pidiendo ayuda, seguro que acudiría alguien. Pero ¿de qué le serviría? No podía salir corriendo a esconderse. Eisenhut y sus esbirros lo encontrarían. Iban muy en serio.

—Escuche, señor Theodorakis —dijo Eisenhut al cabo de un rato—. Soy una persona educada. Detesto la violencia y por eso voy a hacerle una oferta. Yo puedo ayudarle, si usted me ayuda a mí.

Hablaba en voz tan baja que a Yannis le costaba trabajo oírlo.

—Su antiguo jefe no puede hablar demasiado bien de usted a causa de sus actividades en contra del proyecto del parque eólico. La sección jurídica de WindPro prepara ahora mismo una denuncia contra usted por revelación de secretos e infracción de la cláusula de confidencialidad de la rescisión de su contrato. Theissen lo denunciará también por calumnias y difamación. No importa cómo acabe todo esto, su nombre quedará arrastrado por el fango y sin duda lo despedirán. Los bancos son muy quisquillosos con esas cosas. Pero Theissen está en deuda conmigo. Yo podría convencerlo para que no ponga ninguna denuncia. Por otro lado, también puedo ocuparme de que pierda su trabajo y nunca vuelva a encontrar otro, ya que conozco a mucha gente influyente. Le propongo un trato: usted me cuenta lo que quiero saber y, a cambio, no vuelve a verme nunca más.

Yannis tragó saliva. La amenaza era inequívoca. No tenía elección.

El sol desapareció tras las copas de los árboles. La habitación quedó medio a oscuras, pero ni a Eisenhut ni a su acompañante parecía molestarles.

—¿Y bien?

—Nika aparefió hafe unof mefef en nueftra cafa —empezó a explicar Yannis entrecortadamente. A causa de los dientes que le faltaban, apenas vocalizaba—. Ef una vieja amiga de mi compañera y nof dijo que había dejado el trabajo defpués de fufrir un colabfo emofional.

Habló sin parar. Contó todo lo que sabía de Nika y le dio igual si con ello la ponía en peligro. Su ira se volcó de pronto sobre ella. ¿No tenía en realidad Nika la culpa de que él estuviera en esa cama? ¿Por qué había tenido que buscar refugio precisamente en su casa? No le interesaba por qué la buscaba Eisenhut. Si él decía la verdad sobre Nika, lo dejarían en paz y podría vivir sin miedo.

—Creo que fe ha ido a cafa de Bodenfein —dijo al final, agotado de tanto hablar—. Fe fue por la noshe, sin coshe ni bificleta. Por el bofque fe tarda media hora a pie. Fí, eftoy feguro de que la encontrará en la finca de lof Bodenfein, con el poli. Hafe poco la vi con él.

—Esos dos no tienen ni la menor idea de a qué se dedica su hijo —dijo Pia con rabia al subir al coche—. Te digo que tuvo algo que ver en el allanamiento y en la muerte de Grossmann.

—¿Cómo se nos ha podido pasar por alto que Grossmann era el cuñado de Theissen? —preguntó Cem.

—En realidad eso no tiene importancia. —Pia se abrochó el cinturón y encendió el motor—. ¿O crees que sí?

Alguien llamó con unos golpes en la ventanilla del coche y Pia se volvió, sobresaltada. Entonces reconoció a la chica y bajó el cristal.

—¿Puedo subir? —preguntó la hermana de Mark Theissen, y miró inquieta alrededor—. Mi padre no puede verme con ustedes.

—Sí, claro —repuso la inspectora con extrañeza—. Entra.

La chica abrió la puerta de atrás y se deslizó en el asiento.

—Me llamo Sarah, por cierto —dijo. Entonces tomó aire—. Es por Mark. Ayer por la noche se le cruzaron completamente los cables. Empezó a golpearse la cabeza contra el escritorio hasta que todo quedó lleno de sangre. Ha debido de pasar algo, porque vuelve a estar rarísimo.

—¿Cómo que «vuelve a estar»?

—Bueno, después de lo del internado... —Sarah Theissen levantó las cejas con elocuencia—. Eso lo cambió por completo.

—¿Qué sucedió en el internado? —preguntó la inspectora.

—Un profesor abusó sexualmente de él durante dos años. Mis padres estuvieron fatal aquella época. Nunca hablaron de ello, pero yo de todas formas lo sé porque leí las cartas de la Policía y de los psicólogos.

Pia y Cem cruzaron una mirada.

—¿Cuánto hace de eso? ¿Cuántos años tenía tu hermano entonces?

—Hace dos años. Tenía catorce cuando se supo todo.

—¿Cómo lo superó Mark? ¿Alguna vez ha hablado contigo de ello?

—No. —Sarah negó con la cabeza—. Nunca. Se cerró en sí mismo. No tenía amigos y se pasaba el día sentado delante del ordenador. Mi madre tenía que llevarlo siempre al psicólogo, pero allí tampoco decía nada. En algún momento dejaron de ir. Luego, hará como medio año, iba a celebrarse el juicio contra el señor Schütt. No solo lo hizo con mi hermano, el muy cerdo.

Torció el gesto, asqueada.

385

—Pero ese cobarde se colgó en su celda. Hasta salió en la tele, así que Mark debió de enterarse y esa noche se volvió loco del todo. Sacó uno de los palos de golf de mi padre, salió corriendo de casa y destrozó diez coches. Después se tumbó en medio de la calle y esperó a los ma... mmm... a la Policía. Lo condenaron a servicios comunitarios, y por eso acabó en el refugio para animales de esa tal Ricky. Está completamente alucinado con ella y con su novio. Durante una temporada todo fue muy bien, hasta hace unos días. Entonces empezó a jugar otra vez a esos juegos de ordenador. Durante horas.

—¿Qué juegos?

—*Counter Strike, Soldier of Fortune, Rogue Spear.* Esa clase de cosas. —Se apartó un mechón de la cara—. Mis padres no tienen ni idea de lo que le pasa. Lo único que les preocupa son sus propios rollos.

—¿Sigue yendo Mark al instituto? —quiso saber Cem.

—Casi siempre se salta las clases. Los profesores no hacen más que llamar, pero no sirve de nada.

—¿Dónde podría estar ahora?

—Con Ricky. Me juego lo que sea. —Vaciló—. Acaban de decirles a mis padres que Ricky y su novio podrían haber manipulado a Mark. Yo también lo creo. No digo que Mark odie a nuestros padres, pero sí ha llegado a estar cerca de eso.

—¿Por qué estudiaba Mark en un internado? Aquí hay muchísimos colegios —se extrañó Pia.

—Nuestros padres tenían muy poco tiempo. —Sarah se encogió de hombros—. En aquella época lo de los parques eólicos empezó a ir muy bien. Mi hermana y yo nos negamos a entrar en un internado, pero Mark no tuvo elección. Tuvo que obedecer. Llegaron a prometerle que lo irían a buscar para que volviera a casa todos los fines de semana, pero casi nunca lo hicieron. Cualquier otra cosa era siempre más importante que nosotros.

Pia intentó recordar al chico que había visto de refilón esa misma mañana. No tenía una clara memoria de su cara, pero sí de su expresión desesperada. Debía de creer que Friederike

Franzen estaba muerta. Entonces la inspectora comprendió el miedo que habría sentido el chaval. Friederike Franzen era a todas luces la única persona que aportaba algo de alegría a su vida.

—Gracias, Sarah. —Cem sonrió—. Ha sido de mucha ayuda para nosotros. Te voy a dar mi tarjeta. Por favor, llámame si recuerdas algo más o cuando Mark regrese a casa.

—Claro. Lo haré. —También ella sonrió, se puso colorada y bajó la mirada con timidez.

—Ah, Sarah —dijo Pia.

La muchacha, que ya tenía la mano en el tirador, se quedó sentada.

—Rolf Grossmann era tu tío, ¿verdad?

—Sí. ¿Por qué? ¿Porque Mark lleva su moto?

—No, no es por eso. ¿Por qué no podía soportar tu padre a Grossmann?

Sarah Theissen lo pensó un momento.

—Tenía algo que ver con dinero —contestó al final—. El tío Rolf inventó una patente en algún momento. WindPro era antes su empresa; bueno, mejor dicho, era la empresa de mi abuelo. En aquel entonces fabricaban máquinas muy normales. Mi padre trabajó allí mientras estudiaba. Así conoció a mi madre. Cuando el abuelo murió, mi madre y el tío Rolf se hicieron cargo de la empresa, pero ninguno de los dos debía de ser muy... mmm... hábil para los negocios. Mi padre se unió a ellos entonces y consiguió sacar la empresa adelante. El tío Rolf quería llevarse una parte. Mucha pasta. Soñaba con irse a España, pero mi padre no hacía más que darle largas, por eso estaban siempre con broncas.

—Muy bien. Gracias.

—De nada. Bueno... ¡Adiós!

Sarah bajó del coche y cerró la puerta. Pia y Cem la siguieron con la mirada y esperaron hasta que desapareció por la esquina. Pia arrancó entonces y se incorporó a la calle. Al pasar por delante de la villa modernista de los Theissen, le echó una mirada pensativa.

—Cuando he visto la casa por dentro he pensado que ahí debía de vivir una familia feliz —comentó—. Desprende una sensación como de protección. Lo que puede llegar a equivocarse una...

—Todo fachada —coincidió Cem con ella—. Ese chico me da mucha pena.

Pia salió de la ducha y alargó la mano hacia la toalla que había dejado en el borde del lavabo. El agua caliente le había relajado un poco la musculatura contracturada. Se sentía a gusto, tranquila, había conseguido hacer a un lado los pensamientos sobre los dos casos que tenía entre manos. Le hubiera gustado llamar a Oliver y decirle que no fuera a verla. Estaba completamente agotada y lo único que deseaba era una noche tranquila a solas con Christoph. Después de las tres intensas semanas en China, el trabajo la había acaparado tanto que esos últimos diez días apenas lo había visto. Se apartó el pelo mojado de la cara y se lo recogió con una horquilla, luego se envolvió el cuerpo con la toalla y fue al dormitorio.

—¿Pia? —Christoph asomó la cabeza por la puerta—. La parrilla está lista —informó—, y tu jefe acaba de llegar.

—Vale, genial. Enseguida voy.

Se encorvó hacia el interior del armario y lo revolvió, buscando una camiseta en concreto, pero no la encontró. Seguro que estaba todavía en el montón de ropa sucia que había junto a la lavadora.

—Ha venido con una mujer.

—¿Qué? —Pia se irguió de pronto y se dio un buen golpe en la cabeza.

¿De verdad había tenido el descaro de presentarse con aquel ratoncillo mentiroso? ¡Eso sí que era el colmo! El humor de Pia empeoró ipso facto, pero no quería desahogar su enfado con Christoph. Al fin y al cabo, él no tenía la culpa.

—Tómate tu tiempo —dijo él, y le dio un beso—. Yo iré abriendo el vino.

–¡Pero uno barato! –exclamó Pia tras él–. Esa idiota no necesita un Pomerol de 1995.

–Vaya, no sabía que tuviéramos un tesoro así en nuestra bodega –repuso Christoph, divertido.

Tampoco Pia pudo evitar sonreír.

–Ya sabes lo que quiero decir. Saca el tinto del Aldi. Está más bueno de lo que parece.

–De acuerdo.

Christoph le guiñó un ojo y salió. Pia abandonó la búsqueda de la camiseta. Se puso unos vaqueros claros con un top y, por encima, una sudadera gris de capucha. En el baño, se secó el pelo con la ayuda de un cepillo redondo e incluso se pintó un poco los ojos para terminar. Después de una última mirada crítica en el espejo, respiró hondo y cruzó el salón para salir a la terraza.

Oliver y Christoph estaban charlando con una copa de vino en la mano. Aquella mujer estaba de pie junto a ellos, y se notaba que se sentía bastante a disgusto.

Mejor, pensó Pia. Aquí no se te ha perdido nada.

–Hola –dijo, y se obligó a sonreír con educación.

Ni siquiera intentó darle la mano a Oliver; la antigua distancia volvía a estar allí. Él era más que nunca su jefe, no un amigo de la familia al que se saluda con dos besos informales en las mejillas.

–Hola, Pia. –También Oliver parecía tener que arrancarse la sonrisa. Llevaba escrito en la cara que estaba tenso. Aunque su mirada le resultaba familiar, esa noche le parecía un extraño–. Permitidme que os presente. Esta es Annika. Annika, mi compañera Pia Kirchhoff.

Las dos mujeres se dedicaron un gesto de la cabeza. Christoph sirvió vino en otra copa y se la dio a Pia.

–Vosotros tenéis cosas de que hablar –dijo, ya que ella le había informado de antemano sobre el motivo de la visita de Bodenstein–. No os molestaré. Voy a ocuparme de la carne y las salchichas.

—Por favor. —Pia hizo un gesto con la mano en dirección a la mesa.

En realidad había esperado poder hablar con su jefe a solas, pero, en lugar de eso, él y Annika se sentaron en el banco de madera de teca, así que Pia tomó asiento frente a ellos en una silla. En los arbustos que había junto a la terraza se estaban peleando dos mirlos, el monótono ruido de la autopista apenas se oía en la parte trasera de la casa.

—Antes que nada quiero darte las gracias, Pia, por haber sacrificado tu tiempo libre —empezó a decir Bodenstein, y su elección de palabras la puso furiosa al instante.

—No tienes que agradecerme nada —contestó, seca—. Tú siempre eres bienvenido. Para mí no es ningún sacrificio estar sentada aquí contigo, pero tal vez podrías ir al grano.

Evitaba conscientemente hablar a la acompañante de su jefe, y este lo entendió. Se aclaró la garganta.

—Esos últimos días me he comportado de una forma extraña, y lo siento. Para mí fue una enorme sorpresa enterarme de que Ludwig le había dejado a mi padre todos sus terrenos. Y esa... vivencia del miércoles por la noche tampoco pasó sin dejar huella.

Le costaba reconocer sus puntos débiles, y Pia lo sabía. Aun así, no le tendió ningún cable, sino que siguió mirándolo expectante mientras él buscaba las palabras adecuadas.

—Mi padre también se ha visto superado por esta situación —siguió diciendo por fin—. El viernes fui a ver a Enno Rademacher, justo después de que mi padre me explicara lo de la lectura del testamento. Quería que me dijera por qué le hizo una visita a Ludwig Hirtreiter el martes por la mañana. Él no contestó a mi pregunta y, en lugar de eso, empezó a hablarme del testamento y de ese prado. Me sorprendió bastante que ya estuviera al corriente. Me dijo que le presentaría a mi padre la misma oferta de compra que a Hirtreiter. Cuando le aconsejé que no lo hiciera, me amenazó.

—¿Te amenazó? ¿Cómo?

—Dijo que conocía la situación financiera de mi hermano, que en realidad es el restaurante lo que sostiene toda la finca y que, si yo no me aseguraba de que mi padre aceptaba la oferta, podía producirse un escándalo que destrozaría la fama del local.

—Eso parece chantaje —repuso Pia.

—Sí, eso mismo dije yo. Rademacher, sin embargo, no se anduvo con contemplaciones. Esa misma tarde se presentó en casa de mis padres junto con Ralph Glöckner. Cuando yo llegué por la noche, me encontré a mis padres atrincherados en la casa y sentados a oscuras. ¡Temían literalmente por su vida!

—¿Y Engel te ha retirado del caso porque tu padre ha heredado ese prado?

—No, Rademacher afirma que le he exigido ciento cincuenta mil euros por convencer a mi padre de que le venda el prado a WindPro. Me ha denunciado. Por chantaje, coacción y no sé qué más.

Oliver sonrió sin alegría. Pia le dio vueltas a la copa entre sus dedos y luego la dejó en la mesa.

—¿Por qué no me habías contado nada de todo esto? —preguntó.

—Quería hacerlo, pero no en mitad del pasillo. Te llamé el viernes por la noche y te dejé un mensaje en el buzón de voz para que me llamaras.

—Y lo hice, pero volvías a tener el móvil desconectado.

—Ya lo sé. Tenía un buen motivo. Estábamos todos reunidos en la cocina, Quentin, Marie-Louise y yo, sopesando lo que había que hacer. Llamaron a la puerta y allí estaba Annika.

Su expresión contenida habría engañado a cualquier observador casual, pero no a Pia. Ella lo conocía lo bastante como para darse cuenta, por el tono diferente de su voz, de lo mucho que le gustaba esa mujer.

—Lo de Rademacher y el testamento solo era una de las cosas que quería explicarte —añadió su jefe bajando algo la voz—. La otra es... algo más complicada. ¿Recuerdas que ayer por la mañana había tres hombres en el despacho de Engel?

391

–Claro. –¿Adónde quería llegar?

–Eran dos agentes de Defensa Nacional y el profesor Dirk Eisenhut, director del Instituto Climatológico de Alemania. El antiguo jefe de Annika.

Antes de que Oliver pudiera decir nada más, la mujer a quien Pia conocía hasta entonces como dependienta de un establecimiento de animales tomó la palabra:

–Soy biogeoquímica y estudié en el Instituto de Química Marina de Hamburgo. He trabajado para el profesor Eisenhut en Berlín desde 1995, y me he especializado en investigaciones climatológicas. Mi nombre completo es doctora Annika Sommerfeld.

Pia contempló con desconfianza la tez lisa y pálida de la mujer, luego miró a Bodenstein. ¿De verdad se creía eso? ¿El ratoncillo mentiroso era una investigadora climatológica?

–Sucedieron ciertas cosas que me obligaron a desaparecer y ocultarme en casa de Ricky Franzen. Yo viví aquí, Ricky y yo fuimos muy buenas amigas de jóvenes. Sabía que ella no me haría ninguna pregunta.

–Ajá –se limitó a decir Pia.

Le importaba un comino dónde había pasado su juventud Annika Sommerfeld, pero tal vez sabía quién era el responsable de la muerte de Ludwig Hirtreiter. ¿Sería ese el motivo por el que Oliver la había llevado allí?

El apetitoso aroma de la carne asada llegó a su nariz y le hizo recordar que apenas había comido nada en todo el día.

–Ricky se creyó la historia de que tras mi colapso emocional necesitaba algo de tiempo para recuperarme, pero Yannis sintió curiosidad y acabó por descubrir la verdad –explicó Annika–. El viernes, mi antiguo jefe, el profesor Dirk Eisenhut, dio una conferencia en Falkenstein. Yannis fue y mencionó mi nombre en relación con los informes periciales manipulados de WindPro, aunque yo le pedí que no lo hiciera bajo ningún concepto.

–¿Por qué no?

–Tengo algo que es muy peligroso para Eisenhut. Documentos que prueban que él y otros investigadores climáticos de renombre, con connivencia de los políticos, llevan años ocultando sistemáticamente datos y, con ello, manipulando los pronósticos climatológicos de las Naciones Unidas. Si esas pruebas se hacen públicas, las políticas sobre el clima de todo el mundo sufrirían un duro revés y se despertarían muchas dudas sobre la credibilidad de las instituciones responsables. Para Eisenhut, sus colegas y los políticos que se aprovechan del miedo de la gente a un posible cambio climático, eso sería una catástrofe. Por eso Eisenhut quiere hacerse con esos documentos a cualquier precio.

Pia sacudió la cabeza. ¿Qué tenía eso que ver con sus casos? Le dirigió una mirada escéptica a su jefe, pero él solo tenía ojos para Annika.

–Mi nombre tiene cierto peso en el ámbito de la investigación climatológica –dijo entonces la mujer–. Hace un tiempo se me acercaron unos detractores de nuestras investigaciones y me presentaron sus sospechas. Yo comprendí que tenían razón, pero al ponerme de su lado me coloqué en el punto de mira del poderoso *lobby* de la investigación y la política sobre el clima. El hombre que me entregó esos documentos fue asesinado y...

–Un momento –la interrumpió Pia–. ¿Por qué me cuenta todo esto?

Percibió la mirada de su jefe, pero no se volvió hacia él. ¿Tan enamorado estaba que había perdido el juicio y se tomaba en serio esos desvaríos?

–¿Sabe algo sobre quién mató a Rolf Grossmann o a Ludwig Hirtreiter? –preguntó Pia.

Annika Sommerfeld sacudió la cabeza.

–Entonces, sinceramente, me pregunto qué está haciendo usted aquí –repuso con frialdad, y se levantó–. Tengo que resolver dos casos de asesinato y estoy bajo toda clase de presiones. Cualquier otra cosa me interesa bastante poco en estos momentos. Y ahora, además, tengo hambre.

Su hermana le había enviado un mensaje de texto. Los polis y su padre lo estaban buscando. Después, sin embargo, Ricky le había propuesto pasar la noche en la vivienda vacía del refugio de animales. Decía que en su casa ya no se sentía segura después del ataque, pero Mark sabía que lo hacía por él.

Se había jurado protegerla. Nadie le haría nada mientras él estuviera allí para impedirlo. Habían hecho juntos la ronda de esa noche, luego cenaron una pizza medio fría acompañada de vino tinto. Mark se sintió muy hombre, muy adulto, toda la velada. Ricky nunca lo trataba como a un niño, lo tomaba en serio, y eso le sentaba bien. Por primera vez en mucho tiempo no le había dolido la cabeza.

Mark estaba tumbado en el colchón que había junto al viejo sofá cama en el que dormía Ricky. Miraba a la oscuridad completamente despierto. Todo ese día había sido muy emocionante, una auténtica locura. Primero aquel miedo espantoso cuando encontró a Ricky en la bañera, luego la escopeta en el henil del establo. ¡Frauke y sus estúpidas mentiras! Y Yannis, que había tenido un accidente y estaba en el hospital. ¡Todo aquello era increíble!

—¿Mark?

Él creía que Ricky dormía ya, porque se había bebido casi toda la botella de vino ella sola.

—¿Sí?

—Me alegro de que estés aquí. Sin ti me moriría de miedo.

Al oír esas palabras no pudo evitar sonreír, sintió en su interior el calor de la felicidad.

—Eres maravilloso, de verdad —dijo ella en voz baja—. Es muy bonito saber que siempre puedo confiar en ti.

—Pero si todo esto lo hago encantado —repuso él con voz ronca.

Ella no sabía lo mucho que le gustaba. Para él era muy importante, más que cualquier otra persona del mundo entero. Cuando estaba cerca de ella, todo iba bien.

El edificio bajo y alargado donde se encontraban, que albergaba también la oficina, la cocina y el almacén del refugio de animales, estaba en silencio. Mark oía la respiración regular de Ricky. Según le dijo, Yannis había salido bastante mal parado. Un coche le había aplastado la pierna. ¡Se lo tenía merecido, el muy capullo! Mark deseó que estuviera mucho tiempo fuera; o mejor, para siempre.

El viejo sofá cama chirrió un poco.

—¿Mark?

—¿Sí?

—¿Puedo dormir contigo?

El corazón le latió como un redoble de tambor. ¿Lo había soñado? «¿Puedo dormir contigo?» Eso ya se lo había dicho antes otra persona. «¿Te importa darme la mano? Solo un poco. Es muy bonito.»

Mark tragó saliva.

—Sí, claro —dijo en voz baja.

Los muelles del sofá volvieron a rechinar, luego su colchón se hundió bajo el peso de Ricky. Mark se hizo a un lado y ella se deslizó bajo la manta y se acurrucó junto a él. La calidez de su cuerpo lo electrizó y despertó en el chico recuerdos involuntarios de otro cuerpo caliente pegado al suyo. Basta, pensó. Ricky no era Micha. Ella no le haría daño. Lo único que quería era sentirlo cerca porque sola tenía miedo.

La oía respirar junto a su oído. Sintió su mano en el muslo y se le puso la carne de gallina. Era una sensación agradable. Ella suspiró con suavidad, sin dejar de acariciarlo. Mark cerró los ojos, apretó los labios. El sujetador rojo. El fino vello rubio sobre su piel. Se le aceleró la respiración. Por favor, quita la mano de ahí, quería decirle. ¡Por favor! Pero era tan bonito... Desde Micha, nadie lo había tocado con tanta ternura. La mano de Ricky se deslizó por su vientre, sus dedos se colaron bajo la goma de sus calzoncillos bóxer. Mark estaba paralizado. Todas las historias increíbles que había oído contar a otros chicos en el patio del instituto acudieron a su cabeza. Siempre hablaban de ese tema con tono burlón, casi despectivo. Follar. Joder. Tirarse a alguien. Sonaba sucio y repugnante. Justo como lo que Yannis había hecho con Ricky en la terraza. Aquello no había tenido nada que ver con el amor. Pero el amor era lo más importante de todo. Mark no sabía muy bien qué esperaba Ricky de él. El corazón le iba a mil, tenía la boca reseca. Micha se había ahorcado porque lo habían llevado a los tribunales justamente por eso.

—No —murmuró—. No.

—¿Por qué no? —susurró Ricky—. Ven, date la vuelta.

Mark dudó, pero luego obedeció a regañadientes y rodó hacia ella. De repente Ricky se arrodilló a horcajadas sobre él, su aliento le acarició la cara, sus labios encontraron los del chico. La lengua de Ricky exploró su boca con delicadeza, y él sintió que iba a estallar en cualquier momento.

¡Venga, vamos!, gritaba todo su cuerpo, que hacía rato que estaba respondiendo a esa invitación inequívoca. ¡Lánzate!

Pero Mark clavó las manos contra los hombros de ella y la apartó un poco.

—¿Me quieres? —preguntó con voz trémula.

—Sí, claro —contestó Ricky por encima de él, en la oscuridad.

Ella respiraba deprisa y sus muslos le apretaban las caderas. Su piel estaba tan caliente que casi le quemaba.

—¡Dilo! —pidió Mark. Temblaba de excitación, unos escalofríos febriles recorrían todo su cuerpo—. Di que me quieres.

—Te quiero —murmuró Ricky, y montó sobre él con un suave gemido.

A Mark le costaba respirar. Cerró los ojos y se abandonó completamente al ritmo cada vez más acelerado de sus movimientos. Todas las preocupaciones se hicieron nimias y se desvanecieron en la nada. Ya no pensaba en Yannis ni en sus padres, que no sabían dónde estaba. La ira y el miedo, el dolor y la decepción habían quedado olvidados. Su cuerpo explotó con una felicidad insospechada. Solo existían Ricky y él, y lo que hacían era la culminación de todos sus sueños. Era amor.

Estaba furiosa y decepcionada. ¡Conque a eso se dedicaba Bodenstein mientras ella ya no sabía ni dónde tenía la cabeza! Una conspiración mundial de investigadores climatológicos... ¡Menudo disparate! ¿Qué se proponía la tal Annika? ¿Quería impresionarlo con sus cuentos?

Pia dejó que Christoph le pusiera un filete en el plato.

—¿Por qué estás tan enfadada? —quiso saber.

—¿Has oído lo que ha explicado esa sinvergüenza? —Pia sacudió la cabeza—. Es que no puedo creer que Oliver caiga en algo así.

—Bueno, sí que existe una investigadora climatológica que se llama Annika Sommerfeld. —Christoph le dio la vuelta a un filete con el tenedor. La grasa goteó en las brasas y provocó una humareda—. He leído ese nombre más de una vez.

Pia se lo quedó mirando como si acabara de intentar apuñalarla por la espalda.

—¿También tú la crees? —espetó, molesta.

Christoph no contestó, porque Bodenstein se había levantado y se acercaba a ellos.

—Pia, todo lo que ha contado es cierto —empezó a decir—. Ya sé que no soportas a Annika, pero...

—Esto no tiene nada que ver con soportar o no soportar a alguien —lo interrumpió ella con brusquedad—. ¡Tengo muchas cosas de las que ocuparme y tú me has dejado tirada! ¿No te basta con dos tristes asesinatos en el Taunus? ¿Ahora quieres jugar a James Bond?

Christoph sintió la tensión entre ellos y se batió en discreta retirada. Decidió acercarse a la mesa para hacerle compañía a Annika. Oliver metió las manos en los bolsillos de sus vaqueros y respiró hondo.

—Me hubiera gustado mucho que escucharas toda la historia y me dijeras qué te parece. Tu juicio me resulta importante.

—Ya puedo decirte lo que me parece —replicó Pia con acritud—. No me creo absolutamente nada.

Él la miró, callado.

—Annika es sospechosa de asesinato, pero es inocente —dijo después—. He decidido ayudarle. Iremos a buscar esos documentos a la caja de seguridad de Zúrich donde los depositaron O'Sullivan y Bennett antes de que los mataran. Me pondré en contacto con Störch, de la Dirección Federal, y me encargaré de que traten a Annika de forma justa si se entrega.

—¡Oliver, te has vuelto completamente loco! —Pia dejó el plato en la mesita que había junto a la parrilla—. Ahora en serio, ¿desde cuándo conoces a esa mujer? ¿Cómo sabes que de verdad es inocente? ¿Y si solo te está utilizando?

Había oscurecido. La lámpara de la terraza lanzaba un débil resplandor sobre el rostro de su jefe.

—¿Te acuerdas de cuando conociste a Christoph? —preguntó él en voz baja.

—Claro que sí. Tampoco ha pasado tanto tiempo.

—No me refiero a las circunstancias —aclaró el inspector jefe—. Me refiero a... tus sentimientos.

—¿Qué tiene que ver eso ahora? —Pia reaccionó con cabezonería, pero intuía adónde quería ir a parar su jefe.

—Todo. Tú apenas lo conocías y, aun así, confiaste en él por mucho que yo estuviera firmemente convencido de que era el asesino de Pauly. Incluso te hice vacilar, pero tú jamás dudaste de él ni de su inocencia.

Pia cruzó los brazos sobre el pecho y atravesó la oscuridad del jardín hasta un banco de madera que había bajo un arco de rosales. Aquello no era lo mismo. ¿O sí? Se detuvo y contempló la noche. Sobre las crestas de la cordillera del Taunus quedaba todavía una fina banda rojiza, en el cielo negro refulgían ya las primeras estrellas. Los arbustos en flor y las rosas despedían un aroma embriagador; olía a tierra húmeda y a primavera.

Era injusto por parte de su jefe cargar en ella toda la responsabilidad. Si hubiese sido sincero con lo de la herencia desde el principio, las cosas no habrían tenido que llegar tan lejos. Tal vez esas vacaciones no le vinieran del todo mal. Así tendría todo el tiempo del mundo para la tal Annika.

—Yo siempre estuve seguro de Cosima —dijo Oliver, que la había seguido—. Durante veintiséis años. Y de pronto tuve que hacerme a la idea de que nunca la había tenido de verdad. Lo de

Heidi fue algo pasional. No tuvo importancia. Pero Annika...
Tienes razón, no la conozco en absoluto, no sé prácticamente
nada de ella, salvo que se encuentra en un serio apuro. Tal vez
me falta objetividad en este momento, pero debo ayudarle.

Pia se volvió de espaldas a él. ¿Cómo podía hacerle ver que
con su comportamiento se estaba jugando el cuello si algo salía mal?

–Puede que ahora suene un poco pomposo, Pia, pero estos
últimos meses tú has sido mi ancla cuando todo se hundía a mi
alrededor. Intenta por lo menos comprenderme. Es importante
de verdad.

La rabia de la inspectora se desvaneció. Nadie podía entender mejor que ella misma el dilema en que se encontraba su jefe.
Entonces fue consciente de lo que debía de haber soportado
esos últimos días. Solo la violenta muerte de Ludwig Hirtreiter
y la visión de su padre hundido en la pena lo habían sacudido
hasta lo más hondo. Después la tragedia del pabellón de Ehlhalten, en la que había estado a punto de perder la vida. Y por
último Annika. De repente entraban en juego unos sentimientos con los que Bodenstein nunca había contado. Aquello habría
sido demasiado hasta para una persona mentalmente estable, y
la estabilidad de su jefe desde lo de Cosima tampoco estaba en
sus mejores momentos.

Pia soltó un suspiro y se volvió hacia él.

–Siento haber reaccionado así –dijo, conciliadora–. Quizá
esté algo estresada. Y me preocupo por ti.

Se miraron. En la oscuridad, ella solo podía intuir sus facciones.

–Lo sé –repuso él–. Yo también siento mucho haberte dejado todo el trabajo.

–Eso ya lo sacaré de alguna manera. –Pia se mordió el labio
inferior, pensativa–. ¿Qué puedo hacer para ayudarte?

–Nada, en realidad. No estaría bien por mi parte meterte en
esto. Es algo de lo que debo ocuparme solo. Solo quería que
supieras lo que sucede.

–Te lo juegas todo si te equivocas.

–También tú lo hiciste con Christoph.

Ella sonrió y ladeó la cabeza.

–Pues, entonces, por lo menos cuídate –dijo la inspectora con la voz quebrada–. Yo solo soy directora de la K 11 de manera provisional. Y no me apetece nada tener un jefe nuevo.

24 de diciembre de 2008

*–¡A*nna! *–Sonrió contento al verla entrar en su despacho y se levantó de su escritorio–. Qué bien que lo hayas conseguido. Para mí no habría sido Navidad si no hubiera podido brindar por lo menos contigo.*

Ella estaba firmemente convencida de tener controlados sus sentimientos; de no ser así, no habría acudido. La candidez de la mirada de él la hizo temblar por dentro. No tenía ni idea del poder que poseía sobre ella. Lo miró mientras sacaba la botella de champán que había en la cubitera de la mesa de reuniones y la descorchaba. Era como un déjà vu, como la repetición de aquel día de diez años atrás, cuando empezó todo. Al champán le había seguido su primera noche juntos, la primera de incontables más. Aunque ella se resistía, el antiguo anhelo se abrió camino en su corazón. ¿Por qué no la amaba el profesor?

En las ventanas que llegaban hasta el techo se reflejaba el gran despacho; Anna lo vio a él en el cristal, vio lo poco que había cambiado en todos esos años, y se vio a sí misma, que ya no era la joven y ambiciosa científica de aquel entonces. Había envejecido, tenía arrugas de amargura en el rostro. Un ratoncillo gris y anodino, una solterona a quien la vida había pasado de largo porque se había enamorado del hombre equivocado.

–¡Feliz Navidad! –exclamó él, sonriendo, y le alcanzó una copa.

No, visto de cerca tampoco él era ya el joven y dinámico director del instituto de entonces. Su pelo era más fino, tenía bolsas bajo los ojos. Con un asomo de satisfacción malévola, se fijó en su clara barriguilla incipiente y en su mal aliento. Esa Bettina se había casado con un viejo.

–¡Feliz Navidad!

Le correspondió la sonrisa y brindó con él. Bebió un sorbo. El champán no estaba bueno. Le hubiera gustado lanzarle a la cara el contenido de la copa y gritarle: *¿Por qué me has hecho tanto daño? ¿Por qué me has engañado? ¿Por qué te has casado con otra?*

—*¿Qué te pasa?* —le preguntó Dirk—. *Pareces triste.*

La compasión de su voz se clavó como un puñal en el corazón de ella, que luchaba por contener las lágrimas. Una copa de champán en su despacho, eso era todo lo que recibiría de él por Navidad. El abeto de su casa lo decoraba con otra mujer. Bettina, con la que al día siguiente iría a visitar a sus padres para comer juntos el ganso de Navidad. Con la que vivía en su casa. Le dolía profundamente pensarlo, pero a la vez le hacía bien. Solo recordando el daño que él le había hecho podría mantenerse fuerte y llegar hasta el final. Se sintió algo mareada. Tal vez debería haber comido algo antes de beber alcohol.

—*¿Annika? ¿Qué te ocurre? ¿No te encuentras bien?*

La voz de Dirk parecía venir de lejos, su cara de preocupación se desdibujó ante sus ojos. Se llevó las manos a la cabeza. Él le quitó la copa de la mano con cuidado y de pronto la tenía entre sus brazos. El rostro de Dirk muy cerca del suyo, y a la vez tan lejos. Sentía la cabeza abotargada. De repente se le doblaron las rodillas. Algo tintineó. ¿Dónde estaba Dirk? ¿Qué había sucedido?

Tumbada en el suelo, lo vio detrás de su escritorio. Tenía el auricular del teléfono en la oreja y se apretaba la cabeza con una mano. ¿Era sangre eso de su mejilla? Su voz sonaba furiosa. Annika parpadeó, intentó comprender lo que decía, pero a su consciencia nublada solo llegaban fragmentos de palabras.

—... *ha atacado* —oyó—. *¡Estoy herido! Sí, dense prisa. Está completamente fuera de sí... Tirado encima con una botella rota...*

Estaba cansada. Ya no sentía su cuerpo. La saliva le caía por la comisura de la boca.

—*Dirk* —balbuceó, aturdida.

Y entonces todo oscureció.

Domingo, 17 de mayo de 2009

El tono del móvil despertó a Mark. Abrió los ojos y parpadeó desconcertado por la fuerte luz del sol. Por un instante no supo dónde se encontraba, pero luego lo recordó todo y se espabiló de golpe. Ricky debía de haberse levantado ya, porque estaba solo en el colchón. Había sido su primera noche juntos y él no podía sentirse más que feliz. Se levantó y fue al pequeño cuarto de baño. Subió la tapa del retrete e hizo pis. Después se acercó al lavabo y miró con detenimiento su imagen en el espejo. De algún modo había dado por supuesto que la noche anterior lo habría cambiado también por fuera, pero se vio igual que siempre. Ricky estaba junto a la ventana de la cocina, fumando un cigarrillo de espaldas a él. Justo cuando iba a abrazarla desde atrás le sonó otra vez el móvil y respondió.

–Hola, cielo –ronroneó Ricky en voz baja–. ¿Cómo te encuentras? ¿Has podido dormir un poco o te duele mucho?

Mark retrocedió unos pasos. ¿Cómo que «Hola, cielo»? ¡La noche anterior había hablado de Yannis de una forma muy diferente!

–Sí, sí. Yo estoy bien. Mark ha pasado aquí la noche. ... ¡Ay, tonterías! Ha dormido en el sofá. –Soltó una risa que sonó un poco despectiva–. Pero ¿quién te has creído que soy? ... Sí, también lo sé. ... Claro que sí. ... Enseguida voy. ¿Necesitas algo? ... Vale. Sí, lo haré. Te quiero, cielo. Te echo de menos. La casa está muy extraña sin ti.

Mark tuvo que tragar saliva. De repente estaba mareado, unos destellos indeseados en el borde de su campo de visión anunciaban una jaqueca. Se inclinó hacia delante y se apretó las sienes con las manos. ¿No le había asegurado Ricky hacía unas horas que lo quería a él? ¡De pronto le decía lo mismo a Yannis! ¿Cómo podía hacer algo así?

—Hola, Mark. —Ricky había colgado el móvil—. ¿Ya estás despierto?

El chico levantó la cabeza y se la quedó mirando.

—¿Por qué acabas de mentirle a Yannis? —la interrogó.

—¿Qué quieres decir?

—Has hecho como si estuviéramos en vuestra casa y acabas de contarle que he dormido en el sofá, pero eso no es verdad.

—¿Y qué? —Ricky se encogió de hombros y se echó a reír—. En su estado, es mejor no alterarlo innecesariamente.

Mark creyó haber oído mal.

—¿Es que..., es que para ti no ha significado nada? ¿Lo que has hecho conmigo, quiero decir? —logró preguntar—. Pero si me dijiste que me querías... ¿Lo dijiste solo por decir? ¿O se lo has dicho a Yannis solo por decir?

Ricky ya no sonreía.

—Me parece que se te ha ido un poco la cabeza, Mark. Yannis es mi novio. Lo que le diga no es de tu incumbencia. La culpa es tuya por escuchar a escondidas.

Pasó junto a él para ir al baño y Mark la siguió.

—Pero... Pero entonces, ¿por qué... te has acostado conmigo?

—Es lo que has deseado desde el principio. —Lo miró fijamente y sonrió—. Y quería darte una alegría. Tú también lo has pasado bien, ¿o no?

Eso lo dejó sin habla. Un rubor ardiente empezó a subirle desde el cuello hasta la cara. Con un par de palabras, Ricky acababa de convertir una experiencia única en algo vulgar. Acostarse con él no había significado nada para ella.

—Yannis ya no te quiere —espetó—. ¡El viernes se enrolló con Nika en la cocina! Si no hubiera llegado yo en ese momento con los perros, seguro que se la habría tirado, porque está loco por esa bruja.

Ella se quedó de piedra.

—Eso te lo estás inventando —le recriminó.

—No, no me lo invento. —Mark negó con la cabeza e intentó no hacer caso de los pinchazos que sentía tras los ojos. Detestaba el tono ofendido de su propia voz, pero no podía evitarlo. Si no se tomaba las pastillas en el siguiente cuarto de hora, sería demasiado tarde—. Dijo auténticas barbaridades y luego agarró a Nika y le metió mano por debajo de la falda. Creo que por eso se ha largado de tu casa.

Ricky puso los brazos en jarras, furiosa.

—¿Por qué me lo dices ahora? —preguntó.

—Porque te quiero —contestó él, confundido. Había pensado que la reacción de ella sería completamente diferente. Lágrimas. Para así poder consolarla y fortalecer su confianza y su amor—. Tú y yo hemos de estar juntos, Ricky. Además, también tenemos un secreto, ¿verdad?

El rostro de ella se convirtió en una máscara de ira.

—Si crees que puedes chantajearme —murmuró señalándolo con el dedo índice—, ¡yo también sé muchas cosas de ti!

Mark se asombró de la frialdad con la que dijo eso. Ya no quedaba nada de la euforia que había sentido al despertar. ¡Lo había estropeado todo!

—¡Yo no quiero chantajearte! —aseguró, estupefacto—. ¡Jamás lo haría!

Ella lo miraba entornando los ojos.

—Por favor, Ricky, no te enfades conmigo —suplicó con desesperación—. Yo... ¡Te quiero! ¡Todo lo hago por ti!

De repente ella se apartó.

—Tengo que ir al hospital a ver a Yannis, y tú será mejor que vuelvas a casa antes de que tu padre se presente con la Policía —dijo—. Ya hablaremos después de todo esto. Ahora, largo. Tengo que ir al baño.

El chico obedeció. Ricky quería hablar con él más tarde. Eso significaba que por lo menos no se había acabado todo. Recogió su ropa del dormitorio y se vistió, abatido. En ese momento se propuso firmemente no volver a escuchar nunca cuando Ricky hablaba por teléfono. Fue a la cocina y abrió su mochila, que el día anterior había lanzado sin ningún cuidado en una de las sillas. Por suerte tenía las pastillas ahí. Llenó un vaso con agua del grifo y se tomó dos. Su mirada recayó en el móvil de Ricky, que se había quedado encima de la mesa. ¿Con quién habría hablado antes de que llamara Yannis?

Dudó un momento y, pensativo, se masajeó las sienes, que aún le dolían. Al final le pudo la curiosidad, abrió la lista de llamadas del teléfono y se quedó de piedra. ¿Qué podía querer su padre de Ricky a las siete y diez de la mañana de un domingo? Si hubiese sido por él, Ricky se lo habría dicho, ¿o no? Se quedó mirando el teléfono que tenía en la mano. En su interior nació una sospecha increíble que lo dejó sin fuerzas. Se le aflojaron las rodillas. Al otro lado de la pared se oyó la cadena del retrete y Mark dejó enseguida el móvil en la mesa.

Fuera, los perros empezaron a ladrar en sus jaulas. Seguramente porque llegaba Rosi, que los domingos siempre hacía el primer turno del refugio de animales.

—Date un poco de prisa. —Ricky apareció en la cocina—. Rosi no puede vernos salir juntos de aquí.

La pregunta de por qué había hablado ella en secreto por teléfono con su padre le ardía en el alma, pero tenía miedo de oír la respuesta.

—¿Qué te pasa? —Ricky se lo quedó mirando.

Él le sostuvo la mirada sin decir nada. Le lloraban los ojos de lo mucho que le dolía la cabeza. Entonces ella lo abrazó y le dio un beso en la mejilla.

—Ay, Mark, lo siento mucho —le susurró al oído—. De verdad que no quería ponerme tan gruñona, pero ahora mismo tengo bastantes preocupaciones. Hemos pasado una noche preciosa juntos, de verdad. Nos vemos después, ¿vale?

Lo soltó y fue hacia la puerta. A Mark le iba el corazón a mil por hora; había recuperado la sensación de felicidad. Ricky no le había hecho daño adrede. Todo volvía a estar bien.

—Vale —murmuró, confuso, aunque ella ya no podía oírlo—. Vale.

La conversación con Pia le había dejado un regusto extraño. Por la noche no había pegado ojo; la primera vez desde hacía meses que Cosima no era la razón de su insomnio. Oliver se levantó sin hacer ruido para no despertar a Annika, que dormía al otro lado de la cama. «Tú has sido mi ancla cuando todo se hundía a mi alrededor.» Se lo había dicho a Pia con total espontaneidad y, cuanto más lo pensaba, más claro tenía que era cierto. Poco a poco, ella había pasado de ser una buena compañera en quien podía confiar a convertirse en una persona importante en su vida. Y precisamente a ella era a quien más había perjudicado con su conducta; una conducta que ni él mismo podía explicarse. Era injusto.

Bajó la rechinante escalera de madera con los pies descalzos y entró en la cocina. Los reparos de Pia le habían hecho bajar a la Tierra. De repente veía claro otra vez. Ella tenía toda la razón: si se lanzaba a ayudar a Annika y, al hacerlo, violaba alguna ley, se estaría jugando su futuro profesional. Tenía que haber alguna otra solución aparte de la que había propuesto Annika. Sus vacaciones eran algo temporal; la denuncia del director de ventas de WindPro acabaría en nada sí o sí, porque, con la decisión de su padre de no vender ese maldito prado, la oferta millonaria había pasado a la historia.

Tal vez debería llamar a Nicola. Tenía mala conciencia por dejar toda la responsabilidad de ambos casos en manos de Pia. Además, quería descubrir cuanto antes algo más acerca del trasfondo de los dos asesinatos que se le imputaban a Annika. Nicola tenía la posibilidad de consultar los expedientes.

Bostezando, empezó a echar cucharadas de café molido en la cafetera. ¡No eran más que las siete y veinte! Su mirada se dirigió hacia la ventana. A juzgar por el cielo azul que se veía sobre los finos velos de niebla que pendían aún en los prados, volvería a hacer un día maravilloso. Un domingo libre, ni hecho adrede para dar un largo paseo con Annika durante el que pudieran hablarlo todo con tranquilidad. Llenó de agua el depósito de la cafetera, apretó el botón de encendido y se sobresaltó.

Dos coches oscuros entraron en el aparcamiento aún vacío y se detuvieron justo delante de la verja de la finca. Cuatro hombres de traje bajaron y miraron a su alrededor. Oliver retrocedió un paso impulsivamente. El corazón se le aceleró al reconocer a Heiko Störch y al dóberman. ¿Qué hacían allí tan temprano un domingo por la mañana? ¿Se habían enterado de que Annika estaba escondida en su casa? Pero ¿cómo lo habían sabido? La única que estaba al tanto era Pia. La cabeza le daba vueltas. Corrió al salón y buscó el móvil, que había dejado en la mesita del café. Los dedos le temblaron al marcar el número de sus padres.

Los cuatro hombres estaban todavía junto a los coches y parecían deliberar. Störch llamó por teléfono. ¿Con quién hablaría?

—Contestad de una vez —susurró Oliver con los dientes apretados y sin dejar de caminar de un lado a otro de la pequeña cocina.

Por fin su padre se puso al teléfono.

—¡Papá! —exclamó en voz baja—. Acaban de llegar cuatro agentes de la Dirección Federal de la Policía judicial a la finca. Estoy seguro de que te preguntarán por Annika. Tienes que decirles que la conoces de la iniciativa ciudadana, pero nada más. Nunca ha estado aquí. ¿Crees que podrás hacerlo?

Durante unos segundos solo oyó la respiración de su padre al otro lado de la línea, y entonces cayó en la cuenta de que su familia no sabía quién era Annika en realidad, ni de qué la acusaban.

—¿Quieres que mienta a la Policía? —repuso su padre sin entender nada—. ¿A tus compañeros?

—Papá, por favor, tú hazlo y ya está —insistió el inspector jefe—. ¡Después te explicaré por qué! Annika está en graves apuros, pero no ha hecho nada.

Intuía lo poco que le gustaba mentir a su padre, un hombre recto y respetuoso con la ley, al mismo tiempo que se preguntaba qué iba a explicarle más tarde. ¿Que buscaban a Annika por asesinato? ¡Dios santo! Pero ¿en qué lío se había metido?

—Espero que sepas lo que haces, Oliver. —El tono de crítica quedó patente en su voz—. Yo no puedo aprobar algo así.

Los cuatro hombres del aparcamiento avanzaban ya hacia la gran verja que se abría al patio de la propiedad.

—Enseguida voy para allá y me ocupo de esto —continuó Oliver—. Pero, papá...

Saltó la señal de ocupado. Su padre le había colgado sin más.

Se desplomó en el sofá y ocultó la cara entre las manos. Cuando le había prometido a Annika que le ayudaría, no había pensado en las posibles consecuencias ni en que podía arrastrar consigo a personas inocentes, como sus padres o Pia. Solo había cinco pasos hasta la puerta de la casa. Solo tenía que levantarse, salir y decirle a Störch que Annika estaba arriba, en su cama. Se la llevarían y a él se le acabarían los problemas. ¿Por qué no lo hacía?

Un sonido le hizo levantar la cabeza y mirar hacia la puerta. Annika estaba en el último peldaño de la escalera.

—He oído lo que has dicho al teléfono. Me han encontrado —dijo en voz baja—. Jamás tendría que haber venido aquí. Ahora os pondré a todos en dificultades.

Oliver la miró sin decir nada. ¿Llevaba razón Pia? ¿Cometía un error al confiar en ella? Annika le sostenía la mirada. Sus ojos parecían enormes en ese rostro delgado y pálido, como los de un corzo que mira espantado hacia los faros de un coche que se acerca. El inspector jefe tomó una decisión en ese instante. Esperaba no tener que arrepentirse nunca.

—Todavía no te han encontrado. —Su voz sonó afónica—. Y me encargaré de que no lo hagan.

—Esta noche he vuelto a reflexionar sobre todo el asunto —dijo Frauke Hirtreiter después de tomar asiento en una de las sillas para visitas que había frente al escritorio—. Apenas he podido dormir. Esos camastros tan estrechos no son precisamente cómodos.

No parecía que le echara en cara a Pia haber pasado la noche en prisión preventiva.

—La escopeta de mi armario... ¿Están seguros de que es la misma con la que mataron a mi padre?

—Sí, el resultado de Balística es inequívoco. —La inspectora asintió. Era extraño sentarse tras el escritorio de su jefe. La perspectiva le resultaba nueva y, de algún modo, no le parecía correcto—. ¿Por qué lo pregunta?

—Mmm. Yo tengo un arma de caza, un Drilling. Me lo llevé conmigo cuando me marché de casa de mi padre después de discutir con él. Es cierto que no está permitido guardar una escopeta en el armario del dormitorio, pero no estaba cargada, y nunca recibo visitas.

—Un momento. —Pia hojeó el expediente hasta que encontró el informe de Kröger del miércoles.

En el armario de armas de Ludwig Hirtreiter, según la lista, faltaban tres artículos: un Mauser 98, un Drilling Krieghoff Trumpf calibre 7x57R y una P226 SIG. En el informe de Balística se determinaba que el arma del crimen había sido un Mauser 98. Si lo que decía Frauke era cierto, entonces alguien había intercambiado las escopetas. Pero ¿quién? ¿Y por qué? ¿Para dirigir deliberadamente las sospechas hacia Frauke?

—¿Tienen sus hermanos llave de su apartamento? —quiso saber.

—¿Mis hermanos? —se extrañó ella—. ¿Por qué iban a...?

Se quedó callada y arrugó la frente, pensativa.

—¿Se refiere a que podrían haberme colocado el arma del crimen para librarse de mí?

—Exacto.

—No, no lo creo. —Frauke sacudió la cabeza—. Gregor ni siquiera sabe dónde vivo y Matthias..., que en su situación actual llegue a tramar algo tan enrevesado me atrevo a dudarlo.

—¿Quién quedaría, entonces?

—Desde que un día me olvidé las llaves dentro y tuve que pagar cien euros a ese ladrón del cerrajero de urgencias, dejo una copia colgada en la oficina de El Paraíso Animal —contestó

Frauke con tranquilidad. Sus ojos se abrieron con horror al comprender lo que implicaban sus palabras–. ¡Ay, Dios mío!

–Eso limita muchísimo el círculo de sospechosos –afirmó Pia–. ¿Quién tiene acceso a la oficina?

–Ricky, Nika, Yannis y yo. ¡Madre mía! Eso quiere decir que... ¡No!

–Sí. –Pia asintió y se reclinó en la silla–. La señora Franzen, el señor Theodorakis o Nika. Uno de los tres debió de hacerlo, si no fue usted misma.

Y esa sospecha había desaparecido. Todo lo que dijo Frauke Hirtreiter el día anterior se había corroborado tras un detenido examen: en el maletero del Mercedes habían encontrado los cuadros, e incluso la caja que se llevó del armario de la casa de su padre. En la guantera había recibos de varias gasolineras de la A-8 y uno de una estación de servicio AGIP de la localidad de Bad Tölz.

–¿A quién consideraría capaz de algo así? –preguntó la inspectora.

–No lo sé. –La mujer sacudió la cabeza, confusa–. Yannis puede ser bastante impulsivo, y estaba muy cabreado con mi padre. ¿Ricky? No. Jamás habría sido capaz de matar a *Tell,* con lo que quiere a los animales...

–También queda Nika. Lo cierto es que no sé nada de ella. Hábleme de esa mujer.

–Nika. –Frauke suspiró y sacudió la cabeza–. Pobrecilla. Hace más o menos medio año se presentó en casa de Ricky. Las dos habían sido muy buenas amigas de jóvenes. Creo que el matrimonio de Nika acababa de romperse y que además había perdido el trabajo. Ay, no sé, siempre me ha dado un poco de lástima.

–¿Por qué?

–Porque parece tan... perdida y sola. Una criatura débil y delicada. Apenas habla. Ricky y Yannis se aprovechan de ella todo lo que pueden y más. Les hace la limpieza de casa y de la tienda, también lleva la contabilidad de Ricky; a cambio, puede ocupar gratis la habitación del sótano –explicó Frauke–. Pero tampoco se queja. Por lo visto le gusta vivir así. Tonta no es, en cualquier caso, solo que carece de ambición. Y tampoco es nada vanidosa, por cómo viste.

No daba la impresión de estar describiendo a una asesina doble que estuviera involucrada en un complot criminal de dimensiones planetarias. ¿Le había contado esos cuentos Annika Sommerfeld a Bodenstein para hacerse la interesante, o tenía Frauke Hirtreiter muy poco conocimiento de la naturaleza humana?

—¿Sabe usted algo acerca de su pasado? ¿De su familia?

Frauke lo pensó un momento, luego negó con la cabeza.

—Siempre que quería hablar de eso con ella, cambiaba de tema. Decía que su vida no había sido especialmente emocionante. Nada que valiera la pena contar.

—Pero debía de tener intereses —insistió Pia—. Aficiones. Predilecciones. ¿Conocidos?

—No, nada. Es extraño, ¿verdad? Aunque hace meses que la veo casi a diario, apenas podría describirla. No tiene nada de especial. Nada de nada.

La discreción es el mejor disfraz, pensó Pia, y tuvo un presentimiento aún peor sobre Annika Sommerfeld. Los pocos asesinos profesionales con los que se había topado en sus investigaciones o había visto en prisión preventiva o en los tribunales nunca eran figuras llamativas en la vida real, al contrario de lo que hacía creer el cine, sino precisamente igual de modestas que la doctora Sommerfeld.

—Aunque —dijo Frauke Hirtreiter, absorta en sus pensamientos— hace poco sí que la vi hacer algo extraño.

Le contó entonces a la inspectora cómo Nika había perseguido a una ladrona de la tienda y, no solo la había pillado, sino que además había tumbado a dos jóvenes bastante fuertes. Pia escuchó con curiosidad.

—Jiu-jitsu —dijo al final Frauke, que sin darse cuenta había pasado de ser sospechosa a convertirse en testigo—. Solo eso ya resultó bastante sorprendente, pero después pasó a ser raro de verdad: me prohibió que se lo contara a Ricky. Yo incluso me asusté, porque me miró de una forma muy... maligna. Amenazadora. Por un momento tuve miedo, y eso que yo hago dos como ella.

Qué interesante. De modo que Annika Sommerfeld tenía una cara oculta. Sin embargo, carecía de un móvil plausible para disparar a Ludwig Hirtreiter. ¿Por lealtad a Ricky y Yannis, tal vez? ¿O la habían chantajeado ellos dos, que debían de estar al corriente de su pasado, y la habían obligado a quitarles de en medio a aquel viejo incómodo? Aun así, Pia tampoco podía encontrarle un móvil a Friederike Franzen. Theodorakis seguía siendo su sospechoso número uno, como desde el principio, y el hecho de que se hubiera volatilizado reforzaba esa sospecha. Llamaron a la puerta y Cem asomó la cabeza en el despacho.

—¿Puedes venir un momento, por favor?

La inspectora se levantó y salió al pasillo.

—Sarah Theissen acaba de llamarme —le informó Cem—. Su hermano ha llegado a casa.

Pia se lo quedó mirando. Los engranajes de su cabeza empezaron a girar. En los últimos cuatro días se habían acumulado tantos momentos de sospecha contra todas las personas involucradas, se habían pedido tantas órdenes de detención y de registro, se habían reconstruido tantos hechos y coartadas, se habían buscado tantos móviles, que casi habían pasado completamente por alto lo más evidente.

—¿Qué te pasa? —preguntó su compañero con cierta preocupación al ver que no decía palabra—. ¿No te encuentras bien?

En lugar de responder, Pia se volvió.

—Señora Hirtreiter —dijo—. ¿Puede venir un momento? Tengo un par de preguntas más, pero quizá podríamos hablarlo en el coche.

—¿Qué...? —empezó a preguntar Cem, que no entendía nada.

—Mark Theissen —lo interrumpió Pia—. ¡Nunca hemos pensado en él! ¿Cómo se nos ha podido pasar?

–Deberías contárselo enseguida a la Policía. –Ricky estaba sentada junto a la cama de Yannis con cara de preocupación–. Se dieron a la fuga después del accidente.

–Shorradaf –la interrumpió él, disgustado–. Efto fe lo debo a la maldita Nika.

–¿A Nika? –Ricky lo miró con sorpresa–. ¿Qué tiene que ver ella en esto?

–Tal vef deberíaf haberle preguntado por qué quería efconderfe con nofotros. Afí no habría pafado nada de efto.

–Me cuesta mucho entenderte...

–¡Joder! ¿Ef que no vef que no tengo dientef? –gritó Yannis.

–Perdón. –Ricky se inclinó hacia delante y puso una mano apaciguadora sobre la de él–. Pero ¿qué quieres decir con eso de Nika?

Yannis la miró. Gracias a las gafas de repuesto que le había llevado Ricky, al menos volvía a ver bien. Por un momento se preguntó si de verdad era tan tonta o solo lo fingía.

–Que tu amiguita del alma fe cargó a un tipo y le robó a fu jefe no fé qué documentof –contestó–. ¡Y una mierda, colabfo emofional! Eftá huyendo de la Polifía y de lof matonef que me han hesho efto.

La incomprensión desapareció del semblante de Ricky.

–En tal caso, la culpa es tuya –repuso–. Fuiste tú el que gritó su nombre a los cuatro vientos. Querías darte importancia porque conocías a una verdadera investigadora climatológica. Me parece que Nika te lo advirtió.

Yannis le lanzó una mirada huraña, luego miró a otro lado. ¿Habrían atrapado ya Eisenhut y sus asesinos a Nika? ¡Ojalá! ¡Él no quería volver a ver a esa bruja mentirosa y rastrera que se disfrazaba con ropa barata de mercadillo pero que en secreto se paseaba por ahí con una bolsa de viaje en la que guardaba un portátil y un iPhone, además de varios cientos de euros! ¡Y también estaba harto de Ricky! En cuanto lo dejaran salir del hospital, recogería sus cosas y se trasladaría a casa de su madre hasta que encontrara un piso.

—Pero tienes razón. —Ricky se levantó y empezó a guardarle ropa limpia en el armario—. Si te soy sincera, a mí también me alegra que Nika se haya marchado. Mucho, incluso.

—¿Y efo por qué? ¿Afi, de repente? Penfaba que te guftaba que te ayudara en la tienda. —Aun sin dentadura consiguió decirlo con tono burlón.

—Y me gustaba —repuso ella con frialdad—. Hasta que me he enterado de que vas detrás de ella.

Tendría que haber imaginado que Mark le iría con el cotilleo en cuanto tuviera ocasión.

—Me parefe que fue máf bien al revéf —mintió. Todavía tenía que estar a buenas con Ricky durante unos días. Sabía cómo se ponía su novia cuando se enfadaba, y la creía muy capaz de tirar todas sus cosas directamente a la basura—. Me ha eftado perfiguiendo. Para mí no exfifte ninguna mujer máf que tú, Ricky. Te lo juro. Eref lo mejor que me ha pafado.

Ella lo miró con recelo y suspiró. Yannis intentó encontrar una posición más cómoda en la cama y gimió un poco.

—Oye, ¿podríaf pedirle a Mark que fe encargue de la página web? Ya he efcrito la necrológica de Ludwig, tiene que eftar en algún fitio de mi efcritorio. Dile que la publique bien vifible en la página de inifio.

—Claro. —Ricky volvió a sonreírle—. Se lo diré. Yo me encargo de todo. Tú no te preocupes y recupérate pronto.

—Dentro de unof díaf falgo de aquí —repuso Yannis—. Para eftar tumbado, también puedo eftar en casa.

Lo que Frauke Hirtreiter les contó durante el trayecto desde Hofheim hasta Königstein le provocó a Pia escalofríos. Según parecía, Mark Theissen veía a Ricky y a Yannis como una especie de sustitutos de sus padres y los admiraba a ambos profundamente. A menudo sucedía que los jóvenes inestables y traumatizados hacían cosas incomprensibles llevados por una lealtad mal entendida, solo para agradar al objeto de su veneración. Pia recordó el caso del asesinato de Ulrich Pauly, hacía unos años, y pensó en Lukas van den Berg y en Tarek Fiedler, a quienes tenía que agradecerle algunas de las peores horas de su vida.

Sarah los había visto llegar y los esperaba en la puerta de la casa.

—Está arriba, en su cuarto —susurró.

—¿Dónde están tus padres? —quiso saber la inspectora.

—Mi madre ha ido a la iglesia, mi padre está en su despacho. No sé cuándo volverán.

Tal vez fuera bueno que los padres no estuvieran presentes, pero a Pia de todas formas le parecía mejor mantener la conversación con el chico en presencia de algún miembro de la familia mayor de edad.

—¿Podrías quedarte cuando hablemos con tu hermano, por favor? —dijo.

La joven asintió con decisión. Subió la escalera delante de ellos, se detuvo ante una puerta y llamó.

—¿Mark? Han venido unos policías que quieren hablar contigo —dijo.

Como no se oía nada, abrió la puerta. La habitación se encontraba en uno de los saledizos de la casa, tenía suelo de parqué, grandes ventanas reticuladas y un estrecho balcón cuyas puertas estaban abiertas. Era grande y estaba muy ordenada: algo insólito para un chico de dieciséis años. Mark estaba tirado en la cama con los ojos cerrados y los brazos cruzados bajo la cabeza. De sus oídos salían los auriculares blancos de un iPod. Su hermana se acercó a él y lo zarandeó un poco del hombro. Sobresaltado, Mark abrió los ojos, se enderezó y se quitó los auriculares.

—Hola, Mark —dijo la inspectora sonriendo con amabilidad—. Soy Pia Kirchhoff, de la Policía judicial. Ayer nos cruzamos un momento en casa de la señora Franzen.

Mark la contempló sin cambiar de expresión y se sentó en el borde de la cama. Un hematoma que le cubría la sien y le llegaba hasta debajo del ojo izquierdo confirmaba lo que su hermana les había dicho del ataque que había sufrido hacía dos días.

Su mirada se deslizó un momento hacia Cem, que estaba pasando revista a la habitación, y luego bajó de nuevo a sus manos.

—¿Por qué saliste huyendo? —preguntó Pia.

Él se encogió de hombros, sacó el labio inferior en señal de obstinación y ocultó la mirada tras un flequillo espeso y grasiento.

—No sé —masculló sin que se le entendiera casi—. Me asustaron.

—Puedo comprenderlo. ¿Qué hacías en casa de la señora Franzen?

El chico volvió a pensárselo un momento.

—Por la mañana fui a la tienda, pero ella no estaba. Entonces la llamé. Como no contestó, me acerqué hasta allí.

—Y la encontraste en la bañera.

Mark asintió sin decir nada.

—¿Dónde has estado esta noche?

No hubo respuesta.

—Mark, tenemos que hablar contigo sobre el allanamiento que se produjo en la empresa de tu padre —dijo entonces la inspectora—. Sospechamos que...

—Fui yo —la interrumpió con una agresividad apenas disimulada—. Estuve allí, pero yo no maté al tío Rolf.

Su hermana inspiró con brusquedad y se tapó la boca con la mano. Mark no la miró.

—Se tropezó él solo y se golpeó la cabeza con la barandilla. Después se cayó por la escalera. Quise hacer algo para ayudarle, pero... ya no respiraba.

Evitaba mirar a Pia y se retorcía las manos con nerviosismo, hasta que se dio cuenta y las aprisionó entre las rodillas.

—Pero entrar allí no fue idea tuya, ¿verdad?

—Eso no importa.

—Sí, sí que importa.

Mark parpadeó bajo el telón protector de su flequillo, luego hizo un gesto de indiferencia.

—En realidad yo solo quería dejar el hámster en la mesa de mi padre —reconoció—. Para cabrearlo. Y entonces se me ocurrió lo de esos informes. Yannis no hacía más que hablar de ellos. Me sé la contraseña de la caja fuerte, mi madre la tiene en su agenda.

—En el laboratorio de criminalística, sin embargo, no han encontrado tu ADN en el cadáver de tu tío, sino el de Yannis Theodorakis. ¿No lo estarás protegiendo?

—Qué va, no lo protejo. En realidad no tengo ningún motivo. Es que me puse un jersey de Yannis porque yo no tenía nada negro, y Ri... —Se interrumpió y se rascó con timidez la costra de la ceja, acaso con la esperanza de que Pia no se hubiese dado cuenta de su lapsus.

Sin embargo, sí lo había hecho, y no tenía tiempo para andarse mareando la perdiz.

—Y Ricky te dejó un jersey de Yannis —terminó de decir.

—No. —Mark sacudió la cabeza, enfadado—. Ella no tuvo nada que ver.

Eso Pia lo dudaba mucho. Frauke Hirtreiter tenía razón: Mark haría cualquier cosa por Theodorakis y su novia. Pero ¿habría sido capaz de disparar a un hombre y a un perro?

—¿Quieres que te diga lo que creo? Yo creo que la señora Franzen y el señor Theodorakis te dijeron lo que tenías que hacer. Y, como te parecen muy enrollados, tú lo hiciste. Mala pata que tu tío se cruzara en tu camino.

—¡No! —se rebeló Mark—. ¡No fue así!

—¿Cómo fue, entonces? ¿Estuvieron los dos allí contigo? ¿Esperaban fuera tal vez, mientras tú te ocupabas del trabajo sucio dentro?

Mark sacudió la cabeza con insistencia. Su cara blanquecina se sonrojó.

—Puedes darle todas las vueltas que quieras, Mark, pero el resultado es que eres culpable de que tu tío sufriera un ataque al corazón y...

—¡No! ¡Eso no es verdad! —la cortó el chico, y le lanzó una mirada salvaje—. ¡Usted no tiene ni idea!

—Es cierto. No sé nada, pero a ti tampoco te ayuda mucho mentirnos —repuso Pia con frialdad.

—¡Yo no miento!

—Mark, todavía no tienes edad penal. No importa lo que hicieras o de qué te dejaras convencer; si confiesas ahora, el castigo no será muy grave.

Pia veía cómo se le tensaba la musculatura de la mandíbula. Estaba soportando una presión inmensa. De algún modo tenía que conseguir quebrantar su lealtad hacia Ricky y Theodorakis. Sin duda habían sido ellos dos quienes habían instigado al joven a entrar en la empresa, y tal vez incluso a matar a Ludwig Hirtreiter.

—¿Sabías que Friederike Franzen sí estuvo en la tienda ayer por la mañana? Permaneció en su coche hablando por teléfono y luego se fue. Dos horas más tarde la encontraste en la bañera.

—Sí, ¿y qué? —masculló Mark.

—Ella nos ha contado que se había dejado el bolso en casa y que por eso había regresado. Que de repente había allí dos hombres. Pero nos mintió, porque su bolso estaba en el asiento del copiloto de su coche, y yo oí cómo le decía a alguien por teléfono que aquello había sido «una completa exageración».

Mark se limitó a encogerse de hombros sin dejar de mirar al suelo.

—¿Con quién podía estar hablando? ¿Quién tendría interés en vaciar por completo el despacho de Theodorakis, incluido el ordenador y todos sus documentos? ¿Es posible que fuera él mismo, para dejar una pista falsa?

—Qué va —contestó Mark—. Yannis ha tenido un accidente. Está en el hospital.

—¿Desde cuándo? —preguntó Pia, atónita.

Esa novedad modificaba considerablemente la situación.

—No sé. Ayer, en algún momento. —El chico agachó la cabeza y se apretó las sienes con las manos—. Ya no sé nada más. ¿Qué es lo que quieren de mí?

Pia decidió interrumpir la conversación en ese punto.

—Quiero que nos acompañes a comisaría.

—¿Por qué? —Al fin Mark la miró a la cara. Sus ojos tenían un brillo poco natural.

—Porque queremos hacerte algunas preguntas más.

—¡No me pueden llevar así como así!

—Sí que podemos. Somos la Policía y podemos.

—Ay, me parece que acaba de llegar mi madre —dijo la hermana de Mark, que seguía de pie en la puerta y había escuchado la conversación sin hacer ningún comentario.

Pia se distrajo apenas un instante, y precisamente esa fracción de segundo fue la que aprovechó el chico. Se levantó de un salto y alcanzó la puerta abierta del balcón antes de que la inspectora pudiera reaccionar.

—¡Cem! —exclamó Pia.

Su compañero, que estaba echando un vistazo junto al escritorio, tuvo el reflejo de agarrar al joven del brazo.

—¡Suéltame, hijo de puta! —vociferó Mark.

Con una furia que le hizo entender a Pia de qué había sido capaz el chaval con un palo de golf, Mark golpeó su cabeza contra la de Cem, que cayó de rodillas y lo soltó. El chico le dio una tosca patada en el muslo, luego salió corriendo al balcón y saltó por la barandilla.

—¡Mark! ¡No! ¡Quédate aquí! —gritó su hermana con voz chillona, y apartó a Pia para echar a correr tras él.

—¿Qué es todo esto? —En la puerta apareció la señora Theissen. Su mirada estupefacta se detuvo en Cem, al que le sangraba la nariz, luego en Pia y en su hija, que estaban en el balcón—. ¿Cómo se les ocurre? ¿Dónde está Mark?

—Acaba de huir por el balcón —contestó la inspectora al regresar dentro. Sacó el móvil con cara de enfado—. Búsquele ya mismo un buen abogado. Porque, si lo pillamos, lo va a necesitar.

Cruzó el jardín a la carrera, saltó la valla y se escabulló por entre unos setos hasta llegar a la linde del bosque, donde se internó en la espesa maleza. El follaje seco del pasado otoño crujía bajo sus zapatillas, las ramas crepitaban al partirse. Jadeante, se desplomó junto a un tronco caído en el suelo y cubierto de musgo, se tumbó y esperó hasta que pudo respirar con normalidad otra vez. La cabeza le iba a toda velocidad. ¡Maldita poli de mierda! ¿Cómo se le ocurría hacerle esas preguntas estúpidas? ¿Cómo iba a saber él con quién había hablado Ricky por teléfono? ¿Qué quería de él?

¡Joder! Yannis y Ricky le habían asegurado que no lo descubrirían, jamás. Mark rodó para tumbarse boca arriba y se estremeció. Justo entonces se dio cuenta de que al saltar desde el balcón al arriate de flores se debió de hacer daño. El tobillo izquierdo le dolía una barbaridad. Renegó, se incorporó y se bajó un poco el calcetín de deporte. La articulación ya estaba hinchada. ¡Qué imbécil había sido huyendo así! Habría tenido que reaccionar con frialdad y haberlo desmentido todo, tal como había hecho Yannis. ¡Y eso que se había cargado a tiros al viejo Ludwig Hirtreiter y luego había escondido el arma en el henil con toda la sangre fría del mundo! Por el contrario, él de pronto era sospechoso y la poli acabaría por pillarlo. No podía esconderse en el bosque para siempre. Tampoco quería. Lo que quería era volver con Ricky. Verla. Hablar con ella.

Inspiró hondo y volvió a estirarse sobre la hojarasca. Sentía la cabeza a punto de estallar por culpa de la jaqueca; era insoportable. Además, tenía sed. Se palpó los pantalones y comprobó con alivio que todavía llevaba el móvil en el bolsillo. Si llamaba a Ricky, ella pasaría a buscarlo y los dos hablarían del asunto con calma. Sí, esa era la mejor opción. Mark sacó el móvil y lo abrió. ¡Sin cobertura! Genial. Se puso de pie con mucho trabajo y cojeó hacia lo alto de la empinada cuesta, cada vez más arriba, sin dejar de mirar en la pantalla del teléfono las rayitas que señalizaban la cobertura. ¡Por fin! Se apoyó en un tronco, descansó el pie, que le dolía bastante, y marcó el número de Ricky. Más abajo serpenteaba por el bosque el camino del molino de aceite; los pocos coches que lo transitaban se veían pequeños, como de juguete. La Casa de los Amigos de la Naturaleza no quedaba muy lejos, Ricky podría recogerlo allí. Mientras esperaba cada vez con más impaciencia a que ella descolgara, le entró otra llamada. Número oculto. Dejó la de Ricky en espera y contestó.

—Mark, soy Pia Kirchhoff —oyó que decía la voz de la poli—. ¿Dónde estás?

—A usted se lo voy a decir —respondió.

—No tiene sentido que te escondas —dijo la mujer, que no sonaba enfadada—. Dime dónde estás y voy a buscarte. No te pasará nada, te lo prometo.

«Te lo prometo.» ¡Como si no le hubieran prometido ya de todo! Micha le había prometido que nadie sabría jamás lo que ocurría entre ellos. Pero le había mentido, porque se había enterado todo el mundo: los profesores, los alumnos, todos los padres, ¡el país entero! La televisión y los periódicos habían informado sobre él. «Mark T. (14), la víctima más joven de Michael S., el profesor pedófilo.» Yannis le había prometido la luna si le conseguía los peritajes, si copiaba los correos electrónicos del servidor de WindPro, si mantenía la boca cerrada y no le decía a Ricky que se había enrollado con Nika. ¡Eso por no hablar de los «Te lo prometemos» dichos tan a la ligera por sus padres! ¡Todo el mundo le prometía cosas sin parar, pero nadie cumplía sus promesas! Cerró los ojos con fuerza. ¡Ya no soportaba más esa jaqueca brutal!

—¡Mark! —graznaba la voz de la policía por el teléfono—. ¿Sigues ahí? ¿Mark?

Tal vez estaban localizando su móvil, tal como había visto hacía poco por televisión en *Navy: Investigación criminal*. Solo había que tener a alguien el tiempo suficiente en línea y... ¡zas! El ordenador ubicaba el punto exacto en el que se encontraba.

—Yannis mató a Ludwig —dijo con los dientes apretados—. Escondió el arma en el establo de Ricky, en el henil. ¡Yo no tuve nada que ver con eso!

De repente se sentía fatal. Había traicionado a Yannis y ya no podía deshacerlo. Nada volvería a ser como antes. Todo había terminado. Mark se dejó resbalar contra el tronco del árbol, escondió la cabeza entre los brazos y se echó a llorar.

—En caso de éxito, habíamos acordado. —Sonrió con frialdad—. Pero no ha tenido usted éxito.

—¿Cómo dice?

—Lo que oye. Por una colaboración exitosa yo entiendo algo muy diferente a lo que ha resultado por el momento.

Stefan Theissen miró a la mujer que estaba frente a su coche con los brazos en jarras. Se la veía impaciente, nerviosa. Muy nerviosa. Y no era de extrañar.

—¡He hecho todo lo que me pidió! —repuso ella con acritud—. Hice desaparecer las listas con las firmas, me encargué de que su gente pudiera llevarse los trastos de Yannis. ¡Y no le recriminaré que permitiera que me amordazaran y me maniataran! Pero quiero mi dinero.

Al principio, la idea de tener precisamente a la novia de ese metomentodo de Theodorakis como cómplice le había gustado bastante. Por entonces todo era algo así como un juego: los acuerdos secretos al margen de las negociaciones abiertas no eran legales, cierto, pero le ponían sal a la vida.

Fue ella quien lo llamó, de forma anónima al principio, y se ofreció para boicotear el trabajo de esa molesta iniciativa ciudadana. «¿Cuánto me costará?», había preguntado él, y la mujer se había reído. «Lo que vale para usted», contestó. Dos días después se reunieron por primera vez en el área de descanso Vistas del Taunus de la A-5. Ella se había creído muy astuta, pero él ya había reconocido su voz por teléfono. Si no prestaba uno mucha atención, parecía la voz de un hombre: grave y ronca, y también *sexy* en cierto modo. Inconfundible, en cualquier caso.

En su primer encuentro tomaron un café y él enseguida adivinó sus intenciones. No era demasiado lista, pero sí insolente, calculadora y desleal hasta la médula. La venganza de Theodorakis le daba absolutamente igual, solo pensaba en sí misma. Le había confesado con total sinceridad y franqueza que estaba harta de su vida y que quería irse a América.

Y para eso necesitaba un capital inicial. ¿Qué le parecían doscientos cincuenta mil euros? Theissen le respondió con una arrogante carcajada.

En su siguiente encuentro, ella tuvo el cuajo de duplicar la cantidad, y él se maldijo en silencio, porque entretanto había confirmado lo que ya imaginaba: que Ludwig Hirtreiter se oponía a la venta del prado. Enseguida llegaron a un acuerdo y su director de ventas simuló un contrato de asesoramiento. Theissen jamás había tenido intención de llegar a pagarle ningún dinero, ni siquiera cuando ella empezó a informarle con regularidad de todas las actividades de ese fanático. Había creído que podría presionarla gracias al contrato escrito, pero en eso se había equivocado. A todo aquel asunto no le faltaba cierta ironía, porque al final había acabado siendo el timador timado.

–¿Quiere que vayamos a tomar un café? –preguntó, aunque sabía que ella rechazaría la oferta.

–De ninguna manera. Mi novio está en el hospital, no tengo tiempo.

–¿Theodorakis está en el hospital?

–No haga como que no lo sabía. Detrás de esto está su gente, pero de todas formas da lo mismo. Será eso que se llama «daños colaterales». ¿Qué pasa con mi dinero?

Él no pudo por menos de admirarla un poco. Las personas que sabían lo que querían siempre lo habían impresionado.

–No ha sido mi gente –repuso, para ganar tiempo.

–Me da igual quién haya sido. –Sus fríos ojos azules se clavaron en los de él sin pestañear–. Quiero mi dinero, como habíamos acordado. Ya he cumplido con mi parte del trato.

–Ha hecho incluso más –dijo Theissen–. Yo nunca le pedí que pusiera a mi hijo en mi contra, que se colara en mi empresa y matara a mi cuñado. ¿Quiere que llame a la Policía? ¿O que le cuente a mi hijo el jueguecito sucio que se trae usted?

Entonces ella se echó a reír. Ya no parecía ni mucho menos nerviosa, sino muy segura de sí misma.

–No se atreverá. Yo tengo en la manga mucho más contra usted que usted contra mí. Además, que Grossmann haya muerto le viene de maravilla. Por eso más bien debería pagarme un plus. Y, por cierto, yo no estuve en su despacho. Me quedé en el coche. Esperando. A Mark.

–¿Qué? –Theissen la fulminó con la mirada al comprender lo que acababa de decir.

–Lo que oye. –Ella sonrió con burla–. Fue Mark quien robó los peritajes de la caja fuerte para Yannis. Quien copió los correos confidenciales del servidor de la empresa y se los entregó. Sí, bueno, le afectó bastante ver cómo su tío se partía la crisma delante de él. Y más aún con lo inestable que es.

¡Qué engañosamente inofensiva parecía a primera vista, con esas trenzas rubias tan juveniles y su traje de estilo regional rosa! Theissen se dio cuenta de lo mucho que se había equivocado con ella. Era cualquier cosa menos inocente.

–Bueno, y ahora ¿qué? –lo presionó–. ¿Me hace una transferencia o me paga con un cheque? Cuanto antes lo haga, antes se librará de mí.

Theissen tragó saliva.

–¿Y si no pago?

Los ojos de Ricky se convirtieron en dos finas ranuras.

–Eso no queremos saberlo.

–Sí, yo sí quiero saberlo. Y con todo detalle.

Dio un paso hacia ella, pero la mujer se mantuvo firme e impasible. No retrocedió ni un milímetro. Él le sacaba más o menos una cabeza, pero aun así ella era bastante alta y fuerte. Y decidida, sin duda. Para Ricky Franzen se trataba del todo o nada. De repente, Theissen tuvo la desagradable certeza de que era superior a él. No había sido buena idea aparcar el coche precisamente entre dos camiones cuyos conductores estaban a saber dónde, esperando a que se terminara la prohibición de circular en fin de semana. Allí cerca no había un alma, y el ruido de la autopista ahogaría cualquier grito de socorro.

–Por el asesinato de Ludwig Hirtreiter, a Mark le caerán como mucho diez años –dijo Ricky sin inmutarse–. Al fin y al cabo es menor de edad.

A Theissen se le encogió el estómago. Una ira salvaje se apoderó de él. ¡Esa maldita bruja! Había vuelto las tornas contra él sin que se diera cuenta.

—¿Qué está diciendo? —preguntó apretando los dientes—. ¿Qué ha hecho?

—¿Yo? Nada de nada. Pero Mark seguramente sí. —Sonrió con maldad—. Y, si no recibo el dinero en un plazo de veinticuatro horas, su hijo estará metido en un lío monumental.

Una unidad de antidisturbios registró las caballerizas de Friederike Franzen y peinó los prados adyacentes; sin resultado, por desgracia. Los jóvenes hombres y mujeres de la unidad maldijeron al tener que arrastrar de aquí para allí cientos de balas de paja y heno bajo el calor asfixiante de esa tarde de domingo. ¡Y ni rastro del arma que Mark decía que habían escondido allí! Theodorakis estaba ingresado en el hospital. Su fanfarronería había desaparecido de la noche a la mañana, junto con sus dientes, y de pronto estaba acobardado y dispuesto a confesar.

Sí, había incitado a Mark a entrar clandestinamente en WindPro; sí, había mentido y tampoco su coartada era cierta, ya que la noche del martes no había llegado a casa de sus padres en torno a las once, sino a la una, después de hacerle una visita a una exnovia que vivía en Kriftel. Theodorakis habló por los codos, pero por desgracia no dijo lo que Pia estaba esperando. De la escopeta del armario de Frauke Hirtreiter no sabía nada, como tampoco de ningún arma en un henil, y afirmó que ni siquiera sabía que en El Paraíso Animal hubiera una copia de las llaves del piso de Frauke.

La inspectora salió de su habitación muy frustrada. Cem tampoco estaba de muy buen humor. Se le había hinchado la nariz y le dolía la cabeza.

—Ese pequeño cabrón. Mientras no me haya causado una conmoción cerebral... —dijo cuando se sentaron en un banco que quedaba al sol, frente al edificio del hospital, a pensar algo abatidos por dónde debían tirar.

Pia se encendió un cigarrillo y estiró las piernas. Mark seguía sin aparecer, y de Friederike Franzen tampoco había ni rastro.

—¿Creerá Mark de verdad que Yannis disparó al viejo Hirtreiter y a su perro? —reflexionó Pia en voz alta.

—Seguro. —Cem se palpó la nariz e hizo una mueca—. Aunque también pudo ser esa Nika. Si no, ¿por qué tendría que haber desaparecido tan de repente?

La inspectora no contestó. Sabía dónde estaba Annika Sommerfeld. ¿Y si al final era ella la responsable del asesinato de Ludwig Hirtreiter? ¿Debía llamar a Bodenstein? Le dio otra calada al cigarrillo, luego se puso de pie y lo aplastó en la arena del cenicero que había junto a la puerta del hospital.

—¿Sabes qué? —le dijo a Cem—. Hoy ya no me apetece seguir. Mañana será otro día.

—Tienes razón. Si hay algo, ya nos llamarán.

En casa de Theodorakis y Friederike Franzen había una patrulla, igual que en la pista que pasaba cerca del establo. La señora Theissen, con suerte, llamaría si Mark aparecía. Habían dado orden de búsqueda, y todos los agentes de Königstein y alrededores estaban ya sobre aviso. No se podía hacer más. A Pia le sonó el móvil en cuanto se sentó en el coche.

—¡Mierda! —renegó, y puso los ojos en blanco.

Pensó un momento si hacer como que no había visto la llamada, pero el sentido del deber pudo con ella. El agente de guardia la informó de que había un hombre esperándola porque quería hablar urgentemente con ella.

—¿Cómo se llama? —preguntó Pia, preparando ya una excusa.

—Eisenhut, Dirk.

¿Qué significaba aquello? ¿Qué podía querer ese hombre de ella? Oficialmente no sabía nada sobre la búsqueda de Annika Sommerfeld, y lo cierto era que no quería verse implicada en ese asunto. Por otra parte, sentía curiosidad. Podía ser interesante saber algo más sobre el nuevo amor de Oliver y conocer la visión de Eisenhut.

—Ah, sí —le dijo, pues, a su compañero—. Dile que espere un poco más, por favor. Que tardo un cuarto de hora.

El sol bajo lo deslumbraba a través del parabrisas repleto de cadáveres de insectos. Habían salido de la A-8 poco antes de Stuttgart en dirección a Sigmaringen, por las montañas del Jura de Suabia. Oliver von Bodenstein no tenía ojos para el paisaje que se extendía a derecha e izquierda de la carretera. Después de la aparición de Störch y su gente esa mañana, había visto claro que no debían esperar más. Era solo cuestión de tiempo que los perseguidores de Annika la encontraran, y tampoco podía tenerla encerrada en su casa. Resultaba evidente que habían seguido una pista muy concreta, y sin duda Störch tendría la finca muy vigilada a partir de entonces. Por lo visto no sabían que él ocupaba la vivienda de la cochera; si no, puede que hubieran entrado allí aun sin orden de registro, y habrían encontrado a Annika. Cuando aquellos hombres volvieron a marcharse, Oliver le había pedido el coche a su hermano y habían partido poco después del mediodía.

Annika se había quedado dormida hacía media hora, y a él le había venido muy bien. Necesitaba tranquilidad para reflexionar. Al mismo tiempo se preguntaba qué estarían haciendo Pia y sus compañeros. No era propio de él desentenderse de sus responsabilidades así como así, y menos aún en la fase más crítica de las investigaciones. Echaba en falta la sobria objetividad de Pia, el intercambio natural de opiniones con ella. Se sentía apartado de la realidad, como un equilibrista que se balancea sobre un alambre sin red de seguridad.

¡Ojalá no sintiera esas dudas! En teoría, su decisión de ayudar a Annika le había parecido necesaria y sin alternativa, pero esa firme convicción de estar haciendo lo correcto era cada vez más débil desde que se habían puesto en camino.

El sistema de navegación lo llevó a la B-311 en dirección a Sigmaringen y el lago Constanza. Faltaban unos 28 kilómetros para el lugar de destino; hora prevista de llegada: las 18.17.

Suspiró. En otras circunstancias habría disfrutado del viaje. Hacía años que quería ir al lago Constanza, aunque con Cosima. La voz robótica del GPS lo fue guiando y le hizo avanzar por carreteras estrechas que pasaban por pequeños pueblos. Establos con montones de estiércol delante, algún tractor aquí y allá, pero por lo demás ningún otro vehículo a la vista. Allí, en el sur de Alemania, la naturaleza era más amplia que en el Taunus. Los prados verdes y húmedos se alternaban con bosques oscuros y campos en los que el cereal llegaba ya a la altura de las rodillas.

En Heratskirch se desvió hacia la izquierda. Allí la carretera tenía un solo carril. La siguiente población era una aldea solitaria con un puñado de casas de labranza.

–Annika. –Oliver le tocó el brazo; ella se sobresaltó y lo miró asustada–. Perdona, pero ya hemos llegado.

Aún algo confusa, Annika parpadeó y miró por la ventanilla.

–Allí delante se tuerce a la derecha –dijo, y se inclinó un poco hacia delante–. ¿Qué hora es?

–Las seis y cuarto.

–Puede que encontremos a mi madre sola. A estas horas siempre recoge las vacas.

Bajó la visera de su lado y se miró un momento en el espejo. Se le notaba la inquietud en la cara. Oliver puso una mano sobre la de ella.

–No te preocupes –le dijo.

–No conoces a mi padrastro. Me odia –repuso ella sin inflexión en la voz–. Ojalá pudiéramos irnos ya.

Dos minutos después, el coche entraba en un gran patio en el que se alzaba un castaño impresionante. Todo el pueblo consistía en tan solo tres granjas, y la mayor era la del padrastro de Annika, un enorme edificio de dos plantas hecho de sombrío ladrillo rojo; una fortaleza hostil bajo cuyo amplio tejado se encontraban también los establos. Oliver detuvo el coche y ambos se apearon. En el aire flotaba el olor intenso del estiércol. Dos rottweilers amenazadores saltaron contra la reja de una perrera, unos animales fornidos y de pelaje marrón y negro con cuyos dientes blancos Oliver prefería no tener que cruzarse. Estiró la columna porque la tenía dolorida, luego miró alrededor. En verano debía de ser muy bonito vivir en ese rincón apartado del Jura, pero ¿cómo sería en invierno saberse a kilómetros de la ciudad más cercana?

—Mi madre debe de estar en el establo. La ordeñadora está en marcha —dijo Annika—. Ven.

Él dudó un momento, luego la siguió hacia la vaqueriza, cuyas puertas estaban abiertas de par en par. Annika pasó decidida por detrás de los cuartos traseros de las vacas, todas a manchas marrones y blancas, y se metió por el pasadizo del forraje, donde una mujer mayor con un pañuelo en la cabeza y una bata sin mangas repartía hierba recién cortada en los pesebres con movimientos diestros e impetuosos.

—Mamá —dijo, y se quedó quieta.

La mujer se irguió y se volvió hacia ella. En su rostro enrojecido se extendió una expresión de incredulidad, miró a su hija y a Oliver varias veces, luego dejó caer el horcón y abrió los brazos.

—Mi petición es poco habitual. No sé si será correcto incluso cargarla a usted con ella, y menos aún en una tarde de domingo, pero es muy urgente. Se trata de una mujer que se mueve en el círculo de la iniciativa ciudadana a cuyos miembros están ustedes investigando. Se llama Annika Sommerfeld.

El profesor Dirk Eisenhut estaba sentado en la silla de las visitas que esa misma mañana había ocupado Frauke Hirtreiter. Pia había tomado asiento tras el escritorio de su jefe y lo escuchaba con atención, intentando calarlo. Rasgos faciales angulosos, duros, mejillas enjutas, ojos azules y hundidos. Un hombre a todas luces atractivo; sin duda valía la pena repasarlo con la mirada. Seguro que para muchas mujeres era irresistible, y no en última instancia por el aura de poder que irradiaba. No era de extrañar que el ratoncillo gris de Annika se hubiera enamorado perdidamente de él, pues eso era lo que había sucedido, según le explicaba Eisenhut a la inspectora.

—Muchas veces pensé qué clase de comportamiento mío pudo desatar en ella esas falsas ilusiones. —Su voz era suave y tenía timbre de barítono—. Durante mucho tiempo no me di cuenta. Si no, tal vez habría podido ponerle remedio. —Alzó los ojos, que mostraban amargura–. Jamás me había equivocado tanto con una persona como con Annika. Sus delirios me han destrozado la vida.

Eso sí extrañó un poco a Pia. Según Bodenstein, todavía no había sucedido nada. Los documentos secretos estaban en la caja de seguridad de un banco, a la espera del momento de hacerse públicos y acarrear graves consecuencias.

–Era una científica brillante, con una inteligencia fuera de serie pero con una mente muy cerrada, por desgracia. Una sociópata. Al volver la vista atrás, me doy cuenta de que durante todos estos años en realidad su comportamiento no fue normal. No tenía vida fuera del instituto. No tenía amigos, nada. Solo a mí.

Cada una de sus palabras avivaba la preocupación de Pia por Bodenstein. Al oír la descripción de Annika, se había imaginado a un Dirk Eisenhut completamente diferente: un hombre de carrera despiadado y consumido por la ambición. Pero la realidad era otra. Caía simpático.

–Hacía tiempo que sabía que se reunía con O'Sullivan y su gente. Protección de la Constitución tiene vigilados a esos grupos desde hace años. El trabajo de Annika, sin embargo, no se vio afectado por ello, y yo siempre creí en su lealtad. Además, tal vez en cierta forma esperaba que volcase ese amor delirante en O'Sullivan.

Qué inocente, pensó Pia, pero no dijo nada.

–La mañana de Nochebuena, Annika estaba en el instituto. Vino a mi despacho con una botella de champán. Me pareció extraño, pero no sospeché nada. Cuando hace quince años que conoces a una persona, no la crees capaz de algo así.

Hizo una pausa y, absorto, se frotó el nacimiento de la nariz con el pulgar y el índice.

–¿De qué no la creía capaz? –preguntó Pia.

–Descorché el champán y serví dos copas, brindamos por la Navidad. De repente se hizo con la botella, la golpeó contra el borde de la mesa y empezó a blandir el filo de cristal roto ante mi cara. –Su voz sonaba tensa–. Se había convertido en una extraña, sus ojos... estaban vacíos, rígidos. Me asusté, pero me encontraba demasiado lejos del teléfono para llamar a los guardas de seguridad.

—¿Y qué era lo que quería? —quiso saber la inspectora.

Eisenhut tardó en contestar.

—Me exigió que me divorciase y me casara con ella —dijo con voz ronca—. Fue grotesco. Quería que llamara a mi mujer y escuchar cómo se le decía. Y luego pretendía que fuéramos los dos a casa de mis padres a pasar allí la Navidad. Bettina y yo nos habíamos casado ese mismo verano, y creo que eso dio un último empujón a... la enfermedad de Annika. Debió de vivirlo como una profunda humillación, y el resultado fue un odio insondable.

Pia esperó a que siguiera hablando. Una sociópata de gran inteligencia. Se le erizó el vello de la nuca.

—Pude reducirla y llamar a la Policía, pero me había herido. Decidieron ingresarla en un psiquiátrico y ponerla en aislamiento. Allí estuvo fuera de sí hasta que la sedaron. A día de hoy, la clínica sigue sin dar ninguna explicación de cómo salió Annika de las instalaciones. Se inició incluso una investigación, porque ese error les costó la vida a dos personas: a O'Sullivan y... a mi mujer.

—¿Su mujer? —preguntó Pia, sorprendida.

—Sí, Bettina debió de abrirle de buena fe, porque conocía a Annika, aunque siempre le había dado mala espina. Yo jamás me tomé lo bastante en serio sus reparos hacia ella.

Calló y se pasó una mano por la cara. Era evidente que le costaba continuar.

—Nadie sabe qué sucedió exactamente. Era ya entrada la tarde, el día de fin de año. Debió de golpear a mi mujer y... —Inspiró hondo, y Pia supuso el gran esfuerzo que debía de estar haciendo para hablar de ello—. Antes de salir de la casa le prendió fuego. Cuando yo llegué con el coche a nuestra calle, sobre las cinco y media, todo estaba en llamas. Los bomberos ya habían acudido, pero el frío había congelado el agua de extinción.

—¿Qué le ocurrió a su mujer? —preguntó Pia con compasión.

La mirada de Dirk Eisenhut se perdió en el horizonte.

—Bettina consiguió sobrevivir al incendio, pero los gases de combustión y la falta de oxígeno le provocaron daños cerebrales irreparables. Desde entonces se encuentra en estado vegetativo. Los médicos han abandonado toda esperanza.

—¿Cómo sabe que la responsable fue Annika?

—Dejó muchísimos rastros. En las manos de Bettina... se encontraron cabellos de Annika. Y también estaban las cintas de la cámara de seguridad. —Se aclaró la garganta—. La noche antes debió de encontrarse con O'Sullivan. Lo atacó y se ensañó bien con él: le dio más de cuarenta puñaladas. La Policía encontró después el arma del crimen en su apartamento. Un cuchillo de cocina que debió de llevar adrede para matarlo. Por desgracia, consiguió huir de nuevo. Después del ataque en mi casa le perdimos la pista. Creí que tal vez se había... suicidado. Hasta que el viernes por la noche oí su nombre.

Por un momento se hizo un silencio total. El sol se había puesto, en el despacho solo quedaba penumbra. Pia se inclinó hacia delante y encendió la lámpara del escritorio.

—¿Por qué me cuenta todo esto? —preguntó.

—A la gente de Protección de la Constitución solo le importa la resolución de los dos asesinatos —reconoció sin levantar la cabeza—. Ya hablaron de ello con su superior, pero es evidente que no le dejaron suficientemente claro lo peligrosa que es Annika. Ahora se han enterado de que el inspector jefe está retirado del caso y de que es usted quien dirige las investigaciones, así que seguro que mañana a primera hora querrán verla a usted también.

Cuando Dirk Eisenhut volvió a mirarla, su expresión era desesperada.

—Comprenda que yo quiero encontrar a Annika antes de que lo hagan sus compañeros —dijo en voz baja e insistente—. Tengo que hablar con ella como sea. Lo que sucedió con Bettina no me permite hallar la paz. ¡Por favor, señora Kirchhoff, ayúdeme!

Apenas podía pisar, pero intentó no hacer caso de ese dolor punzante y siguió corriendo. A unos cuantos metros de la casa de Ricky había un coche patrulla con dos agentes en el interior, y Mark estaba seguro de que también vigilarían la pista trasera y el establo. A su casa no podía ir, porque sus padres enseguida llamarían a la poli. Su única esperanza era el refugio de animales. De alguna forma tenía que curarse el pie.

Antes, en el bosque, había apagado el móvil para que sus padres no siguieran agobiándolo con llamadas ni la poli pudiera acabar localizándolo de verdad. Pero la desventaja era que tampoco Ricky podría ponerse en contacto con él. De vez en cuando lo encendía unos segundos y marcaba su número, pero nadie respondía. Eso lo estaba volviendo loco. No tenía ni idea de lo que había sucedido entretanto. ¿Habría detenido esa poli a Yannis? ¿Habrían encontrado la escopeta del henil?

Al amparo de la oscuridad que empezaba a caer, Mark hizo el camino cojeando que bordeaba el prado hasta la linde del bosque. Vio el solitario refugio de animales allá abajo, en el valle; nadie pasaba casualmente por allí de noche. Se internó en el bosque por la estrecha senda de paseo. Tenía que avanzar despacio para no tropezar con las raíces de los árboles. Cuando llegó al refugio la oscuridad era total, pero sus ojos se habían acostumbrado a la falta de luz. Durante un cuarto de hora observó el recinto, que estaba rodeado por una valla de tela metálica de tres metros de alto.

Nada se movía. De las ventanas del bajo edificio de la administración no salía ningún resplandor, no se veía ningún coche por ninguna parte. Al otro lado del valle brillaban las luces de Königstein, más abajo reposaba Schneidhain, pero el resto del paisaje hasta la carretera de lo alto, que conducía a Ruppertshain, estaba a oscuras.

Mark respiró aliviado y rebuscó en su mochila la llave que esa mañana había metido allí, como si hubiera intuido que iba a necesitarla. ¿Conseguiría trepar por la valla con el pie herido? Tenía que evitar la puerta del recinto porque había un detector de movimiento, igual que en la puerta de los despachos. Una vez estuviera dentro, apagaría esos trastos.

La hoz de la luna pendía pálida en un cielo nocturno sin nubes. Una lechuza pasó en vuelo rasante por encima de su cabeza. Mark miró a su alrededor, después lanzó la mochila al otro lado de la valla, colocó la punta del pie bueno entre los alambres y se impulsó hacia arriba por un puntal torcido. Trepó hasta lo alto jadeando de dolor, pasó una pierna al otro lado y dudó un momento antes de dejarse resbalar por la parte de dentro. Consiguió aterrizar sin hacerse daño, pero toda la valla vibró. Un animal ladró dentro de la perrera, luego se le unieron otros dos, pero enseguida volvieron a callarse. Mark cojeó por el patio con cuidado de mantenerse fuera del alcance del detector de movimiento. Llegó al edificio administrativo por detrás, metió la llave en la puerta de la cocina y entró. Agotado, se dejó caer en el suelo y se quedó inmóvil unos minutos sobre las baldosas frías antes de seguir camino hacia la farmacia. La persiana de la ventana enrejada estaba bajada del todo, así que se atrevió a encender la luz. En los armarios encontró gel frío y vendajes elásticos para su tobillo, que se le había hinchado como un tomate. El reloj de encima de la puerta marcaba las 22.40. Mark entró en la oficina y descolgó el teléfono. Esta vez Ricky contestó al tercer tono.

—¡Mark! —exclamó—. ¡Por fin! La Policía ha estado aquí preguntando por ti. ¡Me tenías angustiada! ¿Cómo te encuentras?

Su preocupación le sentó bien.

—¿Qué estás haciendo en el refugio de animales?

Sobresaltado, por un segundo se preguntó cómo podía saber ella dónde estaba, y entonces cayó en la cuenta de que habría visto el número en la pantalla. Le contó lo que había sucedido esa tarde y por qué se estaba escondiendo. Menos mal que, según parecía, ya no estaba enfadada con él por lo de esa mañana.

—¿No puedes venir aquí? —pidió al final.

—Tengo a la Policía delante de casa —le recordó Ricky—. Si salgo ahora hacia el refugio, se olerán algo y me seguirán. —Soltó un suspiro profundo—. Además, me ha surgido un problema enorme. Como si no tuviera ya suficientes cosas encima. Mi padre se está muriendo. Mi madre me ha llamado esta tarde, así que mañana tengo que ir a su casa, a Hamburgo, aunque no me va nada bien.

—¿Cuánto tiempo estarás fuera? —preguntó Mark. La idea lo atemorizaba.

—No mucho. Tú ahora intenta dormir un poco. Mañana temprano volvemos a llamarnos, ¿vale?

—Sí, vale.

—Buenas noches, Mark. Pronto todo volverá a ir bien, confía en mí.

—Ya lo hago —le aseguró—. Buenas noches.

Después de colgar estuvo un rato más sentado al escritorio a oscuras. Nika se había ido y, cuando Yannis por fin estuviera en la cárcel, tendría a Ricky toda para él. Era una perspectiva tentadora. Se levantó y cojeó por el estrecho pasillo hasta la vivienda en la que Ricky y él habían pasado la noche anterior. Su primera noche juntos. Se desplomó en el colchón con un gemido y enterró la cara en la almohada, que todavía conservaba un ligero aroma al perfume de Ricky. Sus pensamientos retrocedieron a veinticuatros horas antes. Se olvidó de la Policía y de sus padres, y se entregó por completo a esos agradables recuerdos.

Pia contemplaba pensativa el rostro sombrío de su interlocutor en la penumbra del despacho de Bodenstein, que sería el suyo durante un tiempo indeterminado. La narración de Dirk Eisenhut parecía coherente. Sin embargo, ¿de verdad había ido a verla esa tarde por eso? ¿De verdad solo quería hablar con Annika sobre lo sucedido el día de Nochevieja en su casa antes de que lo hiciera la Policía? ¿Era posible que no sospechara nada sobre esos documentos explosivos que O'Sullivan había reunido contra él? ¿O tal vez no existían siquiera tales documentos?

Pia tenía más que nunca la desagradable sensación de que le faltaban demasiadas piezas del puzle para completar la imagen. No le gustaba recibir la información a retazos y, encima, tener que tener cuidado con lo que decía. Había algo en la historia de

Dirk Eisenhut que no encajaba, aunque no le había dado la impresión de que mintiera. Su desesperación parecía auténtica y, aun así, su presencia en comisaría era muy extraña. A un hombre con sus contactos y sus medios no le habría hecho falta pedirle ayuda a una inspectora insignificante.

Lo que le había contado no tenía nada que ver con ella, y lo cierto era que tampoco le interesaba. Sin embargo, Pia empezaba a sentir miedo de verdad por su jefe, que se había ido de viaje con una mujer que estaba en busca y captura por dos asesinatos y lesiones graves.

De repente sonó el móvil de Eisenhut.

—Disculpe —dijo, y contestó.

Su conversación fue lacónica, pero mientras hablaba se irguió, y Pia vio cómo su rostro, ya tenso de por sí, se ensombrecía más aún.

—¿Malas noticias? —preguntó cuando Eisenhut colgó y guardó otra vez el teléfono.

—No necesariamente.

El hombre sonrió por primera vez en toda esa tarde. Una sonrisa amable que intensificó las dudas de la inspectora. ¿Qué le interesaba a ella el destino de Annika Sommerfeld? Sin embargo, si en ese momento le explicaba a Dirk Eisenhut que Bodenstein estaba de camino a Zúrich con ella, este jamás se lo perdonaría. El profesor la liberó de su dilema al levantarse de la silla.

—Gracias por haberme atendido —dijo.

Pia también se puso de pie. Encendió la luz y lo acompañó por el pasillo y escalera abajo hasta llegar a la puerta y salir al patio exterior.

Hacía una noche maravillosa de principios de verano, el aire era suave y estaba cargado de aromas. El apretón de manos del profesor Eisenhut fue firme.

—Por favor, llámeme si se entera usted algo.

—Lo haré. —Pia asintió.

La inspectora se quedó junto a los escalones y lo miró con sentimientos encontrados mientras salía por la puerta de la verja y se dirigía a un coche oscuro del aparcamiento de visitantes. ¡Maldita sea, todo aquello no era asunto suyo! Decidió enviarle a Oliver un mensaje de texto de advertencia. Y luego se iría a casa.

Estaba tumbado boca arriba y roncaba un poco por la boca entreabierta. La luz de la luna dibujaba un estrecho camino sobre el suelo de moqueta gastada. La madre de Annika le había entregado la cajita con la llave y le había asegurado por activa y por pasiva que Herbert, su detestado padrastro, no sabía nada de todo eso. La mujer se había desilusionado cuando su hija le dijo que preferían seguir el viaje de inmediato. Oliver estuvo a punto de dejarse convencer para dormir en una de las habitaciones de invitados, pero Annika insistió en pasar la noche dentro del coche, aparcados en cualquier lugar, hasta que a las ocho de la mañana saliera el primer transbordador a Constanza, con el que cruzaban suficientes trabajadores, para no llamar la atención. Al final ocuparon una habitación en un pequeño hotel de Meersburg.

Mientras miraba el perfil de Oliver, Annika sintió auténtica lástima en un recoveco de su corazón. ¡Era tan agradable, un hombre tan bondadoso! Resultaba casi conmovedor, en alguien de su posición. Sin embargo, no era la primera vez en su vida que un hombre se equivocaba al juzgarla. Tal vez era por su figura frágil, casi infantil, que transmitía a la gente una impresión de desamparo.

Se había acostado con él porque sabía lo muy enamorado que estaba de ella. No le había costado ningún esfuerzo, al contrario que con Yannis, y en otras circunstancias incluso habría sido tal vez muy agradable. Sin embargo, mientras Oliver la besaba y le hacía el amor apasionadamente sobre el colchón desgastado de esa incómoda cama de hotel, Annika pensaba en Dirk y en esos hombres de traje oscuro de los que habían escapado por los pelos esa mañana. Oliver debía de haber confundido su furia por éxtasis; a ella le daba igual, lo primordial era que estuviera contento. Para ella no había significado nada y, mientras lo hacían, se sorprendió pensando que a ver cuándo terminaba, pero él no lo notó. Cinco minutos después se quedó dormido, satisfecho y agotado, y en esos momentos yacía junto a ella y soñaba quizá con un futuro en común que jamás iba a existir.

Annika cruzó los brazos bajo la cabeza y se quedó mirando el techo de la habitación, que estaba revestido con tablones de madera, cuando de repente el móvil de Oliver profirió un breve murmullo desde la mesa. Ella volvió la cabeza. Debía de haberle quitado el sonido, porque solo lo veía brillar. Se incorporó, bajó las piernas de la cama y se deslizó de puntillas hasta la mesa. El suelo laminado crujió bajo sus pies desnudos, pero la respiración de Oliver seguía tranquila y regular. Alcanzó el teléfono y entró en el pequeño cuarto de baño. Pia Kirchhoff le había enviado un mensaje de texto: «Acabo de estar con Dirk Eisenhut. Lo que dice parece razonable. Algo no encaja con A. Me preocupas! Llama cuando puedas!!! A cualquier hora!!!».

Menuda imbécil, pensó Annika, enfadada. Esa Pia Kirchhoff a quien Oliver tenía en tan alta estima no la había podido tragar desde el principio; y el sentimiento era mutuo. Borró el mensaje, apagó el móvil del todo y volvió a dejarlo sin hacer ruido sobre la mesa. No podía haber más intromisiones.

Berlín, barrio de Wedding,
30 de diciembre de 2008

Abrió los ojos y parpadeó, aturdida, con la mirada en la luz débil de una lámpara de pie que había en un rincón de una sala que no reconocía. ¿Dónde estaba? ¿Qué había ocurrido? Un dolor sordo le martilleaba tras la frente, tenía la boca seca. Hacía frío. Intentó levantar la cabeza y gimió sin querer. Era una habitación de hotel, no cabía duda. ¿Cómo había llegado allí?

Por mucho que se esforzara, sus recuerdos seguían siendo difusos, como una pesadilla de la que casi no se acuerda uno al despertar. Tenía intención de ir a ver a su madre porque era Navidad, pero Dirk había llamado y le había rogado que fuera al instituto. Su despacho. El champán. Le había sentado mal. Ahí el recuerdo se interrumpía. Y de pronto estaba en esa habitación. Volvió la cabeza con cuidado. El indicador digital del despertador de la mesilla de noche marcaba las 22.11. Miró hacia su cuerpo y constató, espantada, que estaba desnuda. Los dedos de su mano derecha se cerraban sobre... ¡un cuchillo! Miró atónita la sangre de la hoja, de su mano y de su brazo, pero no comprendía qué significaba. Se incorporó con mucho esfuerzo y soltó el cuchillo. Notaba las manos y las piernas entumecidas, estaba mareada y tenía que ir urgentemente al baño. Contempló aquella habitación extraña. Sobre una silla que había junto a la puerta colgaba su ropa, su bolso estaba abierto en una mesa, con el móvil y la llave del coche junto a él. Pero también había unos zapatos de caballero y una bolsa de viaje. Unos vaqueros en el suelo, a la izquierda, como si alguien se los hubiera quitado con mucha prisa. El corazón empezó a latirle con fuerza. Ya no entendía nada. Solo con un esfuerzo enorme consiguió ponerse de pie. El dolor estalló en su cabeza.

—¿Dirk? —preguntó con voz ronca, y rodeó la cama tambaleándose.

El suelo de moqueta barata le rascaba las plantas de los pies descalzos. De pronto se sobresaltó y se estremeció al ver ante sí a una mujer rubia, hasta que comprendió que era su imagen en un espejo. ¿Qué eran esas manchas extrañas que tenía en la cara y en el torso desnudo?

Fue con paso vacilante hasta el cuarto de baño, empujó la puerta y se quedó petrificada. ¡Sangre! Había salpicado hasta el techo y todas las paredes de azulejos blancos. El cuerpo sin vida de un hombre yacía en una postura antinatural entre la bañera y el retrete, en medio de un charco oscuro. Al verlo se mareó y sus rodillas amenazaron con ceder. Se aferró al marco de la puerta para no caerse.

—Ay, Dios mío —susurró, horrorizada—. ¡Cieran!

Lunes, 18 de mayo de 2009

Apenas había dormido. Desde el alba esperaba con impaciencia la llamada de Ricky. El hecho de no poder ir a verla porque tenía a la Policía delante de casa lo estaba volviendo loco. ¡Pronto serían las siete! ¡En cualquier momento llegaría Rosi para dar de comer a los animales! ¿Podía arriesgarse a encender el móvil? Por lo menos unos segundos sí tenía que intentarlo. Marcó los cuatro números del PIN, que poco después señalizó con un tono que había encontrado red.

Mark comprobó las llamadas perdidas. Su padre había intentado localizarlo más de veinte veces; los números ocultos debían de ser esa poli. Pero no había nada de Ricky. Ni siquiera un mensaje de texto. La decepción hizo mella en él. ¡Le había prometido que lo llamaría antes de salir hacia Hamburgo, a casa de sus padres! Ya no podía esperar más. El gel frío y las vendas le habían ido bien para la contusión, el tobillo se había deshinchado un poco. Fue a buscar vendajes nuevos a la farmacia del refugio y se puso las zapatillas de deporte, luego se echó la mochila al hombro y salió del edificio administrativo.

El día era claro y fresco, el rocío brillaba sobre los prados. Mark respiró hondo y pisó un par de veces con cuidado. Podía caminar. Rosi llegaba desde Königstein, así que no se cruzaría con ella si tomaba la otra dirección, hacia Schneidhain. Dos chicas que hacían *jogging* pasaron por delante de la puerta del refugio de animales justo cuando él salía, pero ni siquiera lo miraron. Diez minutos después ya había llegado a las primeras casas. Allí el camino se bifurcaba. En el establo y en las perreras no se veía a nadie, tampoco estaban los caballos. ¿Los habría llevado Ricky a otro pasto la noche anterior? Mark reflexionó un momento y luego se decidió por tomar la calle principal. El coche patrulla que había estado aparcado delante de las casas vecinas había desaparecido, así que consiguió llegar a la casa de Ricky sin que lo vieran. El BMW de Yannis ocupaba el aparcamiento cubierto de delante del garaje, todas las persianas estaban bajadas, la casa parecía extrañamente abandonada. Mark saltó la baja portezuela de jardín que había entre la pared de la casa y el garaje, luego bajó la escalera que llevaba al sótano por el exterior. Debajo de una de las macetas del rellano encontró una llave oxidada, entró en la casa por el sótano y subió la escalera. El interior estaba a oscuras. Se detuvo en el recibidor y miró a su alrededor con un extraño presentimiento. Algo había cambiado. Pero ¿el qué?

—¿Ricky?

Mark entró en el dormitorio. La cama estaba bien hecha. Dio un paso más y su pie tropezó con un obstáculo que no había visto en la oscuridad. Buscó el interruptor de la luz con la mano. En el centro de la habitación había tres maletas y una bolsa de viaje. Abrió los armarios y el corazón empezó a latirle con miedo: ¡la mitad del armario que era de Ricky estaba vacía! Pero para ir a ver a sus padres no tenía por qué llevarse todo el contenido de su armario, ¿verdad? Y de repente supo qué era lo que le había extrañado antes. Cojeó deprisa de vuelta al pasillo. ¡Justo! ¡Los cestos de los perros y los árboles para gatos que siempre estaban allí habían desaparecido! Se quedó petrificado y sintió pánico al comprender lo que significaba todo aquello.

La niebla flotaba en densos vapores sobre el lago y, por encima de ella, las cumbres de los Alpes relucían de rojo a la luz del amanecer. Una vista sobrecogedora para la que nadie más que él tenía ojos. Los demás conductores habían decidido seguir dentro de sus coches durante el cuarto de hora que duraba la travesía, o bien se habían trasladado a la cafetería de la cubierta superior. La mayoría de ellos iban a trabajar cada día al otro lado de la frontera suiza y hacía ya tiempo que el espectacular paisaje no les impresionaba.

Oliver apoyó los antebrazos en la barandilla, que relucía de humedad, y miró en silencio hacia el agua espumosa. Los cuatro motores diésel rugían bajo sus pies. Annika estaba pegada a él y tiritaba, pero no había querido sentarse en la cafetería, sino que prefirió seguir fuera.

Una media hora antes habían dejado el pequeño hotel tras desayunar nada más que una taza de café. Tampoco habían hablado mucho. Pocas veces en su vida había deseado tan temprano que el día hubiera terminado ya. Estaría absolutamente solo, no podría contar con nadie, y además en una ciudad que no conocía. Annika tendría que esperarlo en Constanza, porque entrar en Suiza sin documentación era demasiado arriesgado. En el banco, en lugar de su nombre, daría la contraseña que Annika, O'Sullivan y Bennett habían acordado. Luego, en la cámara acorazada, sacaría el maletín de la caja de seguridad cuya llave tenía en el bolsillo del pantalón. En realidad nada podía salir mal, y lo que estaba a punto de hacer tampoco era exactamente ilegal. Le habían dado vacaciones y podía pasarlas en Suiza, si quería.

—Todo irá como la seda —dijo de pronto Annika, y le puso una mano en la mejilla—. No te preocupes.

—No estoy preocupado —repuso él. Se fijó en cómo ondeaba la melena de ella con el viento. Sus ojos eran tan verdes como el agua del lago—. Pronto habrá terminado todo, y entonces... —Se quedó callado y le apartó un mechón de la frente.

—¿Y entonces? —preguntó ella en voz baja.

Todo parecía tan irreal... ¿De verdad había pasado solo una semana desde que había hablado con Inka Hansen sobre su ruptura matrimonial en la boda de Lorenz? Tenía la sensación de que hacía medio año. Desde entonces habían sucedido muchísimas cosas. Annika había entrado en su vida inesperadamente y, desde la noche anterior, él sabía con certeza que ya nada sería como antes. Tal vez fuera aún demasiado pronto para decirle en voz alta esas dos palabras simples que, no obstante, expresaban en su simplicidad justo lo que sentía por ella.

–Entonces tendremos todo el tiempo del mundo para conocernos mejor –dijo, terminando la frase–. Lo de anoche fue muy bonito.

Ella sonrió, una sonrisa delicada que aceleró el corazón del inspector jefe.

–También para mí lo fue –dijo en voz baja–, y me alegro de que podamos conocernos mejor.

–Yo también –repuso Oliver.

Sentía una satisfacción profunda y del todo excepcional, como si por fin hubiese encontrado lo que llevaba toda la vida buscando. Solo le quedaba superar ese único día; después, todo se solucionaría.

Tomó el rostro de ella con delicadeza entre sus manos y le dio un beso largo y suave en la boca.

No había pegado ojo en toda la noche. Mark seguía desaparecido. Su mujer y él habían ido en coche a todos los lugares en los que podía esconderse un chico, habían intentado localizarlo en el móvil una y otra vez.

Stefan Theissen estaba junto a la ventana de su despacho con la mirada perdida sobre las extensiones de césped y los campos que llegaban hasta los contornos de Frankfurt, que en la neblinosa luz de esa mañana de mayo parecía estar al alcance de la mano.

Habían llamado por teléfono a los profesores y los compañeros de clase de Mark y se enteraron de que esos amigos de los que hablaba su hijo ni siquiera existían. No había compañeros con quienes jugara al fútbol, fuera al cine o saliera por ahí, como hacían los demás chicos de dieciséis años. Al principio su mujer y él se lanzaron acusaciones mutuas, luego se gritaron y, por último, permanecieron en silencio, porque no había más que decir. Mark llevaba una doble vida prácticamente perfecta delante de sus narices, y ambos habían fracasado del todo como padres, ya que se habían dejado embaucar a voluntad por pura comodidad, porque todo lo demás había sido más importante para ellos que su propio hijo. Ninguno de los dos había comprendido hasta entonces lo perjudicial de aquella estrecha amistad de Mark con esa tal Ricky y su novio.

Incluso un par de semanas antes, cuando las señales de que Mark no estaba bien se intensificaron, ellos lo despacharon con un par de conversaciones superficiales en lugar de investigar a fondo por qué padecía su hijo esos constantes dolores de cabeza y se saltaba las clases. Un error garrafal, más aún teniendo en cuenta todo lo que había sufrido Mark. No había excusa posible.

Unos golpes en la puerta sacaron a Stefan Theissen de sus pensamientos. Se apartó de la ventana. Su secretaria entró en el despacho.

—El conde Von Bodenstein está aquí —anunció.

Theissen tardó unos segundos en comprender, luego asintió con la cabeza y forzó una sonrisa que le costaba verdadero esfuerzo mantener. El precontrato estaba preparado en la mesa de reuniones, la firma sería una mera formalidad. Pronto la construcción del parque eólico, y con ella el saneamiento económico de WindPro, se vería libre de obstáculos. Así dispondría de más tiempo para Mark. Lo subsanaría todo. De alguna manera.

El conde Heinrich von Bodenstein pasó por alto la mano que le tendía Stefan Theissen.

—Señor Theissen, no me alargaré —dijo, adusto—. Lo que han hecho usted y sus cómplices ha sido absolutamente infame. Dividieron a la familia de mi amigo Ludwig con su oferta inmoral y ahora también han sembrado la discordia en mi familia. Con sus amenazas han extendido el temor y el miedo. Por eso mi familia y yo hemos decidido vender ese desdichado prado a una tercera parte.

Stefan Theissen dejó de sonreír.

—No puedo entregarles ese terreno —siguió diciendo el conde—. Ni por dos ni por tres millones. Mi amigo Ludwig quería que el valle y el bosque siguieran siendo naturaleza virgen, y yo respeto su deseo. Mi conciencia no me permitiría obrar de ningún otro modo. Lo siento.

Stefan Theissen asintió y soltó un profundo suspiro. Aquello era el fin definitivo. No habría ningún parque eólico en el Taunus y de repente le resultaba del todo indiferente. Solo estaba agotado, exhausto. Hacía mucho tiempo que había sacrificado su propio sentido moral por un afán de riqueza y reconocimiento, había utilizado métodos legales e ilegales sin ningún miramiento para conseguir sus objetivos, y de pronto fracasaba ante un viejo con una raída americana de *tweed* para quien su simple conciencia valía más que tres millones de euros.

Theissen esperó a que el conde saliera del despacho, después se acercó al aparador y levantó el marco con la fotografía de Mark, de cuando aún todo iba bien. Un chiquillo rubio, sensible y serio, como sus dos hermanas mayores. Un chiquillo que no había encontrado en su familia amor y cariño, y que por eso lo buscaba con desesperación en extraños. En las personas equivocadas. ¿Y si Mark sí estaba involucrado en el asesinato de Ludwig Hirtreiter? En tal caso, la culpa era de él, que no había sabido cuidar lo bastante de su hijo.

Durante un rato se quedó inmóvil en el recibidor de la casa, incapaz de formular una idea con claridad. Solo oía su propia respiración y el motor de la nevera, que zumbaba de vez en cuando en la cocina. Las maletas hechas, los cestos de los perros desaparecidos, los armarios vacíos, las bolsas de basura azules junto a la puerta de la casa: ¿le había mentido Ricky? ¿Pretendía dejarlo tirado? La pregunta de «por qué» se repetía con insistencia en su mente. ¿Qué pasaría con El Paraíso Animal y con Yannis? ¿Quién se ocuparía de las liebres, los conejillos de Indias, los perros y los gatos a los que tanto cariño tenía? No, seguro que estaba equivocado. Mark respiró hondo y contuvo las náuseas que empezaban a crecer en su interior. Regresó al dormitorio, tiró con decisión de una maleta y abrió los cierres. Necesitaba estar seguro.

En las primeras dos solo había vestidos, pero en la tercera encontró el portátil de Ricky. Superó sus escrúpulos, lo sacó de la funda y lo abrió. La contraseña era tan simple como la de su madre. Mark se sentó en la penumbra del suelo del dormitorio con el portátil en el regazo y abrió los correos electrónicos de Ricky. Uno de los primeros era de Rosi.

«Claro que lo haré –había escrito–. Tú tráeme a los peluditos, que yo te los cuido. Será más fácil así que si tengo que ir todo el rato a tu casa.» ¡Los peluditos! Menuda expresión más cursi. ¡Típico de Rosi! Mark fue bajando por la pantalla y leyó el correo de Ricky al que había respondido Rosi. «Querida Rosi, tengo que irme de viaje unos días. Yannis sigue en el hospital. ¿Podrías ocuparte durante este tiempo de mis animales? A los caballos me los llevaré mañana temprano, pero para los demás no he podido encontrar nada en tan poco tiempo. Te estaría muy agradecida si pudieras.»

Mark no entendía nada. ¿Por qué le pedía el favor a Rosi y no a él? Al fin y al cabo, él había dado de comer muchas otras veces a sus mascotas y les había limpiado las jaulas. Además, ¿por qué se había llevado a los caballos si solo iba a estar unos días con sus padres? Mark miraba fijamente la pantalla.

Estaba claro, se dijo, que Ricky no quería cargarlo con la responsabilidad de los animales. No había que olvidar que solo tenía dieciséis años y tenía que ir al instituto. Ricky había sido considerada y solo quería lo mejor para él. Tal vez estuviera también algo afectada, porque su padre estaba a punto de morir y eso era una situación excepcional. Y, por si fuera poco, también estaba lo de Yannis y la desaparición de Nika.

Su cerebro no podía evitar buscar una explicación razonable, una justificación, como siempre que Ricky hacía algo que se contradecía con la imagen que tenía de ella. No, Ricky jamás lo abandonaría así como así, sin decirle anda.

Mark siguió leyendo los correos y de repente se quedó de piedra. Un mensaje de una web de vuelos de bajo coste con el asunto «Su reserva de vuelo».

Abrió el mensaje y lo leyó. Una vez. Dos veces. La confirmación fue un mazazo. Como tantas otras veces en su vida, cuando sucedía algo malo de verdad, lo pillaba completamente desprevenido. No sintió ira, solo una decepción vertiginosa que lo destruía todo.

Alrededores de Berlín,
31 de diciembre de 2008

Amanecía cuando llegó con el coche a un aparcamiento del bosque y apagó el motor. Cerró los ojos y apretó la frente, que le ardía, contra el volante. ¡Cieran estaba muerto! ¡Y ella se había despertado en una cama, desnuda, cubierta de sangre y con un cuchillo en la mano! ¿Lo había matado ella? Pero ¿por qué habría tenido que matarlo? Además, ¿qué estaba haciendo Cieran en Berlín?

Se obligó a pensar con calma, intentó respirar hondo y con regularidad. Era Nochevieja, acababan de decirlo por la radio, de manera que le faltaban seis días enteros en la memoria. Dirk le había alargado una copa de champán, habían brindado y bebido. ¡Feliz Navidad! Después se había encontrado mal y Dirk había llamado por teléfono. «Me ha atacado», lo había oído decir, aunque no era cierto. ¿Qué había sucedido?

—Mierda —masculló—. ¡Acuérdate, Annika!

Habían acudido dos guardas del servicio de seguridad del instituto. Una luz cegadora, calor. Un pinchazo en el codo. Se enderezó, se arremangó el abrigo y, en la tenue luz del amanecer, vio el hematoma que se había extendido por su antebrazo derecho. El pinchazo se veía con toda claridad, igual que los restos del esparadrapo con el que le habían fijado una vía. ¡La habían anestesiado! Y luego el coche. ¡Ella lo había aparcado en el instituto cuando había ido a ver a Dirk! ¿Quién lo había dejado delante del hotel? ¿Había conducido ella misma hasta allí? ¿Había matado a Cieran? ¿Por qué tenía ese cuchillo en la mano, qué motivo la habría llevado a hacer algo así?

Su mirada recayó en el reloj del cuadro de mandos. Las ocho menos un minuto. Subió el volumen de la radio y escuchó las noticias. Esperó en vano que informaran sobre un muerto en un hotel de Wedding. Qué extraño. *Solo unos segundos después de salir de allí, la Policía estaba ya en el establecimiento. Lo más normal sería que la radio informara del hallazgo de un cadáver en una habitación de hotel. A menos que... Una sospecha increíble nació en ella. Tuvo que tragar saliva. Al huir de la habitación se había metido el teléfono de Cieran en el bolso. ¡Todavía estaba encendido! Con dedos temblorosos tocó la pantalla táctil y respiró aliviada al comprobar que no le pedía ningún código. Enseguida abrió los mensajes de texto grabados y, sin podérselo creer, leyó los más recientes que había recibido. El último de todos era de ella. Solo que ella no lo había escrito.*

Le resultó desagradable desde el principio. A Pia no le gustó ni la voz de Heiko Störch ni la expresión presuntuosa de su cara llena de brillos grasientos.

–Tenemos indicios de que su jefe se encontró con una persona a la que buscamos por dos asesinatos –comenzó el hombre.

La inspectora le notó en la cara lo mucho que le asqueaba tener que mostrarse simpático con ella. Consideraba que era humillante rebajarse a hablar con cargos inferiores y tener que lamerles el culo, pero por lo visto no había encontrado ninguna otra forma de conseguir información. Sus dos acompañantes no le hacían ningún caso a Pia. Los hombres de la Dirección Federal se estaban convirtiendo en visita habitual del despacho de Nicola Engel, cosa que a la comisaria jefe no parecía gustarle demasiado.

–Ajá.

La inspectora le sostuvo la mirada con el semblante impasible. Había llegado a dominar su expresión tan bien como Bodenstein.

–Vayamos al grano –gangueó Störch–. ¿Sabe usted dónde se encuentra en estos momentos?

–No, no lo sé –contestó Pia haciendo honor a la verdad–. Ahora mismo tengo otras preocupaciones más acuciantes que la vida privada de mi jefe.

–¿Le dice a usted algo el nombre de Annika Sommerfeld?

–Si no tiene nada que ver con mis investigaciones en curso, no.

Una mirada fría, despectiva.

–Compañera... –El matón de la Dirección Federal se dio

cuenta de que así no avanzaba, de manera que probó suerte con la carta de la solidaridad entre policías–. Bodenstein es un viejo amigo mío, de cuando estudiábamos. Me temo que se ha metido en un asunto del que ya no puede salir solo. Tal vez esa mujer le ha hecho perder la cabeza, le ha mentido, quién sabe... Ayúdele e impida que cometa un error más grave aún.

–¿Cómo podría hacer yo eso?

–Póngase en contacto con él y pídale que nos llame.

–De acuerdo. Lo haré. ¿Algo más?

–Ahora –insistió Störch–, llámelo ahora mismo.

Pia cruzó una mirada con Engel, luego se encogió de hombros y alcanzó el teléfono.

–Tenga cuidado de que no sospeche nada –ordenó Störch–, y ponga el altavoz.

La inspectora obedeció. Como esperaba, saltó el buzón de voz.

–Hola, jefe –dijo Pia sin apartar la mirada de Störch en ningún momento mientras dejaba el mensaje–. Tengo un pequeño problema por aquí y necesito su consejo. Es urgente. Llámeme en cuanto pueda, por favor.

Colgó. Su mirada se encontró con la de Nicola Engel, en cuyos ojos leyó su tácita comprensión. A su jefa le había llamado la atención el mensaje que le había dejado a Bodenstein en presencia de todos porque era la única que sabía que Pia y él normalmente se tuteaban.

–¿Algo más?

–De momento no. Gracias. –Störch estaba de mal humor–. Y no lo olvide: este asunto es...

–... alto secreto –lo interrumpió Pia–. Queda claro.

Yannis pagó al taxista con un billete de veinte euros que llevaba en el bolsillo del albornoz, bajó del coche con esfuerzo y se apoyó en las muletas. Después de la extraña llamada de Mark, había intentado localizar a Ricky, pero se le había agotado el saldo de la tarjeta telefónica y no pudo dar con ella.

La idea de que habían entrado en su casa y le habían vaciado todo el despacho no lo dejaba tranquilo. Sin decir nada en el hospital, bajó cojeando con pijama, zapatillas y albornoz y tomó un taxi. Ya era bastante malo que los matones de Dirk Eisenhut se hubieran llevado su cartera, su llavero y su móvil; si lo que Mark decía era cierto, todo lo que poseía había desaparecido. El camino desde el taxi hasta la puerta de su casa lo dejó casi sin fuerzas y completamente sudado. Llamó al timbre. ¿Por qué estaban las persianas bajadas? Llamó una segunda vez, impaciente. Por fin se abrió la puerta.

—¿Qué pasa aquí? —le preguntó a Mark, y lo apartó para entrar.

Sus ojos tardaron solo unos segundos en acostumbrarse a la tenue penumbra del interior de la casa. En el vestíbulo se encontró con un caos infernal: bolsas de basura rotas, vestidos, montañas de papeles rasgados. Miró todo aquello sin entender nada.

—¿Dónde está Ricky? —quiso saber—. ¿Qué estás haciendo tú aquí?

Mark no respondió. Estaba de pie, inmóvil y con los brazos cruzados, con una extraña expresión perdida. A Yannis le traía sin cuidado lo que le sucediera a Mark, le interesaba mucho más su despacho. La estrecha escalera de caracol le supuso un obstáculo casi infranqueable, pero subió escalón a escalón como buenamente pudo. Había esperado encontrar allí un caos similar al de abajo; el vacío completo le supuso una conmoción. Aquello era una pesadilla. No podía creer lo que veía, las estanterías peladas, el escritorio desnudo... Su cerebro no quería asimilar lo que le confirmaban sus ojos. La bajada fue aún más fatigosa que la subida, pero no soportaba seguir viendo aquello. Respirando con dificultad, por fin consiguió sentarse en el primer escalón. Mark no se había movido de donde estaba.

—¿Cuándo ha pasado esto? —Exhausto, Yannis se pasó una mano por la cara bañada en sudor.

—Fue el sábado —contestó Mark—. Ricky no quería decírtelo. Igual que tampoco te ha dicho que se ha acostado conmigo.

La cabeza de Yannis se irguió enseguida.

—¿Cómo dices?

—Y seguramente tampoco que hoy vuela a Estados Unidos y que ha rescindido los contratos de alquiler de la casa y de la tienda, ¿verdad?

Yannis se quedó mirando al chico. ¿Había perdido la cabeza del todo? Mark pateó con la punta del pie una de las bolsas de basura azules rajadas.

—He descubierto todo esto por casualidad —siguió diciendo—. Igual que esto otro de aquí. —Sacó algo de la cinturilla del pantalón.

Un momento después, Yannis tenía frente a sus ojos el cañón de una pistola que parecía bastante auténtica.

—¿Estás loco? —Intentó ponerse de pie—. ¡Aparta esa cosa!

—Quédate sentado —repuso Mark—. Si no, te disparo en la pierna.

Lo dijo muy tranquilo. Con una calma amenazadora. Yannis tuvo que tragar saliva. La falta de emociones de los ojos de Mark le dio miedo. Un miedo mortal.

—¿Qué..., qué quieres? —susurró con voz forzada.

—Esperaremos a Ricky aquí —contestó el chico—, y luego quiero que me digáis los dos por qué me habéis mentido.

Por fin una orden de busca y captura que daba resultado. Ralph Glöckner no parecía sospechar que la Policía lo estuviera buscando y había reaparecido con total inocencia en el hotel Zum Goldenen Löwen después de volver del fin de semana para retomar el trabajo el lunes.

—El dueño ha informado a los compañeros de Kelkheim, y ellos han enviado dos coches patrulla —anunció Cem mientras bajaba la escalera junto a Pia—. Está en la sala de interrogatorios 1.

—Por lo menos hoy tenemos una buena noticia —masculló la inspectora.

Ralph Glöckner era de lejos su última esperanza después de que todos los demás sospechosos hubieran ido cayendo uno a uno. El caso perseguía a Pia hasta en sueños desde hacía días. La noche anterior había soñado que el padre de Bodenstein había disparado a Ludwig Hirtreiter y luego a Annika Sommerfeld.

Ralph Glöckner se levantó de la silla cuando Cem y Pia entraron en la sala. A pesar de su altura, sus movimientos era ágiles y ni siquiera la luz pálida y poco favorecedora del fluorescente disminuía la sensación de energía concentrada que irradiaba. Glöckner era alto y fornido como un árbol, y Pia se preguntó cómo pudo no llamarle la atención su presencia en el aparcamiento de WindPro.

—Se trata del martes pasado —empezó a decir después de haber grabado las formalidades necesarias para el acta—. Nos hemos enterado de que esa noche habló usted con Ludwig Hirtreiter.

—Sí, así es —corroboró el hombre, que apoyó los brazos en la mesa y dobló sus garras bronceadas.

Con frases breves y objetivas, narró cómo Enno Rademacher y él, después de cenar juntos, se habían acercado espontáneamente a Ehlhalten para intentar convencer una vez más a Ludwig Hirtreiter. Puesto que este no estaba dispuesto a hablar con Rademacher, pero tal vez sí con él, lo acompañó a su casa mientras el director de ventas de WindPro se quedaba en el aparcamiento del bar Krone, aunque de bastante mal humor. De camino a la granja, Ludwig Hirtreiter le había dado la impresión de estar muy cansado, agotado. Que ya no tenía ganas de pelear, le dijo. Que las luchas dentro de la iniciativa ciudadana y de su familia lo tenían desmoralizado. Que no le interesaba el dinero, solo temía perder el respeto de los demás.

—Hablamos una buena media hora —concluyó Glöckner—, luego me marché. Ludwig Hirtreiter quería pensar un poco con tranquilidad para ver si encontraba una solución a todo el asunto.

Por desgracia, no había el menor motivo para dudar de lo que decía. Maldita sea.

—¿Hubo algo en la granja de Hirtreiter que le llamara la atención? —preguntó Pia con la esperanza de enterarse de algo útil—.

¿Un coche? ¿Una motocicleta? ¿Recibió quizá Ludwig Hirtreiter alguna llamada?

Ralph Glöckner arrugó la frente y lo pensó. Para decepción de la inspectora, no obstante, al cabo de poco sacudió la cabeza.

—Bueno, gracias de todos modos. —Se obligó a sonreír. Era desesperante—. Si es tan amable de esperar para firmar el acta, por favor. Después podrá marcharse.

Se levantó y miró un momento el móvil. Bodenstein no había llamado. Mierda. Esa peligrosa carrera de su jefe contra Protección de la Constitución no era precisamente lo mejor para su concentración. Justo cuando iba a abandonar la sala de interrogatorios, Glöckner pareció recordar algo.

—Ah, inspectora —dijo para detenerla—, me parece que sí hay algo que deberías saber.

Su mirada parecía escanear a Pia.

—¿Sí?

—Me lo ha recordado tu peinado. —Sonrió y se retrepó un poco en la silla.

—¿El qué?

Pia volvió a acercarse a la mesa. Esa mañana, con las prisas, se había hecho dos trenzas rápidas en lugar de lavarse el pelo.

—Cuando regresé al pueblo me crucé con otro coche. Caray, ese sí que llega tarde, pensé. Tuve que pisar el freno a fondo y casi acabo en la cuneta.

Pia bajó el móvil y lo miró fijamente. Empezaba a sentir una corazonada mezclada con unas palpitaciones temblorosas.

—No nos lo ponga tan emocionante —lo apremió Cem con impaciencia.

Ralph Glöckner pasó por alto el comentario.

—Al volante iba una mujer. Una rubia con trenzas. Tal vez eso pueda ayudaros en algo.

Ahí estaba, ese momento mágico que se producía en todas las investigaciones. La señal que había estado esperando.

—Pues sí —repuso Pia—. Creo que sí nos ayuda.

La llave giró en la cerradura y la puerta de la casa se abrió. Su silueta negra se dibujó durante unos segundos contra la claridad del exterior. Él se armó de valor, pero al percibir su perfume se le saltaron las lágrimas. Yannis había dejado de hablar hacía ya un buen rato y solo gemía en voz baja de vez en cuando.

—Hola, Ricky —le dijo.

Ella se volvió y profirió un sonido inarticulado de sobresalto. Entonces lo reconoció. El cañón de la pistola, que el chico ya sentía cómoda en su mano después de dos horas, tembló un poco al apuntarla.

—¡Joder, Mark! ¿Cómo se te ocurre darme este...? —Se quedó callada al ver el arma. Arrugó la frente—. ¿Qué haces aquí? ¿De dónde has sacado la pistola?

Mark desoyó sus preguntas.

—Esperaba que me llamaras —respondió, y él mismo se dio cuenta de lo débil que sonaba su hilo de voz—, pero, como no dabas señales de vida, he venido aquí.

La mirada de Ricky recayó en Yannis, que estaba sentado en una silla de la cocina, a oscuras, y abrió los ojos de golpe con sorpresa.

—¡Cielo! —exclamó—. ¿Cómo es que no estás en el hospital?

—Quería despedirme de ti antes de que te marcharas a Los Ángeles —contestó Yannis con sarcasmo—. Me parece que tú no tenías pensado hacerlo.

—¿De dónde sacas que me marcho a Los Ángeles, nada menos? —Ricky abrió mucho los ojos y sonrió con incredulidad—. Voy a Hamburgo, a casa de mis padres.

—¿Ah, sí? Y ¿desde cuándo vive tu familia en Hamburgo? ¿Desde que tu padre vendió su «empresa» y vive de sus «millones», quizá?

—Maldita sea, ¿a qué viene eso ahora?

Ricky se lo quedó mirando unos segundos. La había pillado tan desprevenida que no se le ocurría ninguna mentira improvisada. Por su rostro se extendió una expresión de inseguridad, pero enseguida volvió a dominarse.

—Deja de mentir de una vez —soltó Yannis—. Mark ha encontrado la confirmación de la reserva de avión en tu portátil. Te has llevado a los caballos y también a los demás animales. Y, para poder largarte con tranquilidad, a mí me has ocultado que entraron en casa y me vaciaron todo el despacho.

—¿Que has hecho qué? —preguntó Ricky volviéndose hacia Mark—. ¿Cómo se te ocurre fisgar en mi portátil?

—Es que... yo... —balbuceó él, apocado.

—¡Habla de una vez! —lo animó Yannis—. ¡Explícale lo que te dijo Frauke! ¡Y una mierda, estudios en Norteamérica y un padre rico! ¡Bah! Ni siquiera tus certificados de entrenadora de perros son auténticos. ¡No eres más que una maldita mentirosa!

Los ojos de Ricky se entrecerraron con furia.

—¡Vaya, mira quién fue a hablar! —murmuró—. El parque eólico te ha importado siempre una mierda, ¡tú solo querías vengarte y para ello te iba bien cualquier medio!

—¡Eso no es ni la mitad de lamentable que tu pasado inventado! —replicó Yannis con burla—. ¡En realidad solo eres una pompa de jabón vacía!

—¡Y tú un hijoputa egoísta que solo sabe dar grandes discursos pero que nunca consigue nada! ¡Un fracasado, eso es lo que eres!

Mark, perplejo, seguía las acusaciones mutuas y los insultos que se dedicaban, cada vez más hirientes y con más odio. Palabra a palabra, destruían la ilusión de amor y respeto en la que él había creído y a la que se había aferrado. Se peleaban como sus padres, o peor aún. Con más crueldad y malicia.

—¡Callaos! —gritó el chico entonces—. ¡Parad de discutir!

No soportaba ver cómo las dos personas que él más había querido y admirado en el mundo se despellejaban ante sus ojos. Era mucho peor aún que el día en que perdió a Micha; mil veces mayores la decepción y el dolor. ¿Cómo se le había ocurrido obligarles a confesar sus mentiras? No se lo había imaginado así.

—Y tú, pequeño fisgón asqueroso —le soltó Ricky—. ¿Quién te ha dado permiso para revolver entre mis cosas, eh? ¿Puedes decirme qué clase de numerito has montado aquí?

El desprecio que vio en su cara era indescriptible.

Mark tragó saliva. Ya nada en ella era bonito, su rostro se había convertido en una máscara fea tras la que aparecía la persona que era en realidad: una egoísta desconsiderada, fría y sin corazón.

—Quiero..., quiero saber por qué me habéis mentido. —Luchaba desesperado contra las lágrimas que acudían a sus ojos—. Quiero que los dos me digáis la verdad.

Ricky se lo quedó mirando y sacudió la cabeza.

—¡Bah! —dijo, despectiva—. ¡Tú no estás bien de la cabeza! ¿Quién te crees que eres? ¿Piensas que te debo alguna explicación?

Hizo un gesto de desdén con la mano y soltó una risa burlona. Y entonces algo sucedió en el interior de Mark. Fue como si de repente se le accionara un interruptor. Había sucedido ya lo peor que podía haber imaginado, así que dejó de tener miedo, pero un odio frío empezó a hervir en él para sustituirlo. Toda su vida hasta ese momento había estado marcada por el temor a perder a alguien a quien quería: primero a sus padres, luego a Micha, por último a Yannis y a Ricky. Y de pronto había sucedido. Los había perdido a todos. Uno tras otro lo habían decepcionado, le habían mentido y lo habían dejado tirado. ¿Qué más debía temer? Todo le resultaba ya indiferente. Completamente indiferente.

—No pienso seguir escuchándote —dijo Ricky, decidida.

—Quédate donde estás —advirtió Mark.

—Basta ya de esta mierda.

Ricky sonaba cabreada. Alargó el brazo y tuvo la osadía de intentar arrebatarle la pistola.

Entonces Mark apretó el gatillo. La bala pasó rozándole el brazo y se clavó en la pared, junto a la puerta de entrada. El estrépito del tiro fue mucho mayor de lo que Mark había esperado.

—¿Estás tarado? —gritó Ricky, que se tambaleó hacia atrás—. ¡A ti te falta un tornillo pero de verdad, pequeño idiota! ¡Por poco me das!

—La próxima vez no fallaré, puedes creerme —le aseguró Mark.

El miedo en los ojos de ella hizo que se sintiera bien. Era casi como estar sentado frente a su ordenador. Solo que esta vez el arma que empuñaba era de verdad.

—¿Qué quiere decir que han retirado los coches patrulla?

—Es que tocaba el cambio de turno. Y luego hemos tenido que ir a una pelea en una de las escuelas de aquí cerca.

Pia tuvo que esforzarse para no gritar. Estaba enfadadísima. ¡La casa de Friederike Franzen llevaba casi tres horas sin vigilancia!

—Quiero que como mucho dentro de diez minutos haya dos coches patrulla en la casa —dijo con severidad—. Uno justo delante y otro en la pista de atrás. E informad si sucede cualquier cosa.

Colgó antes de que el agente de la Policía municipal de Königstein pudiera ponerle algún reparo.

—Imbéciles —masculló, cabreada.

El despacho del jefe no era práctico, así que se había trasladado otra vez a su escritorio.

—Pia, Frauke Hirtreiter me ha dado el número de móvil de Friederike Franzen —dijo Kathrin tras aparecer por el marco de la puerta—. Ya hemos solicitado información a su operador. También he presentado una petición para obtener el seguimiento del móvil de Mark Theissen.

—Muy bien. Además necesitaremos una lista detallada de llamadas, de ambos.

—Las recibiremos en la próxima media hora.

—Genial. Por favor, avisa a Christian Kröger para que venga.

—Ahora mismo.

—Ya hemos dado orden de busca contra Friederike Franzen —anunció Cem—. He averiguado la matrícula de su coche.

En el escritorio de enfrente, Kai hablaba por teléfono con la fiscalía para conseguir una orden de detención. Cem llamó después al instituto de Mark Theissen para saber si el chico se había presentado en clase. Por su casa no había pasado desde que había huido por el balcón, su madre estaba muy inquieta. Con la motocicleta roja no podía haber ido a ninguna parte, porque los municipales de Königstein la tenían custodiada desde el sábado.

Pia hojeó el expediente de Ludwig Hirtreiter y fue pasando revista mentalmente al sábado anterior. ¿Cómo no se había dado cuenta antes de que algo no cuadraba con Ricky Franzen? Se había comportado de una forma extraña. Su bolso no estaba en la cocina, sino en el coche. ¡Les había mentido! Además, era sorprendente lo deprisa que se había recuperado de su conmoción. ¿Por qué? ¿Con quién había hablado por teléfono? ¿Qué había entre ella y Mark Theissen?

—¿Querías hablar conmigo? —Kröger entró en el despacho.

—Hola, Christian. Gracias por venir tan rápido. —Pia se mordió el labio inferior, pensativa—. ¿Qué ha pasado con el informe sobre la escopeta que encontramos en casa de Frauke Hirtreiter? No lo encuentro en el expediente.

—Sigue en mi mesa. ¿Qué necesitas?

—¿Habéis encontrado huellas dactilares en el arma?

—Un montón. —Kröger arrugó la nariz—. ¿Por qué?

—Ahora pensamos que Friederike Franzen disparó a Ludwig Hirtreiter y luego ocultó el arma en casa de Frauke. Me ayudaría mucho que encontrarais sus huellas dactilares en la escopeta.

—¿Tenemos alguna huella suya para comparar?

—De momento no.

—Mark no está en el instituto, por supuesto —dijo Cem desde el escritorio de al lado—. ¿Qué hacemos ahora?

El teléfono de la mesa de Pia empezó a sonar a la vez que su móvil. ¡Henning! ¡Cómo se le ocurría llamarla precisamente en ese momento, después de cuatro días de silencio absoluto! Pia le pasó su móvil a Kröger.

—Ten —dijo, molesta—. Tu gran amigo. Pregúntale qué quiere, por favor.

Luego descolgó el auricular del fijo. Una voz exaltada le gritó algo al oído, y Pia tardó un momento en comprender que tenía al teléfono al jefe de los municipales de Königstein. Se le ensombreció el semblante mientras escuchaba sin decir nada.

–No puede ser cierto –dijo al final–. ¡Les he pedido explícitamente que esperasen delante de la casa! Sí... No... De eso nos ocupamos nosotros. Que cierren la calle y la pista, y un perímetro amplio. Dentro de un cuarto de hora estamos ahí.

Colgó y miró a sus compañeros.

–¿Qué ha ocurrido? –preguntó Kai, alarmado.

–Mark Theissen tiene a la señora Franzen como rehén en su casa –informó Pia con gravedad–. Acaba de disparar a un agente que ha llamado al timbre de la puerta.

Inspiró hondo y maldijo para sus adentros a Bodenstein, que se había largado de luna de miel con su ratoncito mentiroso, y luego en voz alta a los agentes que habían suspendido la vigilancia de la casa de Friederike Franzen sin autorización.

–Kai –dijo, y se levantó–, tú te encargas de avisar a todo el mundo. Las fuerzas especiales, ambulancia, psicólogo y qué sé yo. Cem y Kathrin, nosotros salimos ahora mismo.

–¿Vas a necesitarme a mí también? –preguntó Kröger.

–Claro. Siempre. Y no os olvidéis los chalecos. Nos encontramos dentro de tres minutos abajo, en el aparcamiento.

Se echó la mochila al hombro y se puso en marcha. Entonces se acordó de Henning.

–¿Qué quería ese? –Alargó la mano para recuperar su móvil.

–Ah, será mejor que te lo diga él mismo –dijo Kröger en una evasiva para responder.

–Anda, venga ya. ¿Qué pasa?

–Si lo he entendido bien, acaba de casarse en Inglaterra.

Todo había salido de maravilla. Oliver se había sentido un poco como en una película de espías al entrar en el pequeño banco privado del distrito financiero de Zúrich, donde se identificó con la contraseña «Climategate». Le autorizaron sin problemas a pasar a la cámara acorazada del sótano del edificio, y allí abrió la caja de seguridad y sacó el maletín negro. Diez minutos después ya estaba otra vez en la calle, con las rodillas temblándole y el corazón a cien por hora. Miró a su alrededor directamente, pero nadie le prestaba atención. A pesar de todo, se sintió aliviado cuando estuvo en la autopista, conduciendo de nuevo en dirección a Winterthur.

Una hora después había llegado a Constanza, y los aduaneros suizos y alemanes le indicaron con gestos que cruzara. Era la una en punto cuando entró en el aparcamiento del hotel Schiff, junto al lago, justo delante del muelle del transbordador. Annika lo había visto llegar y corrió hacia él. El corazón de Oliver se llenó de alegría al ver en su rostro el brillo de la tranquilidad. Un instante después cayó en sus brazos y lo besó.

—Ha sido muy emocionante —dijo sonriendo.

—¡Ay, Oliver! ¡No sé cómo podré llegar a agradecértelo!

—Esto no ha sido más que el primer paso —reflexionó él–. Me temo que la cosa se complicará bastante cuando tengamos que tratar con Störch y la gente de la Dirección Federal.

Annika lo soltó. La sonrisa desapareció de su rostro y dejó paso al desánimo. La leve brisa que venía del lago le alborotó el pelo. Se retiró un mechón tras la oreja.

—¿Qué haré si no soy capaz de desmentir sus pruebas? —susurró, y lo miró con los ojos muy abiertos–. Dirk tiene tanto poder y tanta influencia... Lo creo capaz de cualquier cosa para quitarme de en medio.

—Todavía vivimos en un Estado de derecho —dijo Oliver lleno de convencimiento, y abrió el maletero–. En nuestro país nadie acaba en la cárcel porque sí.

—Tú sigues teniendo fe en el Estado de derecho. —Annika suspiró–. Mi experiencia, por desgracia, es muy diferente.

A Oliver le dolió verla tan perdida y triste. Alargó la mano y le acarició la mejilla. Un día tan maravilloso como ese y con un escenario tan espléndido no debería acabar ensombrecido por pensamientos oscuros. La pesadilla de Annika terminaría pronto, y entonces tendrían todo el tiempo del mundo para disfrutar de agradables charlas y excursiones.

–Durante el trayecto he pensado que necesitarás un abogado que sea bueno de verdad –dijo el inspector jefe– y ya se me ha ocurrido alguien. Clasing. Es especialista en derecho penal, uno de los mejores de Alemania. Lo conocí hace años durante un caso y me debe un favor. Lo llamaré en cuanto volvamos, si te parece bien.

–Sí, claro que me parece bien. –Annika rozó el maletín con la punta de los dedos y enseguida retiró la mano con un escalofrío–. Por culpa del contenido de este maletín han muerto personas a quienes conocía. Todo esto es horrible.

–Vamos. –Oliver le pasó un brazo por los hombros y cerró con ímpetu la puerta del maletero–. Ahora hay que asegurarse de que no se nos escape el siguiente transbordador, y luego iremos a comer algo. Estoy muerto de hambre.

Ante el cordón que habían montado en la calle de la casa de Ricky ya se había reunido una muchedumbre. Pia se abrió paso hasta encontrar al jefe de operaciones.

–El chico ha abierto la puerta y se ha puesto a disparar –explicó exaltado Werner Sattler, inspector jefe de la Policía municipal de Königstein–. ¡Con total frialdad!

–¿Cómo está el agente? –se interesó Pia.

–No lo sé. Cuando se lo han llevado al hospital todavía hablaba. Por suerte llevaba puesto el chaleco antibalas. Si no, ya estaría muerto.

Pia miró hacia la casa. Todas las persianas estaban bajadas, en el aparcamiento cubierto se veían el BMW negro de Theodorakis y el Audi oscuro de Friederike Franzen. Christian Kröger discutía con unos compañeros y ordenó levantar un segundo cordón a unos cincuenta metros de la casa. Entonces llegó el Grupo de Fuerzas Especiales. La furgoneta oscura con lunas tintadas que debía hacer las veces de central de operaciones aparcó lo más cerca posible del primer cordón. Cem fue para allá con el teléfono en la oreja. Una ambulancia y un coche de bomberos aparecieron también en la calle.

—¿Cuánto tiempo llevan los dos en la casa? —preguntó Cem.

—No lo sé con exactitud. —Werner Sattler se encogió de hombros y se secó con un pañuelo la frente cubierta de sudor.

En la pequeña ciudad del Taunus nunca se había producido una crisis con rehenes, y el hombre estaba visiblemente sobrepasado.

—¿A qué hora se retiraron los coches patrulla? —siguió preguntando Cem.

—¡Cielo santo, ya sé que también eso fue un error! —soltó Sattler—. No me lo restriegue encima por las narices.

Pia abrió la boca para dedicarle un suculento reproche, pero su compañero fue más rápido que ella.

—No pretendía hacerlo —repuso con calma—, pero así podremos delimitar mejor el espacio de tiempo.

Sattler lo pensó un momento.

—Sobre las siete.

Y ya eran las doce y media. La casa había estado cinco horas y media sin vigilancia. Una error imperdonable.

—Deberíamos interrogar a los vecinos —propuso Cem—. Tal vez hayan visto algo.

—Buena idea. —Christian Kröger asintió en dirección a la casa de al lado—. Allí vive la experta en terrorismo de la urbanización. Me apuesto cincuenta euros a que se han pasado todo el día pegados a la ventana.

—Muy bien. —Cem sonrió un instante—. Pues me acercaré un momento.

—Christian —le dijo Pia a Kröger—. Pide que vayan a buscar a Frauke Hirtreiter. Y alguien debería ir a ver a Theodorakis al hospital. Necesito un plano exacto de la casa.

Kröger asintió y sacó su móvil. El jefe de la unidad de las fuerzas especiales se acercó. Pia conocía a Joe Schäfer de varias operaciones conjuntas y de unos cursos que él había dirigido en la Escuela de Policía. Era un chulo arrogante, pero el mejor hombre para esa misión.

—Buenas —le dijo a Pia, y se quitó las gafas de sol de espejo—. ¿Qué tenemos? ¿Cómo está el asunto?

Sus hombres, con sus chalecos negro antracita, los pasamontañas negros y los cascos negros de estilo marcial, se reunieron junto al vehículo de operaciones.

—Hola, Joe. Todavía no sabemos mucho.

Pia y Kröger lo siguieron al interior del vehículo, que estaba equipado hasta el techo con la tecnología más puntera, y allí explicaron al jefe de las fuerzas especiales y a su gente cuál era la situación que suponían en la casa, además de darles cuatro indicaciones sobre la zona.

—El secuestrador va armado y ya ha disparado a un agente —terminó de decir Pia—. Se trata de un chico de dieciséis años psicológicamente inestable. Debemos contar con que volverá a hacer uso del arma.

El jefe de la unidad de fuerzas especiales arrugó la frente, luego asintió y les dio unas instrucciones breves a sus hombres. Los dos francotiradores debían tomar posiciones en los tejados de la casa de enfrente y la de al lado, todos los demás agentes especiales se posicionarían delante y detrás de la casa de Friederike Franzen. Pia no les envidiaba su trabajo. No era ningún placer tener que pasarse horas inmóvil a veintiséis grados a la sombra y con todo el equipo antidisturbios puesto sin perder la concentración.

—¿Ha presentado ya alguna demanda? —preguntó Joe Schäfer.

—No, ninguna.

Cem entró en la furgoneta. Los vecinos, tal como había supuesto Kröger, habían visto todo lo que había sucedido esa mañana en la casa. Al contrario de lo que pensaban hasta entonces, Mark tenía a dos rehenes en su poder, ya que unas dos horas antes había llegado en taxi Yannis Theodorakis, en albornoz y zapatillas, y había entrado en la casa ayudándose de unas muletas. La señora Franzen se había presentado algo más tarde. Ya de buena mañana había metido a los caballos en sus remolques y se los había llevado, igual que a los demás animales que tenía en el jardín.

—Los padres de Mark acaban de llegar —añadió Cem para completar su informe—, y el psicólogo ya está aquí.

–Bien –dijo Pia–. Hablaré con los padres. Y luego llamaré a Mark al móvil.

–De acuerdo. –Joe Schäfer asintió.

Sonó el móvil de la inspectora: era Kai, que le comunicó que Friederike Franzen, según la información de su operador de telefonía, había llamado a Stefan Theissen el sábado. Pia tuvo que taparse la otra oreja, porque Schäfer y Cem también hablaban por teléfono.

–Y no fue la única ocasión en que hablaron, lo hacían bastante a menudo –informó Kai–. Cuatro veces solo el sábado: a las 7.12, a las 8.15, a las 9.45 y a las 14.32. También esta mañana se han llamado. Extraño, ¿verdad?

A Pia no le parecía tan extraño, puesto que confirmaba sus sospechas. Friederike Franzen no había sido atacada el sábado, de eso ya estaba más que convencida.

Potsdam, 31 de diciembre de 2008

Ya oscurecía y se oía algún petardo solitario. Ella, helada de frío, se ciñó más la cazadora alrededor de los hombros; sus zapatos crujían sobre la nieve. Se arrepintió de haber dejado el coche en el aparcamiento que había junto al puerto deportivo; había subestimado la distancia. Cuando por fin estuvo delante de la verja y miró por encima del césped nevado hacia la villa, cuyas grandes ventanas relucían acogedoras, estaba bañada en sudor. Se le encogió el corazón. Cerró las manos sobre los fríos barrotes y luchó por contener las lágrimas. Aquella debería haber sido su casa. Allí había deseado vivir con Dirk... ¡Y de pronto era esa Bettina la que vivía con él! La valla aún no estaba terminada y ella lo sabía, así que avanzó a lo largo del seto pelado hasta encontrar un lugar por el que pudo saltar sin mucho esfuerzo. El lago se veía inmóvil, los árboles alargaban sus ramas desnudas hacia el aire helado. Su respiración aparecía como una nubecilla ante su boca, pero de repente el odio inundó todo su cuerpo con tal ardor que creyó que la nieve se derretiría bajo sus pies. Su corazón clamaba venganza. Dirk le había mentido, la había engañado, había llevado a Cieran hasta Berlín, lo había matado y, encima, ¡pretendía culparla del asesinato para librarse de ella! En pocas zancadas se plantó ante la puerta de la casa y llamó al timbre.

—Ah, hola —dijo Bettina, extrañada—. ¡Esto sí que es una sorpresa!

Era más guapa de lo que ella recordaba. Melena oscura y brillante, figura perfecta, cutis suave y ligeramente bronceado.

—¿Está Dirk en casa? —preguntó.

—No.

Recelo en la mirada. Y miedo también.

—¿Puedo entrar y esperarlo?

—No, márchese.

¿Qué infames mentiras le habría contado sobre ella? Apartó a la mujer con brusquedad y entró en el gran vestíbulo luchando aún contra su odio. El enorme árbol de Navidad decorado estaba precioso y relucía de rojo y dorado; en el salón verde había una mesa larga espléndidamente vestida. Era evidente que esperaban invitados para celebrar con ellos la entrada del año. No podía soportar esa idea. Había pasado meses enteros en esa casa, con arquitectos, decoradores y obreros. Había supervisado la reforma, había convertido la ruina que era en una villa fastuosa. Noche tras noche había recorrido las salas con Dirk, comentando los avances de la obra. ¿Cómo iba a imaginar que él había proyectado todo aquello para otra mujer? El odio fue más poderoso, más demencial, más fuerte que todo lo demás. Esa mujer le había robado a Dirk.

—Llamaré a la Policía si no se marcha ahora mismo —oyó que decía la voz temerosa de Bettina tras ella.

Se volvió y la vio. Toda vestida de blanco, inmóvil sobre el suelo ajedrezado de mármol, alta y hermosa como la reina de los escaques. Y ella... ¿quién era? ¿El peón que había que sacrificar?

Más tarde ya no recordaría cómo había sucedido, pero de repente tenía el atizador en la mano y vio sangre en la cara perfecta de Bettina. Mucha sangre. Sí recordaba la expresión de sorpresa en sus ojos de muñeca, azules como los de un niño; recordaba añicos de porcelana y cristal. Recuerdos borrosos de velas titilantes, de la cera caliente sobre sus dedos fríos, del árbol que ardía como una antorcha. Y ella allí, de pie, fascinada a la vez que asqueada.

La casa no sería nunca para esa mujer que había destruido todo lo maravilloso, que se había entrometido entre Dirk y ella. A su espalda, el cristal de una ventana reventó con gran estrépito, luego otro. Alimentado por el oxígeno, el fuego se transformó en un infierno.

—Te deseo un feliz año nuevo —le dijo a Bettina.

Saltó por encima de ella y se dirigió a la puerta.

El 31 de diciembre de 2008 sería un día absolutamente inolvidable para Dirk Eisenhut; de eso ya se había encargado ella.

El móvil de Mark estaba apagado, igual que los teléfonos de Yannis Theodorakis y Friederike Franzen. Frauke Hirtreiter había llegado y les había dibujado un plano esquemático del interior de la casa, que los de fuerzas especiales estaban estudiando. También Nicola Engel había aparecido y se había adjudicado la dirección de la acción. En ese momento discutían sobre cuál era la mejor forma de entrar en la casa para poder reducir al secuestrador sin herirlo: si con granadas aturdidoras o con gas lacrimógeno.

—Pero no tenemos ni idea de dónde se encuentra —intervino Pia.

—Eso importa poco —repuso Joe Schäfer desde su altura—. La casa no es tan grande, y no es la primera vez que hacemos algo así.

—Pero yo me opongo —insistió la inspectora con vehemencia—. Primero deberíamos hablar con Mark.

El chico estaba muy traumatizado. Lo que sus padres y Frauke Hirtreiter acababan de explicarle a la inspectora le había hecho comprender la situación emocional límite en que debía de encontrarse. Lo que nadie sabía era qué había provocado finalmente que tomara como rehenes a las dos personas a quienes admiraba por encima de todo.

—Intentémoslo por la línea fija —propuso Pia.

No le pasó por alto la mirada de exasperación que Schäfer cruzó con sus dos hombres. Ellos preferían la solución rápida, pero a ella le parecía demasiado arriesgado, podía poner en peligro la vida de los dos rehenes.

El psicólogo de la Policía marcó el número que le dictó Frauke y esperó, tenso, mientras sonaba el tono de llamada. Saltó el contestador automático, pero el mensaje se interrumpió a la mitad.

—¿Sí?

—Mark, soy Günther Reul. Soy psicólogo y quiero hablar contigo.

—No tengo nada que decirles.

—Estamos muy preocupados por ti. Tus padres están aquí también. ¿Quieres hablar con ellos?

Pia se percató de la mirada desesperada del padre de Mark. Su mujer y él estaban sentados en un asiento de la parte trasera del furgón.

—No, mejor que no se metan —repuso el chico con crudeza—. ¿Está ahí la mujer con la que hablé el sábado?

—¿A qué mujer te refieres? —preguntó el psicólogo.

—La poli rubia —dijo la voz de Mark por el altavoz—. Que venga.

A Pia le dio un vuelco el corazón del susto. No había contado con eso.

—Pero, Mark, es que no está... —empezó a decir el psicólogo.

—Quiero a esa mujer —insistió el chico—. A nadie más. Y que traiga un par de latas de Red Bull. Dentro de diez minutos en la puerta de la casa.

Dicho eso, colgó. El psicólogo de la Policía torció el gesto, resignado.

—De eso ni hablar —negó categóricamente la comisaria jefe—. La inspectora Kirchhoff no entrará en la casa bajo ningún concepto.

—¿Y qué quiere que hagamos, si no? —repuso Pia—. Además, no creo que Mark vaya a hacerme nada.

—No está usted formada para algo así. —El psicólogo se había ofendido.

Los de las fuerzas especiales argumentaban, y con razón, que el chico podía ser peligroso. Pia no estaba ni mucho menos entusiasmada con la idea de hacerse la heroína y ponerse voluntariamente en manos de un adolescente desequilibrado y armado, pero no creía que hubiese alternativa. De algún modo tendría que tranquilizar al chico y convencerlo para que le entregara el arma antes de que acabara provocando un baño de sangre y destrozara el resto de su vida.

El viaje de regreso a Frankfurt transcurrió sin problemas hasta Würzburg, pero después encontraron retenciones de tráfico cada pocos kilómetros y ya solo avanzaron a velocidad de peatón. Oliver miró un momento a Annika. Durante la comida había estado de muy buen humor, contenta de verdad. Al inspector jefe le habría gustado proponerle no seguir camino hacia Königstein. La perspectiva de pasar una noche más con ella antes de tener que entregarla a sus compañeros había sido muy tentadora, pero después se había impuesto la razón. Annika estaba convencida de que su padrastro habría informado a Dirk Eisenhut inmediatamente de que habían estado allí, y por eso el peligro de que pudieran encontrarlos crecía hora a hora. Hacía un buen rato que apenas había dicho palabra, su rostro tenso se había quedado sin color.

—Esta misma noche iremos a ver a Clasing y le entregaremos el maletín. —Oliver dejó caer su mano sobre la de ella—. Él pondrá a salvo los documentos.

Le resultaba un alivio enorme que Florian Clasing enseguida se hubiese mostrado dispuesto a hacerse cargo del caso de Annika. Era uno de los abogados defensores con mejor reputación de Frankfurt. Hasta que se supiera con claridad de qué se la acusaba, sin embargo, ella debía seguir en un escondite seguro. También para eso tenía Clasing una idea, pero evidentemente no se la había transmitido por teléfono. Un par de semanas más, que pasarían con rapidez, confiaba Oliver.

«… donde un agente de la Policía ha resultado herido de gravedad por impacto de bala —decía el reportero de la radio, y

Oliver prestó atención–. Hasta el momento, la Policía no ha dado información sobre cuántas personas se encuentran como rehenes en poder de quien parece ser un chico de dieciséis años de edad. El agente herido ha sido trasladado al hospital y por el momento no se sabe nada sobre su estado. Desde Königstein, Daniel Keppler para Radio FFH.»

¿Un chico de dieciséis años en Königstein? A Oliver se le encogió el estómago.

–Dios mío –dijo, y buscó su móvil, que había apagado por miedo a que pudieran rastrearlos.

Annika se irguió en el asiento del copiloto y le lanzó una mirada de preocupación.

–¿Qué haces? –preguntó.

–Tengo que llamar a Pia –contestó el inspector jefe, y marcó el PIN.

Unos segundos después, el aparato emitió varios tonos. Siete mensajes en el buzón de voz, veinticinco llamadas, tres mensajes de texto. Ya los escucharía y leería más tarde.

Los hombres de las fuerzas especiales habían ocupado posiciones alrededor de la casa y sobre los tejados de los edificios vecinos; ya habían acordado un procedimiento. Un técnico del equipo había instalado un micrófono en la correa de cuero del reloj de pulsera de Pia. La inspectora tenía que estudiar la situación en el interior de la casa y fingir que accedía a las exigencias del chico. En caso de que no consiguiera controlar la situación, las fuerzas especiales tomarían la casa por asalto al cabo de media hora, a más tardar. La madre de Mark lloraba en voz baja, su padre estaba sentado a su lado, encorvado hacia delante y con la cara oculta entre las manos. Por mucho que hubieran hecho o dejado de hacer, para ellos debía de ser horrible oír a los agentes acordar con profesionalidad que en caso de emergencia dispararían a su hijo.

Cuando Pia salió del vehículo de operaciones le sonó el móvil. ¡Christoph! Por un instante pensó si debía contestar o no.

—Ahora no es muy buen momento —dijo—. Todavía sigo en la operación. ¿Dónde estás?

—De camino a casa. Acabo de oír por la radio que alguien ha tomado rehenes en Schneidhain —contestó Christoph—. Por favor, dime que no tienes nada que ver.

—Sí —repuso ella—. Por desgracia.

Él calló unos segundos.

—¿Es peligroso? —quiso saber después, con la voz tensa.

Pia no se atrevió a decirle la verdad.

—Para mí no —mintió.

—Vale —dijo Christoph—. Pues mucha suerte.

Apenas hubo colgado, el teléfono volvió a sonar. ¡Bodenstein! Para él sí que no tenía ni un segundo. Le pasó el móvil a Christian Kröger y le pidió que le explicara la situación al inspector jefe. Tal vez consiguiera despegarse por fin dos minutos de su querida Annika y acercarse allí.

Agarró el pack de seis latas de Red Bull que un agente había ido a comprar a la gasolinera y se lo puso bajo el brazo. Después respiró hondo y cruzó con decisión la calle, que parecía yacer muerta bajo el inclemente sol del mediodía. El corazón le latía con fuerza mientras entraba en el pequeño jardín, subía los dos escalones de la puerta y llamaba al timbre. La sensación de que en ese instante había por lo menos tres francotiradores contemplando por sus miras de precisión hasta la última gota de sudor de su cara era bastante jodida.

La estaba esperando justo detrás de la puerta de entrada y la cacheó por encima con una mano; con la otra sostenía la pistola. Pia casi no se atrevía a respirar, pero el chico no encontró el minúsculo micrófono que llevaba en el reloj de pulsera. Tal vez no había pensado que pudiera ir cableada, o le daba igual. Mark llevaba la misma camiseta con que lo había visto el domingo, cuando saltó por el balcón, y olía a sudor rancio. Con una mano abrió una de las latas que le había entregado la inspectora, se sentó y se la bebió de un tirón.

–¿Dónde están la señora Franzen y el señor Theodorakis? –preguntó Pia, y miró a su alrededor.

El ambiente en la casa era asfixiante, hacía mucho calor y la oscuridad era casi total. Solo por los cristales laterales de la puerta de entrada se colaba algo de luz desde el exterior.

–En la cocina. Y otra cosa... –El chico tiró la lata vacía al suelo sin ningún reparo–. Nada de rollos psicológicos, ¿vale? Solo quiero acabar con esto y que no le pase nada a nadie. Pero, si entran los de las fuerzas especiales, habrá una desgracia. ¿Entendido?

–Sí, entendido –confirmó Pia.

Mark se había transformado desde que habló con él el día anterior. Sus rasgos suaves e infantiles parecían duros, como si de la noche a la mañana hubiese envejecido diez años. Sin embargo, era sobre todo esa expresión tenebrosa de sus ojos lo que preocupaba a la inspectora. ¿Había tomado alguna clase de droga? Antes de entrar estaba segura de que conseguiría convencer a Mark para que se entregara con argumentos sensatos; de repente comprendió que sería inútil.

Durante sus años de trabajo en la Policía, Pia había visto muchas veces esos ojos entumecidos, los ojos de personas a quienes todo les daba igual porque ya no tenían nada que perder.

La cosa no pintaba bien para los dos rehenes, y ellos parecían saberlo. Theodorakis solo tenía las manos atadas tras el respaldo de la silla, pero aun así su pierna escayolada le impedía levantarse y atacar a Mark. Sin embargo, la forma horrible y humillante en la que estaba maniatada Friederike Franzen hizo comprender a la inspectora el odio insondable y el deseo de venganza que debía de sentir el chaval.

Mark había volcado la pesada mesa de la cocina y había atado a la mujer contra el tablón, con los brazos extendidos de tal manera que parecía que la hubieran crucificado. Tenía los ojos vendados, una cuerda de tender la ropa ascendía tirante desde de su nuca hasta la parte de atrás de la mesa, y en el cuello llevaba un collar con una cajita.

–¿Es esto necesario? –preguntó Pia en voz baja.

—Es que tiene mucha fuerza —repuso Mark—. He tenido que dejarla fuera de combate para luego poder atarla. —Evitaba mirar a la inspectora—. Ahí encima hay una cámara. Usted filma.

—¿Qué tengo que filmar?

—Ya lo verá. —Se sentó en una silla, abrió una segunda lata de Red Bull y la vació igual de deprisa que la primera—. ¿Está preparada?

Habla con él, pensó Pia. Tal vez podía convencerlo de alguna forma.

—¿Por qué haces esto, Mark? —preguntó entonces—. ¿Qué te propones?

—Le he dicho que nada de rollos psicológicos —la interrumpió el chico.

Pia se hizo con la cámara digital y la encendió. Le repugnaba profundamente obedecer de brazos cruzados las instrucciones del chico, pero de momento no tenía más remedio si no quería poner en peligro la vida de los rehenes. La lucecita roja parpadeó y ella movió la cámara hasta que por el monitor vio que tenía a la mujer en plano.

—La cámara está grabando —informó.

En lugar de contestar, Mark apretó un mando a distancia. Fue entonces cuando Pia, horrorizada, comprendió qué clase de collar era aquel. Friederike Franzen se sacudió y profirió un grito espantoso y resollante cuando la descarga eléctrica le atravesó el cuello sin previo aviso. Tragó saliva, pero no se atrevió a mover la cabeza, tal vez por miedo a que la cuerda de la ropa la estrangulara.

—Un collar eléctrico —comentó Mark—. A Ricky le gusta utilizarlo en la escuela canina. A mí me parece horrible, pero ella siempre dice que a los perros no les duele.

—Deja eso —dijo Pia, severa.

—No —replicó Mark, y por fin la miró. El labio inferior le temblaba un poco—. Solo quiero saber la verdad. Y así, por lo menos, ya no me mentirá más.

La calle estaba cerrada a quinientos metros de la casa donde Mark Theissen se había atrincherado con sus rehenes. Curiosos, vecinos y periodistas se apretaban al otro lado del cordón policial, custodiado por agentes de mirada cruda. Tras ellos estaban aparcados los vehículos operativos: ambulancias, camiones de bomberos, furgones de efectivos de las fuerzas especiales, coches patrulla. Oliver no había tenido tiempo de llevar a Annika a Frankfurt, con Clasing. La perspectiva de dejarla sola no le resultaba agradable, pero tendría que quedarse esperándolo en el coche. El riesgo de que alguien la reconociera era demasiado elevado.

Estaba sacando su identificación policial cuando alguien gritó su nombre.

—Hola, Christoph —saludó al novio de Pia, que llevaba la preocupación escrita en la cara.

—¿Qué está pasando? —quiso saber el director de zoo. Estaba visiblemente indignado—. ¿Por qué tardan tanto? ¿Dónde está Pia?

—Tampoco yo lo sé —respondió Oliver—. Acabo de llegar. Lo único que me han dicho es que parece tratarse de una toma de rehenes.

—Hasta ahí llego yo también —contestó Christoph de mala manera—. Pia me ha asegurado hace un rato que no había peligro para ella, pero no la veo por ninguna parte.

El inspector jefe comprendió que no sospechaba cuál era la misión de la inspectora. Seguramente ella misma se lo había ocultado porque sabía que reaccionaría mal si sabía que se había puesto en peligro... y, en efecto, no había situación más peligrosa que la de ponerse en manos de un secuestrador armado.

—Voy a informarme —contestó, cortante él también—. Espera aquí.

—No quiero esperar. Quiero saber qué pasa con Pia —insistió.

—Pero yo no puedo... —empezó a decir Oliver.

Sin embargo, Christoph lo interrumpió con impaciencia:

—Claro que puedes. ¿Y bien?

El inspector jefe suspiró y le indicó al agente que vigilaba el cordón que dejara pasar a Christoph, aunque sabía lo impulsivo que podía llegar a ser. Oliver miró a su alrededor. Había francotiradores apostados en los tejados de las casas colindantes; otros estaban ocultos, acuclillados tras arbustos y coches.

—¡Jefe! —Kathrin Fachinger se separó de un grupo de personas que había junto a la puerta abierta de una furgoneta de operaciones y se acercó a él—. ¡Gracias a Dios que has llegado!

—¿Qué ha ocurrido? —quiso saber Oliver.

—Mark Theissen está en la casa y tiene a la señora Franzen y al señor Theodorakis como rehenes. Va armado y ya ha disparado a un agente.

—¿Qué exige?

—Nada.

—¿Cómo que nada? —El inspector jefe arrugó la frente—. Alguna petición habrá hecho.

—Ninguna. Solo quería que entrara Pia, y ahora...

Oliver oyó cómo Christoph, tras él, inspiraba con brusquedad.

—¿Pia está en la casa? —preguntó haciéndose el sorprendido, aunque ya lo sabía.

—Sí, está bien. Le hemos puesto un micrófono y podemos oír hasta la última palabra que dicen ahí dentro.

—Quiero hablar con ella —dijo Christoph, decidido.

—No, eso no puede ser —repuso Oliver, que se lo había visto venir—. Solo la distraerías. Es peligroso.

—Ah, ¿y meterse en una casa con un loco armado no es peligroso? —se rebeló él. Le brillaban los ojos y apretaba los puños con impotencia.

—Pia sabe lo que hace —le aseguró el inspector jefe.

—¡Eso me importa una mierda! —exclamó el hombre, furioso.

—Christoph, por favor —intentó tranquilizarlo Oliver, y le puso una mano en el brazo—. Que ahora tú pierdas los nervios no va a ayudar a nadie.

—No estoy perdiendo los nervios. —Christoph se quitó de encima su mano—. Solo me preocupo, y creo que con razón.

Oliver entró en el vehículo de operaciones y saludó con la cabeza a Nicola Engel, Cem, Kröger y Ostermann. En el asiento de más atrás estaban los padres de Mark. Stefan Theissen seguía con el rostro hundido entre las manos, mientras su mujer lloraba en voz baja. Junto a ella estaba sentado el psicólogo de la Policía, que le sostenía la mano.

—Venga aquí, Bodenstein —dijo la comisaria jefe sin levantar la voz—. Escuche esto.

El inspector jefe se sentó entre ella y el técnico.

«... nunca estudié ingeniería aeroespacial en Estados Unidos —decía la voz llorosa y poco inteligible de Friederike Franzen por el altavoz—. Mis padres tampoco son ricos, y nunca heredaré mucho dinero. Yo... solo lo dije para..., para darme importancia e impresionar a Yannis.»

—¿Qué es eso? —preguntó Oliver a media voz.

—Los está obligando a los dos a confesar sus mentiras —respondió su jefa sin hablar muy alto tampoco—. Kirchhoff tiene que grabarlo todo. Hace casi dos horas que están así, sobre todo son tonterías de su vida privada. Quién ha engañado a quién y con quién, esa clase de cosas.

De repente se oyó la voz de Pia.

«Señora Franzen. ¿Qué sucedió de verdad el sábado, durante el ataque que sufrió en su casa?»

En la furgoneta todos se irguieron automáticamente y contuvieron la respiración. Por el altavoz se oyeron sollozos.

«Fue... Solo fue fingido —contestó Ricky—. Tu padre quería los documentos y los informes periciales que tenía Yannis...»

«Eso no me interesa», la interrumpió Mark.

—¿Dónde has estado? —le preguntó la jefa a Oliver entre murmullos.

—Después te lo explico.

—Störch me está presionando. Cree que sabes dónde se encuentra esa tal Sommerfeld. —Lo miró con intensidad—. ¿Tiene razón?

Bodenstein dudó.

—Sí, tiene razón —contestó entonces—. Sé dónde está, pero no pienso decírselo.

—¿Te has vuelto loco, Oliver? —murmuró Nicola Engel—. ¡A esa mujer la buscan por asesinato! Si la encubres...

—No es ninguna asesina —la cortó él—. Se trata de mucho más que de esas dos muertes. Pero te lo explicaré más adelante, te lo prometo.

Ella le dirigió una mirada crítica y luego se encogió de hombros.

—Espero que tengas argumentos buenos de verdad. Porque, si no, no podré seguir protegiéndote.

—Los tengo —repuso Oliver.

En la casa seguían hablando de cosas poco interesantes. Los minutos se convertían en horas, el calor del oscuro interior de la furgoneta era casi insoportable.

—¿Cuánto más va a durar esto? —murmuró el jefe de las fuerzas especiales.

—Me da igual —contestó Nicola Engel—. Si acaba sin derramamiento de sangre, por mí como si se alarga diez horas más.

«¿Te acostaste con Nika?», se oyó preguntar en ese momento a la voz de Mark por el altavoz.

Oliver, que empezaba a tener problemas para concentrarse, se estremeció de pronto.

«Sí, nos acostamos —contestó Theodorakis—. Se enamoró de mí y empezó a acosarme. Se paseaba desnuda por ahí cuando Ricky no estaba. En algún momento ya no pude evitarlo.»

El inspector jefe tuvo que tragar saliva. Fue como si de repente se abriera un abismo sombrío delante de él. ¡No podía ser cierto! ¿Annika se había acostado con ese tipo? ¿No le había explicado varias veces lo absolutamente repugnante que le había parecido desde el principio? De pronto sintió celos, pero no dudó de las palabras de Theodorakis, que tenía una pistola cargada ante los ojos. De modo que Annika le había mentido. Pero ¿por qué?

¿Qué había ocurrido en las últimas veinticuatro horas que había desestabilizado tanto a Mark? Mientras Pia, obediente, enfocaba con la cámara a Ricky o a Yannis, también observaba al chico con el rabillo del ojo y le daba vueltas a esa pregunta. En la aparente impasibilidad de Mark aparecían grietas cada vez más profundas cuanto más hablaban Yannis y Ricky. Y esos dos hablaban sin parar. Mark le había quitado la venda de los ojos a Ricky, y tanto Yannis como ella estaban vomitando todo lo que llevaban dentro con la mirada puesta en el cañón de la pistola y evidenciando así su egoísmo despiadado y su desprecio, tanto mutuo como por el prójimo. Era repugnante.

Yannis confesó haberse aprovechado de Mark para sus acciones contra el parque eólico después de enterarse de quién era su padre. Reconoció sin ambages que era un egocéntrico rematado, un mentiroso de mierda y un cerdo. Ricky admitió que se había dejado sobornar por el padre de Mark, y también que destruyó las firmas y saboteó el trabajo de la iniciativa ciudadana a cambio de dinero.

Mark los escuchaba con un semblante inalterable, pero su mirada se había avivado y ya no estaba entumecida. Pia no se atrevía a juzgar si eso era buena o mala señal. Lo único cierto era que el chico tenía en la mano una pistola a la que había retirado el seguro, que se había bebido varias latas de refresco excitante y que podía perder el control de sus emociones en cualquier momento. La inspectora todavía no tenía muy claro qué se proponía con ese «tribunal», como él lo llamaba.

—¿Te acostaste con Nika? —preguntó Mark.

—Sí, nos acostamos —reconoció Yannis.

Tenía la cara blanca como la pared, sudaba muchísimo y el ojo que no se le había hinchado brillaba de una forma muy poco natural. Debía de tener fiebre.

—¿Por qué? —siguió preguntando Mark.

—Se enamoró de mí y empezó a acosarme —dijo Yannis—. Se paseaba desnuda por ahí cuando Ricky no estaba. En algún momento ya no pude evitarlo. Además, reconozco que esperaba que pudiera servirme de algo, porque es experta en peritajes eólicos y esas cosas.

—Pero tú siempre decías que querías a Ricky. Eso era mentira, ¿verdad?

—Hace un tiempo sí estuve enamorado de ella, pero cada vez menos. Últimamente ya solo me parecía desquiciante. —Cambió de postura sobre la incómoda silla y gimió—. Tengo sed. Por favor, tengo que beber algo.

Mark no hizo caso de eso.

—¿Y tú? —preguntó, en cambio, volviéndose hacia Ricky—. ¿Querías a Yannis?

Friederike Franzen estaba al borde del desmayo. Las horas en esa postura forzada, el miedo atroz, la humillación..., todo aquello la había agotado. Pia sintió compasión por ella, a pesar de lo que pudiera haber hecho.

—Al..., al principio sí, p..., pero luego n..., ya no —tartamudeó.

Mark no había vuelto a utilizar el collar eléctrico, pero aún tenía el mando a distancia en la mano.

—Entonces, ¿por qué le decías que lo querías?

—Porque..., porque... eso... es lo que se dice siempre.

El chico saltó de la silla, se acercó muchísimo a Ricky y la encañonó con el arma entre los pechos.

—No, no es lo que se dice siempre. —Sacudió la cabeza con fuerza y por fin sacó lo que había estado hirviendo en su interior—. ¡Yo creí que me querías! ¡Siempre he confiado en ti! Y ¿cómo me lo pagas? ¡Mientes, mientes y mientes! ¿Por qué lo has hecho? ¿Por qué? ¿Por qué me haces tanto daño? ¡No lo entiendo!

De repente empezaron a caerle las lágrimas.

—¿Por qué pretendías largarte así, sin decirme nada? —gritó—. ¿Por qué has aceptado dinero de mi padre? ¿Cómo se te ocurre destruir todo lo que era bonito?

Pia comprendió entonces. Mark se había dado cuenta de que lo habían utilizado y le habían mentido, y de pronto su admiración infinita se había transformado en odio.

Yannis gemía en voz baja; Ricky, por el contrario, jadeaba de miedo.

—Mark... Mark, por favor, por favor —susurró con voz ronca a la vez que ponía unos ojos desorbitados—. ¡No me hagas nada, por favor! Ya..., ya sé qué lo he hecho todo mal... ¡Lo siento mucho! Siem..., siempre pienso solo en mí... ¡Pero recuerda todo lo bonito que hemos vivido juntos!

—¡Cierra la boca, cierra la puta boca! —vociferó Mark soltando un gallo—. ¡No quiero oír eso!

Cayó de rodillas delante de ella y se echó a llorar con desesperación.

—¡Mataste al tío Rolf! —aulló—. ¡Y luego te largaste y no me ayudaste! ¿Por qué me habéis dejado todos tirado?

Ahora sí que esto se pone peligroso, pensó Pia. El joven estaba a punto de sufrir una crisis nerviosa; como perdiera del todo la cabeza, habría víctimas. Pensó febrilmente qué hacer. Si intentaba arrebatarle el arma y no lo conseguía a la primera, aún empeoraría más la situación. La cámara no era lo bastante pesada para derribarlo con ella. Tenía que haber otro modo para intentar que entrara en razón.

—¿Mató usted a Rolf Grossmann? —le preguntó a Friederike Franzen—. ¿Cómo sucedió eso?

Mark se volvió de pronto y miró a Pia con sorpresa, como si por un momento hubiera olvidado que estaba allí.

—Con la pistola eléctrica —susurró sin fuerzas el chico—. Yo entré por el aparcamiento subterráneo y le abrí a ella por la escalera de incendios. De repente el tío Rolf subió por la escalera y ella..., ella le..., le apretó la pistola eléctrica... en el pecho. Yo... lo intenté todo, pero..., pero ya... De pronto ya estaba muerto.

—Sabemos que lo intentaste todo para salvarlo, Mark. No pudiste evitarlo.

—Pero..., pero usted me dijo el sábado que yo tenía la culpa de que el tío Rolf hubiese muerto de un ataque al corazón...

Se había arrodillado en el suelo, su mirada vagaba por la penumbra de la cocina.

—Entonces todavía no sabía lo que había hecho Ricky —se apresuró a contestar Pia—. Sí sabía, por el informe de la autopsia, que alguien intentó reanimarlo.

La inspectora se arriesgó a mirar un momento su reloj de pulsera. ¡Ya eran las siete menos cuarto! Llevaba más de tres horas allí dentro, Mark y sus rehenes mucho más, y con cada minuto que pasaba la situación se volvía más impredecible. A esas alturas, cualquier pequeñez podía ser el desencadenante de un disparo. Eso debía impedirlo a toda costa. En realidad Mark Theissen no era el culpable, sino la víctima. Y daba lo mismo cómo acabara ese día; de cualquier forma, el chico tendría que expiarlo el resto de su vida.

Instituto Climatológico de Alemania, 31 de diciembre de 2008

El intenso olor a humo le había impregnado el cabello y la ropa, pero no le molestaba. Al contrario. La llenaba de una profunda satisfacción. Aquella bruja se merecía la casa tan poco como Dirk. Era cierto que él la había pagado, pero ella la había encontrado y la había convertido en lo que era. O, mejor dicho, en lo que había sido.

Ahuyentó el recuerdo de Bettina y se concentró en su trabajo. En el instituto ya no quedaba ni un alma a esas horas del día de Nochevieja, así que en realidad tenía todo el tiempo del mundo, pero no podía dejar ningún cabo suelto y por eso se dio prisa. Dirk no le había quitado el acceso a las cuentas ni había cambiado las contraseñas, y las listas de números de autorización de transacciones seguían en el archivador que acababa de sacar de la caja fuerte. La gestión de las cuentas secretas, de todas formas, se la había traspasado por completo a ella. Seguramente para poder cargarla con toda la responsabilidad en caso de que algún día se supiera algo. Durante los días siguientes, Dirk tendría otras prioridades y no se pondría a controlar los saldos. Sonrió con malicia. Bueno, otra cosa hecha. Después de apagar el ordenador, se levantó, fue a la caja fuerte y guardó otra vez el archivador. Luego metió con cuidado los fajos de billetes de quinientos euros en su bolso. Doscientos cincuenta mil euros que habían estado esperando en secreto a caer en el bolsillo de algún político o algún competidor. Cerró la caja fuerte y salió del despacho del profesor Dirk Eisenhut sin mirar atrás ni una sola vez.

–¿Cuánto tiempo tenemos que seguir escuchando? –protestó Joe Schäfer por enésima vez–. ¡Ese chico explotará en cualquier instante y entonces será demasiado tarde!

–No puedo hacerme responsable de una intervención en este momento –contestó la comisaria jefe Engel con el mismo tono de voz.

Incluso los profesionales tenían los nervios a flor de piel.

–¿Cuándo, entonces? ¿Cuándo ya haya disparado?

–No, cuando la inspectora Kirchhoff dé la señal convenida.

Los dos se miraron como dos gallos de pelea, pero Oliver estaba demasiado absorto en sus cosas para mediar entre ellos. Mientras la situación se iba agravando en el interior de la casa, él luchaba contra el estúpido deseo de salir corriendo al coche para hablar con Annika. Era infantil, pero de repente no conseguía acallar las dudas que Pia le había expresado hacía dos días. Annika le había mentido. ¿Solo en ese punto? A pesar del calor sofocante que hacía en la furgoneta, sintió un escalofrío.

–¿Podrían estarse callados, por favor? –pidió el técnico, que accionó el control del volumen–. No entiendo lo que dicen.

La comisaria jefe y Joe Schäfer callaron enseguida, y Oliver se obligó a posponer momentáneamente sus sentimientos. Pia estaba en peligro y eso era lo que importaba. Ya habría tiempo para todo lo demás.

«No dice más que mentiras. –La voz de Mark sonaba llorosa–. En la tienda les mentía a los clientes, en el refugio de animales mentía a los dueños... y en algún momento también yo empecé a mentir. Es como una enfermedad, una epidemia. Se contagia...»

«La batería de la cámara está a punto de acabarse», dijo Pia en el silencio.

«Pues terminaremos ya», repuso Mark.

—¿Está loca? —soltó Joe Schäfer—. ¿Cómo puede presionar tanto al chico?

En la furgoneta todo el mundo contuvo la respiración. Ya era demasiado tarde para una intervención desde el exterior.

«Mark, por favor, no hagas algo que no debes. Ricky no lo vale. De todas formas irá a la cárcel muchos años. Y, créeme, para ella eso es muchísimo peor que si ahora le disparas.» La voz de Pia seguía admirablemente tranquila.

Silencio. Nadie se atrevía a respirar. Esperaban gritos y disparos, pero no sucedía nada. ¿Tenía Pia controlada la situación?

«¿Por qué..., por qué irá a la cárcel?», preguntó Mark al cabo de un rato.

Se notaba que estaba desconcertado. No había perdido la cabeza del todo, aún era capaz de reflexionar. Un minúscula esperanza.

«Dame la pistola —contestó Pia—, y te lo diré.»

Mark la miró. El deseo de confiar en ella luchaba en su fuero interno contra el miedo a que lo engañaran otra vez. Tenía gotas de sudor sobre el labio superior; también Pia estaba empapada y sentía la garganta reseca. Ansiaba un poco de aire fresco y un vaso de agua helada. El brazo izquierdo le dolía, y los dedos, que llevaban horas aferrando la cámara, le resbalaban sobre el aparato. El joven vaciló.

—¿Qué me pasará si salgo de aquí? —preguntó de pronto con inseguridad—. ¿Me dispararán?

—No, no lo harán, te lo aseguro. —Pia sacudió la cabeza—. Te detendrán y seguramente no serán muy amables contigo. También te harán un montón de preguntas, por supuesto. Has disparado a un agente de Policía, así que recibirás un castigo. Pero si me entregas la pistola, lo tendrán en cuenta a la hora de fijar la pena. Te lo prometo.

El chico se mordió el labio sin saber qué hacer, sopesándolo. Entonces dejó caer a un costado la mano que sostenía el arma. Pia lo miró con atención. El corazón le latía con fuerza. Era el momento decisivo.

—Mark —insistió—, por favor, confía en mí. Ahora puedes hacerlo todo bien o todo mal.

Alargó la mano hacia la pistola.

—Yo no quería herir a nadie —susurró Mark con la voz rota—. De verdad.

—Te creo.

Pia sintió que el sudor le corría por la espalda. Tuvo que obligarse a seguir tranquila, a no insistirle. La nevera traqueteó. Yannis gimió, esta vez más fuerte. Había cerrado los ojos y le temblaba todo el cuerpo. Ricky no se movía, sus ojos miraban como hipnotizados el arma en la mano de Mark.

—Tenga —dijo el chico de pronto, y le alcanzó la pistola a Pia.

A la inspectora le temblaron las rodillas de alivio.

—Gracias por haber venido usted y no haber enviado a nadie de las fuerzas especiales o algo así —siguió diciendo Mark en voz baja. Una sonrisa vacilante apareció en su rostro—. Siempre me han mentido. De una forma u otra, todos me mienten. He sido un idiota.

—No has sido idiota —repuso la inspectora—, solo confiaste en ellos.

—Creo que nunca confiaré en nadie más —masculló él.

Pia le puso una mano en el hombro.

—Por desgracia, la mayoría de las personas mienten —dijo—. Eso duele porque uno se siente muy decepcionado. También a mí me ha pasado muchas veces. Pero al final se aprende a vivir con ello y a reconocer a los mentirosos.

Mark soltó un profundo suspiro.

—Mis padres estarán cabreadísimos conmigo. —De repente parecía inseguro y temeroso—. Solo les he dado disgustos.

—No creo que se enfaden. —Pia le acarició el brazo—. Seguro que se alegran de que no te haya pasado nada.

—¿Usted cree?

—Sí, lo creo.

Mark la miró un momento con vacilación.

—Dime, ¿de dónde has sacado la pistola? —quiso saber Pia.

—Estaba en el armario de la ropa de Ricky. Junto con la escopeta que antes había visto en el henil.

Era evidente que se trataba de la pistola que había desaparecido del armario de armas de Ludwig Hirtreiter, y esa era la prueba que le faltaba a Pia. Se volvió hacia la señora Franzen, en cuyo rostro ya no se veía miedo ahora que el peligro inminente había desaparecido; solo estaba furiosa.

—¿Podría desatarme de una vez? —pidió.

—Tenga un poco más de paciencia —repuso Pia—. Ah, sí, por cierto, está detenida. Se la acusa del asesinato de Ludwig Hirtreiter.

Los ojos de Mark se abrieron con incredulidad.

—Ella…. No, no me lo creo. —Sacudió la cabeza.

—Sí, fue ella.

—Pero… ¡Pero si estaba completamente destrozada! La vi llorando y… —Mark se interrumpió y miró a Ricky con asco—. Eres lo peor del mundo.

La mujer miró más allá de él sin decir nada. Pia le dio la cámara a Mark y retiró el cargador de la pistola. Por un segundo sintió un mareo. Estaba vacío.

31 de diciembre de 2008

*I*nsertó *su tarjeta magnética en la ranura y esperó a que se levantara la barrera, pero de repente una figura vestida de negro apareció junto a su coche como salida de la nada y metió una mano por la ventanilla abierta para agarrarla de la muñeca. ¡Uno de los vigilantes! ¡No! Se llevó un susto de muerte y pisó el acelerador como en un acto reflejo. El coche saltó disparado hacia delante, la barrera amarilla crujió y se partió en pedazos.*

—¡Mierda! —exclamó, y giró el volante, desesperada, para no perder el control del vehículo.

Por el espejo retrovisor vio que se encendían unos faros. Con el BMW tenía bastantes probabilidades de despistar a sus perseguidores. Dio gas. ¡Seguro que los gorilas de Dirk no estaban en el instituto por casualidad! ¿Había hecho saltar alguna alarma silenciosa sin darse cuenta? ¿O habían acudido al instituto porque sospechaban algo, después de que el día anterior se les hubiera escapado del hotel? Tenía claro que detrás de todo aquello estaba Dirk, y eso solo podía significar una cosa: se había enterado del peligro que lo amenazaba y quería evitar a toda costa que las investigaciones de Cieran se hicieran públicas.

Saltándose todos los límites de velocidad, aceleró por la B-1 en dirección al municipio berlinés de Zehlendorf con los ojos pegados al espejo retrovisor cada pocos segundos. Aunque todavía quedaban dos horas largas para la medianoche, en la carretera había mucha actividad. ¿Qué par de faros era el de la furgoneta Volkswagen negra de sus perseguidores? En el nudo de Zehlendorf iba a demasiada velocidad y se pasó la salida hacia el antiguo autódromo. Maldita sea, tendría que recorrer toda la avenida de Potsdamer Allee, ¡y no conocía esa zona! Para colmo, la aguja de la gasolina estaba casi a cero, así que no llegaría mucho más lejos.

—No me dejes tirada —le susurró al coche.

Solo con que llegara a la calle 17 de Junio... ¡Allí podría desaparecer entre el gentío que estaría celebrando la Nochevieja en la Puerta de Brandemburgo! Ante ella, un semáforo pasó de verde a ámbar; aceleró. El vehículo de detrás hizo lo mismo. A la luz de las farolas vio que era la furgoneta negra. No había conseguido despistarlos. En el siguiente cruce giró el volante bruscamente hacia la izquierda sin poner antes el intermitente y derrapó sobre el carril contrario, internándose cada vez más y a toda velocidad en una parte de la ciudad en la que no había estado nunca. El motor empezó a traquetear y el coche dio varias sacudidas como un caballo tozudo. Aun así, consiguió torcer por una calle lateral, apagó los faros y aprovechó las últimas gotas de combustible para meterse en una plaza de aparcamiento.

Sin permitirse un segundo de duda, agarró el bolso, abrió la puerta y echó a andar. Tal vez consiguiera parar un taxi o camuflarse entre un grupo de gente. Caminaba deprisa y con la mirada fija en el suelo. Al llegar a un cruce, por fin se atrevió a levantar la cabeza. Allí delante tenía el río Spree, y entre los edificios se veía la torre de la televisión. ¡Con un poco de suerte lo conseguiría! Con el rabillo del ojo creyó ver un coche que reducía la marcha a su altura. El corazón le latió con fuerza. ¡La habían encontrado! Al otro lado de la calle había un cartel luminoso azul con una U blanca: ¡el metro! Era su oportunidad.

—¡Quieta! —exclamó alguien tras ella—. ¡Ya te tenemos!

Eso habrá que verlo, pensó, y echó a correr.

«Vamos a salir –dijo la voz de Pia por el altavoz–. Tengo yo el arma.»

La tensión se relajó, el alivio era inmenso. Incluso Joe Schäfer se arrancó una sonrisa y comunicó a su equipo que el secuestrador estaba desarmado y que no debían disparar.

Todos se levantaron de su sitio y salieron de la furgoneta. El sol ya estaba bajo y pronto oscurecería, pero la calle y la entrada de la casa estaban iluminadas por focos y casi parecía por la mañana. Oliver se quedó con Nicola Engel junto a la furgoneta de operaciones y vio salir a Pia de la casa con Mark. El chico tenía las manos levantadas y dejó que dos agentes se lo llevaran sin ofrecer resistencia. Sus padres se abrieron paso entre los policías mientras la inspectora se quedaba en los escalones, hablando con alguien de las fuerzas especiales para pedir un médico. Luego desapareció en el interior con Joe Schäfer y dos de sus hombres. Al cabo de unos segundos, la calle estaba llena de gente y de luces azules intermitentes. Oliver se sentía dividido entre el impulso de acercarse a Pia, que estaba a punto de realizar la detención de Friederike Franzen, y el deseo de ir a ver a Annika. Al final se decidió por su compañera. El aire sofocante del interior de la casa lo dejó un momento sin respiración. Una agente levantó las persianas y abrió una ventana. Pia estaba en la cocina con los hombres de las fuerzas especiales, todos ellos vestidos con su equipo oscuro, y hablaba por teléfono mientras supervisaba cómo liberaban a la señora Franzen de sus ataduras. De pronto Oliver dudó y se detuvo en el vestíbulo. Los dos casos de asesinato estaban resueltos, pero él no había hecho ninguna contribución. En los momentos decisivos había dejado a Pia y a su equipo en la estacada. ¿Qué repercusiones tendría su comportamiento de los últimos días en su futuro? Pia había mostrado una gran entereza en su ausencia, había probado más allá de toda duda que tenía capacidad de sobra para dirigir la K 11. Tal vez él no fuera ya la persona más adecuada para ese trabajo.

—¿Por dónde es? —le preguntó alguien.

—Todo recto, están en la cocina —contestó.

Un médico de urgencias y dos auxiliares sanitarios pasaron junto a él. Entonces Pia volvió la cabeza y lo vio. Para su alivio, una sonrisa apareció en el rostro exhausto de su compañera.

—Hola, jefe —dijo, y guardó el móvil.

—Enhorabuena, Pia —repuso él en voz baja—. Has hecho un trabajo de miedo.

Se miraron, luego Oliver extendió los brazos.

—Cuidado —le advirtió ella—, estoy empapada en sudor.

—No importa. Yo también. —Sonrió y la abrazó, solo un momento pero con fuerza. Después la miró como si la estuviera examinando—. ¿Tú estás bien?

—Ahora sí. Aunque dejaré para mañana el interrogatorio de Friederike Franzen. Seguro que Christoph está muerto de preocupación.

—Te está esperando fuera —dijo Oliver.

Se apartaron un poco para dejar pasar a los de las fuerzas especiales, que sacaban a Ricky esposada de la cocina.

—¿Quieres saber algo? —le dijo Pia a su jefe—. Cuando Mark me ha dado la pistola, he sacado el cargador. Estaba vacío. Dentro solo había dos casquillos.

—¿Qué? —La señora Franzen se detuvo junto a ella—. ¿Ese pequeño cabrón no podría habernos disparado?

—No —confirmó Pia—. Aunque, bueno, eso no podíamos saberlo.

Los ojos de Ricky Franzen se convirtieron en dos finas ranuras mientras apretaba los labios en una delgada línea.

—Cuando le ponga las manos encima —murmuró con furia—, lo haré picadillo.

—Tendrá que esperar bastante para eso —repuso Pia con sequedad—. Yo diría que unos quince años.

Se levantaron los cordones policiales, los hombres de las fuerzas especiales se reunieron para retirarse, y los vecinos se atrevieron a salir otra vez de sus casas. Reunidos en grupitos, comentaban los emocionantes sucesos de la tarde, que darían que hablar en la urbanización durante semanas. Oliver había dejado a Pia con Christoph y se paró a hablar un momento con Joe Schäfer. Alguien apagó los focos, los agentes de las fuerzas especiales se prepararon para marchar en la penumbra y empezaron a subir a los coches y los furgones negros con los que estaba equipada su unidad. Ya iba siendo hora de llevar a Annika a Frankfurt.

El inspector jefe vio a Cem Altunay, Christian Kröger y Kathrin Fachinger, que estaban junto a Pia y Christoph.

—Hola, jefe —saludó Kathrin, sonriente, cuando se acercó a ellos—. Acabamos de decidir que nos vamos a cenar algo para celebrarlo. ¿Te vienes con nosotros?

También a los demás se los veía relajados y de buen humor. Habían resuelto dos casos y la crisis de los rehenes había acabado sin más heridos. Eran motivos de celebración más que suficientes, pero a él no le apetecía. Además, Clasing estaba esperando su llamada.

—Tal vez me apunte más tarde —repuso rechazando la invitación—. Por si no llego a tiempo, os deseo a todos una feliz velada.

Se volvió y avanzó a paso ligero por la calle. La ambulancia que llevaba a Yannis Theodorakis pasó a toda velocidad junto a él, seguida de un coche patrulla con las luces azules encendidas pero sin sirena. Un coche frenó a su lado y Oliver vio que bajaban la ventanilla.

—Oliver, ¿tienes en cuenta que todavía quiero hablar contigo y con la señora Sommerfeld? —preguntó Nicola Engel.

—Sí, por supuesto —contestó él, y estiró el cuello.

¡Pero si había aparcado el coche de Quentin allí delante, junto al contenedor del cristal! ¿O se había equivocado? Con un palpito funesto, miró a uno y otro lado de la calle vacía.

—¡Oliver! ¡Estate quieto un momento!

Oliver ya no hacía caso a su jefa. Cruzó la calle y miró aturdido a su alrededor. Su cerebro se negaba a aceptarlo. El coche no estaba. Annika había desaparecido. ¡No podía ser verdad! ¿Cómo podía hacerle eso?

El inspector jefe se sentó en el bordillo e intentó controlar su desconcierto. Le dolía horrores abrir los ojos a la realidad, pero Pia había tenido razón. ¿En qué clase de idiota se había convertido para creer tan ciegamente en Annika y confiar en ella? Él le sacaba las castañas del fuego, como solía decirse, y ella desaparecía a las primeras de cambio. ¿Lo habría planeado así desde el principio?

De lejos le llegaban voces y risas. La puerta de un coche se cerró, unos pasos resonaron en el asfalto.

—¿Oliver? ¿Qué te ocurre? —Nicola se acuclilló frente a él.

Solo haciendo uso de toda su fuerza de voluntad consiguió levantar la cabeza. Pocas veces en su vida le había costado tanto pronunciar cuatro sencillas palabras.

—Annika se ha marchado —susurró casi sin voz.

Miércoles, 10 de junio de 2009

Pia puso el intermitente y torció por el camino que cruzaba el bosque hacia la finca de los Bodenstein. Necesitaba todavía un par de firmas de su jefe para poder enviar los expedientes de Hirtreiter y Grossmann a la fiscalía, y luego el trabajo de la K 11 habría terminado. Friederike Franzen había pasado un par de días en prisión preventiva negándose obstinadamente a decir algo, pero al final y por consejo de su abogada, que esperaba poder alegar un simple homicidio en el juicio, había confesado. Compañeros de otros departamentos interpusieron denuncias contra Stefan Theissen y Enno Rademacher por estafa y cohecho. Hacía unos días, Mark había sorprendido a la inspectora llamándola para darle las gracias. La fiscalía lo había acusado de lesiones graves y toma de rehenes, y estaba en tratamiento psicológico, pero le iba más o menos bien. Tendría que declarar como testigo en el juicio contra Ricky por el asesinato de Grossmann, y eso ya era bastante castigo para él. El móvil de Pia sonó justo cuando llegaba al aparcamiento de la finca. Quien llamaba era Frauke Hirtreiter, que estaba muy habladora. Gracias a la herencia de su padre, se había hecho cargo de El Paraíso Animal, y así podría cumplir uno de los sueños de su vida.

—Mostró usted cierto interés por la casa de mi padre —dijo al final—. ¿Hablaba en serio?

—Desde luego. ¿De verdad quiere vender la granja? —preguntó Pia, asombrada.

—¿Qué voy a hacer con ella? A mí me queda demasiado grande y, además, no me trae buenos recuerdos.

—Mi pareja y yo buscamos una propiedad por aquí cerca —dijo la inspectora—. Si no pide usted millones...

—Qué va. Esa granja vale tan pocos millones como valía el prado de al lado. —Frauke se echó a reír—. Y ahora tampoco construirán el parque eólico, así que, si le apetece y quiere volver para echar un vistazo, estaré allí esta tarde a partir de las siete, más o menos.

Hablaron aún algo más, luego Pia colgó para acto seguido marcar el número de Christoph. Hacía días que le hablaba entusiasmada de aquella finca, así que no hizo falta un gran poder de convicción para que accediera a visitarla.

Pia estaba de buen humor. El fin de semana los habían invitado a casa de Henning y Miriam. Esos dos se habían casado en Inglaterra, así era, y querían celebrar el acontecimiento.

En otro momento, se habría sentido quizá algo celosa, ya que en un rincón de su corazón guardaba todavía algún sentimiento hacia su ex, pero también Christoph y ella tenían novedades. Contempló con una sonrisa ensimismada el anillo de su dedo y luego bajó del coche. Un tractor con una paca de heno en la horquilla de la pala dobló la esquina; Pia reconoció al padre de Oliver y lo saludó con la mano. El hombre se detuvo junto a ella, apagó el motor y bajó de la cabina.

—Hola, inspectora Kirchhoff. —El conde Von Bodenstein le tendió la mano con una sonrisa—. Qué alegría que venga a visitarnos.

—Hola, señor Von Bodenstein. —Pia le sonrió también—. En realidad quería hablar con Oliver. ¿Está en casa?

—Me parece que ha subido al castillo con Sophia —respondió el hombre—. Si quiere, la acompaño.

—Sí, con mucho gusto.

El conde dejó el tractor y esperó a que la inspectora sacara los documentos del coche. Después fueron paseando por el camino asfaltado que subía hasta el restaurante del castillo.

—Todavía me cuesta creer que fuera Ricky quien mató a Ludwig —empezó a comentar el hombre al cabo de un rato—. Jamás la habría creído capaz de semejante brutalidad. Y tampoco me entra en la cabeza por qué tuvo que disparar al pobre *Tell,* con lo que le gustan los animales.

—Yo creo que no tenía planeado hacerle nada a Ludwig —repuso Pia—. Estaba furiosa y ofendida porque esa noche él la había insultado en la reunión del Krone, y quería que le pidiera perdón.

—Sí, es verdad —coincidió con ella el padre de Oliver, asintiendo con la cabeza—. Esa noche, por desgracia, Ludwig estuvo muy grosero. Perdió por completo los papeles.

—Sí, bueno —prosiguió la inspectora—, seguramente una palabra llevó a otra, Hirtreiter debió de insultarla y tratarla con desprecio una vez más, y entonces le dijo que acababa de enterarse por Ralph Glöckner de que ella tenía tratos secretos con Stefan Theissen y que quería sabotear el trabajo de la iniciativa ciudadana.

El viejo conde se detuvo y miró a Pia con el ceño fruncido.

—¿Ricky...? —murmuró—. O sea que a eso se refería Kerstin.

—¿Quién se refería a qué? —preguntó Pia.

—Aquella noche, en el pabellón —rememoró Heinrich von Bodenstein—, Kerstin quería decirme a toda costa algo sobre Ricky. Estaba en una camilla y el equipo médico se la llevaba ya a una ambulancia, por eso no pudo terminar de contarme lo que había visto.

—Ricky aprovechó el caos para hacer desaparecer las listas de firmas. Lo ha confesado.

—Pero ¿por qué? ¡Si había hecho muchísimo por la iniciativa!

—Theissen le había ofrecido quinientos mil euros si conseguía hacer fracasar los planes de la iniciativa. Ella quería marcharse a Estados Unidos y empezar una nueva vida. —Pia se encogió de hombros.

—Dinero. —El conde Von Bodenstein suspiró—. Siempre es lo mismo.

De camino al castillo, Pia terminó de explicarle el resto de la terrible historia.

Friederike Franzen perdió los estribos cuando comprendió que Ludwig Hirtreiter la tenía completamente en sus manos.

Empujó entonces al viejo, que a causa del alcohol ya no se tenía en pie con demasiada firmeza. Al tropezar, el hombre dejó caer la escopeta, Ricky la recogió y, desesperada, intentó obligarlo a prometer que guardaría silencio apuntándolo con el arma, pero no consiguió nada, por supuesto. Hirtreiter se rio y se burló de ella, momento en que la mujer le disparó primero en el vientre y luego en la cara. Llevada por la rabia hacia el viejo, hacia sí misma y hacia toda aquella situación que se le había ido por completo de las manos, al final arremetió contra el cadáver a patadas y con la culata de la escopeta, hasta que se serenó.

Pia y el conde caminaron uno junto a otro en silencio durante un rato. Cruzaron la gran verja y sus zapatos crujieron sobre la grava de la entrada.

—¿Y *Tell?* ¿Por qué mató al perro? —preguntó el hombre, compungido.

—Debió de atacarla —explicó Pia—. Para defender a su amo.

—Todo esto es una locura —dijo el conde con tristeza.

—¡Abuelo! —exclamó de repente una vocecilla aguda—. ¡Abuelo! ¿Dónde está el tractor?

El semblante de Heinrich von Bodenstein se iluminó en cuanto vio a la pequeña que bajaba a saltos los escalones del castillo y corría hacia él con la melena ondeando y los ojos brillantes.

—Esta ha salido a mí —le dijo a Pia, y le guiñó un ojo—. Lo que más le gusta es subirse al tractor o a un caballo.

Extendió los brazos y levantó a Sophia en alto.

—Venga —dijo el conde—, tú y yo nos vamos a dar una vuelta en tractor, que tu madre llegará enseguida.

Pia los vio marcharse a los dos sonriendo, luego se volvió hacia el castillo.

Oliver estaba en lo alto de la escalera. Tenía mal aspecto. Entre su cabello oscuro se veían varios mechones grises en los que Pia nunca se había fijado antes. Una sombra azulada de barba le cubría el mentón, y no llevaba corbata. La historia con Annika Sommerfeld le había afectado mucho. La inspectora no se había atrevido todavía a mencionarle ese tema tan sensible, pero la habían informado de que habían encontrado el coche de su hermano en un aparcamiento del aeropuerto de Múnich. De Annika Sommerfeld, sin embargo, no había ni rastro.

—¿Cómo estás? —le preguntó a su jefe—. ¿Tienes un momento? Necesito que me firmes un par de cosas.

—Sí, claro. —Oliver asintió—. Vamos a la terraza.

Pia lo siguió y cruzó con él el restaurante, donde a esa hora no había actividad. Al llegar a la terraza, se sentó y dejó allí encima de una mesa los expedientes. El inspector jefe no hizo ademán de sentarse, sino que se acercó a la balaustrada y cruzó los brazos sobre el pecho. Durante un rato no dijo nada. Pia lo miraba con atención, esperando que fuera él quien empezara a hablar.

—Tendría que haberte hecho caso —dijo por fin—. Casi nunca te ha fallado la intuición.

Para Pia no era ninguna satisfacción haber acertado esa vez. Aunque la tal Annika no le había caído bien, deseaba de todo corazón que su jefe encontrara de nuevo la felicidad.

—En esta ocasión preferiría haberme equivocado.

—Da lo mismo. Fui un idiota y solo puedo agradecerle a Engel que todo este asunto no vaya a traerme consecuencias profesionales. —Miró hacia el césped de más abajo—. He hablado con Yannis Theodorakis. Él investigó un poco sobre Annika. Le registró el bolso, entre otras cosas. Iba por ahí con más de cien mil euros en metálico. ¿De dónde había sacado tanto dinero?

—De la caja fuerte que tenía Dirk Eisenhut en el instituto —contestó Pia con sobriedad—. También malversó dinero de las cuentas de la fundación.

Oliver suspiró.

—Tenía un portátil, un iPhone, toda su documentación. A mí me contó que había huido con tanta precipitación de Berlín que no había podido llevarse nada. Y me lo creí todo. ¿Cómo pude ser tan tonto?

—No fuiste tonto. Te enamoraste de ella —comentó Pia—. La experiencia en el Pabellón de Ehlhalten te afectó mucho. En esas situaciones uno no se comporta con racionalidad.

—¿Qué más me ocultó? ¿Los dos asesinatos? —preguntó el inspector jefe sin fuerzas. Se volvió, y Pia se sobresaltó al ver su rostro atormentado—. Día y noche pienso en ello. Le prendió fuego a la casa del profesor Eisenhut. Ella tiene la culpa de que su mujer haya acabado como un vegetal. No se trataba para nada de destapar esas mentiras, el tal O'Sullivan siempre le fue indiferente. Lo único que quería era vengarse porque Eisenhut se había casado con otra mujer.

Oliver se quedó callado. A Pia le dolía en el alma verlo tan abatido, pero ¿qué podía decirle?

—Pia. —Por fin levantó la mirada y suspiró—. Eres la primera a la que se lo digo. Me ha costado mucho tomar esta decisión, pero voy a solicitar un puesto en la K 11 de Berlín.

—¡¿Qué?! —La inspectora lo miró sin podérselo creer—. ¡No lo dices en serio!

—Sí, lo siento mucho.

Ella no pensaba dejarlo marchar así como así. Se levantó de un salto y se acercó a él.

—Sé muy bien por qué quieres irte precisamente a Berlín. Allí esperas poder averiguar algo más de ella, pero con eso ni te encontrarás mejor ni conseguirás empezar de cero.

—Tengo que intentarlo. —La miró con amargura—. Mi matrimonio se ha ido al garete, vivo con mis padres y solo sirvo como canguro para Sophia. Ni siquiera en el trabajo consigo hacer nada a derechas. ¿Qué me retiene aquí?

Pia puso los brazos en jarras y lo miró entrecerrando los ojos.

—Te regodeas en la autocompasión en lugar de respirar hondo y seguir adelante —dijo—. Puede que suene algo trillado, pero después de la tormenta viene la calma. Seguramente yo misma soy la mejor prueba de que se puede pasar página después de una separación, ¿o no?

A Oliver le sonó el móvil en el bolsillo. Sin dejar de mirar a Pia, lo sacó y contestó. Escuchó un momento en silencio y luego dijo:

—Ahora mismo vamos.

—¿Qué pasa? —preguntó Pia.

—Un cadáver —contestó Oliver—. En un bosquecillo que hay entre Liederbach y Hofheim.

En ese momento se abrieron las nubes. La luz del sol se derramó de pronto sobre la terraza y obligó a la inspectora a parpadear.

—Me parece que tienes razón, una vez más —dijo el inspector jefe.

—¿A qué te refieres?

—A que después de la tormenta viene la calma y sale el sol. —Sonrió casi como Pia estaba acostumbrada a verle hacer—. Te echaré de menos en Berlín.

—Bueno —contestó Pia, seca—. Todavía no estás allí.

Epílogo
Sábado, 14 de noviembre de 2009

–¿Café? –preguntó Oliver.

Su padre asintió, él le sirvió una taza y abrió el periódico. El titular le llamó de inmediato la atención.

«El encubrimiento del enfriamiento global –leyó, y sintió que empezaba a temblar–. Poco antes de la cumbre climática de la ONU en Copenhague, la comunidad internacional de investigadores se ve sacudida por un escándalo de manipulación de datos y robo de correos electrónicos. Unos desconocidos han conseguido copiar datos secretos y miles de mensajes con un contenido explosivo del servidor de la Unidad de Investigación Climática de la Universidad de Gales y los han hecho públicos a través de internet. El escándalo, sin embargo, no reside tanto en el robo de datos como en el contenido de los correos electrónicos, cuya autenticidad ya ha sido corroborada por el director de la unidad, que ha dimitido de su cargo a consecuencia de los acontecimientos. En esos mensajes, prominentes investigadores climáticos de todo el mundo acordaban cómo hacer frente a los escépticos del cambio climático y la prensa más crítica, y cómo podían manipularse las mediciones para conseguir que encajaran con la tesis oficial del cambio climático provocado por el hombre. Estas revelaciones son la prueba de un intento sin precedentes por parte de importantes expertos internacionales de tergiversar los resultados de sus investigaciones, o incluso eliminarlos, con intenciones fraudulentas y llevados por motivaciones políticas. La relevancia del instituto británico confiere al suceso una magnitud extraordinaria, puesto que el Centro de Investigaciones Climáticas de la Universidad de

Gales es uno de los cuatro únicos organismos de todo el mundo que proveen de datos "oficiales" de temperaturas al Panel Intergubernamental del Cambio Climático de Ginebra. También el nombre del científico alemán Dirk Eisenhut, director del Instituto Climatológico de Alemania, entidad cercana al Gobierno federal, aparece mencionado en numerosas ocasiones en los correos electrónicos. El "papa climático" alemán, cuyo nombre posee un gran peso en el Panel Intergubernamental del Cambio Climático, no ha querido por el momento expresar su opinión sobre el asunto, pero ya parece irremediable que su credibilidad se vea gravemente perjudicada. Es probable que tampoco él tenga más alternativa que renunciar a su cargo para no perjudicar a su instituto. Haciendo alusión al escándalo del Watergate, la prensa anglosajona habla ya de un "Climagate", que para la facción internacional de defensores del calentamiento global comportará sin duda la obligación de ofrecer explicaciones detalladas.»

Oliver cerró el periódico y dio un sorbo a su café, que ya se le había enfriado. Finalmente Annika lo había conseguido.

Agradecimientos

Escribir un libro es una tarea solitaria y con muchos altibajos que se alarga durante meses. En ese tiempo ha habido muchas personas que me han respaldado, inspirado, motivado, que me han escuchado, animado, ayudado y que han sido comprensivas en las frecuentes ocasiones en que he estado de mal humor. A todas ellas va dirigida mi gratitud.

Antes que a nadie, le doy las gracias a mi maravillosa editora Marion Vazquez, que ha trabajado conmigo en este libro con pasión y un gran compromiso, y que se ha convertido en una buena amiga de verdad.

Un enorme agradecimiento para Vanessa Müller-Raidt, para mi genial hermana Claudia Cohen y para Camilla Altvater, así como para los mejores padres del mundo, Bernward y Carola Löwenberg, por su apoyo, su consejo y su respaldo.

Gracias también a mi marido, Harald, a mi agente, Andrea Wildgruber, a mi sobrina, Caroline Cohen, a Susanne Hecker, Simone Schreiber, Catrin Runge, Anne Pfenninger y, de nuevo, muy especialmente, a la inspectora Andrea Schulze y a todo el equipo de la K 11 de Hofheim por sus utilísimos consejos.

Un gracias enorme para los colaboradores de la editorial Ullstein, por su gran confianza y su estupendo trabajo conjunto. En representación de todos ellos quisiera agradecer aquí a Iska Peller, Kristine Kress y Christa Thabor.

Por último, aunque no por ello con menor entusiasmo, les doy las gracias a todos los lectores y las lectoras, a los libreros y las libreras que disfrutan de mis novelas y que me lo demuestran, me lo dicen o me lo escriben. Es una sensación única saber que he conseguido proporcionarles unas horas de entretenimiento y emoción.

Nele Neuhaus

Nota de la autora

Este libro es una obra de ficción. Cualquier parecido con situaciones o personas reales, vivas o muertas, es puramente casual y no ha sido intencionado. El único acontecimiento que sí tuvo lugar de una forma similar es el ataque de hackers al Centro de Investigaciones Climáticas de la Universidad de East Anglia en noviembre de 2009, que aquí presento transformado, y que atrajo la atención de los medios poco antes de la conferencia sobre el cambio climático de Copenhague. Aun así, manifiesto que los personajes, acontecimientos e instituciones que aparecen en mi historia son fruto de mi imaginación y que no pretendo desacreditar ni difamar a ninguna persona, viva o muerta, como tampoco a ninguna institución que exista en la realidad.

La letra de la canción «All Summer Long», de Kid Rock, se ha tomado del álbum *Rock N Roll Jesus* (Atlantic/Warner), publicado en 2007.

La serie del Taunus

Ambientada en el encantador paisaje de la región del Taunus, cerca de Frankfurt, la serie protagonizada por los policías Oliver y Pia se ha convertido en el gran éxito del *local crime* europeo.

¿Has leído todos los títulos?

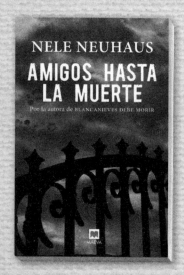

Amigos hasta la muerte

Un paisaje pintoresco.

Un hallazgo espeluznante.

Un lugar donde todo el mundo tiene algo que ocultar.

Algunas heridas nunca se curan

¿Qué precio pagarías por rehacer tu vida?

Tarde o temprano, el pasado llamará a tu puerta.

Blancanieves debe morir

Dos asesinatos, una condena y un muro de silencio.

El libro que catapultó a Nele Neuhaus a la fama.

Por la misma autora, en MAEVA young

encontrarás la novela juvenil
Elena. Una vida al galope, ambientada
en el mundo de la equitación.

Elena. Una vida al galope

Amistad, caballos, intrigas
y romance en un libro
trepidante, protagonizado por
una joven jinete.